RICHARD WAGNER
MEIN DENKEN

Greg Whitlock
Heidelberg
9.2.84

Dieser Band zeigt zum erstenmal in einem repräsentativen Querschnitt, was Richard Wagner dachte: wie er dachte, worüber und mit welchem Resultat. Der in provokatorischer Anlehnung an Wagners Autobiographie »Mein Leben« gewählte Titel will nicht eine Systematik von »Denken« vorgeben, sondern deutet auf einen lebenslangen Prozeß hin, der zu keinem Abschluß kam. Der Band enthält neben Bedenkenswertem, Wegweisendem, nach wie vor Interessantem auch das Bedenkliche, ja Fragwürdige; neben der theoretischen Anstrengung zur Rechtfertigung seines musikdramatischen Werkes auch den folgenreichen Irrtum; neben den Hauptschriften auch das so gut wie Unbekannte.

Von den frühen, an Heine geschulten Pariser Kulturkritiken und den Dresdner Revolutionsaufsätzen, über die Zürcher Kunstschriften, das Pamphlet »Das Judentum in der Musik«, die Aufsätze »Deutsche Kunst und deutsche Politik«, »Was ist deutsch?«, »Religion und Kunst« bis hin zum letzten Fragment »Über das Weibliche im Menschlichen« bietet die Sammlung ein Konzentrat aller politischen, kulturphilosophischen und kunsttheoretischen Niederschriften, deren Intentionen und Widersprüche vom Herausgeber in einer allgemeinverständlichen Einführung erläutert werden.

Martin Gregor-Dellin, geboren 1926 in Naumburg an der Saale, ist Autor von Romanen (»Der Kandelaber«, »Föhn« u. a.), von Erzählungen, Essays, der historisch-biographischen Studie »Schlabrendorf oder Die Republik« und der großen Biographie »Richard Wagner. Sein Leben – Sein Werk – Sein Jahrhundert«. Er ist Mitherausgeber der Tagebücher Cosima Wagners.

RICHARD WAGNER
MEIN DENKEN

Eine Auswahl der Schriften
Herausgegeben und eingeleitet von
Martin Gregor-Dellin

R. PIPER & CO. VERLAG
MÜNCHEN ZÜRICH

ISBN 3-492-00564-0
© R. Piper & Co. Verlag, München 1982
Gesetzt aus der Times-Antiqua
Umschlag: Disegno
Gesamtherstellung Clausen & Bosse
Printed in Germany

Inhalt

V = occurences of *übermensch*
Underlined = most important
* = important also for GT

Vorwort

1

Der Titel »Mein Denken«, in provokatorischer Anlehnung an Richard Wagners Autobiographie »Mein Leben« gewählt, soll kein System unterstellen, nicht »Denken« als eine geschlossene Welt der Anschauung und Begriffe. Er meint das genaue Gegenteil: einen Prozeß, der nie zu einem Abschluß kam, weil er von vornherein nur auf das »Durchdenken« eines sich von Fall zu Fall ändernden künstlerischen und politischen Verhältnisses zur Welt abzielte. Richard Wagner war kein philosophischer Kopf, wohl aber besaß er eine stark reflektierende Intelligenz und ein ausgeprägtes Mitteilungsbedürfnis, ohne daß er sich dabei jedesmal im klaren war, woher er eigentlich seine Begriffe und Thesen nahm. Man könnte mit einem sehr naheliegenden musikalischen Terminus sagen, er habe sie enharmonisch verwendet. All das Vokabular, ja sogar das Bündel von Grundansichten und Meinungen, das die Schriften Wagners über fünfzig Jahre hinweg zu verbinden scheint, hat in den unterschiedlichen Zeitströmungen und Philosophien eines halben Jahrhunderts eine ganz verschiedene Bedeutung. Weder hieß »national« in den achtziger Jahren des 19. Jahrhunderts noch das gleiche wie in den Dreißigern, noch »frei«, noch »deutsch«, oder auch »Leben«, »Wille«, »Vorbestimmung«, wenn man sie unterschiedlichen philosophischen Kontexten entnahm. Eklektizistisch zitierend, ging Wagner mit den Begriffen ziemlich wahllos und unbedenklich um. Er benutzte den Zeitgeist auf eine anthologische Weise, um damit Eigenes, um sich selbst auszudrükken, nicht umgekehrt – eine Haltung, der man eine letzte, eindeutige Grundformel, aus der sich alles erklären ließe, kaum unterschieben kann. So aufschlußreich und interessant seine Position in Zusammenhang mit seinen jeweiligen künstlerischen Absichten heute auch erscheint, bindend und verbindlich war sie nicht, sondern von schillernder Ambiguosität und meist ein irritierendes Vorkommnis für seine Anhänger und Gegner, die ihn gern für immer festgelegt hätten. Wer daher heute Richard Wagner aus einem einzigen Punkt, und sei das ein fataler, zu erklären versucht und ihm eine geschlossene Weltanschauung unterschiebt, um ihn mit deren Fatalität gleichsam aus der deutschen Kulturgeschichte zu eliminieren, begeht denselben verhängnisvollen Fehler wie die Meßdiener jener »Religion«, die zu bekämpfen er vorgibt. Schwer kann man den Jungdeutschen, den Anarchisten, den Sozialisten und Feuerbachianer Wagner mit dem Konservativen, dem Anhänger Schopenhauers und Prediger einer Rasse-Regeneration in Übereinstimmung bringen. Blendet man jedoch den einen oder anderen Teil seines Denkens aus seinem Bilde aus, betreibt man genau das Geschäft derjenigen, die Wagner für ihre eigene verfängliche Ideologie vereinnahmten. Dieses Konzept geht nicht auf. Der Fall Wagner war und ist komplizierter, und Aufklärung heißt hier nicht vereinfachen, sondern die Wolken zerteilen und Licht hereinlassen in das verknäulte Ganze. Daher muß eine Auswahl aus Wagners Schriften neben dem Bedenkenswerten, Kühnen, Gelungenen und nach wie vor Interessanten auch das Bedenkliche, das Mißratene und Fragwürdige enthalten, neben der gewaltigen theoretischen Anstrengung zur Begründung und Rechtfertigung seines musikdramatischen Werkes auch den folgenreichen Irrtum.

Nicht aufgenommen wurde aus Gründen des Umfangs alles »Erdichtete«, Fiktionale, Novellistische, ferner ein großer Teil der Nebenschriften, die sich mit der Interpretation eigener und fremder Werke, mit dem zeitgenössischen Theaterwesen und der Entstehung und Geschichte des Bayreuther Werkes beschäftigen, sowie alles vorwiegend Autobiographische. So bleibt ein Berg von tausend Seiten übrig, aus denen noch einmal alle Wiederholungen, alle weniger charakteristischen und mit dem Zeitbezug versunkenen Polemiken und Erörterungen ausgeschieden wurden. Bei vier der aufgenommenen Schriften waren – in Passagen von untergeordneter Bedeutung – Kürzungen notwendig, die im Text gekennzeichnet und in den bibliographischen Anmerkungen kurz erklärt sind. Immer handelt es sich dabei um zusammenhängende Kapitel. Die Texte selbst sind nach der Ausgabe von 1911 unverändert und unrevidiert.

2

Muß ein Musiker schreiben? Muß ein Dramatiker theoretisieren? Der Umfang der Schriften, die Richard Wagner hinterließ, wirft die Frage nach seinen Motiven unweigerlich auf. Sie veränderten sich im Lauf seines Lebens. Gleich blieb jedoch immer Wagners

Bedürfnis, über seine Absichten Klarheit zu gewinnen und sie anderen zu erklären. Das gelang ihm offenbar am besten, wenn er sich in einen Schreibstil hineinzwang und damit in eine möglichst folgerichtige Entwicklung von Gedankengängen, in denen – ähnlich wie in seinen Dramen – das Eine unter höchstmöglicher »Motivation« aus dem Anderen hervorging. Die argumentative, überreden wollende Vortragsweise, in den Kunstschriften der Zürcher Zeit auf die Spitze getrieben, hat ihm dann zweifellos den Stil verdorben. Es ist also nicht gerade ein Vergnügen, sich noch einmal auf Wagners Hauptschriften einzulassen. Sie sind angestrengt und strengen an. Aber warum nahm dieser Mann, der gewiß nicht zum Schriftsteller geboren war, all diese Mühen auf sich?

Interessanterweise gingen die meisten theoretischen Schriften den musikdramatischen Werken voran. Einen Wall aus Worten schien er gegen die eigenen Zweifel aufschichten zu müssen. In »Oper und Drama« entwickelte er eine Kompositionstechnik, die er bis dahin überhaupt noch nicht erprobt hatte – und erst dann komponierte er den »Ring des Nibelungen«. Er nutzte die produktiven Pausen zu Selbsterfahrungen im Sinne von Goethes »Nebensachen«. Und es bereitete ihm mit zunehmendem Alter mehr Freude, sich als Schriftsteller schnell zu verwirklichen. Partituren entstehen in aberhundert täglichen Einzelanstrengungen über Jahre hinweg, sie muten der Geduld unglaublich viel zu und lassen die Spannung ermüden. »Schriften« dagegen verschaffen nach kurzer Zeit das Erlebnis von Vollendung. Zuweilen nahm das Schreiben wohl auch ganz eine Ersatzfunktion an und täuschte über Phasen mangelnder Produktivität hinweg. Die ersten Zürcher Jahre ab 1849 waren die musikalisch unergiebigsten seines Lebens. Entsprechend umfangreich sind die Schriften aus jener Periode. Aber da schrieb er schon wie der Lehrmeister eines Systems, das es noch gar nicht gab.

Am genußreichsten ist noch heute die Lektüre der frühen Schriften, wenn man von einigen glänzenden, selbstironischen Passagen seiner Autobiographie »Mein Leben« absieht, die er diktierte. Die ersten Arbeiten Wagners stammen aus dem Jahr 1834 und sind erstaunlich genug, da sie bereits Abkehr und Umkehr bedeuten. Wovon? Was war bis dahin auf ihn eingeströmt? Beinah nicht aufzuzählen und jedenfalls schwer einzuschätzen sind die Bildungserlebnisse, die der junge Wagner seinem Onkel Adolf in Leipzig verdankte. Adolf Wagner war ein weltliterarisch versierter Mann, Übersetzer, selbst Schriftsteller, ein Liebhaber der deutschen Klassik und Romantik, der dem Neffen die Kenntnis Shakespeares, Tiecks, Friedrich Schlegels und E. T. A. Hoffmanns vermittelte. Nicht auszuschließen, daß der Musikstudent, debütierende Dichter und Komponist Richard Wagner in August Wilhelm Schlegels »Beiträgen zur Kritik der neuesten Literatur« von 1798 auch schon jene Sätze las: »Muß die reine Instrumentalmusik sich nicht selbst einen Text erschaffen? und wird das Thema in ihr nicht so entwickelt, bestätigt, variiert und kontrastiert, wie der Gegenstand der Meditation in einer philosophischen Ideenreihe?« Beethovens Musik und das prägende Kindheitserlebnis Carl Maria von Webers in Dresden, der den Deutschen ihre Oper wiedergeschenkt hatte, gaben dazu den Grundton.

Das alles sollte nun zur Disposition gestellt werden, als der zwanzigjährige Richard Wagner in Leipzig Heinrich Laube und das Junge Deutschland kennenlernte. Laube und seine Freunde polemisierten nicht nur gegen die literarische Orthodoxie, die verzopfte Klassik, die sentimentale Romantik, sie verwarfen nicht nur Goethe und Schiller, Tieck und Novalis, sondern auch Carl Maria von Weber. Anfangs widersprach Wagner. Doch Laubes Tiraden gegen den deutsch-romantischen Schwindel in der Oper sollten ihre Auswirkung noch zeigen. Laube war es auch, der dem jungen Wagner die Lektüre von Wilhelm Heinses Roman »Ardinghello und die glückseeligen Inseln« ans Herz legte, in dem die Bejahung der Sinnenlust aus einer Philosophie der Freiheit, Schönheit und Kraft entwickelt wurde. Nun geriet freilich der literarische Rigorismus des Jungen Deutschland in Konflikt mit Wagners musikalischer Entwicklung: Er schrieb die Oper »Die Feen«, die ihn der romantischen Märchen- und Geisteroper eher annäherte. Danach aber kehrte er um.

Nach der Rückkehr aus Würzburg, vor Antritt seiner ersten Stellung in Bad Lauchstädt, schrieb Wagner den Aufsatz »Die deutsche Oper«. Unter dem Eindruck einer Bellini-Oper stehend, grenzt sich Wagner gegen jede Art von Deutschtümelei ab und gibt der dramatischen Darstellung gegenüber der bloßen »Empfindung« den deutlichen Vorzug. Das ist die Wende von den »Feen« zum »Liebesverbot«, von Carl Maria von Weber, dem er vorwirft, er habe nie den Gesang zu behandeln gewußt, zu den Italienern. Nicht für immer. Aber das korrigierende *dramatische* Element und die Absage an eine zu einseitig nationale, romantische Auffassung der Oper sollte er auch bei der abermaligen Umkehr in Paris, vom »Rienzi« zum »Fliegenden Holländer«, nicht mehr rückgängig machen. Hierin liegt die Bedeutung der frühen Schrift. In dem Pasticcio, das er kurze Zeit später aus Magdeburg der »Neuen Zeit-

10

schrift für Musik« Robert Schumanns schickte, erhebt er kräftig Klage, daß »keiner das warme, wahre Leben« packe. »Unsre modernen romantischen Fratzen sind alle dumme Leichengestalten.« Den Satz hätte Laube geschrieben haben können.

Die Pariser Schriften stellen die angedeutete Synthese, parallel zum musikalischen Durchbruch in der »Faust-Ouvertüre« und im »Fliegenden Holländer«, und damit die Verbindung zu den romantischen Quellen seiner Kunst her. Zugleich konstituieren sie den Schriftsteller Wagner. Es ist unbezweifelbar, daß er sich dabei Heinrich Heine zum Vorbild nahm. Seine besten Prosastücke, die er in Paris über deutsches Musikleben, französische Zustände, Kunst, Musik und Theater schrieb, lassen sich durchaus an Heine und Börne messen. So gut hat Wagner nie wieder geschrieben. In dem weit ausholenden Aufsatz »Halévy und die Französische Oper« gelang ihm aber noch mehr: Wagner entwickelt hier erste grundlegende Gedanken zum Problem der Orchestermelodie, die sich von der dekorativen Melodik der Italiener *zu unterscheiden* habe und dennoch nicht bloß im national Gefärbten verharren dürfe. Der mit dem »Fliegenden Holländer« eingeschlagene Weg zu einer dramatischen, die allgemein-menschlichen Empfindungen ausdrückenden Kunst wird damit auch theoretisch abgesichert und der Revolution der Mittel gegenüber dem bloß tendenziösen Inhalt der Vorrang gegeben – was nun wieder Heinrich Laube nicht gefiel, so daß es in Dresden, spätestens mit dem »Tannhäuser«, zum endgültigen Bruch Wagners mit dem Jungen Deutschland kam.

Im Jahr 1843 gewann Richard Wagner in August Röckel einen Verbündeten am Dresdner Theater und zugleich einen Freund, der ihm das sozialistische Gedankengut seiner Zeit in Gesprächen nahebrachte, nachdem Wagner von den Pariser Freunden zumindest schon von dem bloßen Vorhandensein solcher Tendenzen unterrichtet worden war. Auch von Feuerbach hatte er schon gehört. Röckel nahm es sehr genau. Und da sich in Wagners Revolutionsschriften das gesamte sozialistische und anarchistische Gedankengut dieser Jahre spurenhaft wiederfindet – Proudhon so gut wie Lamennais, Mazzini, Wilhelm Weitling, selbst Max Stirner, dessen Buch »Der Einzige und sein Eigentum« 1845 erschien –, Wagner selbst aber bis 1849 vermutlich keinen einzigen dieser Autoren wirklich gelesen hat, mag zwar das Interesse aus ihm selbst, es muß jedoch die Erleuchtung durch Röckel gekommen sein. (Mit einer Ausnahme: Röckel interessierte sich nur wenig für Feuerbach. Dessen Lektüre holte Richard Wagner in Zürich gründlich nach.)

Niemals wieder hat sich Wagner jedenfalls so vorbehaltlos einem andren Menschen von so ausgeprägter Eigenart angeschlossen wie August Röckel. Röckel vermittelte auch Wagners Auftreten im Dresdner Vaterlandsverein. Wagners Rede verlangt soziale und nationale Reform an Haupt und Gliedern der Gesellschaft, läßt aber den König als ersten Republikaner noch gelten. Der republikanische Vaterlandsverein galt als gemäßigt, und Wagner war es da auch.

Nicht mehr in den Volksblättern Röckels, für die Wagner spätestens ab Oktober 1848 schrieb. In dem Artikel »Deutschland und seine Fürsten«, der Wagner zweifelsfrei zugeschrieben werden kann, macht er keinen Unterschied mehr zwischen verwerflich handelnden Fürsten und dem Haus Wettin. »Erwacht! Die elfte Stunde hat geschlagen«, ruft der Warnende den Fürsten zu.

Im Winter 1848/49 las Wagner in Dresden Hegels »Vorlesungen über die Philosophie der Geschichte«, aus denen er zumindest die Vorstellung gewann, man müsse das Notwendige wollen und es selbst vollbringen: ein Gedanke, der nicht nur in seine politischen Aufrufe, sondern auch in die »Ring«-Fabel einging. Die Götter hätten demnach aus Einsicht in die Notwendigkeit abzudanken. Wozu sich die Politiker des Jahres 1849 allerdings nicht verstehen wollten. Daraufhin erklärte Wagner am 10. Februar in einem weiteren Artikel, »Der Mensch und die bestehende Gesellschaft«, im Jahr 1848 habe der »Kampf des Menschen gegen die bestehende Gesellschaft« begonnen, der »heiligste, der erhabenste, der je gekämpft wurde«. Der Ausgang ist bekannt.

Hier eine Zäsur zu machen, einen neuen Abschnitt zu beginnen, grenzt beinahe an eine Verfälschung von Wagners Biographie – denn seine Flucht aus Dresden bedeutete keinen Bruch in seinem Denken. Im Gegenteil. Noch für drei Jahre erschien ihm die Revolution als die unerläßliche Vorbedingung für seine Kunst. Das ist durch zahlreiche Äußerungen und Briefstellen belegt. Und die Schriften dieser folgenden Jahre sind erst die Krönung eines revolutionären Konzepts, das zugleich ein tiefes Atemholen ist vor der Ausführung jener Pläne, die in Dresden gereift waren. (Die »Ring«-Fabel entstand zwischen den revolutionären Artikeln für Röckels Volksblätter.) Es ist zu vermuten, daß er sich für Jahre aufs Theoretisieren geworfen hätte, auch wenn er nicht zur Flucht aus Dresden gezwungen worden wäre. Die Zeit der pragmatischen Reformvorschläge für ein Nationaltheater (die wir übergehen, obwohl sie von hoher planender Intelligenz zeugen) war vorbei, jetzt mußte eine neue Welt her. Es war freilich nur eine Kunst-Welt, und eine künstliche zumal.

Was wirkte da hinein? Man muß es nachlesen, um dabei – sich spätere Leser vorstellend: einen König und das deutsche Großbürgertum der Gründerzeit – ein wenig den Atem anzuhalten. Richtiges und Falsches, Angeeignetes und kaum Verstandenes sind darin unauflösbar ineinander vermengt. Als proudhonistisch könnte gelten, was zuweilen ganz nach Hegel klingt: Weltplan, Geschichtsmoral statt eines praktischen politischen Konzepts, das Wagner nie besaß. Vieles kam zusammen und drängte ihn zum Schreiben. Man muß sich vergegenwärtigen, daß sich die Gedanken Röckels und Bakunins (mit dem er sich 1849 in Dresden angefreundet hatte), Proudhons und Feuerbachs, die innerhalb eines einzigen Jahres mit größter Intensität auf ihn eingewirkt hatten, in einem philosophisch wenig geschulten Kopf wie dem Richard Wagners zu einem kaum auflösbaren Knäuel von Axiomen verbanden.

Im Juli 1849 las er in Zürich Ludwig Feuerbachs »Gedanken über Tod und Unsterblichkeit«. Sowohl die sozial-radikale Grundhaltung dieser Schrift wie der entschiedene Atheismus Feuerbachs beeindruckten ihn tief. Wie stark Wagners Abhängigkeit von Feuerbach auch in andren philosophischen Fragen war, zeigt die Gegenüberstellung folgender Zitate: »Wahrheit, Wirklichkeit, Sinnlichkeit sind identisch. Nur ein sinnliches Wesen ist ein wahres, ein wirkliches Wesen, nur die Sinnlichkeit Wahrheit und Wirklichkeit.« (Feuerbach.) »Wahrheit ist ein Begriff, und der Natur nach nichts anderes als die vergegenständlichte Wahrhaftigkeit; der eigentliche Inhalt dieser Wahrhaftigkeit ist aber doch nur einzig die Wirklichkeit, oder besser: das Wirkliche, das wirklich Seiende, und wirklich ist nur das, was sinnlich ist.« (Wagner an Röckel, 25. Januar 1854.) Wagners Konzept einer zukünftigen Gesellschaft und Kunst hängt eng mit dem Erlebnis Feuerbachs zusammen, der ihm auch die Vorstellung einer umfassenden Menschenliebe als »Mittlerin zwischen Kraft und Freiheit«, als »Erlöserin« (wie es in »Kunst und Klima«, Wagners Schrift aus dem Jahr 1850, steht), eingibt. In dem Brief, mit dem Wagner im November 1849 seine Schrift »Das Kunstwerk der Zukunft« Ludwig Feuerbach widmet, heißt es: »Das Publikum gelang es mir oft lebhaft zu erregen; Kritiker von Fach haben mich stets herunter gerissen. So erhielt ich an mir und meinen Gegensätzen viel Stoff zum Denken: wenn ich laut dachte, brachte ich den Philister gegen mich auf, der den Künstler sich nur albern, nie aber denkend vorstellen will. Von Freunden wurde ich oft aufgefordert, meine Gedanken über Kunst und das, was ich in ihr wolle, schriftstellerisch kundzugeben: ich zog das Streben vor, nur durch künstlerische Taten mein Wollen zu bezeugen. Daran, daß mir dies nie vollständig gelingen durfte, mußte ich erkennen, daß nicht der *Einzelne*, sondern nur die *Gemeinsamkeit* unwiderleglich sinnfällige, wirkliche künstlerische Taten zu vollbringen vermag. Dies *erkennen* heißt, sobald dabei im allgemeinen die *Hoffnung* nicht aufgegeben wird, soviel als: gegen unsere Kunst- und Lebenszustände *sich empören*. Seit ich den notwendigen Mut zu dieser Empörung gefaßt habe, entschloß ich mich auch dazu, Schriftsteller zu werden, wozu einst mich schon einmal die äußere Lebensnot getrieben hatte.« Dies alles ist es, worauf sich der unmittelbar folgende Brief an Theodor Uhlig bezieht, dem Wagner das Manuskript von »Das Kunstwerk der Zukunft« beilegte: »Ich bringe ja keine Versöhnung mit der Nichtswürdigkeit, sondern den unbarmherzigsten Krieg: Da nun die ganze Nichtswürdigkeit in unsren öffentlichen Zuständen und namentlich auch im Gewerbe der Künstler und Literaten liegt, so kann ich nur in den Gegenden Freunde finden, die von dieser herrschenden Öffentlichkeit vollständig abliegen. Hier ist nichts zu überzeugen und zu gewinnen, sondern nur auszurotten: dies mit der Zeit zu tun, dazu erhalten wir die Kraft, wenn wir als Jünger einer neuen Religion uns erkennen lernen, und durch gegenseitige Liebe uns im Glauben stärken: halten wir uns an die Jugend, – das Alter laßt verrecken, an dem ist nichts zu holen!«

Nur Textmanipulation und Fälschung der Zusammenhänge kann (wie in jüngster Zeit geschehen) diese »neue Religion« mit Wagners Antisemitismus in Verbindung bringen. Gemeint ist vielmehr die Grundlage, auf der – wie Wagner glaubt – erst nach Beseitigung der bestehenden Verhältnisse eine neue Kunst entstehen wird: Feuerbachs Diesseitsreligion der Menschenliebe. Und wenn nun gar, wie Wagner in den »Gedanken über Tod und Unsterblichkeit« las, die Unsterblichkeit einzig der großen Tat und dem erhabenen Kunstwerk vorbehalten bleiben wird, so mußte es ihm noch unausweichlicher erscheinen, sich vor der Wiederaufnahme irgendwelcher mythologisch bestimmter Dramenpläne theoretisch mit den Voraussetzungen seiner eigenen Kunst auseinanderzusetzen und sowohl politisch wie kunstphilosophisch Farbe zu bekennen.

3

Unter den Zürcher Kunstschriften Wagners versteht man die theoretischen Arbeiten der Jahre 1849 bis 1851, die er nach der Flucht aus Dresden und vor Beginn der Dichtung und der Komposition des Nibelungen-Rings verfaßte. Es sind dies »Die Kunst und die Revolution«, »Das Kunstwerk der Zukunft«, »Kunst und Klima«, »Oper und Drama« und als autobiographischer Abschluß »Eine Mitteilung an meine Freunde«. Dazu gehören einige aus dem Nachlaß veröffentlichte Fragmente wie »Das Künstlertum der Zukunft«, »Das Genie der Gemeinsamkeit« und weitere Aphorismen. Richard Wagner wollte, wie er in »Eine Mitteilung an meine Freunde« nachträglich erläuterte, in »Die Kunst und die Revolution« den Zusammenhang des Kunstwesens mit dem politisch-sozialen Zustand der modernen Welt aufdecken, in »Das Kunstwerk der Zukunft« den tödlichen Einfluß dieses Zusammenhangs auf die (egoistisch zerstückelten) Einzelkünste nachweisen und in »Oper und Drama« schließlich zeigen, wie die Oper bisher irrtümlich für jenes Kunstwerk angesehen worden sei, »in welchem die Keime, oder gar die Vollendung des von mir gemeinten Kunstwerkes der Zukunft bereits zur Erscheinung gekommen wäre«, indessen doch erst bei »Umkehrung des bisherigen künstlerischen Verfahrens bei der Oper einzig das Richtige geleistet werden könnte«. In der »Mitteilung« kommt er dann auf seine eigene Rolle in diesem Prozeß zu sprechen.

Wie ihn das ergriff, überwucherte und sich zu einer verkappten Religion entwickelte, zu einer Welt-Konzeption, die gewissermaßen vom Drama der Griechen auf ihn selbst zulief; wie die Willkürlichkeit der Prämissen nur noch von der Grenzenlosigkeit des Kombinierens übertroffen wurde, bis der Heilscharakter seiner Kunstanschauung alles verschlang, das habe ich an andrer Stelle* ausführlich beschrieben. Es ist dies ein Gesichtspunkt, unter dem man die Kunstschriften betrachten kann. Ein andrer ist die theoretische Selbstermunterung zu einem musikdramatischen Kolossalwerk, für das Vergleichbares fehlte und zu dem ihm die Mittel, die Technik und das ideelle Gerüst in langen Jahren der Selbsterforschung erst zuwachsen mußten. Eine letzte Wurzel haben diese Schriften jedoch im deutschen Idealismus, und das Bindeglied ist

---

* »Richard Wagner. Sein Leben – Sein Werk – Sein Jahrhundert«, R. Piper Verlag, München 1980, S. 325, »Entstehung einer verkappten Religion«.

die *Theorie der drei Zeitalter*. Sie ist identisch mit dem Traum vom goldenen Zeitalter im Einst und Dermaleinst, vom Arkadien, das gewesen ist und wiederkehren wird, und vom Künstler, der jenseits des gegenwärtigen Verfalls zum ästhetischen und sittlichen Erneuerer des Zeitalters der Griechen werden wird. Einst nämlich, in der Antike – so ist die Drei-Zeitalter-Theorie weiter zu übersetzen – war Einheit in den Künsten, Übereinstimmung zwischen Kunst und Leben, Künstler und Gesellschaft; heute dagegen herrscht Zersplitterung, Verlust an Schönheit und Moral, die Kunst ist im Nützlichkeitsdenken befangen; dereinst aber wird im dritten Zeitalter der Menschheit der Widerspruch aufgehoben sein, die Verirrung sich lösen in einem endzeitlichen Humanismus.

Der Gedanke war ein ursprünglich religiöser. Luthers Geschichtskonzept von der Larva Dei, dem Mummenschanz Gottes, ja der Gedanke eines »neuen ewigen Evangeliums«, der die Schwärmer des 13. und 14. Jahrhunderts beseelte, wurden im deutschen Idealismus nur humanisiert. Lessing blieb all solchen Ideen gegenüber skeptischer Aufklärer, mußte aber in »Die Erziehung des Menschengeschlechts« den Juden und Christen des Mittelalters doch einräumen: »Vielleicht war ihr *dreifaches Alter der Welt* keine so leere Grille.« Herder, Schelling, Humboldt liehen dem Künstlertraum dann ihr Wort. Das reinste, unmittelbarste Vorbild der Wagnerschen Drei-Zeitalter-Theorie findet sich jedoch bei Schiller, und es ist zu vermuten, daß der Onkel Adolf Wagner, der Schiller in seiner Jugend begegnet war, den jungen Richard Wagner bereits darauf hingewiesen hat. 1795 erschien Friedrich Schillers »Über die ästhetische Erziehung des Menschen, in einer Reihe von Briefen«, in denen vor allem der Gedanke des seit der Antike zerfallenden Menschenbildes vorgedacht war: »Damals, bei jenem schönen Erwachen der Geisteskräfte, hatten die Sinne und der Geist noch kein strenge geschiedenes Eigentum; denn noch hatte kein Zwiespalt sie gereizt, miteinander feindselig abzuteilen und ihre Markung zu bestimmen.« Die Gattung habe in keinem Individuum, die ganze Menschheit in keinem einzelnen Gott gefehlt – heute aber finde man statt »Mischungen« nur Bruchstücke. »Die Erscheinung der griechischen Menschheit war unstreitig ein Maximum, das auf dieser Stufe weder verharren noch höher steigen konnte«, heißt es bei Schiller. »Die Griechen hatten diesen Grad erreicht, und wenn sie zu einer höhern Ausbildung fortschreiten wollten, so mußten sie, wie wir, die Totalität ihres Wesens aufgeben und die Wahrheit auf getrennten Bahnen verfolgen.« Ein ähnlicher Gedanke über die *Notwendigkeit* des

Zerfalls kehrt auch bei Wagner wieder. Wie aber wird die Gegenwart bei Schiller gekennzeichnet? »Jetzt aber herrscht das Bedürfnis und bringt die gesunkene Menschheit unter sein tyrannisches Joch. Der *Nutzen* ist das große Idol der Zeit, dem alle Kräfte fronen und alle Talente huldigen sollen.« Liest man das nicht fast wörtlich bei Wagner? Weiter in den Briefen »Über die ästhetische Erziehung des Menschen«: »In seinen Taten malt sich der Mensch, und welche Gestalt ist es, die sich in dem Drama der jetzigen Zeit abbildet! Hier Verwilderung, dort Erschlaffung: die zwei Äußersten des menschlichen Verfalls, und beide in *einem* Zeitraum vereinigt!« Der Geist der Zeit schwanke zwischen »Verkehrtheit und Rohigkeit, zwischen Unnatur und bloßer Natur«. Aus dieser doppelten Verirrung könne der Mensch nur durch die Schönheit zurückgeführt werden. Bei Wagner ist es das Kunstwerk der Zukunft, das dem Menschen der Zukunft seine wahre Bestimmung wiedergebe.

Man sage nun nicht, dies alles sei allgemeines Gedankengut der Zeit gewesen. Goethes Realismus widerstrebte es, wie Schiller den Zustand des goldenen Zeitalters als »Idee« zu begreifen. Für ihn war die goldne Zeit »die schöne Zeit, sie war, / So scheint es mir, so wenig, als sie ist; / Und war sie je, so war sie nur gewiß, / Wie sie uns immer wieder werden kann.« Dies erklärt wenigstens teilweise auch seinen Widerwillen gegen die Schrift des Novalis, »Die Christenheit oder Europa« von 1799, deren Druck er durch Einspruch verhinderte. Denn worauf, wenn nicht auf der Drei-Zeitalter-Theorie, beruhte denn die Vision des Novalis von der Einheit des Menschengeschlechts, die mit den Worten »Es waren schöne glänzende Zeiten ...« begann? Hier war es die ursprüngliche Christenheit als goldenes Zeitalter, bei Wilhelm von Humboldt und Schelling das klassische Altertum als Werk eines höheren Menschengeschlechts. An den Altphilologen Friedrich August Wolff in Halle schrieb Humboldt: »Unsere Welt ist eigentlich keine; sie besteht bloß in der Sehnsucht nach der vormaligen und einem ungewissen Tappen nach einer zunächst zu bildenden.« Wagner aber hatte ganz genaue Vorstellungen, zumindest von der Kunst, die diese künftige Welt mitbilden sollte.

Wie ging er nun vor?

In »Die Kunst und die Revolution« wandte er sich sowohl gegen die Sinnenfeindlichkeit des Christentums wie gegen die Erwerbsgrundlage der gegenwärtigen Kunst. »Ihr wirkliches Wesen ist die Industrie, ihr moralischer Zweck der Gelderwerb, ihr ästhetisches Vorgeben die Unterhaltung der Gelangweilten.« Zugunsten der

Reichen sei »Gott Industrie geworden, die den armen christlichen Arbeiter gerade nur so lange am Leben erhält, bis himmlische Handelskonstellationen die gnadenvolle Notwendigkeit herbeiführen, ihn in eine bessere Welt zu entlassen«. Im Gegensatz zur konservativen (Wagner meint affirmativen, bestätigenden) Kunst der Griechen sei die echte Kunst heute revolutionär, weil sie im Gegensatz zur Allgemeinheit existiere. Nur die große Menschheitsrevolution könne das Kunstwerk der Zukunft ermöglichen. »Umfaßte das griechische Kunstwerk den Geist einer schönen Nation, so soll das Kunstwerk der Zukunft den Geist der freien Menschheit über alle Schranken der Nationalitäten hinaus umfassen; das nationale Wesen in ihm darf nur ein Schmuck, ein Reiz individueller Mannigfaltigkeit, nicht eine hemmende Schranke sein.« Die Idee einer das Nationale weit überschreitenden Kunst erscheint bei Wagner nicht zum erstenmal. Bereits 1834 hatte er die romantische Deutschtümelei dem Jungen Deutschland zuliebe aufgegeben, und mit dem Entschluß, man müsse die Effizienz eines politischen Inhalts notfalls einer Revolution der Mittel opfern, hatte er sich später bei Heinrich Laube unbeliebt gemacht und war so vom Jungen Deutschland geschieden: Wichtiger als das Nationale sei die Wahrheit der dramatischen Melodie. Nun, 1849, heißt es in »Die Kunst und die Revolution«, nur auf den Schultern der »großen sozialen Bewegung« werde sich die Kunst »zu ihrer Würde erheben«, und das dritte Zeitalter tritt klar hervor! Wagner bezieht das Kunstwerk der Zukunft, das bessere Dermaleinst, auf die Anfänge, auf das Kunstwerk der Griechen, das aus der Geschichte der Menschheit verschwunden sei – und zwar weshalb? Weil die alte Welt an der Sklaverei zugrunde gegangen sei.

Natürlich hatten auch die deutschen Klassiker schon über die Sklaverei nachgedacht, ihr aber zum Teil eine ganz andre Rolle beigemessen. Humboldt, der sich in seinen Studienjahren zwischen 1791 und 1794 mit der Antike auseinandergesetzt hatte, meinte gar, die Sklaverei habe die Ausbildung des griechischen Menschen befördert, sie »überhob den Freien eines großen Teils der Arbeiten, deren Gelingen einseitige Übung des Körpers und des Geistes – mechanische Fähigkeiten – erfordert. Er hatte nun Muße, seine Zeit zur Ausbildung des Körpers durch Gymnastik, seines Geistes durch Künste und Wissenschaften, seines Charakters überhaupt durch tätigen Anteil an der Staatsverfassung, Umgang und eignes Nachdenken zu bilden.« Was Schiller übrigens nicht einleuchten wollte: Die Sklaverei im Mittelalter habe keine einzige Spur eines ähnlichen Einflusses gezeigt! Und Wagner? Er hatte die Frühsozialisten kennengelernt, diese Frage war für ihn entschieden.

In »Das Kunstwerk der Zukunft« analysierte er Passionsmusik, Oratorien und Oper als Vorformen des Zukünftigen, wie er sich denn überhaupt in großen (und hier weggelassenen) Teilen mit der Geschichte der Einzelkünste befaßte. Dem Dichter der Zukunft komme es zu, die drei Schwesterkünste – Musik, Sprache und Tanz – der »Handlung« unterzuordnen, die freilich in etwas anderem bestehe als in der herkömmlichen Handlung des Dramas: Es ist, nach Wagner, die Summe aller Ideen und Inhalte, wie sie im Verein der Ausdrucksmittel zur Darstellung gelangen. Erstmals fällt auch das Wort vom »Gesamtkunstwerk der Zukunft«, worunter sowohl die Gemeinschaft der Künste wie der kollektiv Mitwirkenden zu verstehen ist. In der »Gemeinschaft aller Künstler« werde auch der Darsteller »in seinem Drange nach künstlerischer Reproduktion der Handlung somit Dichter«. Wie der Mensch durch sein Aufgehen in der Liebe, nach Überwindung des die Gesellschaft spaltenden Egoismus, aus einem Egoisten zu einem Kommunisten (das heißt zu einem Gemeinschaftsmenschen) werde, so würden auch die Künste aus ihrer Vereinzelung erlöst zum Kunstwerk der Zukunft. Das unteilbare Kunstwerk der Zukunft – und seine Notwendigkeit, auf der Wagner besteht – werden damit unmittelbar aus der menschlichen Natur hergeleitet: ein spekulativer, nicht nur utopischer Entwurf, der die Einzelkünste entwertet zugunsten einer Kulturrevolution, der sich die ganze Menschheit freudig anzuschließen hat. In dieser Auswucherung wird die Fragwürdigkeit des ganzen Konzepts, an das sich Wagner später selbst nicht hielt, denn auch sichtbar.

Die Fragmente, vor allem »Das Künstlertum der Zukunft«, gehen über die damals veröffentlichten Schriften noch hinaus. Sie sind offenbar auf Gespräche zurückzuführen, die Wagner in der Zürcher Zeit mit Georg Herwegh über das Gedankengut des Sozialismus führte. Herwegh war einer der engsten Freunde von Karl Marx gewesen, und es ist undenkbar, daß er in den Zürcher Jahren, auf langen Fußmärschen und Reisen in die Schweizer Alpen, mit Wagner über die Ideen von Marx nicht gesprochen hat.

In »Oper und Drama« schlägt die Zukunftsvision bis in das künstlerisch-technische Detail durch: Der Erneuerung des Lebens werde die Erneuerung der Kunst folgen. Der Irrtum in dem Kunstgenre der Oper habe bisher darin bestanden, »daß ein Mittel des Ausdrucks (die Musik) zum Zwecke, der Zweck des Ausdrucks (das Drama) aber zum Mittel gemacht war«. Das vollendete Drama stelle die Richtung des menschlichen Wesens in einer Reihe folgerichtig sich bedingender Gefühlsmomente dar, so daß die Handlung sich daraus ergebe. (Da auch Dichtung und Orchestermelodie als Funktionen des Dramas beschrieben, Stabreim und Tonartwechsel als bestimmende Faktoren der Perioden benannt sind, ist damit das gesamte Programm für die Ausführung des »Rings« entwickelt.) Die Quintessenz lautet: Dichterisch ist nur, was vollkommen im musikalischen Ausdruck aufgeht. Musikalisch ist nur, was der Verwirklichung und dem Ausdruck der dichterischen Absicht dient. Wieder wird das Drama der Zukunft auf das Drama der Griechen zurückbezogen – mit einem Unterschied: Wagner betont, daß das moderne Orchester als Ausdrucksmittel unentbehrlich sei; es habe im Drama die Funktion des Chores übernommen.

Bei allem, man lese es nur genau nach, ist Wagner der alte Revolutionär geblieben. Weder hat er das »Leben« aufgegeben, die »Natur« der Orchestermelodie, die Feuerbachsche Sinnlichkeit, noch die Revolution.

Der eigentliche Verrat an diesem Konzept ist »Das Judentum in der Musik«, der Durchbruch eines antisemitischen Ressentiments, das alle emanzipatorischen Ideen über den Haufen wirft.

4

Unlöslich verbunden ist der Wagnersche Antisemitismus mit deutscher und europäischer Geschichte, und die Fatalitäten reichen zurück bis zu Martin Luther. Wagners Antisemitismus hat indessen keinen religiösen Ursprung, sondern zwei Wurzeln, die bis in die Jahre 1839–42 zu verfolgen sind und sich als kunstpolitisch und soziologisch beschreiben lassen. In Paris war er mit frühsozialistischem Ideengut in Berührung gekommen. In Paris hatte er alles Übel mit dem Geld identifiziert, dieses aber mit den Juden, die zugleich zu seinem Nachteil die Theater und den Kulturbetrieb zu beherrschen schienen. Einwände gegen die dekorative Melodik und die affirmative Opernkunst Meyerbeers hätten vermutlich nicht zu einer ersten Personalisierung von Wagners Antisemitismus geführt, wenn Meyerbeers Bemühungen, sich für Wagner einzusetzen (worum dieser ihn in Briefen gebeten hatte), mehr Erfolg beschieden gewesen wären. Ein Ressentiment gegen Felix Mendelssohn-Bartholdy, dem er seine C-dur-Symphonie gesandt hatte – als »Geschenk«, worauf Mendelssohn sie auf Nimmerwiedersehen behielt –, kam hinzu. Ein Gefühl weltweiter »Verschwörung« gegen sein Werk, Enttäuschung über den Ausgang der Revolution von 1848/49 sowie die Neigung zu Ersatzreligionen, die sich in die unausgefüllten Zwischenräume eines nur dilettantisch betriebenen Philosophierens schob, ließen Wagners Ressentiments 1850 in der Schrift »Das Judentum in der Musik« mit aller Vehemenz hervorbrechen. Trotz der Widerstände, die diese Schrift selbst unter seinen Freunden hervorrief, bestand er 1869 auf einem Wiedererscheinen der Schrift als Broschüre und bekräftigte in einem Vorwort, in dem er den »vollständigen Sieg des Judentums auf allen Seiten« behauptete, den Vorwurf jüdischer »Verschwörung« gegen sein Werk. Er wähnte sich verfolgt und eingekreist. Dies deutet den tiefen Zerfall des Künstlers mit der Welt an. Die »J« konnten ebenso »Journalisten«, »Jesuiten« oder »Juristen« heißen – doch das gehört zur Haß-Psychologie, nicht zum »Denken« Wagners. Meyerbeer wird in der Schrift nicht genannt, obwohl sie in erster Linie gegen ihn gerichtet ist. Heinrich Heine stößt er, indem er ihn »lobt«, von sich: eine *mauvaise foi*. Die bereits in der Schrift unübersehbar durchbrechenden Züge eines Rassevorurteils sind durch die Tagebücher Cosima Wagners für die anderthalb Jahrzehnte von 1869 bis 1883 vielfach belegt. Andrerseits lehnte Wagner es ab, antisemitische »Petitionen« zu unterschreiben. Die Rassentheorien Gobineaus, die Wagner erst ab 1881 in vollem Umfang kennenlernte, trugen zu dem antijüdischen Ressentiment nur noch wenig Neues bei. Mündlich und schriftlich wütete er mit verletzender Heftigkeit, obwohl zahlreiche Förderer seines Werkes, ja sogar enge Freunde jüdischen Glaubens oder jüdischer Herkunft waren und an seinem Tisch saßen. Er verdankte Juden wie Heinrich Heine und Samuel Lehrs, besonders in den üblen Pariser Jahren, wichtige Anregungen, und zu seinen Mitarbeitern gehörten Juden wie Carl Tausig, Heinrich Porges, Josef Rubinstein, Angelo Neumann und vor allem Hermann Levi, dem er nach einigem Zögern die musikalische Gesamtleitung der »Parsifal«-Festspiele 1882 anvertraute. Dies deutet wohl auf den auch in anderen Bereichen bemerkbaren Bruch hin, der zwischen Wagners Denken und Handeln, zwischen »Idee« und »Realität« sich auftat. Bei all diesen Widersprüchen, und auch wenn man Wagners Antisemitismus in die Zusammenhänge des 19. Jahrhunderts einordnet (was notwendig ist), läßt sich doch nicht leugnen, daß gerade Wagners Rang als Künstler der verhängnisvollen Wirkung seiner Ideologeme und Vorurteile Vorschub leistete. Die Saat ging auf in den Erben, so in der ab 1920 um sich greifenden Bewegung gegen »Judenmusik« und »Verjudung« der Musikkultur, der Hans Pfitzner 1926 die Stimme lieh und die bei Richard Eichenauer (»Musik und Rasse«, München 1932) ausformuliert wurde: »Eines haben jedenfalls Atonalisten, Neutöner, Vierteltonmenschen usw., soweit sie Juden sind, für sich: sie gehorchen einem Gesetz ihrer Rasse, indem sie die harmonische Mehrstimmigkeit, die ihnen urfremd ist, folgerichtig zu zerstören suchen.« Das diente als Begründung, die Moderne zu vernichten oder doch zugunsten der zu kurz gekommenen Traditionalisten und »Völkischen« auszuschalten. Politisch leistete Wagners Antisemitismus seiner Einvernahme durch den NS-Staat und der ideologischen Mitläuferei des deutschen Bürgertums Vorschub.

Das gehört zur Wirkungsgeschichte. Sich allein mit ihr zu beschäftigen, wäre allerdings ebenso kurzschlüssig wie jeder andre Versuch, sich für die Untaten des 20. Jahrhunderts ein Alibi aus dem vorigen zu verschaffen. In der Tat fällt es schwer, bei Wagners antisemitischen Ausbrüchen die Fassung zu bewahren – nach Auschwitz. Es ist der gebrochene Blickwinkel der Geschichtserfahrung, der uns schon »Das Judentum in der Musik« nicht ertragen läßt: Da verteufelt einer die Juden, um die zeitgenössische Musik verächtlich zu machen. Religion und Politik bringen ihn nicht in Harnisch, in der Religion seien die Juden »längst keine hassenswerten Feinde mehr«. Aus der Kunst aber vermag er sie nur durch den Appell an die Emotionen, durch den Aufruf der niedrigsten Instinkte gegen das »unwillkürlich Abstoßende« des Juden zu vertreiben. Es wäre ebenso töricht und unstatthaft, die verbalen Exzesse in den Tagebüchern Cosima Wagners zu verschweigen oder zu verharmlosen. Nur darf man sich nicht mit dem Zitieren einiger Stellen begnügen: etwa der Verwünschungen und Flüche, alle Juden sollten in einer Vorstellung des »Nathan« verbrennen; oder seiner Absicht, dafür zu sorgen, daß die Juden zu Ostern nicht das »Volksgefühl« kränkten; oder des Ausspruchs, er könne sich nicht vorstellen, als Musiker unter einem Juden (Hermann Levi) zu spielen. Sobald man sich mit dem vieltausendseitigen Protokoll aus Briefen und Cosima-Aufzeichnungen näher einläßt, ergeben sich all die gewohnten Widersprüche, die im Bild Wagners unauflösbar sind.

Denn was, zum Beispiel, ist daran, daß er sich Levi mit dem Münchner Orchester als »Parsifal«-Dirigent nur habe aufzwingen lassen? Erstens verstand Wagner immer, sich durchzusetzen; er rang Ludwig II. sogar das Recht ab, »Parsifal« in München aufzuführen. Zweitens bot sich eine besonders günstige Gelegenheit,

Levi loszuwerden: Als Levi am 29. Juni 1881 in Wahnfried anonym denunziert wurde, reiste er am 30. Juni ab und legte sein Amt nieder. Wagner rief ihn am 1. Juli zurück: »Um Gottes willen, kehren Sie sogleich um und lernen Sie uns ordentlich kennen! Verlieren Sie nichts von Ihrem Glauben, aber gewinnen Sie auch einen starken Mut dazu! Vielleicht – gibt's eine große Wendung für Ihr Leben – für alle Fälle aber – sind Sie mein Parsifal-Dirigent!« Gewiß, Wagner hätte ihn gern taufen lassen. Aber tags darauf, mit Levi: »Unbefangenste, ja selbst sehr heitre Stimmung bei Tisch. R(ichard) fordert *hebräischen* Wein!« Auch das steht in Cosimas Tagebuch: Porträt eines Antisemiten im 19. Jahrhundert. Von anderen Rasse-Ideen wird noch die Rede sein.

5

Mit der Berufung durch Ludwig II. begann für Wagner ein neuer Lebensabschnitt, in dem er eine Unmenge beschriebenen Papiers anhäufte. Man muß ja doch bedenken, daß neben der Niederschrift von »Über Staat und Religion«, »Was ist deutsch?«, »Deutsche Kunst und deutsche Politik«, von zahllosen kleineren Artikeln ganz abgesehen, das Diktat der Autobiographie »Mein Leben« einherging, die in gewissem Sinn zu den Rechtfertigungsschriften zu rechnen ist. Wagner versuchte, sein Tun und Denken vor dem bayerischen König ins rechte Licht zu rücken, sein revolutionäres Handeln und Schreiben zu deuten und zu erklären – ohne etwas Wesentliches zurückzunehmen, und das ist merkwürdig genug und ging nicht ohne Schwierigkeiten ab. So erscheint »Über Staat und Religion« heute als nicht sehr geschickter Versuch einer Selbstinterpretation, die das neu Interpretierte immer wieder in alter Bedeutung durchblicken läßt. Die für Ludwig II. angefertigte Reinschrift (mehr war es zunächst nicht) will das eigene politische Handeln in der Vergangenheit nur noch dem »äußeren Scheine der Umstände« als politisch gelten lassen: »Meine Richtung ging darauf, mir eine Organisation des gemeinsamen öffentlichen, wie des häuslichen Lebens vorzustellen, welche von selbst zu einer schönen Gestaltung des menschlichen Geschlechtes führen müßte.« Was aber ist das andres als Politik? Da kehren auch die Vorstellungen eines utopischen Endzeit-Kommunismus wieder, mit denen sich die Drei-Zeitalter-Idee bei ihm zum erstenmal gemeldet hatte. Nur bedarf der Staat jetzt, 1864, natürlich des Monarchen als Element der Stabilität. Wie sollte denn sonst Wagner darin gerettet und für immer aufgehoben sein? Übrigens kommt auch diese Wendung nicht ganz unvorbereitet – wie alles bei Richard Wagner. Denn hinter ihr verbirgt sich der Gedanke des Volkskönigtums, der schon aus der vorrevolutionären Dresdner Zeit stammt, als sich Wagner mit der Idee eines Barbarossa-Dramas beschäftigte. Der König als erster Republikaner: das war mehr oder weniger auch schon der Kern seiner Rede vor dem Vaterlandsverein gewesen, und in sehr sonderbarer Verwandlung kehrt der Gedanke in »Was ist deutsch?« wieder. Dabei handelt es sich abermals um Aufzeichnungen für Ludwig II., dem er nun direkte politische Ratschläge erteilt: Gründung einer politischen Zeitung, Beseitigung aller Schranken zwischen Volk und Fürsten. In dem Konzept einer Wehrverfassung nach Schweizer Vorbild – ursprünglich August Röckels Einfall! – läßt Wagner Volksheere und Volksführer, Miliz und König sich in großen öffentlichen Musterungen etwa »auf dem Lechfelde, in einer fränkischen Ebene« begegnen. Blind müßte man sein, um die Idee in ihrer ungeheuren Verhunzung nicht in den Nürnberger Reichsparteitagen wiederzuerblicken. Auch mit der Erlösung des Juden macht sich Wagner wieder zu schaffen: »Es ist wirklich zu hoffen, daß der mit uns gleich bewaffnete und in Waffen geübte Jude entweder verschwinden, oder zu einem wirklichen Deutschen umgeschaffen werde.« Danach hätte der Erste Weltkrieg die Judenfrage in Wagners Augen erledigen müssen – es sei denn, man begriffe sie als Antisemiten-Frage. Und so war es denn auch der Anti-Affekt, der ihn gegen die »französisch-jüdisch-deutsche Demokratie« wettern ließ, die im Deutschen nicht heimisch sei und das Edle verderbe. (Seine demokratischen Freunde Röckel, Fröbel, Bülow bekamen das vorläufig nicht zu lesen.) Andrerseits geißelte er freimütig den reaktionären Rückschlag der Ära Metternich. Kein Zweifel, es ging wie in den Kunstschriften wieder einmal Wahres und Falsches durcheinander, er schwärzte an und verteidigte, und nirgendwo wie in der kurzen, in diesem Band abgedruckten »Tagebuchaufzeichnung« für Ludwig II. wird deutlicher, wie wenig Wagner den alten Adam in sich besiegen konnte, sosehr er bemüht war, ihm ein neues Gewand anzulegen. Denn was beweisen denn die Verbeugungen vor dem Staat, vor dem Sicherheitssystem und der Macht, wenn zugleich die Aufrührer entschuldigt und die Verhältnisse in Zweifel gezogen werden, die den Aufruhr möglich machen?

Die Artikelserie »Deutsche Kunst und deutsche Politik« steht noch nicht in jenem engen Zusammenhang mit den antifranzösischen Ausfällen der Jahre 1870/71, wie der Titel befürchten lassen könnte. Ihre Spitze ist nach innen gerichtet: gegen die bayerische Realpolitik, der an einem Ausgleich mit Preußen gelegen war. Es ist der »deutsche Geist«, der ihn in der Gegenwart nur Verfall und Verlumpung erblicken läßt: »Auch Preußen muß und wird erkennen, daß der deutsche Geist es war, der in seinem Aufschwunge gegen die französische Herrschaft ihm einst die Kraft gab, welche es jetzt einzig nach den Gesetzen des Nützlichkeitszweckes verwendet: und hier wird dann der rechte Punkt sein, auf welchem – zum Heile aller – eine glückliche Leitung des bayerischen Staatswesens mit jenem sich begegnen kann. Aber nur dieser Punkt: es gibt keinen segensvollen anderen.« Das heißt: keine Unterordnung unter die preußische Hegemonialpolitik, kein Zweckmäßigkeitsdenken. Wenn schon deutsche Einheit – sie mag zustande kommen wie sie will –, dann mit dem musischen Element Bayern als Gegengewicht zu Preußen. Wagner hätte Ludwig II. gern die Lektüre des konservativen Föderalisten Constantin Frantz aufgenötigt, um ihn gegen preußischen Zentralismus zu immunisieren.

Wagner befürchtete, die geistige »Erneuerung« Deutschlands, zu der er mehr oder weniger selbst angetreten war, werde wieder ohne die »Mächtigen« stattfinden, wie schon zur Zeit der klassischen deutschen Literatur und Kunst: damals ohne Friedrich den Großen. Und seine Befürchtung fand er im wilhelminischen Reich der Gründerzeit bestätigt. Es war seine letzte Enttäuschung.

6

Ohne diese Enttäuschung sind die Schriften der letzten Lebensjahre nicht zu verstehen, und nicht ihre Abstrusitäten. Zugleich reduziert sich Wagners Gesichtsfeld, ohne daß sich sein Gefühl für die »Tragik des Weltendaseins« dabei verringert. Soziales Unrecht empfindet er nach wie vor, Not und Elend erblickt er nach dem deutsch-französischen Krieg (den er mit wütenden Tiraden begleitet hat) in seiner nächsten Umgebung, doch in die Vorschläge, wie denn nun die Welt zu verbessern sei, mischen sich Kuriositäten und Wahnideen, die einem minderen Kopf anstünden. In »Religion und Kunst« ist nur ein Gedanke ohne Einschränkung brauchbar: Wo die Religion künstlich werde, sei es der Kunst vorbehalten, den Kern der Religion zu retten, indem sie ihre mythischen Symbole sinnbildlich erfasse und zur Anschauung bringe. Die Auffassung – die ja etwas für sich hat und in gewissem Sinn sogar aktuell erscheint –, die Menschheit lebe nicht mehr in Übereinstimmung mit der Natur und dem Sittengesetz, und zwar, wie Wagner glaubt, in erster Linie wegen der Tiertötung, der Fleischnahrung und der Tierquälerei, führt ihn zu der Schlußfolgerung, man könne die sich anbahnenden Katastrophen nur dann verhindern und die Menschheit einzig und allein bessern und ändern, indem man die Rassen in andre Zonen verpflanzt. Er ging mit der Menschheit immer sehr willkürlich um. Wie anhaltend ihn solche Utopien beschäftigten, zeigt noch eine Tagebuch-Eintragung Cosima Wagners vom 27. März 1882: »Ob eine Gemeinde zu erhoffen sei, die sich nach dem Untergang des Bestehenden bilden würde und mit inniger Auffassung des christlichen Gedankens und Verehrung der Tiere zu besseren Regionen hinwandern würde? Er möchte das hoffen!«

Was da in »Religion und Kunst« 1880 über »Entartung« zu lesen ist, scheint Gobineau vorwegzunehmen, den er erst 1881 las. Der hat dann auch auf die Folgeschriften zu »Religion und Kunst« noch kräftig eingewirkt, obwohl Differenzen zwischen den beiden alten Männern sofort hervorbrachen, sobald sie einander näher kennenlernten. Die Utopie einer Umquartierung der Menschheit und andre Absurditäten können indessen über Wagners Mitleiden an der schuldbeladenen Menschheit nicht ganz hinwegtäuschen, und der Gedanke enthält einige Tiefe, daß, was die Religion nicht mehr leiste, der Kunst aufgetragen bleibe: den Menschen die Erlösungsbedürftigkeit vor Augen zu führen. Von einer »neuen Religion« ist nicht die Rede.

Der zweiten Ausführung zu »Religion und Kunst«, der Schrift »Heldentum und Christentum« vom Jahr 1881, gehen der Nachtrag »Was nützt diese Erkenntnis?« sowie die erste Ausführung »Erkenne dich selbst« voraus, gerichtet gegen die Gleichstellung der Bekenntnisse im Deutschen Reich und die Assimilation der nicht konfessionellen, sondern »rassefremden« Juden, solange der Deutsche nicht sich selbst »erkenne«. »Heldentum und Christentum« schließlich ist die erste Reaktion auf die Lektüre von Arthur Gobineaus »Essai sur l'inégalité des races humaines«. Wagner greift darin Gobineaus Gedanken der »Rassenverderbnis« auf und stellt ihm einen Heilsgedanken gegenüber, der aus der Reinigung des Blutes durch das Blutopfer Christi entwickelt wird, Kristallisationspunkt einer seit langem von Wagner verfolgten »Regenerations«-Idee, in der sich rassistische und (von Schopenhauer beeinflußte) metaphysische Züge auf nahezu unentwirrbare Weise vermischen. Von Gobineau, der »gar nichts Christliches gelten lassen wollte«, wie es in Cosimas Tagebüchern heißt, begann er sogleich wieder abzurücken. Mit der Ausweglosigkeit des von Gobineau prophezeiten Untergangs durch Rassenmischung mochte er sich nicht abfinden. Nun kreuzte sich sein Fremdenhaß mit dem Glauben, es könne doch auch die mindere Rasse gleichsam religiös »geheilt« werden, und in den letzten Wochen seines Lebens schien es fast, als wolle er noch alle Theorien verwerfen, welche den Verfall der Menschheit auf rein biologische Ursachen zurückführten.

Allerdings lassen die letzten Fragmente, wenn sie noch irgendeine Beweiskraft haben, doch auch das Schwinden der geistigen und sprachlichen Kräfte auf erschreckende Art erkennen. Sowohl »Über das Männliche und Weibliche in Kultur und Kunst« wie »Über das Weibliche im Menschlichen« waren geplant als zweiter Teil einer Schlußabhandlung zu »Religion und Kunst«. Man könnte darin den (mißglückten) Versuch erblicken, Darwin und Gobineau, also sowohl die Idee einer bloß biologischen Zuchtwahl wie die Unvermeidlichkeit des Verfalls zu widerlegen: »Macht des Menschen über die Natur«, der Mensch sei »über das natürliche Gattungsgesetz erhoben«, Liebe als Voraussetzung begünstigter Nachkommen. Aber der Rassegedanke bleibt in verworrener Gestalt erhalten. Daneben wütet der alte Anarchist in den Aussprüchen, die uns die Tagebücher Cosimas überliefern: Eigentum der Grund alles Verderbens! »Das hat mir gefallen von Heinse in seinen ›Seligen Inseln‹, daß er sagt: Sie hätten kein Eigentum, um den vielen Übelständen vorzubeugen, die damit verbunden sind.«

Seine vorletzte Arbeit war ein Brief an Heinrich von Stein zu dessen dramatischen Bildern »Helden und Welt«, stilistischer Marasmus und schwer bewegte Feder, bis auf den einen Satz: Das Drama sei keine Dichtungsart, »sondern das aus unsrem schweigenden Innern zurückgeworfene Spiegelbild der Welt« – wunderbar stieg hier sein lebenslang gehegter Begriff einer inneren Handlung, den er den Griechen und Calderón abgewonnen und der veräußerlichten Oper seiner Zeit entgegengehalten hatte, wieder auf. Im übrigen polemisierte er gegen Parlamentarier, Professoren, Staat und Kirche als »abschreckend wirkende Beispiele« und gegen die semitisierte lateinische Welt (ein Ausdruck Gobineaus) – schwach brach mit dem Anarchisten noch einmal der Antisemit durch. Obwohl ihn in Venedig unter den treuesten, letzten Freunden Hermann Levi besucht hatte, und obwohl er sich gerade in Venedig die ganze Antisemitenfrage in einem Gespräch mit Cosima nicht unrichtig so erklärte, daß man den drohenden Sozialismus gegen die Juden gelenkt habe. Er wurde damit nicht fertig. Worauf lief das alles hinaus?

Es kreist sein Schaffen, kreist sein Denken lebenslang um das

Problem der Erlösung. Das kann man psychologisch deuten (in der oft dargestellten Erlösung durch das Weib), oder emanzipatorisch und soziologisch (in der Erlösung des Menschen vom Fluch des Geldes und der Macht), wie schließlich religiös-metaphysisch und als »Entsühnung« im »Parsifal«, Erlösung von Schuld – oder aber das Ganze pervertiert zur »Erlösung des Juden« und »vom Juden« (womit der »Parsifal« nun wirklich nichts zu tun hat). Kontrastieren in den frühen Versionen himmlische und irdische Liebe, so mischen sich im »Ring des Nibelungen« Soziallehren mit Welt-Ekel und Untergangsstimmungen, die den »Plenipotentiarius des Untergangs« immer heimsuchten, auch bevor er von Schopenhauer überhaupt etwas wußte; im »Parsifal« dann buddhistische mit christlichen Vorstellungen, Schopenhauers Pessimismus, das Askese-Ideal der Triebbefriedung mit der Reinigungs-Idee eines Blutopfers – bis hin zur alles umgreifenden Mitleidslehre dieses großen Alterswerkes und zur unauflösbaren Dialektik jenes Schlußwortes: »Erlösung dem Erlöser«, das sich eindeutig auf Parsifal bezieht, auf daß er zugleich der eigenen Schuld und »Torheit« enthoben und von der anstrengenden, autoritären Rolle eines Gralshüters freigestellt, »erlöst« werde. Nietzsche schrieb in »Der Fall Wagner«: »Wagner hat über nichts so tief wie über die Erlösung nachgedacht: seine Oper ist die Oper der Erlösung. Irgend wer will bei ihm immer erlöst sein: bald ein Männlein, bald ein Fräulein – das ist sein Problem.« Der Künstler Wagner brachte das im Werk jedesmal auf eine Formel, der Schriftsteller vermochte es nicht. Da stand alles unvereinbar nebeneinander: enthüllend, gefährlich, mißbrauchbar.

Cosima Wagner fragte einmal ihren Dirigenten Hans Richter: »Hans, was hältst du von Richards Schriften?« Und Richter antwortete: »Eine Partitur mehr wäre mir lieber.« Gleichwohl ist auch das Geschriebene aufschlußreich für den Künstler und den Menschen Richard Wagner und ist repräsentativ für alle Strömungen, die sich im 19. Jahrhundert – und in Wagner – kreuzten und einander bekämpften. Aus dem Steinbruch der Schriften schlug sich heraus, was einer daraus gebrauchen konnte. Das herausgelöste Zitat verrät die Herkunft selten. Die Schnittflächen, Kanten und Schichten liegen noch offen. Es ist besser, sie zu kennen.

Martin Gregor-Dellin

Die deutsche Oper

Wenn wir von deutscher Musik reden, und besonders viel darüber reden hören, so scheint mir in der Meinung über dieselbe noch eine ähnliche Begriffsverirrung zu herrschen, als die, in der sich die Idee der Freiheit bei jenen altdeutsch schwarzgerockten Demagogen befand, die mit ebenso verächtlichem Naserümpfen die Ergebnisse ausländisch-moderner Reformen über die Achsel ansahen, wie jetzt unsre deutschtümelnden Musikkenner. Wir haben allerdings ein Feld der Musik, das uns eigens gehört, – und dies ist die Instrumentalmusik; – eine deutsche Oper aber haben wir nicht, und der Grund dafür ist derselbe, aus dem wir ebenfalls kein Nationaldrama besitzen. Wir sind zu geistig und viel zu gelehrt, um warme menschliche Gestalten zu schaffen. *Mozart* konnte es; es war aber italienische Gesangsschönheit, mit der er seine Menschen belebte. Seitdem wir jetzt wieder dahin gekommen sind, jene zu verachten, haben wir uns immer mehr von dem Wege entfernt, den Mozart zum Heil für unsre dramatische Musik einschlug. *Weber* hat nie den Gesang zu behandeln verstanden, und fast ebensowenig *Spohr*. Nun ist aber einmal der Gesang das Organ, durch welches sich ein Mensch musikalisch mitteilen kann, und sobald dieses nicht vollkommen ausgebildet ist, gebricht es ihm an der wahren Sprache. Darin haben allerdings die Italiener einen unendlichen Vorsprung vor uns; bei ihnen ist Gesangsschönheit zweite Natur, und ihre Gestalten sind ebenso sinnlich-warm als im übrigen arm an individueller Bedeutung. Wohl haben die Italiener in den letzten Dezennien mit dieser zweiten Natursprache einen ähnlichen Unfug getrieben als die Deutschen mit ihrer Gelehrtheit, – und doch werde ich nie den Eindruck vergessen, den in neuester Zeit eine *Bellinische* Oper auf mich machte, nachdem ich des ewig allegorisierenden Orchestergewühls herzlich satt war und sich endlich wieder ein einfach edler Gesang zeigte.

Die französische Musik erhielt ihre Richtung von *Gluck*, der, obgleich ein Deutscher, auf uns doch weit weniger wirkte als auf die Franzosen. Dieser fühlte und sah, was den Italienern noch fehlte, nämlich die individuelle Bedeutung der Gestalten und Charaktere, indem sie diese der Gesangsschönheit aufopferten. Er schuf die dramatische Musik und vermachte sie den Franzosen als Eigentum. Sie haben dieselbe fortgepflanzt, und von *Grétry* bis zu *Auber* blieb dramatische Wahrheit eines der Hauptprinzipe der Franzosen.

Die Talente der neueren guten deutschen Opernkomponisten, *Weber* und *Spohr*, reichten für das dramatische Gebiet nicht aus. Webers Talent war rein lyrisch, Spohrs elegisch, und wo es über beides hinausgeht, muß ihnen Kunst und Anwendung abnormer Mittel das ersetzen helfen, was ihrer Natur gebricht. So ist auf jeden Fall Webers beste Musik sein »Freischütz«, weil er sich hier in der ihm angewiesenen Sphäre bewegen konnte; die mystisch-schauerliche Romantik und diese Lieblichkeit in Volksmelodien gehört eben dem Gebiet der Lyrik an. Aber nun betrachte man seine »Euryanthe«! Welche kleinliche Klügelei in der Deklamation, – welche ängstliche Benutzung dieses und dieses Instrumentes zur Unterstützung des Ausdruckes irgend eines Wortes! Anstatt mit einem einzigen kecken und markigen Strich eine ganze Empfindung hinzuwerfen, zerstückelte er durch kleinliche Einzelheiten und einzelne Kleinlichkeiten den Eindruck des Ganzen. Wie schwer wird es ihm, seinen Ensemblestücken Leben zu geben; wie schleppend ist das zweite Finale! Dort will ein Instrument, hier eine Stimme etwas Grundgescheites sagen, und endlich weiß keines, was es sagt. Und da nun die Leute am Ende zugestehen müssen, daß sie nichts davon verstanden haben, finden doch alle wenigstens einen Trost darin, daß sie es für erstaunlich *gelehrt* halten können, und deshalb großen Respekt haben dürfen. – O, diese unselige *Gelehrtheit*, – dieser Quell aller deutschen Übel!

Es gab in Deutschland eine Zeit, wo man die Musik von keiner anderen Seite als von der der Gelehrtheit kannte, – es war die Zeit *Sebastian Bachs*. Aber damals war es eben die Form, in der man sich allgemein verstand, und Bach sprach in seinen tiefsinnigen Fugen etwas ebenso Gewaltiges aus als *Beethoven* jetzt in der freiesten Symphonie. Aber der Unterschied war eben dieser, daß jene Leute keine anderen Formen kannten, und daß die Komponisten damals wirklich gelehrt waren. Beides aber ist jetzt nicht mehr der Fall. Die Formen sind freier, freundlicher geworden, wir haben leben gelernt, – und unsre Komponisten sind gar nicht mehr gelehrt, und das Lächerlichste ist eben, daß sie sich gelehrt stellen wollen. Den eigentlich Gelehrten merkt man es gar nicht an. Mozart, dem das Schwierigste des Kontrapunkts zweite Natur geworden war, erhielt dadurch nur seine großartige Selbständigkeit; wer wird seiner Gelehrtheit gedenken, wenn er seinen »Figaro« anhört? Aber dies eben, wie ich sagte, ist die Sache: jener *war* gelehrt, jetzt will man es *scheinen*. Es ist nichts Verkehrteres zu finden, als diese Wut. Ein jeder Zuhörer freut sich über einen klaren, melodiösen Gedanken, – je faßlicher ihm alles ist, desto mehr wird er davon ergriffen; der Komponist weiß dies selbst, – er sieht, womit er effektuiert, und was Beifall gewinnt; es ist ihm auch dies sogar viel leichter, er braucht sich ja nur ganz gehen zu lassen, – aber nein! es plagt ihn der deutsche Teufel, er muß den Leuten noch weiß machen, er sei auch *gelehrt*! Er hat aber nicht einmal soviel gelernt, um etwas wirklich Gelehrtes zum Vorschein zu bringen, woher denn nichts als schwülstiger Bombast herauskommt. Wenn sich aber der Komponist in diesen gelehrten Nimbus hüllen will, so ist es ebenso lächerlich, daß sich das Publikum den Schein geben möchte, als verstände und liebte es diese Gelehrtheit, sodaß die Leute, die so gern in eine muntere französische Oper gehen, sich dessen schämen und aus Verlegenheit das deutschtümliche Bekenntnis ablegen, es könnte etwas gelehrter sein.

Dies ist ein Übel, das dem Charakter unsres Volkes ebenso angemessen ist, als es auch ausgerottet werden muß; und es wird sich auch selbst vernichten, da es nur eine Selbsttäuschung ist. Ich will zwar keineswegs, daß die französische oder italienische Musik die unsrige verdrängen soll; auf der andern Seite wäre diesem als einem neuen Übel eher zu steuern, – aber wir sollen das *Wahre* in beiden kennen und uns vor jeder selbstsüchtigen Heuchelei hüten. Wir sollen aufatmen aus dem Wust, der uns zu erdrücken droht, ein gutes Teil affektierten Kontrapunkt vom Halse werfen, keine Visionen von feindlichen Quinten und übermäßigen Nonen haben und endlich Menschen werden. Nur wenn wir die Sache freier und leichter angreifen, dürfen wir hoffen, eine langjährige Schmach abzuschütteln, die unsere Musik und zumal unsre Opernmusik gefangen hält. Denn warum ist jetzt so lange kein deutscher Opernkomponist durchgedrungen? Weil sich keiner die Stimme des Volkes zu verschaffen wußte, – das heißt, weil keiner das wahre, warme Leben packte, wie es ist. Denn ist es nicht eine offenbare Verkennung der Gegenwart, wenn einer jetzt Oratorien schreibt, an deren Gehalt und Form keiner mehr glaubt? Wer glaubt denn an die lügenhafte Steifheit einer Schneiderschen Fuge, eben gerade weil sie *jetzt* von *Friedrich Schneider* komponiert ist? Das, was uns bei Bach und Händel seiner Wahrheit wegen ehrwürdig erscheint, muß uns jetzt bei *Fr. Schneider* notwendig lächerlich werden, denn, noch einmal sei's gesagt, man *glaubt* es ihm nicht, da es auch auf keinen Fall seine eigene Überzeugung ist. Wir müssen die Zeit packen und ihre neuen Formen gediegen auszubilden suchen; und der wird der Meister sein, der weder italienisch, französisch – noch aber auch deutsch schreibt.

Der Virtuos und der Künstler

Nach einer alten Sage gibt es irgendwo ein unschätzbares Juwel, dessen strahlender Glanz plötzlich dem begünstigten Sterblichen, der seinen Blick darauf heftet, alle Gaben des Geistes und alles Glück eines befriedigten Gemüts gewährt. Doch liegt dieser Schatz im tiefsten Abgrunde vergraben. Es heißt, daß es ehedem vom Glück Hochbegünstigte gab, deren Auge übermenschlich gewaltig die aufgehäuften Trümmer, welche wie Tore, Pfeiler und unförmliche Bruchstücke riesiger Paläste über einander lagen, durchdrang: durch dieses Chaos hindurch leuchtete dann der wundervolle Glanz des magischen Juwels zu ihnen herauf und erfüllte ihr Herz mit unsäglicher Entzückung. Da erfaßte sie die Sehnsucht, allen Trümmerschutt hinwegzuräumen, um aller Augen die Pracht des magischen Schatzes aufzudecken, vor dem die Sonnenstrahlen erblassen sollten, wenn sein Anblick unser Herz mit göttlicher Liebe, unseren Geist mit seliger Erkenntnis erfüllte. Doch vergeblich all' ihre Mühe: sie konnten die träge Masse nicht erschüttern, die den Wunderstein barg.

Jahrhunderte vergingen: aus dem Geiste jener so überselten Hochbeglückten spiegelte sich der Glanz des Strahlenlichtes, das aus dem Anblicke des Juwels zu ihnen gedrungen war, der Welt wieder ab: aber keiner vermochte ihm selbst zu nahen. Doch war die Kunde davon vorhanden; es führten die Spuren, und man kam auf den Gedanken, in wohlerfahrener Weise des Bergbaues dem Wundersteine nachzugraben. Da legte man Schachten an, durch Minen und Stollen ward in die Eingeweide der Erde eingedrungen; der künstlichste unterirdische Bau kam zustande, und immer grub man von neuem, legte Gänge und Nebenminen an, bis endlich die Verwirrung im Labyrinthe wuchs, und die Kunde von der rechten Richtung ganz und gar verloren ging. So lag der ganze Irrbau, über dessen Mühen das Juwel endlich selbst vergessen worden war, nutzlos da: man gab ihn auf. Verlassen wurden Schachten, Gänge und Minen: schon drohten sie einzustürzen, – als, wie es heißt, ein armer Bergmann aus Salzburg daher kam. Der untersuchte genau die Arbeit seiner Vorgänger: voll Verwunderung folgte er den zahllosen Irrgängen, deren nutzlose Anlage

33

ihm ahnungsvoll aufging. Plötzlich fühlt er sein Herz von wollüstiger Empfindung bewegt: durch eine Spalte leuchtet ihm das Juwel entgegen; mit einem Blicke umfaßt er das ganze Labyrinth: der ersehnte Weg zu dem Wundersteine selbst tut sich ihm auf; von dem Lichtglanze geleitet dringt er in den tiefsten Abgrund, bis zu ihm, dem göttlichen Talisman selber. Da erfüllte eine wunderbare Ausstrahlung die ganze Erde mit flüchtiger Pracht, und alle Herzen erbebten vor unsäglichem Entzücken: den Bergmann aus Salzburg sah aber niemand wieder.

Dann war es wieder ein Bergmann, der kam aus Bonn vom Siebengebirge her; der wollte den verschollenen Salzburger in den verlassenen Schachten aufsuchen: schnell gelangte er auf seine Spur, und so plötzlich traf sein Auge der Wunderglanz des Juwels, daß es sofort davon erblindete. Ein wogendes Lichtmeer durchdrang seine Sinne; von göttlichem Schwindel erfaßt, schwang er sich in den Abgrund, und krachend brachen die Schachten über ihm zusammen: ein furchtbares Getöse drang wie Weltuntergang dahin. Auch den Bonner Bergmann sah man nie wieder.

So endete, wie alle Bergmannssagen, auch diese: mit der Verschüttung. Neu liegen die Trümmer; doch zeigt man noch die Stätte der alten Schachten, und in den letzten Zeiten hat man sich sogar aufgemacht, den beiden verunglückten Bergleuten nachzugraben, denn gutmütig heißt es, sie könnten wohl gar noch am Leben sein. Mit wirklichem Eifer werden die Arbeiten neuerdings betrieben und machen sogar viel von sich reden; Neugierige reisen von weit her, um den Ort zu suchen: da werden Bruchstückchen vom Schutt zum Andenken mitgenommen, und man zahlt etwas dafür, denn jeder will etwas zum frommen Werke beigetragen haben; auch kauft man da die Lebensbeschreibung der beiden Verschütteten, die ein Bonner Professor genau abgefaßt hat, ohne jedoch melden zu können, wie es gerade bei der Verschüttung herging, was nur das Volk weiß. So hat es sich denn endlich der Art gewendet, daß die eigentliche rechte Sage in Vergessenheit geraten ist, während allerhand kleinere neue Fabeln dafür auftauchen, so z. B. daß man beim Nachgraben auf recht ergiebige Goldadern geraten sei, aus welchen in der Münze die solidesten Dukaten geprägt würden. Und wirklich scheint hieran etwas zu sein: an den Wunderstein und die armen Bergleute wird aber immer weniger noch gedacht, wiewohl die ganze Unternehmung doch immer nach der Ausgrabung der verschütteten Bergleute benannt wird. –

Vielleicht ist auch die ganze Sage, wie die ihr nachfolgende Fabel, nur im allegorischen Sinne zu verstehen: die Deutung dürfte uns dann leicht aufgehen, wenn wir den Wunderjuwel als den *Genius der Musik* auffaßten; die beiden verschütteten Bergleute wären dann ebenfalls unschwer zu erklären, und der Schutt, der sie bedeckt, läge uns am Ende quer vor den Füßen, wenn wir uns aufmachen, um zu jenen selig Entrückten durchzudringen. In der Tat, wem jener Wunderstein etwa im sagenhaften Nachttraume einmal geleuchtet, oder: wem der Genius der Musik in der heiligen Stunde der Entzückung in die Seele gezündet hat, der wird, will er den Traum, will er die Entzückung festhalten, d. h. will er nach den Werkzeugen hierfür suchen, zu allererst auf jenen Trümmerhaufen stoßen: da hat er denn zu graben und zu schaufeln; die Stätte ist besetzt mit Goldgräbern: die wühlen den Schutt immer dichter durcheinander, und wollt ihr auf den alten Schacht dingen, der einst zu dem Juwele führte, so werfen sie euch Schlacken und Katzengold in den Weg. Und das Geröll schichtet sich immer höher, die Wand wird immer dichter: der Schweiß rinnt euch von der Stirn. Ihr Armen! Und jene verlachen euch.

Hiermit mag es nun etwa folgende ernstliche Bewandtnis haben. –

Was ihr von Tönen euch da aufzeichnet, soll nun laut erklingen; ihr wollt es hören und von andern hören lassen. Nun ist euch das Wichtigste, ja das Unerläßlichste, daß euer Tonstück genau so zu Gehör gelange, wie ihr es bei seiner Aufzeichnung in euch vernahmet: das heißt, mit gewissenhafter Treue sollen die Intentionen des Komponisten wiedergegeben werden, damit die geistigen Gedanken unentstellt und unverkümmert den Wahrnehmungsorganen übermittelt werden. Hiergegen müßte nun das höchste Verdienst des ausübenden Künstlers, des Virtuosen, in der vollkommen reinen Wiedergebung jenes Gedankens des Tonsetzers bestehen, wie sie zunächst nur durch wirkliche Aneignung seiner Intentionen, und dem zufolge durch völlige Verzichtleistung auf eigene Invention versichert werden kann. Gewiß könnte somit nur die vom Tonsetzer selbst geleitete Aufführung den richtigen Aufschluß über alle seine Intentionen geben; diesen am nächsten kommen wird dann derjenige, welcher hinlänglich mit eigener Schöpferkraft begabt ist, um den Wert der Reinerhaltung fremder künstlerischer Intentionen nach dem seinen eigenen hierfür beigelegten Werte zu ermessen, wobei ihm andrerseits eine besondere, liebevolle Schmiegsamkeit behilflich sein müßte. Diesen Befähigtsten würden solche Künstler sich anreihen, die keine Ansprüche auf eigene Erfindung erheben und gewissermaßen nur dadurch der Kunst angehören, daß sie das fremde Kunstwerk sich innig zu eigen zu machen fähig sind: diese müßten bescheiden genug sein, ihre persönlichen Eigenschaften, worin diese immer bestehen mögen, gänzlich außer dem Spiele zu halten, so daß bei der Ausführung weder die Vorzüge noch die Nachteile derselben zur Beachtung kämen: denn schließlich soll nur das Kunstwerk, in reinster Wiedergebung, vor uns erscheinen, die Besonderheit des Ausführenden aber in keiner Weise unsere Aufmerksamkeit auf sich, d. h. eben vom Kunstwerke ablenken.

Leider verstößt nun aber diese so wohl berechtigt dünkende Forderung so sehr gegen alle die Bedingungen, unter welchen öffentliche Kunstproduktionen der Teilnahme des Publikums sich erfreuen. Dieses wendet sich zuerst mit Eifer und Neugierde nur der Kunstgeschicklichkeit zu; die Freude an dieser vermittelt ihm erst die Beachtung des Kunstwerkes selbst. Wer will hierfür das Publikum tadeln? Es ist eben der Tyrann, den wir uns zu gewinnen suchen. Noch stünde es auch bei dieser Eigenschaft nicht so schlimm, wenn sie den ausübenden Künstler nicht verdürbe, der endlich vergißt, welches sein wahrer Beruf ist. Seine Stellung als Vermittler der künstlerischen Intention, ja als eigentlicher Repräsentant des schaffenden Meisters, legt es ihm ganz besonders auf, den Ernst und die Reinheit der Kunst überhaupt zu wahren: er ist der Durchgangspunkt für die künstlerische Idee, welche durch ihn gewissermaßen erst zu einem realen Dasein gelangt. Die eigene Würde des Virtuosen beruht daher lediglich auf der Würde, welche er der schaffenden Kunst zu erhalten weiß: vermag er mit dieser zu tändeln und zu spielen, so wirft er seine eigene Ehre fort. Dies fällt ihm allerdings leicht, sobald er jene Würde gar nicht begreift: ist er dann zwar nicht Künstler, so hat er doch Kunstfertigkeiten zur Hand: die läßt er spielen; sie wärmen nicht, aber sie glitzern; und bei Abend nimmt sich das alles recht hübsch aus.

Da sitzt der Virtuos im Konzertsaal und entzückt ganz für sich: hier Läufe, dort Sprünge; er zerschmilzt, er verbraust, er streicht und rutscht, und das Publikum sieht ihm links und rechts auf die Finger. Nun naht ihr euch diesem wunderlichen Sabbath einer solchen Soiree, und sucht euch zu entnehmen, wie ihr es machen sollt, um hier auch assembleefähig zu werden; da gewahrt ihr, daß ihr von dem ganzen Vorgange vor euren Augen und Ohren gerade soviel versteht, als sehr vermutlich der Hexenmeister dort von dem Vorgange in eurer Seele, wenn die Musik in euch wach wird und euch zum Produzieren drängt. Himmel! Diesem Manne dort sollt ihr eure Musik zurecht machen? Unmöglich! Bei jedem Versuche müßtet ihr jämmerlich erliegen. Ihr könnt euch in die Lüfte schwingen, aber nicht tanzen; ein Wirbelwind hebt euch in die Wolken, aber ihr könnt keine Pirouette machen: was sollte euch gelingen, wolltet ihr ihm es nachtun? Ein schnöder Purzelbaum, nichts anderes – und alles würde lachen, wenn ihr nicht gar zum Salon hinausgeworfen würdet.

Offenbar haben wir mit diesem Virtuosen nichts zu schaffen. Aber wahrscheinlich irrtet ihr euch heute im Lokal. Denn in Wahrheit, es gibt andre Virtuosen; es gibt unter ihnen wahre, ja große Künstler: sie verdanken ihren Ruf dem hinreißenden Vortrage der edelsten Tonschöpfungen der größten Meister; wo schlummerte die Bekanntschaft des Publikums mit diesen, wären jene vorzüglich Berufenen nicht wie aus dem Chaos der Musikmacherei entstanden, um der Welt wirklich erst zu zeigen, wer Jene waren und was sie schufen? Und dort klebt der Anschlagzettel, der euch zu solch' einem hehren Feste einlädt: ein Name leuchtet euch entgegen: *Beethoven*! Ihr wißt genug. Dort ist der Konzertsaal. Und wirklich: Beethoven erscheint euch; und rings herum sitzen vornehme Damen, in langen Reihen hin nichts wie vornehme Damen, und dahinter im weiten Umkreise lebhafte Herren mit Lorgnetten im Auge. Aber Beethoven ist da, mitten unter der duftenden Angst einer träumerisch wogenden Eleganz: es ist wirklich Beethoven, nervig und wuchtvoll in wehmutreicher Allgewalt. Aber, wer kommt da mit ihm? Herr Gott: – Guillaume Tell, Robert der Teufel, und – wer nach diesen? *Weber*, der Innige, Zarte! Gut! Und nun: – ein »Galop«. O Himmel! Wer selbst einmal Galopaden geschrieben, wer in Potpourris gemacht hat, der weiß, welche Lebensnot uns treiben kann, wenn es gilt, um jeden Preis einmal Beethoven nahe zu kommen. Ich erkannte die ganze schreckliche Not, die auch heute zu Galopaden und Potpourris trieb, um Beethoven verkünden zu können; und mußte ich heute den Virtuosen bewundern, so verfluchte ich die Virtuosität. – Darum, strauchelt nicht, ihr echten Jünger der Kunst, auf dem Pfade der Tugend: zog es euch magisch an, nach dem verschütteten Schachte zu graben, laßt euch von jenen Goldadern nicht ableiten; sondern immer tiefer, tiefer grabt dem Wundersteine nach. Mir sagt es das Herz, die verschütteten Bergmänner sind noch am Leben: wenn nicht, so glaubt es nur! Was schadet euch der Glaube?

Aber am Ende ist das alles doch nur Phantasterei? Ihr braucht den Virtuosen, und ist er der rechte, so braucht er auch euch. So muß es doch sonst gewesen sein. Allerdings ist etwas vorgefallen, was eine Trennung zwischen Virtuosen und Künstler hervorrief. Gewiß war es einmal leichter, auch sein eigener Virtuos zu sein;

aber ihr wurdet übermütig und machtet es euch selbst so schwer, daß ihr die Mühe der Ausführung demjenigen zuweisen mußtet, der nun sein ganzes Leben lang gerade vollauf damit zu tun hat, die andre Hälfte eurer Arbeit zu bestehen. Wahrlich, ihr müßt ihm dankbar sein. Er hat dem Tyrannen zuerst standzuhalten: macht er seine Sache nicht gut, keiner frägt nach eurer Komposition, aber er wird ausgepfiffen; wollt ihr ihm dagegen verargen, daß, wenn er applaudiert wird, er das ebenfalls auf sich bezieht, und nicht gerade im besonderen Namen des Komponisten sich bedankt? Hierauf käme es euch eigentlich auch nicht an: ihr wollt nur, daß euer Musikstück so exekutiert werde, wie ihr es euch gedacht habt; der Virtuos soll nichts dazu, nichts davon tun; er soll *ihr selbst* sein. Aber das ist oft sehr schwer: versuche einer einmal, sich so ganz in den andern zu versetzen! –

Seht da den Mann, der gewiß am allerwenigsten an sich denkt, und dem das persönliche Gefallen gewiß nichts Besonderes einzubringen hat, wenn er zum Orchesterspiele den Takt schlägt. Der bildet sich gewiß ein, mitten im Komponisten drin zu stecken, ja, ihn wie eine zweite Haut über sich gezogen zu haben? Sicher plagt diesen der Hochmutsteufel nicht, wenn er euer Tempo falsch nimmt, eure Vortragszeichen mißversteht und euch beim Anhören eures eignen Tonstückes zur Verzweiflung bringt. Auch *er* kann allerdings Virtuose sein, und vermöge allerlei Nüancierungspfiffigkeiten das Publikum zu der Meinung verleiten wollen, *er* sei es eigentlich, der es mache, daß alles so hübsch klinge: er findet, daß es nett ist, wenn eine laute Stelle plötzlich einmal ganz leise, eine schnelle ein bißchen langsamer gespielt werde; er setzt euch da und dort einen Posauneneffekt hinzu, auch etwas türkische Musik; vor allem aber hilft er durch drastische Streichungen, wenn er anders seines Erfolges nicht recht sicher ist. Dies wäre denn ein Virtuose des Taktstocks; und ich glaube, er kommt häufig vor, namentlich bei Operntheatern. Deshalb ist es nötig, gegen ihn sich vorzusehen, was doch wohl am besten geschieht, wenn man sich des eigentlichen wirklichen, nicht nachgemachten Virtuosen, nämlich des *Sängers* versichert.

Dem Sänger geht der Komponist so recht eigentlich durch und durch, um als lebendiger Ton ihm aus der Kehle herauszuströmen. Hier sollte man meinen, wäre kein Mißverständnis möglich: der Virtuos hat nach außen herum zu greifen, hierhin, dorthin; er kann sich vergreifen; aber dort im Sänger sitzen wir mit unsrer Melodie selbst. Bedenklich wird es allerdings, wenn wir ihm nicht an der rechten Stelle sitzen; auch er hat uns nur von außen aufgegriffen:

drangen wir ihm nun bis an das Herz, oder blieben wir in der Kehle stecken? Wir gruben nach dem Juwel in der Tiefe: hafteten wir an dem Schutt der Goldadern?

Auch die menschliche Stimme ist nur ein Instrument; es ist selten und wird teuer bezahlt. Wie dies Werkzeug beschaffen, das beachtet zunächst die Neugierde des Publikums, und dann frägt sie, *wie* mit ihm gespielt werde: *was* es spielt, ist den allermeisten ganz gleichgültig. Destomehr gibt hierauf aber der Sänger: nämlich, was er singt, soll so gemacht sein, daß es ihm leicht wird, es mit großem Gefallen auf seiner Stimme zu spielen. Wie geringfügig ist dagegen die Berücksichtigung, welche der Virtuose *seinem* Instrument zuzuwenden hat: das steht fertig da; leidet es Schaden, so wird es ausgebessert. Aber dieses kostbare, wunderbar launenhafte Instrument der Stimme? Keiner hat seinen Bau noch ganz ermessen. Schreibt, wie ihr wollt, ihr Komponisten, nur habt im Auge, daß die Sänger es gern singen! Wie aber habt ihr das anzufangen? Geht in die Konzerte, oder besser noch, in die Salons! – Für diese wollen wir aber gar nicht schreiben, sondern für das Theater, die Oper, – dramatisch. – Gut! So geht in die Oper, und erkennet, daß ihr auch dort immer nur im Salon, im Konzert seid. Es ist auch hier der Virtuos, mit dem ihr vor allen Dingen euch zu verständigen habt. Und dieser Virtuos, glaubt es, ist gefährlicher als alle anderen, denn, wo ihr ihm auch begegnet, täuscht er euch am leichtesten.

Beachtet diese berühmtesten Sänger der Welt: von wem wollt ihr lernen, als von den Künstlern unsrer großen italienischen Oper, welche nicht nur von Paris, sondern von allen Hauptstädten der Welt eigentlich als überirdische Wesen verehrt werden? Hier erfahrt ihr, was eigentlich die *Kunst* des Gesangs ist; von ihnen lernten erst die wiederum berühmten Sänger der großen französischen Oper, was singen heißt, und daß dieses kein Spaß ist, wie die guten Gaumenschreihälse in Deutschland es wähnen, die etwa die Sache für abgemacht halten, wenn sie das Herz auf dem rechten Flecke, nämlich dicht am Magen, sitzen haben. Da trefft ihr denn auch die Komponisten an, die es verstanden, für wahre Sänger zu schreiben: sie wußten, daß sie nur durch diese zur Beachtung, ja zur Existenz gelangen konnten, und ihr seht, sie sind da, es geht ihnen gut, ja, sie sind verehrt und berühmt. Aber so wie diese wollt ihr nicht komponieren; man soll euer Werk respektieren; von dem wollt ihr einen Eindruck haben, nicht von dem Erfolge der Kehlfertigkeit ihrer Sänger, welchem jene ihr Glück verdankten? – Seht genauer zu: haben diese Leute keine Passion? Zittern und beben sie nicht, wie sie lispeln und gaukeln? Wenn es da heißt: »Ah! Tremate!«, macht sich das ein wenig anders, als wenn es bei euch zum: »Zittre, feiger Bösewicht!« kommt. Habt ihr das »Maledetta!« vergessen, vor welchem das vornehmste Publikum sich wie eine Methodistenversammlung unter Negern wand? – Aber das scheint euch nicht das Echte? Euch dünken das Effekte, über die ein Vernünftiger lache?

Allerdings ist auch *dieses* Kunst, und zwar eine solche, in welcher es diese berühmten Sänger sehr weit gebracht haben. Auch mit der Gesangstimme kann man spielen und tändeln, wie man will; endlich aber muß das ganze Spiel auch einem Affekte verwandt sein, denn so ganz ohne Not geht man doch nicht vom vernünftigen Reden in das immerhin bedenklich lautere Singen über. Und das ist es nun eben, was das Publikum will, daß es hier zu einer Emotion komme, die man zu Haus beim Whist- und Dominospiele nicht hat. Auch mag dies alles überhaupt einmal anders gewesen sein: große Meister fanden große Jünger unter den Sängern; von dem Wunderbaren, was sie gemeinsam zutage förderten, lebt noch die Tradition, und belebt sich oft wieder von neuem zur Erfahrung. Gewiß, man weiß und will, daß der Gesang auch dramatisch wirken soll, und unsre Sänger lernen daher den Affekt handhaben, daß es den Anschein hat, als kämen sie eigentlich nicht aus ihm heraus. Und der Gebrauch desselben ist vollkommen geregelt: nach dem Girren und Zirpen wirkt die Explosion ganz unvergleichlich; daß es nicht zur tatsächlichen Wahrheit kommt, nun, dafür ist es ja eben Kunst.

Euch bleibt ein Skrupel, und dieser beruht zunächst in eurer Verachtung der seichten Kompositionen, deren sich diese Sänger bedienen. Woher stammen diese? Doch eben aus dem Willen jener Sänger, nach deren Belieben sie angefertigt wurden. Was, um alle Welt, kann ein wahrer Musiker mit diesem Handwerk gemein haben wollen? Wie aber wird es damit stehen, wenn diese gepriesenen Halbgötter der italienischen Oper ein wahres Kunstwerk vorführen sollen? Können sie wahres Feuer fangen? Können sie den Zauberblitz jenes Wunderjuwels in sich fallen lassen?

Seht da: »Don Giovanni«! Und wirklich von Mozart! So steht es auf der Theateraffiche für heute zu lesen. Da wollen wir denn hören und sehen!

Und sonderbar ging es mir, als ich neulich wirklich den »Don Juan« von den großen Italienern hörte: es war ein Chaos von allen Empfindungen, darin ich hin und her geworfen wurde; denn wirklich traf ich den vollen Künstler an, aber dicht neben ihm den lächerlichsten Virtuosen, der jenen vollkommen ausstach. Herrlich war die *Grisi* als »Donna Anna«; unübertrefflich *Lablache* als »Leporello«. Das schönste, reichbegabteste Weib, ganz beseelt von dem einen: Mozarts »Donna Anna« zu sein: da war alles Wärme, Zartheit, Glut, Leidenschaft, Trauer und Klage. Oh! Die wußte, daß der verschüttete Bergmann noch lebe, und selig bestärkte sie in mir den eigenen Glauben. Aber die Törin verzehrte sich um Herrn *Tamburini*, der als weltberühmtester Baritonist den »Don Juan« sang und spielte: der Mann wurde den ganzen Abend über den hölzernen Klöpfel nicht los, der ihm mit dieser fatalen Rolle zwischen die Beine gelegt war. Ich hatte ihn zuvor in einer Bellinischen Oper einmal gehört: da lernte ich seine Weltberühmtheit begreifen: da war »Tremate!« und »Maledetta«, und aller Affekt Italiens zusammen. Heute ging das nicht: die kurzen, schnellen Musikstücke huschten ihm hinweg wie flüchtige Notenschatten; viel flüchtiges Rezitativ: Alles steif, matt; der Fisch auf dem Sande. Aber es schien, daß das ganze Publikum auf dem Sande lag: es blieb so gesittet, daß niemand ihm sein sonstiges Rasen anmerken konnte. Vielleicht eine schöne, würdige Feier des wahren Genius, der heute seine Flügel durch den Saal schwang? Wir werden ja sehen. Jedenfalls riß auch die göttliche *Grisi* an diesem Abend nicht besonders hin: namentlich begriff man ihre heimliche Glut für den verdrießlichen »Don Juan« nicht recht. – Da war nun aber *Lablache*, ein Koloß, und heute doch jeder Zoll ein *»Leporello«*. Wie er dieses anfing? Die ungeheure Baßstimme sang immer in den klarsten, herrlichsten Tönen, und doch war es stets nur ein Schwatzen, Plappern, dreistes Lachen, hasenfüßiges Knieschlottern; einmal pfiff er mit der Stimme, und immer tönte es schön, wie ferne Kirchturmglocken. Er stand nicht, er ging nicht, er tanzte aber auch nicht; doch immer bewegte er sich; man sah ihn da und dort, überall, und doch störte er nie, unbeachtet stets auf dem Flecke, wo eine drollige Nase der Situation etwas Lustiges oder Ängstliches anzumerken hatte. *Lablache* wurde an diesem Abend nicht ein einziges Mal applaudiert: das mochte vernünftig dünken, es sah aus, wie dramatischer Gout im Publikum. Wirklich verdrießlich schien dieses aber darüber, daß sein ausgemachter Liebling, Madame *Persiani* (das Herz erbebt, wenn man nur den Namen ausspricht!), mit der Musik der »Zerlina« sich nicht zurecht zu finden wußte. Ich merkte wohl, es war eigentlich darauf abgesehen, sich grenzenlos an ihr zu entzücken, und wer sie kurz zuvor im »Elisire d'amore« gehört hatte, dem konnte man eine Berechtigung hierzu nicht absprechen. Daran war nun aber entschieden

41

Mozart schuld, daß es heute nicht zum Entzücken kommen wollte: wiederum Sand für solch' einen munteren Fisch! Ach, was hätte Publikum und Persiani heute darum gegeben, wenn eine Einlage aus dem »Liebeselixir« für schicklich gehalten worden wäre! In der Tat merkte ich allmählich, daß es heute beiderseitig auf einen Exzeß von Dezenz abgesehen war: er herrschte eine Übereinkunft, die ich mir lange nicht erklären konnte. Warum, da man allem Anscheine nach »klassisch« gesinnt blieb, riß die herrliche »Donna Anna« durch ihre über alles schöne und vollendete Leistung nicht alles zu dem echten Entzücken hin, worauf es andrerseits heute einzig abgesehen schien? Warum, da man hier im allergerechtesten Sinne sich hinreißen zu lassen verschmähte, fand man sich dann überhaupt zu einer Aufführung des »Don Juan« ein? Wahrlich, der ganze Abend schien eine freiwillig übernommene Pein, welcher man aus irgend einem Grunde sich unterzog: aber zu welchem Zwecke? Etwas mußte doch damit gewonnen werden, da ein solches Pariser Publikum zwar viel verschwendet, aber immer etwas dafür haben will, sei es auch etwas recht Wertloses?

Auch dieses Rätsel löste sich: *Rubini schlug diesen Abend seinen berühmten Triller von A nach B!* Da tagte mir denn alles. Wie hätte ich groß an den armen »Don Ottavio« gedacht, den so oft verspotteten Tenorlückenbüßer des »Don Juan«? Und wahrlich hatte ich auch heute lange Zeit mein rechtes Bedauern mit dem so unerhört gefeierten *Rubini*, dem Wunder aller Tenöre, der auch seinerseits recht verdrießlich an sein Mozartpensum ging. Da kam er, der nüchterne, solide Mann, von der göttlichen »Donna Anna« leidenschaftlich am Arme herbeigezogen, und stand mit betrübter Gemütsruhe an der Leiche des verhofften Schwiegervaters, der ihm nun seinen Segen zur glücklichen Ehe nicht mehr geben sollte. Einige behaupteten, *Rubini* sei ein Schneider gewesen, und sähe auch noch so aus; ich hätte ihm dann aber mehr Gelenkigkeit zugetraut: wo er stand, da stand er und bewegte sich nicht weiter; denn er konnte auch singen, ohne eine Miene zu verziehen; selbst die Hand brachte er nur äußerst selten nach der Stelle des Herzens. Diesmal berührte ihn nun der Gesang vollends gar nicht; seine ziemlich gealterte Stimme mochte er füglich zu etwas Besserem aufsparen, als seiner Geliebten hier tausendmal gehörte Trostworte zuzurufen. Ich verstand dies, fand den Mann vernünftig, und da es durch die ganze Oper, sobald »Don Ottavio« dabei war, mit ihm so fortging, so vermeinte ich endlich, nun sei es aus, und frug mich immer dringender nur nach dem Sinne, dem Zwecke dieses sonderbaren abstinenzvollen Theaterabends. Da regte es sich unversehends: Unruhe, Rücken, Winke, Fächerspiel, allerhand Anzeichen der plötzlich eingetretenen gespannten Erwartung eines gebildeten Publikums. »Ottavio« war allein auf der Bühne zurückgeblieben; ich glaubte, er wolle etwas annonzieren, weil er hart an den Souffleurkasten vortrat: aber da blieb er stehen, und hörte, ohne eine Miene zu verziehen, dem Orchestervorspiele zu seiner B-dur-Arie zu. Dieses Ritornell schien länger als sonst zu dauern; doch war dies nur eine Täuschung: denn der Sänger lispelte die ersten zehn Takte des Gesanges nur so vollständig unhörbar, daß ich, als ich dahinterkam, daß er sich dennoch den Anschein des Singens gab, wirklich glaubte, der behagliche Mann mache Spaß. Doch blieben die Mienen des Publikums ernst; es wußte, was vorging; denn auf dem elften Gesangstakte ließ *Rubini* die Note F mit so plötzlicher Vehemenz anschwellen, daß die kleine zurückleitende Passage wie ein Donnerkeil herausfuhr, um mit dem zwölften Takte sogleich wieder im unhörbarsten Gesäusel zu verschwinden. Ich wollte laut lachen, aber alles war wieder totenstill: ein gedämpft spielendes Orchester, ein unhörbar singender Tenorist; mir trat der Schweiß auf die Stirn. Etwas Monströses schien sich vorzubereiten: und wahrlich sollte auf das Unhörbare jetzt das Unerhörte folgen. Es kam zum siebenzehnten Takte des Gesangs: jetzt hat der Sänger drei Takte lang das F auszuhalten. Was ist mit einem F viel zu machen? *Rubini* wird erst göttlich auf dem B: *darauf* muß er kommen, wenn ein Abend in der italienischen Oper Sinn haben soll. Wie nun der Trambolinspringer zur Vorbereitung auf dem Schwungbrette sich wiegt, so stellt sich »Don Ottavio« auf sein dreitaktiges F, schwillt zwei Takte lang vorsichtig, doch unwiderstehlich an, nimmt nun aber auf dem dritten Takte den Violinen den Triller auf dem A weg, schlägt ihn selbst mit wachsender Vehemenz, sitzt mit dem vierten Takte hoch oben auf dem B, als ob es gar nichts wäre, und stürzt sich mit einer brillanten Roulade vor aller Augen wieder in das Lautlose hinab. Nun war es aus: jetzt konnte geschehen, was da wollte. Alle Dämonen waren entfesselt, und zwar nicht, wie am Schlusse der Oper auf der Bühne, sondern im Publikum. Das Rätsel war gelöst: um dieses Kunststück zu hören, hatte man sich versammelt, ertrug zwei Stunden über die vollständige Absenz aller gewohnten Operndelikatessen, verzieh der *Grisi* und *Lablache*, daß sie es mit dieser Musik ernstlich nähmen, und fühlte sich nun selig belohnt durch das Glücken dieses *einen* wunderbaren Moments, wo Rubini auf das B sprang!

Mir behauptete einmal ein deutscher Dichter, trotz allem und jedem seien doch die Franzosen die eigentlichen »Griechen« unsrer Zeit, und namentlich hätten die Pariser etwas Athenisches an sich; denn sie wären endlich doch diejenigen, welche den meisten Sinn für »Form« hätten. Mir fiel das an diesem Abende ein: in der Tat zeigte diese ungemein elegante Zuhörerschaft durchaus keine Teilnahme an dem Stoffe unsres »Don Juan«; er galt ihr entschieden nur als die Holzpuppe, auf welche die faltige Drappierung der reinen Virtuosität als formelle Berechtigung für das Dasein des Musikwerkes erst zu legen war. Richtig verstand dies aber nur *Rubini*, und nun war auch zu begreifen, warum gerade dieser so kalte, ehrwürdige Mensch der Liebling der Pariser, das eigentliche »Idol« der gebildeten Gesangsfreunde war. In der Vorliebe für diese virtuose Seite der Leistungen gehen sie so weit, daß ihr ästhetisches Interesse sich nur auf diese bezieht, und dagegen auffälliger Weise das Gefühl für edle Wärme, ja selbst für offenbare Schönheit, immer mehr in ihnen erkaltet. Ohne eigentliche Rührung sah und hörte man sogar der edlen *Grisi*, dem schönen Weibe mit der seelenvollen Stimme, zu: das mag ihnen zu realistisch dünken. Da ist aber *Rubini*, philisterhaft, breit, mit gehäbigem Backenbart; dazu alt, mit fettig gewordener Stimme, geizig auf jede Anstrengung damit: gewiß, wird dieser über alle gesetzt, so kann das Entzücken nicht an seinem Stoffe haften, sondern es muß nur die rein geistige Form sein. Und diese Form wird nun allen Sängern von Paris aufgenötigt: jeder singt à la Rubini. Die Regel hierfür ist: eine Zeitlang unhörbar zu sein, dann plötzlich alles durch eine aufgesparte Explosion zu erschrecken, und gleich darauf wieder etwa den Effekt eines Bauchsängers vernehmen zu lassen. Herr *Duprez* macht es jetzt bereits ganz so: oft sah ich mich nach dem irgendwo versteckten Hilfssänger um, der plötzlich etwa unter dem Podium, wie die Mutterstimme-Trompete im »Robert der Teufel«, für den ostensiblen Sänger am Souffleurkasten, der jetzt keine Miene mehr verzog, einzutreten schien. Aber das ist »Kunst«. Was wissen wir Tölpel davon? – Genau genommen, hat mir diese italienische Aufführung des »Don Juan« zu recht persönlicher Erkenntnis verholfen. So gibt es doch große Künstler mitten unter den Virtuosen, oder: auch der Virtuose kann ein großer Künstler sein. Leider laufen sie mitten durcheinander durch, und wer sie genau zu unterscheiden weiß, wird traurig. Mich betrübten diesen Abend *Lablache* und die *Grisi*, während *Rubini* mich ungemein belustigt hat. So liegt in der Zurschaustellung dieser großen Verschiedenheiten nebeneinander doch etwas Verderbliches? Das menschliche Herz ist so schlecht, und die Verlumpung muß etwas so gar Süßes sein! Hüte sich jeder, mit dem Teufel zu spielen! Der kommt endlich, und keiner versieht es sich. So ging es auch Herrn *Tamburini* an diesem Abende, wo er sich das gewiß am wenigsten geträumt hatte. *Rubini* hatte sich glücklicherweise auf sein hohes B geschwungen: da blickte er schmunzelnd herab, und sah dem Teufel gemütlich zu. Ich dachte mir: Gott! wenn er nun den holte! –

Verruchter Gedanke! Das ganze Publikum wäre ihm in die Hölle nachgestürzt. –

(Fortsetzung im Jenseits!)

Über die Ouvertüre

Den Theaterstücken ging früher ein Prolog voraus: es scheint daß man es für zu gewagt hielt, die Zuschauer mit einem Schlage von den Eindrücken des Alltaglebens abzuleiten, und vor die Erscheinung einer idealen Welt zu versetzen; wogegen es klug dünken mußte, diese Versetzung durch eine Einleitung zu bewerkstelligen, welche vermöge ihres Charakters der neuen Kunstsphäre bereits verwandt war. Dieser Prolog wendete sich an die Einbildungskraft der Zuschauer, erbat die Mitwirkung derselben zur Ermöglichung der beabsichtigten Täuschung und fügte eine kurze Erzählung der als vorausgehend zu denkenden, sowie eine Übersicht der nun vorzuführenden Handlung hinzu. Als man, wie es in der Oper geschah, das Stück ganz in Musik setzte, hätte man folgerichtig diese Prologe ebenfalls singen lassen sollen; man führte dagegen zur Eröffnung ein nur vom Orchester auszuführendes Musikstück ein, welches dem ursprünglichen Sinne des Prologes insofern nicht entsprechen konnte, als in jener ersten Zeit die reine Instrumentalmusik noch viel zu wenig entwickelt war, um solch' eine Aufgabe charakteristisch zu lösen. Diese Musikstücke schienen dem Publikum nichts anderes haben sagen zu wollen, als daß heute gesungen werde. Wäre für diese Beschaffenheit der früheren Ouvertüre nicht eben der ganz nahe liegende Erklärungsgrund der Unfähigkeit der damaligen Instrumentalmusik vorhanden, so dürfte man vielleicht annehmen, daß der alte Prolog nicht nachgeahmt werden sollte, weil man seine nüchterne und undramatische Tendenz erkannte; so bleibt es nur gewiß, daß die Ouvertüre ebenfalls bloß zu einem konventionellen Mittel des Überganges benutzt, nicht aber bereits als ein wirkliches charakteristisches Vorspiel des Dramas angesehen wurde. Es galt schon als Fortschritt, als man nur dazu gelangte, den allgemeinsten Charakter des Stückes, ob dieser traurig oder lustig sei, durch die Ouvertüre anzudeuten; wie wenig im übrigen diese musikalischen Einleitungen als wirkliche Vorbereitungen zu der nötigen Stimmung bedeuten konnten, ersieht man z. B. an der Ouvertüre Händels zu seinem »Messias«, deren Autor wir uns als sehr unfähig denken müßten, wenn wir annehmen wollten, er habe bei der Abfassung dieses Tonstückes wirklich eine Einleitung zu seinem Werke im neueren Sinne beabsichtigt. Die freie Entwicklung der Ouvertüre als spezifisch charakteristisches Tonstück war eben jenen Tonsetzern noch verwehrt, welche für die längere Ausdehnung eines reinen Instrumentalsatzes lediglich auf die Anwendung der kontrapunktischen Kunst angewiesen waren; die »Fuge«, welche vermöge ihrer komplizierten Ausbildung ihnen hierfür einzig zu Gebote stand, mußte auch für das Oratorium und die Oper als Prolog aushelfen, und der Zuhörer mochte dann aus »Dux« und »Comes«, Verlängerung und Verkürzung, Umstellung und Engführung sich die gehörige Stimmung selbst zurecht bringen.

Die große Unergiebigkeit dieser Form scheint den Tonsetzern das Bedürfnis der Anwendung und Ausbildung der aus verschiedenen Typen zusammengestellten »Symphonie« eingegeben zu haben. Zwei schneller bewegte Tonsätze wurden hier durch einen langsameren von sanftem Ausdrucke unterbrochen, womit denn wenigstens die entgegengesetzten Hauptcharaktere des Dramas in einer Weise sich ausdrücken konnten, daß sie überhaupt merklich wurden. Es bedurfte nur des Genies eines *Mozart*, um in dieser Form sofort ein mustergiltiges Meisterwerk zu bilden, wie wir dieses in seiner Symphonie zu der »Entführung aus dem Serail« vor uns haben; es ist unmöglich, dieses Tonstück lebenvoll im Theater aufgeführt zu hören, ohne sofort mit größter Bestimmtheit auf den Charakter des von ihm eingeleiteten Dramas schließen zu müssen. Dennoch besteht in dieser Auseinanderhaltung der drei Teile, deren jedem ein, durch das verschiedene Tempo vorgezeichneter, besonderer Charakter zugeteilt ist, noch eine gewisse Unbeholfenheit, und es handelte sich darum, die isolierten charakteristischen Teile in der Weise zu verschmelzen, daß sie ein einziges ununterbrochenes Tonstück bildeten, dessen Bewegung gerade durch die Kontraste jener verschiedenen, charakteristischen Motive aufrecht erhalten werden sollte.

Die Schöpfer dieser vollkommenen Ouvertürenform waren *Gluck* und *Mozart*.

Gluck selbst begnügte sich noch häufig mit dem bloßen Einleitungsstücke der älteren Form, mit welchem er eigentlich, wie in der »Iphigenia in Tauris«, nur zu der ersten Szene der Oper hinüberführte, zu welcher dieses musikalische Vorspiel dann allerdings in einem meistens sehr glücklichen Verhältnisse stand. Trotzdem der Meister auch in den glücklichsten Fällen dieser Charakter einer Einleitung in die erste Szene, demnach ohne selbständigen Abschluß des Tonstückes als solchen, für die Ouvertüre beibehielt, wußte er endlich doch schon diesem Instrumentalsatze den Charakter der ganzen folgenden dramatischen Handlung einzuprägen. *Glucks* vollendetstes Meisterwerk dieser Art ist die Ouvertüre zu »Iphigenia in Aulis«. In mächtigen Zügen zeichnet hier der Meister den Hauptgedanken des Dramas mit einer fast ersichtlichen Deutlichkeit. Wir werden auf dieses herrliche Werk zurückkommen, um an ihm diejenige Form der Ouvertüre nachzuweisen, welche für die vorzüglichste zu halten sein dürfte.

Nach *Gluck* war es *Mozart*, welcher der Ouvertüre ihre wahre Bedeutung gab. Ohne peinlich das ausdrücken zu wollen, was die Musik nie ausdrücken kann und soll, nämlich die Einzelnheiten und Verwicklungen der Handlung selbst, wie sie der frühere Prolog auseinanderzusetzen bemüht war, erfaßte er mit dem Blicke des wahren Dichters den leitenden Hauptgedanken des Dramas, entkleidete ihn von allem Nebensächlichen und Zufälligen des tatsächlichen Ereignisses, um ihn als musikalisch verklärtes Gebilde, als in Tönen personifizierte Leidenschaft, jenem Gedanken als rechtfertigendes Gegenbild hinzustellen, in welchem dieser, und somit die dramatische Handlung selbst, eine dem Gefühle verständliche Erklärung gewann. Andrerseits entstand so ein ganz selbständiges Tonstück, gleichviel ob es sich in seiner äußerlichen Fassung an die erste Szene der Oper anschloß. Den meisten seiner Ouvertüren gab jedoch Mozart auch den vollständigen musikalischen Schluß, wie denen zur »Zauberflöte«, »Figaro« und »Titus«, so daß es uns verwundern könnte, daß er diesen der allerbedeutendsten, der zu »Don Juan«, versagte, wenn wir nicht andrerseits gerade in dem wunderbar ergreifenden Übergange der letzten Takte dieser Ouvertüre in die erste Szene einen ganz besonders tiefsinnigen Abschluß eben des einleitenden Tonstückes zu einem »Don Juan« erkennen müßten.

Die so von Gluck und Mozart geschaffene Ouvertüre ward das Eigentum *Cherubinis* und *Beethovens*. Während Cherubini im ganzen dem überkommenen Typus treu blieb, entfernte sich schließlich Beethoven in einem allerkühnsten Sinne von ihm. Die Ouvertüren des ersteren sind poetische Skizzen des Hauptgedankens des Dramas, nach seinen allgemeinsten Zügen erfaßt und in gedrängter Einheit und Deutlichkeit musikalisch wiedergegeben; an seiner Ouvertüre zum »Wasserträger« ersehen wir jedoch, wie selbst die Entscheidung des drängenden Ganges der Handlung in dieser Form sich ausdrücken konnte, ohne daß dadurch die Einheit der künstlerischen Fassung beeinträchtigt wurde. Beethovens Ouvertüre zu »Fidelio« (in E dur) ist dieser zum »Wasserträger« unverkennbar verwandt, wie überhaupt die beiden Meister auch in den bezüglichen Opern sich am nächsten berühren. Daß aber von den so gezogenen und eingehaltenen Grenzen das ungestüme Genie *Beethovens* in Wahrheit sich beengt fühlte, erkennt man deutlich in mehreren seiner anderen Ouvertüren, und vor allem in der zu »Leonore«. *Beethoven*, der nie die ihm entsprechende Veranlassung zur Entfaltung seiner ungeheuren dramatischen Instinkte gewann, scheint sich hier dafür entschädigt haben zu wollen, indem er sich mit der ganzen Wucht seines Genies auf dieses seiner Willkür freigegebene Feld der Ouvertüre warf, um in eigenster Weise sich aus reinen Tongebilden sein gewolltes Drama zu schaffen, welches er nun, von allen den kleinen Zutaten des ängstlichen Theaterstückmachers losgelöst, aus seinem riesenhaft vergrößerten Kerne neu hervorwachsen ließ. Man kann dieser wunderbaren Ouvertüre zu »Leonore« keinen andern Entstehungsgrund zusprechen: fern davon, nur eine musikalische Einleitung zu dem Drama zu geben, führt sie uns dieses bereits vollständiger und ergreifender vor, als es in der nachfolgenden gebrochenen Handlung geschieht. Dies Werk ist nicht mehr eine Ouvertüre, sondern das gewaltigste Drama selbst.

Nach *Beethovens* und *Cherubinis* Vorbildern entwarf *Weber* seine Ouvertüre, und obwohl er sich nicht auf die schwindelnde Höhe wagte, die Beethoven mit seiner »Leonoren«-Ouvertüre einnahm, verfolgte er doch mit Glück die dramatische Tendenz, ohne sich je in den Abweg peinlicher Ausmalerei des wertloseren Zubehörs der Handlung zu verirren. Selbst da, wo er durch seine phantasievolle Erfindungsgabe sich bestimmen ließ, mehr beiläufige Motive in seine musikalische Schilderung aufzunehmen, als der von ihm eigens zugelassenen Form der Ouvertüre zuträglich sein konnte, verstand er es doch immer wenigstens, die dramatische Einheit seiner Konzeption zu wahren, so daß man ihm die Erfindung einer neuen Gattung, der der »dramatischen Phantasie«, zusprechen kann, von welcher die Ouvertüre zu »Oberon« eines der schönsten Erzeugnisse ist. Dieses Tonstück ist von sehr wichtigem Einfluß auf die Richtung der neueren Kompnisten geworden; *Weber* hat damit einen Schritt getan, der bei dem wahrhaft dichterischen Schwunge seiner musikalischen Erfindung, wie wir dies sahen, nur einen glänzenden Erfolg erzielen konnte. Dennoch kann man nicht leugnen, daß die Selbständigkeit der rein musikalischen Produktion durch die Unterordnung unter einen dramatischen Gedanken leiden muß, sobald dieser Gedanke nicht nach einem großen, dem Geiste der Musik zuführenden, Zuge erfaßt wird, wogegen der Tonsetzer, wenn er die Einzelnheiten der Handlung selbst schildern will, sein dramatisches Thema nicht ausführen kann, ohne seine musikalische Arbeit zu zerbröckeln. Da ich hierauf zurückzukommen beabsichtige, begnüge ich mich für jetzt mit der Bemerkung, daß die zuletzt bezeichnete Manier notwendig zu einem Verfalle führte, und immer mehr der Klasse von Tonstücken sich zuneigte, welche mit dem Namen »Potpourri« bezeichnet werden.

Die Geschichte dieses Potpourris beginnt, in einem gewissen Sinne, mit der Ouvertüre zur »Vestalin« von *Spontini*: welche glänzenden und schönen Eigenschaften man diesem interessanten Tonstücke auch zuerkennen muß, so finden sich doch in ihm bereits die Spuren jener leichten und oberflächlichen Manier in der Ausführung der Ouvertüre, welche die vorherrschende der meisten Opernkomponisten unsrer Zeit geworden ist. Um den dramatischen Gang einer Oper im voraus zu zeichnen, handelte es sich nicht mehr darum, ein neues, künstlerisch in sich abgeschlossenes, musikalisch konzipiertes Gegenbild zu geben, sondern man las hier und dort die einzelnen Effektstellen der Oper, weniger um ihrer Wichtigkeit, als ihrer Gefälligkeit willen, zusammen, und reihte sie in banaler Aufeinanderfolge sich Glied um Glied an. Dies war ein Arrangement, wie es nachträglich von Potpourrifabrikanten oft noch viel überraschender und effektvoller aus den Motiven derselben Oper verfertigt wurde. Sehr bewundert wird die Ouvertüre zu »Guillaume Tell« von *Rossini*, wie selbst auch die zu »Zampa« von *Hérold*, offenbar, weil das Publikum hier sehr amüsiert wird, und wohl auch, namentlich in der ersteren, originelle Erfindung unleugbar sich bewährt: eine wahrhaft künstlerische Idee ist da aber nicht mehr vorhanden, und der Geschichte der Kunst gehören solche Erscheinungen nicht mehr an, wohl aber der der theatralischen Gefallsucht. –

Nachdem wir so auf die Entwicklung der Ouvertüre einen Überblick geworfen, und die glänzendsten Erzeugnisse dieser Gattung von Tonstücken uns zurückgerufen haben, verbleibt uns die Frage, welcher Art der Auffassung und Ausführung wir als der geeignetsten und somit richtigsten den Vorzug geben sollen. Wollen wir den Anschein der Exklusivität vermeiden, so ist hier auf eine sehr bestimmte Antwort nicht leicht. Zwei unerreichbare Meisterwerke liegen uns vor, welchen wir die gleiche Erhabenheit der Intention wie der Ausführung zuerkennen müssen, deren unmittelbare Konzeption und Behandlung dennoch vollständig verschieden sind. Ich meine die Ouvertüren zu »Don Juan« und zu »Leonore«.

In der ersteren ist der leitende Gedanke des Dramas in zwei Hauptzügen gegeben; ihre Erfindung, sowie ihre Bewegung, gehört ganz unverkennbar einzig dem Bereiche der Musik an. Eine leidenschaftliche Erregtheit des Übermutes steht im Konflikt mit einer furchtbar bedrohenden Übermacht, welcher jene zu unterliegen bestimmt scheint: hätte Mozart noch den schrecklichen Abschluß des dramatischen Süjets hinzugefügt, so fehlte dem Tonwerke nichts, um als ein vollständig Ganzes, als ein Drama für sich betrachtet zu werden; aber der Meister läßt den Ausgang des Kampfes nur ahnen: in dem wundervollen Übergange zur ersten Szene läßt er die feindlichen Elemente wie unter einem höheren Willen sich beugen, nur ein klagender Seufzer weht über die Kampfstätte dahin. So faßlich und klar der tragische Hauptgedanke der Oper sich in dieser Ouvertüre ausspricht, so findet sich in dem musikalischen Gewebe doch nicht eine einzige Stelle, welche irgendwie in eine unmittelbare Beziehung zu dem Gange der Handlung zu bringen wäre; wir müßten denn die der Geisterszene entnommene Einleitung in diesem Sinne beachten wollen, welcher wir für diesen Fall jedoch umgekehrt erst am Ende der Ouvertüre zu begegnen haben sollten. Dagegen ist das eigentliche Hauptstück der Ouvertüre frei von jeder Reminiszenz der Oper, und, während den Zuhörer nur die rein musikalische Ausarbeitung der Themen fesselt, wohnt seine geistige Empfindung den Wechselfällen eines erbitterten Ringkampfes bei, den er wiederum doch nie als dramatische Handlung vor sich entwickelt zu sehen erwartet.

Gerade hierin liegt nun aber die gründliche Verschiedenheit dieser Ouvertüre von der zu »Leonore«, weil wir bei Anhörung der letzteren uns der gewaltigen Angst nicht erwehren können, mit welcher wir dem Gange einer wirklich vor uns sich begebenden, ergreifenden Handlung zusehen. In diesem mächtigen Tonstücke hat Beethoven, wie zuvor gesagt, ein musikalisches Drama gegeben, ein, auf Veranlassung eines Theaterstücks geschaffenes, Drama für sich, nicht etwa nur die einfache Skizze des Hauptgedankens desselben, oder gar bloß eine vorbereitende Einleitung zur szenischen Aktion: allerdings aber ein Drama im idealsten Sinne. Das Verfahren des Meisters hierbei läßt uns, soweit wir es verfolgen können, erraten, welche tief innere Nötigung ihn für die Konzeption dieser riesenhaften Ouvertüre bestimmte: ihm handelte es sich darum, die *eine* erhabene Handlung, welche im dramatischen Süjet, um dieses auszufüllen, durch kleinliche Details geschwächt und aufgehalten wird, in ihre edle Einheit zusammenzudrängen, um dagegen ihre ideale neue Bewegung nur aus ihren innersten

Antrieben genährt sich vorzuführen. Dies ist die Tat eines mächtig liebenden Herzens, welches, von einem erhabenen Entschlusse hingerissen, von der Sehnsucht erfaßt ist, als Engel des Heils in die Höhle des Todes hinabzusteigen. Der eine Gedanke durchdringt das ganze Werk: es ist die Freiheit, die ein Lichtengel jauchzend der leidenden Menschheit zuführt. Wir sind in einen finstern Kerker versetzt, kein Strahl des Tagesscheines dringt zu uns! das schreckliche Schweigen der Nacht unterbricht einzig das Stöhnen, das Seufzen der Seele, die aus ihren Tiefen nach Freiheit, Freiheit verlangt. Wie aus einer Spalte, durch welche das letzte Sonnenlicht zu dringen scheint, senkt sich ein sehnsüchtiger Blick herab: es ist der Blick des Engels, dem die reine Luft göttlicher Freiheit zur Last wird, sobald er sie nicht mit euch, die ihr im tiefen Abgrunde eingeschlossen seid, atmen kann. Da faßt er einen begeisterten Entschluß, den Entschluß, alle Schranken niederzureißen, die euch vom Himmelslichte trennen: hoch und höher, und immer mächtiger schwillt die Seele von dem göttlichen Entschlusse; es ist die Heilssendung zur Erlösung der Welt. Doch dieser Engel ist nur ein liebendes Weib, seine Kraft die schwache des leidenden Menschen selbst: es kämpft mit den feindlichen Hemmnissen wie mit der eigenen Schwäche, und droht zu erliegen. Doch die übermenschliche Idee, wie sie die Seele immer neu durchleuchtet, verleiht endlich auch die übermenschliche Kraft: eine letzte äußerste, ungeheure Anstrengung, und die letzte Schranke fällt, der letzte Stein wird fortgewälzt: mit mächtigstem Strahlen dringt das Sonnenlicht in den Kerker: Freiheit! Freiheit! jauchzt die Erlöserin; Freiheit! göttliche Freiheit! ruft der Erlöste.

Dies ist die Leonoren-Ouvertüre, wie sie *Beethoven* dichtete. Hier ist alles von einem rastlosen dramatischen Fortschreiten belebt, von dem sehnsüchtigen Gedanken der Ausführung eines ungeheuren Entschlusses.

Doch dieses Werk ist durchaus einzig in seiner Art, und darf, wie wir dies schon erwähnten, nicht mehr eine Ouvertüre genannt werden, sobald wir unter dieser Benennung ein Tonstück verstehen, welches dazu bestimmt sein soll, vor dem Beginne eines Dramas, zur Vorbereitung auf den bloßen Charakter der Handlung, ausgeführt zu werden. Da wir andrerseits das musikalische Kunstwerk nicht im allgemeinen, sondern die wahre Bestimmung der Ouvertüre im besondern betrachten wollten, so kann diese zu »Leonore« nicht als Vorbild hingestellt werden, denn sie bietet, wie in allzu feuriger Vorausnahme, das ganze bereits in sich abgeschlossene Drama, woraus es sich ergeben muß, daß sie entweder vom Zuhörer nicht verstanden oder irrig aufgefaßt wird, sobald diesem nicht etwa die ganze Handlung schon zum voraus bekannt ist, oder aber, wird sie vollkommen verstanden, so schwächt sie unzweifelhaft den Genuß am darauffolgenden explizierten dramatischen Kunstwerke selbst.

Lassen wir daher dieses ungeheure Tonwerk beiseite, und kehren wir zu der Ouvertüre zu »Don Juan« zurück. Hier fanden wir den Umriß des leitenden Gedankens des Dramas in rein musikalischer, nicht aber in dramatischer Gestaltung ausgeführt. Erklären wir ohne Anstand diese Art der Auffassung und Behandlung für solche Tonsätze als die geeignetste, und zwar vor allem schon aus dem Grunde, weil hierdurch der Musiker sich jeder Veranlassung entzieht, die Grenzen seiner besondern Kunst zu überschreiten, d. h. seine Freiheit zu opfern. Aber der Musiker erreicht auch hiermit am sichersten den allgemein künstlerischen Zweck der Ouvertüre, welche immer nur ein idealer Prolog sein, und als solcher uns einzig in die höhere Sphäre versetzen soll, in welcher wir uns auf das Drama vorbereiten. Hiermit soll aber keineswegs gesagt sein, daß die musikalisch konzipierte Idee des Dramas nicht zum allerbestimmtesten Ausdruck und Abschluß gebracht werden sollte; im Gegenteil soll die Ouvertüre als musikalisches Kunstwerk ein volles Ganzes bilden.

In diesem Sinne können wir für die Ouvertüre auf kein deutlicheres und schöneres Vorbild verweisen, als auf die zu »*Iphigenia in Aulis*« von *Gluck*, und versuchen wir es daher, an diesem Werke im besonderen das zu zeigen, was wir nach allem Erkannten für das beste Verfahren bei der Konzeption einer Ouvertüre ansehen müssen.

Wiederum, wie in der Ouvertüre zu »Don Juan«, ist es hier der Kampf, oder mindestens die Entgegenstellung zweier sich feindlicher Elemente, was die Bewegung des Stückes hervorbringt. Die Handlung der »Iphigenia« selbst schließt diese beiden Elemente in sich. Das Heer der griechischen Helden ist in der Absicht einer großen gemeinschaftlichen Unternehmung versammelt: einzig von dem Gedanken der Ausführung desselben beseelt, verschwindet jedes menschliche Interesse vor diesem einzigen Interesse der ungeheuren Masse. Diesem stellt sich nun das eine besondere Interesse der Erhaltung eines menschlichen Lebens, die Rettung einer zarten Jungfrau entgegen. Mit welcher charakteristischen Deutlichkeit und Wahrheit hat nun *Gluck* diese beiden Gegensätze musikalisch gleichsam personifiziert! In welch' erhabenem Verhältnisse hat er diese beiden gemessen und sich in der Weise gegenübergestellt, daß einzig schon in dieser Entgegenstellung der Widerstreit, und demzufolge die Bewegung gegeben ist! Sogleich erkennt man an der ungeheuren Wucht des im Unisono ehern daher schreitenden Hauptmotivs die in einem einzigen Interesse vereinigte Masse, während sofort in dem folgenden Thema das jenem entgegenstehende andre Interesse des leidenden zarten Individuums uns mitleidvoll stimmt. Das fortgesetzt durch diesen einzigen Kontrast sich bewegende Tonstück gibt uns unmittelbar die große Idee der griechischen Tragödie, indem es uns abwechselnd mit Schrecken und Mitleid erfüllt. So gelangen wir in die erhaben aufgeregte Stimmung, die uns auf ein Drama vorbereitet, dessen höchste Bedeutung sie uns im voraus enthüllt, und dadurch uns anleitet, die folgende Handlung selbst nach dieser Bedeutung zu verstehen.

Möge dieses herrliche Beispiel zukünftig als Regel für die Auffassung der Ouvertüre dienen, und zugleich für immer dartun, wie sehr eine großartige Einfachheit in der Wahl der musikalischen Motive es dem Musiker ermöglicht, das schnellste und deutlichste Verständnis seiner noch so ungewöhnlichen Intentionen hervorzurufen. Wie schwierig, ja wie unmöglich wäre selbst *Gluck* der gleiche Erfolg gewesen, hätte er zwischen die so sprechenden Hauptmotive seiner Ouvertüre, für die Bezeichnung dieses oder jenes Vorganges im Drama, noch allerhand Nebenmotive gestellt und verarbeitet, welche hier verschwunden wären, oder gar die Aufmerksamkeit des musikalischen Zuhörers abgelenkt und zerstreut hätten. Trotz dieser Einfachheit in der Anwendung der Mittel, um eine längere Bewegung zu unterhalten, ist dem beziehungsvollen Anteile des Dramas an der Entwicklung des musikalischen Hauptgedankens in der Ouvertüre immer noch ein weiter Spielraum unverwehrt. Allerdings kann es sich hierbei nicht um eine Bewegung handeln, wie sie nur die dramatische Aktion bietet, sondern nur um eine solche, wie sie im Wesen der Instrumentalmusik liegt. Zwei in einem Tonsatze zusammengestellte musikalische Themen lassen in ihrer Bewegung immer eine gewisse Neigung, ein Streben nach einer Kulmination erkennen; eine Konklusion erscheint zu unsrer Beruhigung dann unerläßlich, denn unsre Empfindung verlangt danach, für die eine oder die andre Stimmung sich gänzlich zu entscheiden. Da nun ein ähnlicher Kampf der Prinzipien dem Leben eines Dramas erst seine höhere Bedeutung gibt, so widerstrebt es den unverfälschtesten Wirkungsmitteln der Musik keineswegs, jenem ihr eigenen Widerstreite der Tonmotive einen der dramatischen Tendenz nicht minder ähnlichen Abschluß zu geben. Von dem Gefühle hiervon bestimmt, verfuhren *Cherubini, Beethoven* und *Weber* bei der Konzeption ihrer meisten Ouvertüren; in derjenigen zum »Wasserträger« ist diese Krisis mit größter Bestimmtheit gegeben; die Ouvertüren zu »Fidelio«, »Egmont«, »Coriolan«, sowie die zum »Freischütz« drücken die Entscheidung eines heftigen Kampfes klar und sicher aus. Der Punkt der Berührung mit dem dramatischen Süjet würde demnach in dem Charakter der beiden Hauptthemen, sowie in der Bewegung liegen, in welche diese die musikalische Ausarbeitung versetzt. Diese Ausarbeitung würde andrerseits aber immer der rein musikalischen Bedeutung der Themen entspringen müssen; nie dürfte sie sich auf den Gang der Ereignisse im Drama selbst beziehen, weil ein solches Verfahren in unbefriedigender Weise alsbald den einzig wirksamen Charakter eines Tonstücks aufheben würde.

Die höchste Aufgabe bestünde bei dieser Auffassung der Ouvertüre demnach darin, daß mit den eigentlichen Mitteln der selbständigen Musik die charakteristische Idee des Dramas wiedergegeben und zu einem Abschluß geführt würde, welcher der Lösung der Aufgabe des szenischen Spiels vorahnungsvoll entspräche. Hierfür wird der Tonsetzer sehr glücklich verfahren, wenn er den charakteristischen Motiven seiner Ouvertüre selbst gewisse melismische oder rhythmische Züge, welche in der dramatischen Handlung selbst von Bedeutung werden, einwebt; diese Bedeutung dürfte für die Handlung selbst aber darauf beruhen, daß sie hier nicht zufällig eingestreut seien, sondern mit entscheidender Wichtigkeit einträten und gewissermaßen als Merkmale zur Orientierung auf einem spezifischen Terrain menschlicher Handlungen schon der Ouvertüre ein individuelles Gepräge verleihen. Natürlich müssen diese Züge an sich rein musikalischer Natur sein, daher solche, welche aus der Klangwelt beziehungsvoll sich in das menschliche Leben erstrecken, wofür ich als vortreffliche Beispiele die Posaunenstöße der Priester in der »Zauberflöte«, das Trompetensignal in »Leonore«, und den Ruf des Zauberhornes in »Oberon« anführe. Diese in der Ouvertüre bereits verwendeten musikalischen Motive aus der Oper dienen hier, an der entscheidenden Stelle angewendet, als wirkliche Berührungspunkte der dramatischen mit der musikalischen Bewegung und vermitteln somit eine glückliche Individualisierung des Tonstücks, welches immerhin doch berechnet ist, einem besonderen dramatischen Süjet als Stimmung gebende Einleitung vorauszugehen.

Stellen wir nun fest, daß die Ausarbeitung rein musikalischer Elemente in der Ouvertüre mit der dramatischen Idee so weit zusammenfallen soll, daß selbst der Abschluß der musikalischen Bewegung der Entscheidung der szenischen Handlung entspreche, so fragt es sich dann, ob die eigentliche Entwicklung des Dramas, oder die Wechselfälle im Schicksale der Hauptpersonen selbst einen unmittelbaren Einfluß auf die Konzeption der Ouvertüre, vor allem auf die Eigentümlichkeit des Schlusses derselben, ausüben dürfe. Gewiß möchten wir diesen Einfluß nur sehr bedingungsweise gestatten können; denn wir fanden, daß eine rein musikalische Konzeption sehr wohl die leitenden Grundgedanken des Dramas, nicht aber den individuellen Schicksalslauf einzelner Personen in sich fassen könne. In einem sehr bedeutenden Sinne verfährt der Tonsetzer als Philosoph, welcher nur die Idee der Erscheinungen erfaßt; ihm, wie in Wahrheit ebenfalls auch dem großen Dichter, liegt es somit nur an dem Sieg der Idee, wogegen der tragische Untergang des Helden, persönlich genommen, ihn nicht bekümmert. Von diesem Gesichtspunkte aus hält er sich die Verwickelungen der Einzelschicksale und der sie begleitenden Zufälle fern: er triumphiert, wenn der Held untergeht. Nirgends drückt sich diese erhabenste Auffassung schöner aus als in der Ouvertüre zu »Egmont«, dessen Schlußsatz die tragische Idee des Dramas zu ihrer höchsten Würde erhebt, und uns zugleich ein vollendetes Musikstück von hinreißender Gewalt gibt. Hiergegen kenne ich wieder nur eine Ausnahme von größter Prägnanz, welche der soeben festgestellten Ansicht gänzlich zu widersprechen scheint: dies ist die Ouvertüre zu »Coriolan«. Betrachten wir dieses gewaltige tragische Werk aber näher, so erklärt sich die verschiedenartige Auffassung des Süjets daraus, daß die tragische Idee hier gänzlich im persönlichen Schicksale des Helden liegt. Ein unversöhnlicher Stolz, eine alles überragende, überkräftige und übermütige Natur kann unsere Teilnahme, unser Mitleiden nur durch ihren Zusammenbruch erregen: diesen uns mit Bangen vorausfühlen, endlich mit Schrecken eintreten sehen zu lassen, war das unvergleichliche Werk des Meisters. Aber mit dieser Ouvertüre, wie nicht minder mit der zu »Leonore« steht eben Beethoven einzig und durchaus unnachahmbar da: die Belehrungen, die wir Schöpfungen von solch' hoher Originalität zu entnehmen vermögen, können für uns nur dann fruchtbringend werden, wenn wir sie mit den von andern großen Meistern uns hinterlassenen Lehren verbinden. In dem Dreigestirn *Gluck*, *Mozart* und *Beethoven* besitzen wir den Leitstern, dessen reines Licht uns stets auch auf den verwirrendsten

Pfaden der Kunst richtig leuchten wird; wer nur *einen* von ihnen sich aber zum ausschließlichen Leitstern erwählen wollte, würde gewiß in die Irre geraten, aus der nur Einer je siegreich hervorging, nämlich jener eine, Unnachahmliche.

Halévy und die Französische Oper

Zu einer guten Oper gehört nicht nur ein guter Dichter und Komponist, sondern auch eine ganz vorzüglich glückliche Übereinstimmung der Kräfte dieser beiden. Die beste Oper kann nur entstehen, wenn beide gleichmäßig für die Idee ihrer Schöpfung inspiriert sind, die *allerbeste* aber, wenn diese Idee selbst von beiden zugleich ausging.

Dies letzte ist fast unerhört, und doch ist es erdenklich, daß es geschehe. Man versinnliche sich nur zwei Jugendfreunde, Dichter und Musiker, in einer Epoche ihres Lebens, wo jene göttliche sympathetische Glut, mit welcher große Gemüter alle Leiden und Freuden der verstoßenen Wesen in sich aufnehmen möchten, unter dem nichtswürdigen Hauche unsrer hohen Zivilisation noch nicht erkaltete: – man denke sie sich vereint am Gestade des Meeres, durstigen Blickes in die Wogenferne hinausschweifend; – oder vor den Trümmern einer alten Ruine, sehnsüchtig grübelnd in das geistige Anschauen der Vergangenheit versunken: – Da dringt eine wunderbare Sage in dämmernden, unsicheren, aber namenlos bezaubernden Gestalten herauf: seltsame Weisen, nie gefühlte Leidenschaften lagern sich wie ahnungsvolle Träume auf die Seele: – Da wird plötzlich ein *Name* ausgesprochen, – ein Name, den die Sage oder die Geschichte gebar, – und mit diesem Namen ist sogleich ein ganzes Drama fertig! Der *Dichter* nannte ihn, denn diesem ist die Gabe verliehen, klar auszusprechen und die Gestalt, die vor ihm schwebt, in erkennbaren deutlichen Strichen zu zeichnen: – doch den ganzen Zauber des *Unaussprechlichen* darüber auszugießen, die Wirklichkeit mit der Ahnung des Höchsten zu verschmelzen, – bleibt dem *Musiker* vorbehalten.

Was beide dann in ruhigen Stunden künstlerischer Überlegung zustande bringen, mag mit Fug die *beste* Oper genannt werden.

Leider ist diese Art der Produktion aber wohl nur rein idealisch, oder wir müssen zum mindesten annehmen, daß die Früchte derselben nie vor die Augen des Publikums gelangen, da jedenfalls die Kunstindustrie nichts mit ihr zu tun hat. Diese ist es, die sich heutzutage zur Vermittlerin gewisser Dichter und Musiker aufgeworfen hat, und vielleicht müssen wir sie deshalb preisen, denn ohne die vortreffliche Einrichtung der droits d'auteur dürfte es leicht in Frankreich stehen wie in Deutschland, woselbst Dichter und Komponisten durchaus nichts voneinander wissen zu wollen scheinen; jene schönen Rechte aber haben hier schon manche glückliche Vereinigung zustande gebracht. Diese Rechte sind es, die, wenn ich nicht irre, z. B. Herrn *Scribe* begeisterten, plötzlich aller angestammten Neigung zuwider musikalisch gesinnt zu sein und Opernbücher zu liefern, wie sie für lange Zeiten als Muster dienen können.

Dieselben Rechte sind es aber auch, welche unsre geschicktesten Dichter oft vermögen, Operntexte zu schreiben, selbst wenn ihnen gerade nichts Gescheites eingefallen ist, und da die Direktoren unsrer kunstindustriellen Anstalten sich nicht für berechtigt halten, in Sachen, die von berühmten Namen herrühren, sich wählerisch zu zeigen, so sind auch die Komponisten gehalten, sich mit dem zu begnügen, was ihnen geboten wird. Was in diesen Fällen endlich herauskommt, ist nichts anderes, als verunglückte Werke mit berühmten Namen an der Spitze, eine Erscheinung, die unerklärlich wäre, wenn man jenes leitende Verfahren nicht zu würdigen verstünde: was ist natürlicher, als daß, was ohne Begeisterung, im bloßen stumpfesten Gewohnheitsgange, entstanden ist und gearbeitet wurde, nicht imstande ist, Begeisterung zu erwecken? Im Gegenteil müssen wir es stets als ein besonders glückliches Ereignis ansehen, wenn bei jenem herkömmlichen Verfahren zuzeiten Schöpfungen zum Vorschein kommen, die uns nicht nur hinzureißen vermögen, sondern die auch der strengsten Kritik gewachsen sind. Möge der Komponist immer derselbe bleiben, möge seine schöpferische Kraft sich immer in gleichem inneren Schwunge erhalten, so wird doch die bloße Rücksicht, für die Erhaltung und Bewährung eines berühmten Namens zu sorgen, unmöglich imstande sein, in ihm jene wundervolle Exaltation zu erzeugen, welche die schöpferische Kraft in volle Tätigkeit versetzt; dies zu bewirken, ist nur jenem göttlichen Funken möglich, der plötzlich glühend heiß in das Herz des Künstlers fällt, sich zur herrlich wohltätigen Flamme entzündet, wie feuriger Wein durch seine Adern braust, mit Tränen der Begeisterung sein Auge wäscht, auf daß es das Ideal erschaue und unfähig sei, das Gemeine zu erkennen. Keine ehrgeizige Rücksicht der Welt vermag aber diesen Funken zu entzünden; und zu bejammern, wahrhaft zu bejammern ist der Künstler, der sich so oft schon siegreich und hochbegeistert bewährte, und der, wie ein Lechzender in der Wüste nach Wasser, so in der seichten Intrige eines Kulissenstückes nach Begeisterung schmachtet. Wie beneidet sie sein mögen, jene glücklichen, mit Ehren überschütteten, glänzend ausgezeichneten Musiker, die einzig unter Tausenden das Recht haben, durch die glänzendsten Organe zu dem ersten Publikum der Welt zu sprechen, so wünschtet ihr, nach gleichem Ruhme Verlangenden, euch doch nie an ihre Stelle, wenn ihr sie sehen solltet in einer schönen, frischen Morgenstunde, nüchtern und trostlos sich der Komposition irgendeines Duetts unterziehen, dessen Gegenstand der Diebstahl einer goldenen Uhr oder die Überreichung einer Tasse Tee oder Kaffee ist!

Gönnet es ihnen daher von ganzem Herzen, wenn es Gott gefiel, einen jener Dichter zu begeistern und ihm selbst einen Teil des Funkens in die Brust zu werfen, der im Herzen des Musikers sich so gern und feurig zum schöpferischen Feuer entzündet! Ohne Neid und Groll wünschet Halévy Glück, wenn ihm sein gütiger Genius das Textbuch einer »Jüdin« und einer »Königin von Cypern« zuführte, denn diese Gunst ist gewiß nicht mehr als eine kümmerliche Gerechtigkeit!

In der Tat, Halévy ist zweimal vollkommen glücklich gewesen: bewundern wir, wie er es verstand, diese Begünstigungen zu hochwichtigen Momenten in der Geschichte der dramatischen Musik zu machen.

Der Charakter und die Eigentümlichkeit des Talentes Halévys, trotzdem es ihm keineswegs an jener Anmut und Leichtigkeit gebricht, welche den Reiz der französischen Opéra comique ausmachen, wies ihm vor allem das Gebiet der großen Oper als dasjenige an, auf dem es sich am kühnsten und selbständigsten ausprägen sollte. Auffallend und beachtenswert ist, daß hierin es ist, worin sich Halévys Bildungsgang wesentlich von dem *Aubers* und der meisten dramatischen *französischen* Komponisten unterscheidet: ihre Heimat ist entschieden die Opéra comique. Dieses nationale Institut, in welchem sich zu verschiedenen Epochen die besonderen, wechselvollen Richtungen des Volkscharakters und Geschmacks am deutlichsten und populärsten aussprechen, war von jeher ungeteiltes, ausschließliches Eigentum der französischen Komposition: hier war es zumal, wo Auber die ganze Fülle seines Talentes am leichtesten und sichersten entwickeln konnte. Elegant und populär, leicht und präzis, anmutig und keck, frisch und behaglich – wie es der Genre der Opéra comique erfordert –, war Auber ganz dazu gemacht, den Geschmack des Publikums dieses Theaters vorzüglich zu fesseln und zu beherrschen: mit Geist und Leben machte er sich die chansonartige Melodie zu eigen, verstand es, die Rhythmen derselben zu vervielfältigen und den Ensemblesätzen eine fast noch ungekannte, charakteristische Frische zu geben. Entschieden war dies Theater die heimatliche Schule Aubers, und als er sich auf die große Oper warf, schien er nur sein früheres Terrain zu erweitern, keineswegs aber zu verlassen; in der Opéra comique hatte er seine Kräfte geübt und gestärkt, um eine große Schlacht zu schlagen, er tat es mit demselben Mut, mit derselben Energie, mit der wir in den heißen Julitagen die lebenslustigsten Elegants der Hauptstadt sich in den Kampf stürzen sahen, und was er siegreich erkämpfte, war nichts Geringeres als der ungeheure Sukzeß der »*Stummen von Portici*«.

Ganz anders verhält es sich mit Halévy; die kräftige Mischung seines Blutes, das Konzentrierte seines ganzen Wesens stellten ihn sogleich auf den großen Kampfplatz. Wenn er auch durch das Herkommen veranlaßt war, sich zuerst in der Opéra comique zu zeigen, so war es doch in der großen Oper, wo er zuerst sein Talent in vollster, eigentümlichster Fülle entfalten konnte: so gut es ihm auch gelungen ist, für die Opéra comique die innere Gedrängtheit seiner Natur in jenen leicht anmutigen Fluß aufzulösen, der erquickt und erfreut, ohne aufzuregen und zu erschüttern, so nehme ich doch keinen Anstand, den Hauptzug des Talentes Halévys als pathetisch und hochtragisch zu bezeichnen.

Nichts konnte besser dieser Richtung entsprechen als das Sujet der »Jüdin«: es scheint (wollte man an Bestimmung glauben), als habe Halévy notwendig auf dieses Buch stoßen müssen, als sei es ihm von seinem Schicksale bestimmt gewesen, den ersten äußersten Aufwand seiner Kräfte dieser Aufgabe zu widmen. In dieser Oper ist es, wo sich Halévys großer Beruf auf das vielseitigste deutlich und unwiderlegbar kundgibt: dieser Beruf ist, *Musik zu schreiben, wie sie aus den innersten, gewaltigsten Tiefen der reichsten menschlichen Natur hervorquillt*. Fast ist es entsetzlich und betäubend, bis in jene untersten Tiefen hinabzublicken, die die Brust des Menschen in sich verschließt: dem Dichter selbst ist es unmöglich, das alles in Worten auszusprechen, was im Grunde dieses unerforschlichen Quells sich bald in göttlicher, bald in dämonischer Regung aufwühlt: – ihm bleibt nichts übrig, als von Haß, Liebe, Fanatismus, Wahnsinn zu sprechen, – er kann uns die Taten vorführen, die sich auf der Oberfläche jener Tiefe erzeugen; – nimmer aber kann er sie selbst nennen und aussprechen, die Urelemente dieser wunderbaren Natur. Dies Unaussprechliche zu beurkunden, liegt im geheimnisvollen Zauber der Musik, und nur *der* Musiker darf sich wahrhaft rühmen, sich des ganzen Reichtums seiner

Kunst bewußt zu sein, der sie in diesem Sinne auszuüben versteht. Unter all den glänzenden Meistern, die hochgeehrt und gepriesen in der Geschichte der Musik aufgezeichnet stehen, gibt es außerordentlich wenige, die in diesem Sinne auf die Würde eines *Musikers* Anspruch zu machen haben: wie vielen, deren Namen von Mund zu Mund gehen, war und ist es unbewußt, daß unter jener glänzenden, so wohlgefälligen Hülle, die ihnen allein von ihrer Kunst erkennbar war, eine Tiefe und ein Reichtum zugrunde liege, so unermeßlich wie die Schöpfung selbst? – Zu jenen *wenigen* aber gehört Halévy. –

Ich sagte, daß es in der »Jüdin« war, wo Halévy zuerst und im vollsten Umfange seinen außerordentlichen Beruf an den Tag legte, und wollte ich es versuchen, seine Musik zu charakterisieren, so mußte ich zunächst auf jene Tiefen dieser Kunst hinweisen, denn von ihnen aus ist es, wo Halévys Standpunkt und Auffassung der dramatischen Musik ausgeht. Es ist nicht die glänzende sinnliche Leidenschaft, welche, augenblicklich unser Blut erhitzend, ebenso schnell sich wieder abkühlt, sondern vielmehr jene ewige, tiefinnerste Regsamkeit, die Welt vom Anbeginn an belebend und zerstörend zugleich, von welcher ich spreche und welche das tragische Prinzip in der Musik dieser »Jüdin« ausmacht: aus dieser Regsamkeit entladet sich zugleich die düstre, und doch in so helle Flammen auflodernde fanatische Wut Eleazars, und die schmerzensreiche, selbstzerstörende Leidenschaft Rechas. Derselbe Regungsquell ist es, welcher jede Gestalt dieses erschütternden Dramas belebt, und so kommt es, daß in den grellsten Kontrasten Halévy jene hohe künstlerische Einheit zu bewahren wußte, durch welche bei allem Erschütternden jenes Grelle und Verletzende beseitigt wird.

Ganz dieser inneren Bedeutung der Halévyschen Schöpfung gemäß, mußte sich auch der äußere Guß seiner *Musik* gestalten. Das Gemeine und Triviale ist vollkommen aus ihr gebannt; der Zuschnitt, immer auf das *Ganze* berechnet, erlaubt dem Komponisten dennoch, selbst das kleinste Detail mit Sorgsamkeit und künstlerischer Vollendung auszuführen. Ein immer quellendes Leben verbindet die einzelnen Abschnitte der szenischen Einteilung, und hierin unterscheidet sich Halévy merklich und vorteilhaft von den meisten Opernkomponisten unsrer Epoche, von denen sich manche nicht genug Mühe geben zu können glauben, um jede Szene, ja fast jede Phrase auffallend zu trennen und dadurch zu isolieren, wahrscheinlich in der schmählichen Absicht, das Publikum auf die Stellen aufmerksam zu machen, wo es ohne Störung seinem

Beifall Luft machen könne. Das Bewußtsein des *wahrhaft dramatischen* Komponisten verläßt Halévy nie und erhält ihn stets in dieser Würde aufrecht. Seiner inneren Reichhaltigkeit verdanken wir zugleich eine größere Mannigfaltigkeit der dramatischen Rhythmen, die sich zumal auch in der immer charakteristisch bewegten Orchesterbegleitung kundgibt. Vor allem großartig erscheint Halévys glücklich erreichte Absicht, seinem lebenvollenTongemälde den Stempel der Zeit und des Geistes derselben aufzudrücken. Um zur glücklichen Lösung dieser Aufgabe zu gelangen, konnte nicht die Rede davon sein, durch kleinliche Anwendung und Benutzung dieser oder jener antiquarischen Notiz über rohe und meistens unkünstlerische Eigentümlichkeiten der Epoche, in welcher sich die Handlung ereignet, dies zu bewerkstelligen, sondern es mußte der *Duft* des Zeitalters und die besondere Eigentümlichkeit seiner Menschen wiedergegeben werden. Mit außerordentlichem Glück ist dies dem Komponisten der »Jüdin« gelungen, und läßt sich auch (– was eben für die wahrhaft künstlerische Lösung der Aufgabe spricht –) nirgends auf eine *Einzelheit* aufmerksam machen, in der sich die Absicht des Schöpfers ausspricht, so muß doch z. B. ich gestehen, daß ich nie eine dramatische Musik hörte, die mich so vollständig in eine längstvergangene und so genau prononzierte Zeitepoche versetzt hätte. *Wie* dies Halévy erreichte, ist das Geheimnis seiner Produktionsweise; die von ihm ausgehende Richtung würde aber nicht unpassend als eine *historische* bezeichnet werden, wenn sie nicht in ihren Grundelementen mit der *romantischen* genau zusammenträfe, denn da, wo wir mit vollem geistigen Sinn aus uns, aus unsren täglichen Empfindungen, Eindrükken und Umgebungen vollkommen herausgerissen und in eine unbekannte, und dennoch uns bewußte und erkenntliche Region versetzt werden, da waltet der volle Zauber der Romantik.

Hier treffen wir auf den Punkt, in welchem die Richtung Halévys auffallend und bedeutungsvoll von der Aubers abweicht. Aubers ganzes Gepräge ist so entschieden *national*, daß es bei dem *dramatischen* Komponisten nicht selten zur Einseitigkeit wird; – so wenig zu leugnen ist, daß dieser bestimmt ausgesprochene Charakter ihm im Gebiete der Opéra comique schnell und mit Nachdruck zu einer selbständigen, eigentümlichen Stellung verhalf, so sehr muß doch auch zugestanden werden, daß diese Eigentümlichkeit bei dem Entwurfe und der Ausführung großer tragischer Opern ihn nicht zu jenem Standpunkt gelangen ließ, von welchem aus, über alle Nationalitätsrücksichten erhaben, *rein menschliche* Verhältnisse empfunden und geordnet werden müssen. Daß ich hier von Nationalität im *kleineren Sinne* spreche, versteht sich von selbst: denn diese engere Begrenzung, diese Einhegung in nationale Gewohnheiten ist der für den Lustspieldichter wie für den Komponisten komischer Opern geeignete Standpunkt, um treffend, sicher und populär zu wirken: so wie dem Lustspieldichter, um seine Aufgabe zu erreichen, es von großer Wichtigkeit ist, sich gewisser populärer Aussprüche, Witz- oder Sprichwörter zu bedienen, so ergreift der komische Komponist mit Eifer die besonderen, charakteristischen Rhythmen und Melismen der Volksweisen seiner Nation, und seine Aufgabe kann wohl selbst auch darin bestehen, neu erfundene Rhythmen und Melismen der Neigung des Volkes anzupassen, um dies somit selbst zu beherrschen. Je hervorstechender und leicht erkennbarer diese Eigentümlichkeiten heraustreten, desto beliebter und populärer werden sie sein, und niemand hat hierin mit größerem Glücke reüssiert, als Auber: um so hindernder war ihm dies aber für die große tragische Oper, und mit so überwiegendem Talente er diese einseitige Richtung in der »Stummen von Portici« auch zu seinem und sogar des Ganzen Vorteil geltend zu machen wußte, so liegt doch in derselben der unleugbare Grund, weshalb dieser in seiner Art so einzige Meister mit seinen übrigen tragischen Opern verhältnismäßig nur wenig reüssierte.

Ich spreche hier von dem *Charakter der dramatischen Melodie.* Diese soll, außer da, wo es der Zeichnung besonderer nationaler Eigentümlichkeiten gilt, ein durchaus unabhängiges, universelles Gepräge haben, denn so nur wird es eben dem Musiker möglich, seinem Gemälde fremdartige, dem Charakter seiner Zeit und Umgebung fernliegende Färbungen zu geben: man soll aus ihr, wenn sie z. B. allgemeine menschliche Empfindungen malt, nie den *französischen, italienischen* usw. Ursprung sogleich beim ersten Angehör erkennen; drängen sich aber auch hier jene scharf bestimmten, nationalen Nuancen heraus, so ist die Wahrheit der dramatischen Melodie empfindlich beeinträchtigt und wird oft gänzlich verwischt. – Ein zweiter großer Nachteil ist dann der Mangel an Mannigfaltigkeit: jene Nuancen mögen noch so geistreich und geschickt motiviert sein, so kehren sie in ihren Grundzügen doch immer wieder, gewinnen durch ihre auffallende Erkennbarkeit das Ohr des Volkes, zerstören aber nicht selten alle dramatische Illusion.

Überhaupt ist in Aubers Musik die Vorliebe zu abgeschlossenem, rhythmischem Bau der Perioden sehr bemerkbar: es ist nicht zu leugnen, daß sie *dadurch* namentlich einen großen Teil jener

Klarheit und Faßlichkeit erhält, die auf der anderen Seite eines der wichtigsten Erfordernisse ist, das an dramatische Musik, die augenblicklich wirken soll, zu stellen ist; und niemand ist darin glücklicher als Auber gewesen, dem es zu wiederholten Malen gelungen ist, die verwickeltsten, sowie die leidenschaftlichsten Situationen zu einem klaren, schnell zu erfassenden Überblick zu ordnen. Ich erwähne hier in diesem Bezuge namentlich eines der geistvollsten und gediegensten seiner Werke: »*Lestocq*«. Bei dem musikalischen Zuschnitt der großen Ensemblestücke dieser Oper werden wir unwillkürlich an Mozarts »Hochzeit des Figaro« erinnert, zumal was die feine Vollendung des ununterbrochen fortfließenden melodiösen Gewebes betrifft.

Diese hervorstechende Vorliebe für große rhythmische und melodiöse Gleichmäßigkeit und Abgeschlossenheit wird aber, sobald sie nicht stets im Einklange mit der dramatischen Wahrheit steht, ermüdend und wehrt dem Eindrucke. Kommt nun noch hinzu, daß jene – ich möchte sagen: – *glänzende* Einseitigkeit in der Zeichnung der Melodie *selbst* dem universellen Ausdrucke der tragischen Empfindung nicht entspricht, so erscheint ein solches rhythmisch-melodiöses Gebäude oft wie ein schönes glänzendes Gehäuse, welches über die dramatische Situation gesetzt ist, so daß diese sich gleichsam wie unter Glas und Rahmen ausnimmt. Diese Richtung kommt Auber ganz vorzüglich zustatten, wenn er Ballettstücke schreibt: die außerordentliche Vollendung, mit der er diese zu behandeln versteht, spricht am deutlichsten aus, was ich unter dieser Vorliebe des Komponisten für rhythmische und melodiöse Gleichmäßigkeit verstehe. Dieser ballettmäßige Zuschnitt, mit seinen regelmäßig wiederkehrenden Perioden von acht Takten, mit seinen halben Schlüssen auf der Dominante oder in der verwandten Molltonart usw. – dieser Zuschnitt ist es eben, der Auber in seiner Kompositionsweise zu sehr zur zweiten Natur geworden ist und ihn entschieden hindert, seinen Auffassungen die Allgemeinheit zu geben, wie sie der Komponist tragischer Opern, d. h. der Maler der ewig gleichen und doch so unendlich mannigfaltig sich aussprechenden Empfindung des menschlichen Herzens, bedarf.

Habe ich mich mit ziemlicher Umständlichkeit über die Richtung Aubers verbreitet, so wird es mir nun um so leichter werden, in Kürze darzulegen, worin die Abweichung Halévys von derselben bestehe. Mit großer Energie und auffällig brechend mit dem Systeme Aubers ist Halévy in seiner »Jüdin« dem Geleise konventioneller Rhythmen und Melismen ausgewichen und hat die freie, unbeschränkte, bloß in der Wahrheit des Ausdruckes bedingte Bahn des *schaffenden Dichters* eingeschlagen. In Wahrheit gehörte ein nicht gewöhnliches Bewußtsein großer Kraft und inneren Reichtums dazu, um jenem sicheren, bei weitem leichter zu betretenden und zu verfolgenden Wege zur populären Anerkennung den Rücken zu kehren: es bedurfte kühnen Mutes und fester Überzeugung von der unbesiegbaren Kraft der Wahrheit; – es bedurfte einer so gedrängten Energie des Talentes, als des Halévys, um vollkommen zu reüssieren. Der durch diesen so glänzend durchgeführten Entschluß neu gelieferte Beweis für die unerschöpfliche Vielseitigkeit der Tonkunst ist für die Geschichte derselben von großer Wichtigkeit: dennoch hätte er nicht so entscheidend geführt werden können, und unmöglich würde Halévy überhaupt mit solchem Erfolg seine Aufgabe gelöst haben, wenn er nicht zu gleicher Zeit mit so früh reifer Erfahrung und künstlerischer Bedachtsamkeit zu Werke gegangen wäre. Hätte es sich Halévy einfallen lassen wollen, alle vorhandenen Formen für schal und ungenügend anzusehen und zu verwerfen, hätte er sich von blinder Leidenschaft erfassen lassen, schlechtweg neue Systeme zu erschaffen und in ihnen als Entdecker zu herrschen, so hätte er sich notwendig mit seinem noch so großen Talente in ihnen verlieren und dieses selbst unkenntlich und ungenießbar machen müssen. Zu was hätte dies Halévy aber auch nötig gehabt? stand nicht so vieles Wahre, Schöne und Würdige vor ihm und neben ihm, daß seinem klaren, unbefangenen Blicke sich der rechte Weg ganz von selbst zeigen mußte? Er hat ihn gefunden und somit niemals denjenigen Sinn für Formenschönheit verloren, der an und für sich selbst ein wesentliches Merkmal des wahren Talentes ist. Wie wäre es ihm möglich gewesen, ohne diesen feinformenden Sinn so gewaltige Empfindungen, so entsetzliche Leidenschaften zu schildern, ohne eben zu verwirren und das Herz und den Kopf des Zuhörers chaotisch zu betäuben. Das ist es aber: *die Wahrheit wird gleichmäßig verdeckt durch ein glattes, konventionelles äußeres Gewand, wie durch übermütigen und falschen Trotz auf ihren nicht selten sogar verkannten Wert.* –

Will ich noch einmal in Kürze die von Halévy mit der »Jüdin« eingeschlagene Richtung bezeichnen, so sage ich, daß sie sich von den *Kleinheiten*, von dem zu frühzeitig *Stereotypen* des neueren französischen Opernstils lossagte, ohne jedoch die durch seine Vorgänger neu erworbenen, charakteristischen Vorzüge desselben zu verschmähen. Nur so konnte es dem Komponisten gelingen, sich vor Ausschweifung und vor Verirrung in gänzliche Stillosigkeit zu bewahren: und daß Halévy dazu, nicht durch bloßen Instinkt, sondern durch volles Bewußtsein geleitet, gelangte, ist eben so unverkennbar, als wichtig.

Dieser Stil ist aber nichts anderes, als die deutlichste und erfolgreichste Weise, sein innerstes Wesen dem Charakter der Zeit, in der man lebt, gemäß auszusprechen: in dem Maße, in welchem der Künstler den Eindrücken seiner Epoche erliegt und sich ihnen unterordnet, wird der Stil allerdings an Selbständigkeit und Bedeutung verlieren; je mehr jener es aber versteht, seine innere eigentümliche Anschauung allgemeinverständlich darin auszusprechen, desto mehr wird der Stil veredelt und gehoben. Der Künstler, der sich seiner Anschauung vollkommen bewußt ist, ist der einzige, der sich mit Erfolg zum Meister des Stiles seiner Epoche aufwerfen kann: und nur *der*, welcher sich wiederum der Wichtigkeit des Stiles bewußt ist, kann es verstehen, seine innere Empfindung zur äußeren Anschauung zu bringen.

Zwei verderbliche Abwege von dem Fortschritt der Ausbildung einer musikalischen Epoche eröffnen sich daher vor unsren Augen; das gänzliche Verlassen des Stiles derselben und die Ausschweifung in *Stillosigkeit*, – oder: die Verflachung desselben zur *Manier*: – wo sich beides zeigt, läßt sich mit voller Gewißheit der herannahende Untergang der Epoche annehmen. Beide Abwege sind fast ausschließlich von den jüngeren dramatischen Komponisten unsrer Tage betreten worden, und besonders ist wohl die Schwächlichkeit, mit welcher die meisten sich dem Abweg der Manier überlassen, als der Grund dafür anzuklagen, daß die von Halévy so glänzend und frisch belebte und erweiterte Dichtung des französischen Stiles fast gänzlich ohne Einfluß auf sie geblieben ist.

Dieser Umstand ist so auffallend und von so trauriger Wichtigkeit, daß ich die Erscheinung und die Ursachen derselben einer näheren und rücksichtslosen Besprechung um so nötiger halte, da trotz seiner Augenfälligkeit ich mich nicht entsinnen kann, ihn der gehörigen Beachtung unterworfen gesehen zu haben. Und doch, wer kann und wird leugnen, daß seit Aubers Blütezeit die von ihm so siegreich ausgegangene Richtung des französischen Geschmacks von Stufe zu Stufe verdorben und herabgewürdigt worden ist? Um den äußersten Grad von Versunkenheit und Verflachung sogleich zu bezeichnen, brauchen wir wohl nur auf die Miseren hinzudeuten, die heutzutage *neben den glänzendsten Produktionen der französischen Genies* das Repertoir der Opéra comique bilden. Kaum ist es denkbar, wie ein nationales Kunstinstitut, in welchem noch die jüngsten unter uns der freudigen Geburt unübertrefflicher Meisterwerke zusahen, verdammt zu sein scheint, mit (wenigstens der Zahl nach) nur geringen Ausnahmen, von Monat zu Monat Erbärmlichkeiten zum Vorschein zu bringen, die selbst den entnervtesten Geschmack anwidern müssen. Da ihr Hauptmerkmal völlige Stumpfheit und Erschlaffung ist, so ist man um so verwunderter, zu sehen, daß sie bei weitem weniger von sich selbst überlebenden Meistern, als vielmehr von unsrer musikalischen Jugend herrühren, in der wir angewiesen sind, der Zukunft der französischen Musik entgegenzusehen. Spreche man nicht von der Erschöpfung Aubers! Wahr ist es, daß dieser Meister auf der Grenzscheide seiner künstlerischen Laufbahn angelangt ist, von welcher aus die schaffende Kraft nicht mehr weiter zu dringen und sich zu erneuen fähig ist, – daß diese im Gegenteil nur darauf angewiesen sein kann, sich gleich zu bleiben und den erworbenen Ruhm zu behaupten: wahr ist es, daß dieser Standpunkt der gefährlichste ist, weil er sich mehr zum Rückschritt als zum Fortschritt neigt: – muß man aber auch zugeben, daß die Einhegung in ein bestimmtes und feststehendes System der Produktion unausbleiblich zu großer Einseitigkeit und Beengtheit führt, so müssen wir jedoch auch freudig anerkennen, daß keiner so wie dieser Meister es versteht, die *von ihm selbst geschaffenen Formen* mit Leben und leichter Anmut zu erfüllen, sie selbst aber mit so künstlerischer Sicherheit und feiner Vollendung zu ordnen und zu runden; und vor allen Dingen hält uns jederzeit eben die Rücksicht, daß Auber seine Formen sich selbst bildete, in der Achtung vor dem ungewöhnlichen Talente des Künstlers, daß wir gerade *ihm* es gern erlauben müssen, sich ausschließlich in *der* Weise auszusprechen, in der er mit vollem Rechte einheimisch ist. Müssen wir also auch weit davon entfernt sein, Auber selbst als den Verderber des von ihm selbst gebildeten musikalischen Geschmackes zu betrachten, so ist jedoch ebenfalls nicht zu leugnen, daß in der von ihm ausgegangenen Richtung des Stiles, wie ich sie oben bereits bezeichnete, der Grund zu dem Abwege zu finden ist, in welchem sich unsre jüngeren Komponisten so rettungslos verloren zu haben scheinen. Nichts wie der äußere Mechanismus scheint von Aubers Produktionsweise diesen erkennbar und nacheiferungswert erschienen zu sein: – der Geist, die Grazie, die Frische ihres Meisters ging ihnen nicht auf. Aber, um des Himmels willen, was sind jene Formen, wenn sie nicht durch diesen Gehalt erfüllt werden? Grauenhaft, ärmlich schrumpfen sie zusammen, werden kleiner als klein, nichtssagender als nichtssagend, und vollkommen untauglich, je wieder zum Ausdruck geistiger Anschauungen zu dienen. – Es erfüllt in Wahrheit mit Grauen, wenn man diese unsägliche Schwäche, Armut, Schlaffheit und vorschnelle Abgelebtheit an diesen *jüngeren und jüngsten* Komponisten gewahrt, während man zu gleicher Zeit den *älteren* Künstler, von welchem unbewußt jenes Verderben ausging, mit verhältnismäßig auffallender Frische und Lebenskraft seine alte Bahn verfolgen und seinen gewonnenen Ruhm behaupten sieht. Wer gedenkt nicht mit Entsetzen des Komponisten des »Postillon von Lonjumeau«, der sich zu einer Zeit schnellen Glanz gewann, als Aubers Stillstand bereits eingetreten war, und der sich in spurlose Seichtigkeit verloren hat, als Auber sich noch die letzten Triumphe erficht? Und *Adam* war entschieden der einzige Nachfolger Aubers, der einiges Talent besaß: welche Existenz wird denjenigen, denen ihren Werken nach notwendig fast jede Spur von Talent abgesprochen werden muß?

Sind wir mit uns über die außerordentliche Schwäche dieser unglücklichen Zeitgenossen und Nachfolger (– oder wie wir sie sonst nennen wollen –) Aubers klar, und fassen wir ihre individuelle Unfähigkeit besonders ins Auge, so wird es uns allein, oder doch am leichtesten erklärlich, wie es gekommen ist, daß Halévys, mit der »Jüdin« so ruhmvoll und glänzend gebrochene Bahn, trotzdem sie mit dem lautesten und gehaltvollsten Beifall des Publikums begrüßt wurde, keinen von ihnen zur Nachfolge gelockt hat. Die in Halévys Richtung vorherrschend ausgesprochene *Kraft, die konzentrierte Energie*, die ihr zugrunde liegt, und der mannigfaltige, strotzende Reichtum der ungebundenen, und dennoch künstlerisch geordneten Formen, in denen sie sich äußert, waren entschieden für das Pygmäengeschlecht, denen die Musik nur in der Gestalt von Dreiachteltaktcouplets und Quadrillenrhythmen aufgegangen zu sein scheint, zu erdrückend; – wenn sie in dem mutigen Einschlagen jener ihnen eröffneten Bahn ihr Heil nicht erkannten und versuchten, so ist daran der tiefe Grad von *künstlerischer Demoralisation* schuld, in den sie mit dem Tage versanken, an welchem sie ihre Laufbahn begannen, – denn bei nur einiger ihnen innewohnenden Schwungkraft hätten sie mit Jubel Halévy folgen müssen. Jedoch die Autoren der »Chaste Suzanne«, der »Vendetta«, des »Comte de Carmagnola« usw. usw. *konnten* ihm nicht folgen.

Wenn einem hochherzigen Künstler an seinen persönlichen großen Erfolgen nicht mehr gelegen ist, als an seinem heilsamen Einflusse auf die Richtung seiner künstlerischen Zeitgenossen, so müßte es betrübend für Halévy sein, zu sehen, wie gering dieser Einfluß in seiner nächsten Umgebung war, wenn wir ihn nicht mit einer Hinweisung auf *Deutschland* trösten könnten. Die *Deutschen*, die das Feld ihrer Oper gern und willig den Ausländern überlassen, hatten sich darin gefallen, Rossinis üppige Musik bis auf das letzte Teilchen ihres wahrhaften oder bestreitbaren Wertes zu würdigen; sie waren unwiderstehlich durch die hinreißenden Reize der »Stummen von Portici« enthusiasmiert worden und erlaubten ihren Theatersängern und Opernorchestern, ausschließlich französische, wie früher italienische Musik aufzuführen: keinem deutschen Musiker ist es jedoch je eingefallen, sich jene Musik zum Modell zu nehmen und in der Manier Aubers oder Rossinis zu schreiben. Freimütig und vorurteilslos begrüßten sie das ihnen Fremde und erfreuten sich dessen als solchem mit ungeheuchelter Anerkennungslust: dieses Fremde galt ihnen aber eben als *Fremdes*, und räumten sie ihm auch gastlich ihre Theater ein, so blieb es jedoch ihrer Weise zu denken, zu empfinden, zu produzieren in Wahrheit vollkommen fremd: Aubers Musik konnte, eben des in ihr so laut sich aussprechenden *Französisch-Nationalen* wegen, den Deutschen wohl enthusiastische Bewunderung ihres Wertes, niemals aber jene innerliche Sympathie erwecken, mit welcher man einer Erscheinung unbedingten Einfluß auf sich und seine Gefühlsrichtung einräumt. So ist der auffallende Umstand zu erklären, daß die deutschen Theater sich fast ausschließlich nur mit französischer Musik beschäftigen, ohne daß ein deutscher Musiker die Lust oder die Absicht kund getan hätte, sich den Stil und die glücklichen Eigentümlichkeiten dieser Musik zu eigen zu machen, trotzdem er leicht hätte verführt werden können, zu glauben, es würde ihm auf diese Art am leichtesten gelingen, dem modernen Geschmack des Publikums zu entsprechen.

Einen bei weitem tieferen Eindruck brachte dagegen Halévys »Jüdin« hervor: dieses Werk bewährte in Deutschland nicht nur seine hinreißende, erschütternde Gewalt, sondern sie erweckte auch jenen Punkt tiefer, innerlicher Sympathie, der, wo er in Wahrheit angeregt wird, auf nahe Verwandtschaft schließen läßt. Mit freudiger Überraschung und zu seiner wahrhaften Erbauung erkannte der Deutsche in dieser Schöpfung, welche auf der einen Seite dennoch aller Vorzüge der französischen Schule teilhaftig ist, die deutlichsten und schönsten Spuren *Beethoven*schen Geistes, gleichsam der Quintessenz der deutschen Schule: hätte sich aber auch dieser Verwandtschaftsgrad nicht sogleich zu erkennen gegeben, so wäre doch schon der vielseitigere universelle Stil Halévys, wie ich ihn oben charakterisierte, imstande gewesen, dem deutschen *Musiker* dies Werk als höchst wichtig erscheinen zu lassen, denn jene, ebenfalls bereits bezeichneten, nicht selten glänzenden, immer aber beengenden, speziellen Eigentümlichkeiten des national-französischen Stiles Aubers waren es, die ihn von Nachahmung abstießen und zurückschreckten, seine innewohnende, ursprüngliche Richtung mit der fremden zu verschmelzen. Diese größere Freiheit des Stiles, sowie das tiefe, kräftige Gefühl, welches sich durch ihn aussprach, räumte Halévys Musik einen großen und bedeutungsvollen Einfluß auf die Deutschen ein: sie hat ihnen durch Sympathie den Weg gewiesen, auf welchem dem deutschen Komponisten es möglich werden wird, sich mit Erfolg wiederum auf das fast gänzlich aufgegebene Terrain der dramatischen Musik zu werfen, ohne die eigentümliche, deutsche Gefühlsrichtung durch äußere Nachahmung einer fremden, kleinlichen Manier zu beleidigen und zu verwischen. Nichts kommt in Deutschland übereilt zur Reife, und die Mode hat im ganzen dort nur wenig Einfluß auf die Produktionen der Kunst: deutlich läßt sich aber in dieser und jener Erscheinung wahrnehmen, daß sich für Deutschland eine neue Epoche der dramatischen Musik ankündigt; wieviel zur Förderung derselben Halévys Einfluß beigetragen haben wird, soll zu seiner Zeit klar ausgesprochen werden; für jetzt deute ich nur noch an, daß *dieser* jedenfalls bedeutender sein wird, als der von den modernen Koryphäen der echt deutschen Kunst selbst ausgehende. Der bedeutendste dieser Koryphäen ist jedenfalls *Mendelssohn-Bartholdy*; an ihm stellt sich die ursprüngliche deutsche Richtung am charakteristischsten heraus; das geistige, phantasievolle, innerliche Leben, welches sich in seinen fein detaillierten Instrumentalkompositionen ausspricht, sowie die poetische, leidenschaftslose Neigung zur Frömmigkeit, die seine Kirchenkompositionen durchdringt, liegen dem deutschen Gefühle am nächsten, sind aber durchaus unfähig, oder zum mindesten unzureichend, zur Auffassung und Produktion dramatischer Musik zu begeistern. Der Opernkomponist bedarf *tiefer und energischer Leidenschaft*, und es muß ihm die Gabe verliehen sein, *diese in großen und starken Strichen zeichnen zu können*: beides liegt jedoch durchaus nicht in der Natur Mendelssohn-Bartholdys, und darin findet sich (unter anderem) der Grund, weshalb ein Versuch dieses ausgezeichneten Künstlers in dramatischer Musik verunglückte und er sich seitdem von diesem Genre gänzlich entfernt gehalten hat: auch müßten die aufrichtigsten Bewunderer dieses in seiner Art so großen Talentes mit Sicherheit einer Fehlgeburt entgegensehen, falls er sich bestimmt fühlen sollte, seine Kräfte von neuem einer dramatischen Arbeit zu widmen.

Von dieser Seite her dürfte also eine einflußreiche Belebung der sich in Deutschland vorbereitenden Epoche dramatischer Musik unmöglich zu erwarten sein: von bei weitem größerer und entscheidenderer Wichtigkeit bleibt der Einfluß, der durch Halévy, zwar von außen, doch aus innig verwandter Quelle kam; und wer die Gediegenheit und Würde der deutschen Musik vollkommen zu würdigen versteht, wird diesen belebenden Einfluß auf einen der wichtigsten Genres derselben Halévy gewiß nicht zum kleinsten Ruhme anrechnen.

Wer diese schönen und vielsagenden Erfolge der Halévyschen Musik wahrnimmt, wird gewiß aufrichtig zu beklagen haben, daß unsre jüngeren französischen Komponisten sich nicht ermannen konnten, in die Fußtapfen des Schöpfers der »Jüdin« zu treten. Diese sind, wie gesagt, in der, bei ihnen zu einem *System von Floskeln* herabgesunkenen Manier Aubers*stehen geblieben, und – was das Schlimmste ist! – da es ihnen an der geistigen Elastizität gebrach, mit der es noch heute Auber versteht, seinen Formen Leben und Frische einzuhauchen, so haben sie sich mit wahrer Feigheit dem modischen *italienischen* Einflusse unterworfen. Ich nenne diese Unterwerfung *feig*, weil sie die verächtlichste Schwäche verrät: schwach und verächtlich ist es aber, wenn man das einheimische Bessere aufgibt, um das fremde Schlechtere aufzunehmen, und zwar aus keinem anderen Grunde, als weil es *leichter* und *bequemer* ist, flüchtige Gunstbezeugungen einer unverständigen Masse dadurch zu erwerben.

Während italienische Maëstri, um es wagen zu können, vor dem Pariser Publikum aufzutreten, es sich ernstlich angelegen sein lassen, sich die großen Vorzüge der französischen Schule anzueignen; während sie (wie *Donizetti* es vor kurzem zu seiner größten Ehre in der *»Favorite«* bewies) mit Fleiß und Sorgsamkeit auf eine, von dieser Schule verlangte, feinere und edlere Ausführung der Formen, auf eine sichere Zeichnung der Charaktere, vor allem aber auf Unterdrückung jener trivialen, monotonen und tausendmal abgenutzten Beigaben und stehenden Hilfsmittel, an denen die heutige italienische Kompositionsmanier einen so »ärmlichen« Überfluß hat, bedacht sind, – währenddem, sage ich, diese Maëstri aus Respekt für diesen Schauplatz sich zu erkräftigen und zu erheben beflissen sind, ziehen die Jünger dieser so respektierten Schule es vor, sich zum Austausch alles das zu eigen zu machen, was jene schamvoll von sich werfen. Handelte es sich bloß darum, ein Publikum durch die Kehle dieses Sängers oder jener Sängerin, gleich *was* sie singen mögen, sondern nur dadurch, *wie* sie es singen, zu amüsieren, so möchten jene Leutchen gar nicht übel daran tun, auf die bequemste Manier von der Welt – d. i. auf die italienische Manier – für die Befriedigung so armseliger Ansprüche auf Unterhaltung zu sorgen, wenngleich dabei immer eine Hauptaufgabe des wahren Künstlers, jene Unterhaltung zu veredeln, unberücksichtigt bliebe. – Deutlich stellt es sich aber heraus, daß wir dem Publikum der beiden französischen Opern in Paris schmähliches Unrecht zufügen würden, wenn wir ihm nicht einen anspruchsvolleren Geschmack zuschreiben wollten: der richtige Takt des Publikums der großen Oper ist weltbekannt, und die Masse, die in unsren Tagen den Vorstellungen von »Richard Löwenherz« in der Opéra comique zuströmte, würde uns empfindlich Lügen strafen, wollten wir eine so unbedingte Anklage behaupten. – Freilich gibt es Leute, und Leute von Geschmack, Leute von Geist, welche sich nicht *beruhigen* können und sich stolz darauf tun zu erklären, – *Rossini sei das größte musikalische Genie.* Ach! wohl trifft so manches zusammen, was zu der Meinung bringen muß, *Rossini* sei ein *Genie*, besonders wenn man den unsäglichen Einfluß, den er auf unsre ganze Zeit ausübt, in Anschlag bringt: lieber sollten wir aber uns dies verschweigen, zum mindesten nicht mit der Anpreisung dieses *Genies* uns brüsten! – Es gibt der Genien gute und böse: beide stammen aus dem Urquell alles Göttlichen und Lebenverbreitenden, aber ihre Sendungen sind nicht gleich: – Tugend und Sünde sind gleich notwendig, um diese Welt in ewig wechselwirkender Regung zu erhalten, und ich könnte und würde euch darüber eine alte Sage erzählen, wenn ich ihrer außerordentlich dramatischen Tendenz wegen sie nicht zu einem Operntexte bestimmt hätte, um den ich leicht kommen könnte, wollte ich meine Sage hier allen librettodurstigen Theaterdirektoren und Opernkomponisten ohne alle Umstände erzählen.

Wie bewunderns- und liebenswürdig war *Rossini*, so lange er ein großes Talent war! Seitdem er und die Leute entdeckten, daß er eigentlich ein großes Genie sei, wurde er arrogant und grob, und sprach von *Juden, die ihn durch ihren Sabbat von der großen Oper zu Paris vertrieben hätten.* Und doch sollte er diesen Juden nicht so zürnen, sondern bedenken, daß sie ihn durch ihren Sabbat zur Reue und Buße gebracht haben, und religiöse Gefühle und Übungen sind jedenfalls geeignete Wege zur Rückkehr zum ewigen Heil nach einer nicht ganz sündenlosen Jugend, zumal wenn sie nebenbei so artige »Stabat Mater« abwerfen, wie deren eines gegenwärtig zur Erbauung der in religiöser Inbrunst schmachtenden Dilettanten in der italienischen Oper von den hinreißendsten Sängern der Welt vorgetragen wird. Es ist um die Religion ein schönes Ding, – mitunter bringt sie auch etwas ein! –

Ich habe nicht das Recht, über ein Genie wie Rossini etwas zu sagen: zur Ehre der französischen Musik kann ich jedoch nicht umhin, meine größte Verwunderung über die Wahrnehmung allen Mangels an Patriotismus bei denjenigen auszudrücken, die, wenn sie endlich der Kürze wegen mit einem Schlage Rossini in den Olymp erheben wollen, sich auf seinen übermenschlichen *Reichtum an Melodien* berufen. Ich weiß nicht gleich, wieviel Melodien es in Rossinis Opern gibt, auch ist dies im einzelnen oft schwer anzugeben, da sich mitunter vor lauter herrlichen Verzierungen nicht deutlich ersehen läßt, ob z. B. acht Takte sechzehn Melodien oder gar keine enthalten; – aber in allem Ernste ruf' ich euch zu: kennt ihr Aubers »Stumme von Portici« nicht? – Gehet hin und hört heute »Il Turco in Italia« und morgen die erste beste Oper Aubers, welche *ihr* wollt, und saget dann, daß euer Landsmann, des großen Vorzuges des *Charakters* seiner Melodien noch ungedacht, zum *mindesten* nicht eben so reich, als euer gepriesener »Schwan von Pesaro« sei!

Jedoch, zurück zum *Publikum*, zum Publikum der beiden *französischen Opern* der Hauptstadt. Ich glaube mit Recht behaupten zu können, daß dieses Publikum das *unbefangenste* in der Welt sei, jedoch mit billiger Vorliebe für das Bessere. Als solches kann es sich wohl leutselig und nachsichtig gegen die traurigen Manifestationen der gänzlich versunkenen Richtung unsrer jungen Opernkomponisten zeigen, nirgends aber finden wir bestätigt, daß es diese Richtung durch wahren Beifall ermuntere oder auszeichne. Desto unbegreiflicher würde die unermannbare Schwäche dieser Leute erscheinen, und um so trüber würde es mit der Aussicht auf die musikalische Zukunft Frankreichs stehen, wenn wir annehmen müßten, daß wir durch die Affichen der Opernzettel wirklich mit den Namen der einzigen Künstler bekannt gemacht würden, denen von der Vorsehung die Fortpflanzung des Ruhmes der französischen Schule aufgegeben sei. Mit Recht müssen wir aber annehmen, daß wir auf jenen Affichen nur eine traurige Elite durch sonderbare Umstände berufener und an das Tageslicht gezogener Kunstaspiranten zu erkennen haben, und daß der eigentliche Kern in der großen Hauptstadt und in dem noch größeren Frankreich unbeachtet vielleicht mit Qual und Not, Kummer und Hunger, bis jetzt noch vergebens ringt, um mit Erfolg an die Türen jener großen Kunsthandelshäuser zu klopfen. Diese Türen werden und müssen sich aber öffnen, und möge dann jedem, dem es Ernst ist um die *hohe, wahre dramatische Kunst, Halévy* ein unverrücktes Vorbild sein!

Wie verhalten sich republikanische Bestrebungen dem Königtum gegenüber?

Laßt uns über diese Frage vollkommen klar werden und daher zunächst genau erörtern, was der Kern republikanischer Bestrebungen sei.

Glaubt ihr im Ernst, wenn wir von unsrem jetzigen Standpunkte aus noch weiter vorwärtsschreiten wollen, müßten wir mit allernächstem schon an der offenen königslosen Republik ankommen? Glaubt ihr dies, oder wollt ihr es den Ängstlichen nur weismachen? Seid ihr kenntnislos oder seid ihr böswillig?

Ich will euch sagen, wohin unsre allerdings »republikanischen« Bestrebungen zielen: – Unsre Bestrebungen *für das Wohl aller* gehen dahin, die sogenannten Errungenschaften der letzten Vergangenheit nicht an sich schon als das *Ziel*, sondern als einen Anfang erkannt zu wissen.

Das Ziel fest ins Auge gefaßt, wollen wir daher zunächst *den Untergang auch des letzten Schimmers von Aristokratismus*; sind unsre Herren vom Adel keine Feudalherren mehr, die uns knechten und schinden konnten, wie sie Lust hatten, so sollen sie, um alles Ärgernis zu verwischen, auch den letzten Rest einer Auszeichnung aufgeben, die ihnen an einem hitzigen Tage leicht zu einem Nessusgewande werden könnte, das sie bis auf die Knochen verbrennt, wenn sie es nicht beizeiten weit von sich geworfen haben würden. Gedenkt ihr dabei eurer Stammesahnen und haltet ihr es für unfromm, euch der Vorzüge zu begeben, die ihr von ihnen ererbtet, so bedenkt, daß auch wir unsrer Ahnen uns erinnern müssen, deren Taten, so gute auch von ihnen vollbracht wurden, von uns zwar nicht in Familienarchiven aufgezeichnet sind, deren Leiden, Hörigkeit, Druck und Knechtschaft aller Art aber in dem großen, unleugbaren Archive *der Geschichte des letzten Jahrtausends* mit blutiger Tinte eingeschrieben stehen. Vergesset eure Ahnen, werfet jeden Titel, jede mindeste Auszeichnung von euch, so versprechen wir euch, großmütig zu sein und die Erinnerung *unsrer* Ahnen auch gänzlich aus unsrem Gedächtnis zu streichen, damit wir fortan Kinder *eines* Vaters, Brüder *einer* Familie seien! Höret die Mahnung, erfüllet sie froh und aus freien Stücken, denn sie ist unabweislich, und Christus sagt: »Ärgert dich ein Glied, so reiß' es aus: es ist besser, daß es verderbe, als daß der ganze Leib zur Hölle fahre!« – Und noch eines! Verzichtet ein für allemal auf die ausschließliche Ehre, unsrem Fürsten zunächst stehen zu wollen, bittet ihn, euch des ganzen Wustes unnützer Hofämter, Ehren und Rechte zu überheben, die heutzutage einen Hof zum Gegenstande unmutiger Betrachtung machen; seid nicht mehr Kammerjunker und Kammerherren, die unsren König »*ihren* König« nennen, nehmt von ihm jene Heiducken und bunten Lakaien, die frivolen Auswüchse einer schlimmen Zeit, der Zeit, da alle Fürsten der Welt es dem französischen Ludwig XIV. nachahmen zu müssen glaubten. Tretet frei zurück von diesem Hofe, dem Hofe der müßigen Adelsversorgung, damit er ein Hof des ganzen, frohen, glücklichen Volkes werde, wo jedes Glied dieses Volkes in freudiger Vertretung seinem Fürsten zulächle und ihm sage, daß er der Erste eines freien, gesegneten Volkes sei. – Darum, so wollen wir weiter: *keine erste Kammer mehr!* Es gibt nur ein Volk, nicht ein erstes und zweites, somit kann und soll es daher auch nur *ein* Haus der Volksvertretung geben, und dieses Haus sei ein edles, schlichtes Gebäude, ein hochgewölbtes Dach auf starken, schlanken Säulen: wie würdet ihr dies Gebäude verstümmeln, wolltet ihr eine triviale Wand quer durchziehen, daß ihr statt eines großen Saales zwei enge Kammern hättet!

Weiter wollen wir die Zuerteilung des unbedingten Stimm- und Wahlrechts an jeden volljährigen, im Lande geborenen *Menschen*: je ärmer, je hilfsbedürftiger er ist, desto natürlicher ist sein Anspruch auf Beteiligung an der Abfassung der Gesetze, die ihn fortan gegen Armut und Dürftigkeit schützen sollen.

Und weiter wollen wir in unsren »republikanischen« Bestrebungen: eine *allgemeine große Volkswehr*, nicht ein stehendes Heer und eine liegende Kommunalgarde; was ihr vorbereitet, soll weder eine Verminderung des einen, noch eine bloße Erweiterung des anderen sein, sondern eine neue Schöpfung, die, nach und nach in das Leben tretend, Heer und Kommunalgarde untergehen lassen in der einen großen, zweckmäßig hergestellten, jeden Standesunterschied vernichtenden *Volkswehr*.

Sind so alle bisher neidisch und feindlich geschiedenen Stände in den einen großen Stand des freien Volkes vereinigt, zu dem alles gehört, was auf dem lieben deutschen Boden von Gott menschlichen Atem empfing, – glaubt ihr, daß wir dann am Ziele seien? Nein, dann wollen wir erst recht anfangen! Dann gilt es, *die Frage nach dem Grunde alles Elends in unsrem jetzigen gesellschaftlichen Zustande* fest und tatkräftig in das Auge zu fassen, – es gilt zu entscheiden, ob der Mensch, diese Krone der Schöpfung, ob seine hohen geistigen, sowie seine so künstlerisch regsamen leiblichen Fähigkeiten und Kräfte von Gott bestimmt sein sollen, dem starresten, unregsamsten Produkt der Natur, dem bleichen Metall, in knechtischer Leibeigenschaft untertänig zu sein?

Es wird zu erörtern sein, ob diesem geprägten Stoffe die Eigenschaft zuzuerkennen sei, den König der Natur, das Ebenbild Gottes, sich dienst- und zinspflichtig zu machen – ob dem Gelde die Kraft zu lassen sei, den schönen freien Willen des Menschen zur widerlichsten Leidenschaft, zu Geiz, Wucher und Gaunergelüste zu verkrüppeln? Dies wird der große Befreiungskampf der tief entwürdigten leidenden Menschheit sein: er wird nicht einen Tropfen Blutes, nicht eine Träne, ja nicht eine Entbehrung kosten: nur eine Überzeugung werden wir zu gewinnen haben, sie wird sich uns unabweislich aufdrängen: die Überzeugung, *daß es das höchste Glück, das vollendetste Wohlergehen aller herbeiführen muß, wenn so viele tätige Menschen, als nur irgend der Erdboden ernähren kann, auf ihm sich vereinigen, um in wohlgegliederten Vereinen durch ihre verschiedenen mannigfaltigsten Fähigkeiten, im Austausch ihrer Tätigkeit sich gegenseitig zu bereichern und zu beglükken.* Wir werden erkennen, daß es der sündhafteste Zustand in einer menschlichen Gesellschaft ist, wenn die Tätigkeit Einzelner entschieden gehemmt ist, wenn die vorhandenen Kräfte sich nicht frei rühren und nicht vollkommen sich verwenden können, so lange – dies ist die einzige Bedingung – der Erdboden zu ihrer Nahrung ausreicht. Wir werden erkennen, daß die menschliche Gesellschaft durch die *Tätigkeit ihrer Glieder*, nicht aber durch die vermeinte Tätigkeit *des Geldes* erhalten wird: wir werden den Grundsatz in klarer Überzeugung feststellen, – Gott wird uns erleuchten, das richtige *Gesetz* zu finden, durch das dieser Grundsatz in das Leben geführt wird, und wie ein böser nächtlicher Alp wird dieser dämonische Begriff des Geldes von uns weichen mit all seinem scheußlichen Gefolge von öffentlichem und heimlichem Wucher, Papiergaunereien, Zinsen und Bankiersspekulationen. Das wird die *volle Emanzipation des Menschengeschlechtes*, das wird die *Erfüllung der reinen Christuslehre* sein, die sie uns neidisch verbergen hinter prunkenden Dogmen, einst erfunden, um die rohe Welt einfältiger Barbaren zu binden und für eine Entwicklung vorzubereiten, deren höherer Vollendung wir nun mit klarem Bewußtsein zuschreiten sollen.

Oder wittert ihr hierin etwa Lehren des *Kommunismus*? Seid ihr töricht oder böswillig genug, die notwendige Erlösung des Menschengeschlechts von der plumpesten und entsittlichendsten Knechtschaft gemeinster Materie als gleichbedeutend mit der Ausführung der abgeschmacktesten und sinnlosesten Lehre, der des Kommunismus, zu erklären? Wollt ihr nicht erkennen, daß in dieser Lehre der mathematisch gleichen Verteilung des Gutes und Erwerbes eben nur ein gedankenloser Versuch zur Lösung jener allerdings gefühlten Aufgabe gemacht worden ist, der sich in seiner reinen Unmöglichkeit selbst das Urteil der Totgeborenheit spricht? Wollt ihr damit aber die Aufgabe selbst als verwerflich und unsinnig, wie jene Lehre es in Wahrheit ist, ebenfalls verschreien? *Hütet euch!* Das Ergebnis von dreiunddreißig Jahren ungestörten Friedens zeigt euch jetzt die menschliche Gesellschaft in einem Zustande von Zerrüttung und Verarmung, daß ihr am Ende dieser Jahre rings um euch die entsetzlichen Gestalten des bleichen Hungers erblickt! Seht euch vor, ehe es zu spät ist! Spendet nicht *Almosen*, sondern erkennt das Recht, das von Gott verliehene *Menschenrecht*, sonst dürftet ihr wohl den Tag erleben, wo die gewaltsam verhöhnte Natur zu einem rohen Kampfe sich ermannt, dessen wildes Siegesgeschrei *wirklich jener Kommunismus wäre*, und wenn in der Unmöglichkeit des Bestandes seiner Grundsätze auch nur die kürzeste Dauer seiner Herrschaft verbürgt läge, so würde diese kurze Herrschaft doch hinreichend gewesen sein, alle Errungenschaften einer zweitausendjährigen Zivilisation auf vielleicht lange Zeit spurlos auszurotten. Glaubt ihr, ich *drohe*? Nein, ich *warne*! –

Sind wir nun in unsren republikanischen Bestrebungen so weit gelangt, auch diese wichtigste aller Fragen zum Glück und Wohlergehen der staatlichen Gesellschaft zu lösen, sind wir in die Rechte freier Menschenwürde vollständig eingetreten: werden wir nun am Ziele unsres tätigen Strebens angelangt sein? Nein! Nun soll es erst recht beginnen! Sind wir durch die gesetzkräftige Lösung der letzten Emanzipationsfrage zur vollkommenen Wiedergeburt der menschlichen Gesellschaft gelangt, geht aus ihr ein freies, allseitig zu voller Tätigkeit erzogenes neues Geschlecht hervor, so haben wir nun erst die Kräfte gewonnen, an die höchsten Aufgaben der Zivilisation zu schreiten, das ist: *Betätigung, Verbreitung* derselben. Nun wollen wir in Schiffen über das Meer fahren, da und dort ein junges Deutschland gründen, es mit den Ergebnissen unsres Ringens und Strebens befruchten, die edelsten, gottähnlichsten Kinder zeugen und erziehen: wir wollen es besser machen als die *Spanier*, denen die neue Welt ein pfäffisches Schlächterhaus, anders als die *Engländer*, denen sie ein Krämerkasten wurde. Wir wollen es deutsch und herrlich machen: vom Aufgang bis zum Niedergang soll die Sonne ein schönes, freies Deutschland sehen und an den Grenzen der Tochterlande soll, wie an denen des Mutterlandes, kein zertretenes unfreies Volk wohnen, die Strahlen *deutscher Freiheit* und *deutscher Milde* sollen den Kosaken und Franzosen, den Buschmann und Chinesen erwärmen und verklären.

Seht ihr, hier hat unser republikanisches Streben kein Ziel und Ende, rastlos dringt es weiter von Jahrhundert zu Jahrhundert zur Beglückung des ganzen großen Menschengeschlechtes! Ist dies ein Traum, ein Utopien? Es ist es, sobald wird darüber nur hin- und hersprechen, kleingläubig und selbstsüchtig die Möglichkeit abwägen und leugnen: es ist es *nicht*, sobald wir froh und mutig handeln, sobald jeder Tag eine neue gute Tat des Fortschrittes von uns sieht.

Aber, fragt ihr nun: willst du dies alles *mit* dem Königtum erreichen? – Nicht einen Augenblick habe ich sein Bestehen aus dem Auge verlieren müssen, – hieltet *ihr* es aber für unmöglich, so sprächet ihr selbst sein Todesurteil aus! Müßt ihr es aber für möglich erkennen, wie ich es für mehr als möglich erkenne, nun: so wäre die Republik ja das Rechte, und wir dürfen nur fordern, *daß der König der erste und allerrechteste Republikaner* sein sollte. Und ist Einer mehr berufen, der *wahreste, getreueste* Republikaner zu sein, als gerade der *Fürst*? Res publica heißt: die Volkssache. Welcher einzelne kann mehr dazu bestimmt sein als der Fürst, mit seinem ganzen Fühlen, Sinnen und Trachten lediglich *nur der Volkssache* anzugehören? Was sollte ihn, bei gewonnener Überzeugung von seinem herrlichen Berufe, bewegen können, sich selbst zu verkleinern und nur einem besonderen *kleineren* Teile des Volkes angehören zu wollen? Empfinde jeder von uns noch so warm für das allgemeine Beste, ein so reiner Republikaner wie der Fürst kann er nie werden, denn *seine* Sorgen teilen sich nie, sie können nur dem Einen, dem Ganzen angehören, während jeder von uns, der Alltäglichkeit gegenüber, seine Sorgen organisch zu verteilen hat. – Und worin bestände das Opfer, das der Fürst zu bringen hätte, um dem erkannten, unsäglich schönen Berufe zu entsprechen? Sollte es ihm als Opfer gelten, in den freien Bürgern des Staates nicht mehr seine »*Untertanen*« zu erblicken? Durch die Tat unserer Gesetze ist diese Vorstellung bereits aufgehoben, und *der* diese Gesetze bestätigte, erfüllt ihren Sinn mit solcher Treue, daß der *Ausspruch* des Aufhörens der Untertänigkeit ihm als kein Opfer mehr erscheinen würde. Müßte es ihm als ein Opfer gelten, wenn er jenen Rest eines müßigen Hofprunkes mit seinen längst überlebten Ehren, Titeln und Orden von sich wiese? Wie klein dächten wir von dem schlichtesten, wahrhaftigsten Fürsten unsrer Zeit, wenn wir die Erfüllung solchen Wunsches ihm als ein Opfer anrechnen wollten, sobald wir mit Sicherheit annehmen dürfen, daß selbst ein wirkliches Opfer gern von ihm gebracht werden würde, wenn er erführe, daß es der Hinwegräumung eines Hindernisses der freien Ausströmung der Volksliebe gelte?

Was nun berechtigt uns, so tief in die Seele dieses seltenen Fürsten zu greifen, Überzeugungen von ihm auszusprechen, wie wir von manchem uns ganz gleich stehenden Bürger es zu tun vielleicht nicht für klug halten müßten? – Es ist der Geist unsrer Zeit, es ist die noch nie dagewesene Lage der Dinge, wie sie die Gegenwart zutage gefördert hat, die den Schlichtesten mit Prophetenblick begabt. Der Drang zur Entscheidung ist da: zwei Feldlager sind unter den zivilisierten Nationen Europas aufgeschlagen; hier ertönt es: *Republik!* dort *Monarchie!* Wollt ihr leugnen, daß es sich jetzt um eine entschiedene Lösung dieser Frage handle, daß sich in ihr alles fasse und begreife, was die menschliche Gesellschaft bis in ihre tiefsten Wurzeln erregt? Wollt ihr den Geist dieser gotterfüllten Zeit verkennen, behaupten: das sei alles schon dagewesen und werde sich nach einem verflogenen Rausche wieder gestalten, wie es war? Nun, dann hätte euch Gott mit Blindheit für alle Ewigkeit geschlagen! Nein, in dieser Zeit erkennen wir auch die Notwendigkeit der *Entscheidung*: was Lüge ist, kann nicht bestehen, und die Monarchie, d. h. die *Alleinherrschaft* ist eine Lüge, sie ist es durch den Konstitutionalismus geworden. Nun wirft sich der an aller Aussöhnung Verzweifelnde kühn und trotzig der vollen Republik in die Arme, der noch Hoffende lenkt sein Auge zum letzten Male prüfend nach den Spitzen des Bestehenden hin. Er erkennt, daß, gilt der Kampf der Monarchie, dieser nur in besonderen Fällen gegen die *Person des Fürsten*, in allen Fällen aber *gegen die Partei* geführt wird, die eigennützig oder selbstgefällig den Fürsten auf den Schild erhebt, unter dessen Schatten sie ihren besonderen Vorteil des Gewinnes oder der Eitelkeit verficht. Diese *Partei* ist also die zu besiegende: soll der Kampf ein blutiger sein? Er muß es sein, er muß Partei und Fürsten zu gleicher Zeit treffen, wenn kein Mittel der Versöhnung bleibt. Als dieses Mittel erfassen wir aber *den Fürsten* selbst: ist er der echte, freie Vater seines Volkes, so kann er mit einem einzigen hochherzigen Entschluß den Frieden pflanzen, wo Krieg sonst nur unvermeidlich erscheint. Nun suchen wir auf den Thronen Europas den Fürsten, den Gott erkoren haben soll, das hohe schöne Werk zu vollziehen: was erblicken wir? Welch verblendetes, tief entartetes Geschlecht, unfähig zu jedem hohen Beruf! Welchen Anblick gewährt uns Spanien, Portugal, Neapel? Welcher Schmerz erfüllt uns beim Hinblick auf die deutschen Lande Hannover, Hessen, Bayern – ach! schließen wir die Reihe! Gott sprach sein Urteil über die Schlechten und Schwachen: ihre Schwäche wuchs von Glied zu Glied. Wir wenden den Blick ab aus der Ferne, in unsrer Heimat schlagen wir ihn von neuem auf: *Da sehen wir den Fürsten, den sein Volk liebet*, nicht im Sinne altherkömmlicher Stammesanhänglichkeit, nein! *in reiner Liebe zu ihm selbst, zu seinem eigensten Ich*: Wir lieben ihn, weil er ist, wie er ist, wir lieben seine reine Tugend, seine hohe Ehrenhaftigkeit, seinen Biedersinn, seine Milde. Nun rufe ich aus vollem Herzen laut und freudig:

Das ist der Mann der Vorsehung!

Will *Preußen* die Erhaltung einer Monarchie, so ist es dem Begriffe des Preußentums zulieb: ein eitler Begriff, der bald erblaßt sein wird! Will *Österreich* sich einen Fürsten erhalten, so erkennt es in dessen Dynastie das einzige Mittel des Bestandes einer unnatürlich zusammengeworfenen Ländermasse: ein unmöglicher Bestand, der nächstens zerfallen wird! – Will aber der Sachse das Königtum, so leitet ihn zu allernächst die *reine Liebe zu seinem Fürsten*, das glückliche Bewußtsein, diesen Besten sein zu nennen: hier ist es nicht ein kalter, staatskluger *Begriff*, – es ist die volle warme *Überzeugung der Liebe*. Und diese Liebe, sie soll entscheiden, sie kann nicht nur für jetzt, *sie kann ein für allemal entscheiden*! Von diesem unsäglich wichtigen Gedanken erfüllt, rufe ich nun in mutiger Begeisterung aus: *Wir sind Republikaner*, wir sind durch die Errungenschaften unsrer Zeit dicht daran, die Republik zu haben: aber Täuschung und Ärgernis aller Art heftet sich noch an diesen Namen, – sie seien gelöst mit einem Worte unsres Fürsten! Nicht *wir* wollen die Republik ausrufen, nein! *Dieser Fürst, der edelste, der würdigste König, er spreche es aus:*

Ich erkläre Sachsen zu einem Freistaate.

Das erste Gesetz dieses Freistaates, das ihm die schönste Sicherung seines Bestehens gebe, sei:

Die höchste vollziehende Gewalt ruht in dem **Königshause Wettin** *und geht in ihm von Geschlecht zu Geschlecht nach dem Rechte der Erstgeburt fort.*

Der Eid, den wir diesem Staate und diesem Gesetze schwören, er wird nie gebrochen werden: nicht *weil* wir ihn geschworen (wie viele Eide werden nicht in gedankenloser Anstellungsfreude geschworen!), sondern weil wir ihn mit der *Überzeugung* geschworen, *daß durch jene Erklärung, jenes Gesetz, eine neue Zeit unver-*

gänglichen Glückes begründet wurde, das nicht allein auf Sachsen, nein! auf Deutschland, auf Europa die wohltätigste, entscheidendste Mitteilung auszuüben vermag. Der dies in so kühner Begeisterung aussprach, glaubt mit unumstößlicher Überzeugung, dem Eide, den er auch seinem Könige schwur, nie *treuer* gewesen zu sein, als heute, da er dies niederschrieb.

Würde hierdurch nun der Untergang der *Monarchie* herbeigeführt? Ja! Aber es würde damit die *Emanzipation des Königtums* ausgesprochen. Täuschet euch nicht, ihr, die ihr die »konstitutionelle Monarchie auf der breitesten demokratischen Grundlage« wollt. Ihr seid, was die letztere (die Grundlage) betrifft, entweder unredlich, oder, ist es euch mit ihr Ernst, so martert ihr die künstlich von euch gepflegte Monarchie langsam zu Tode. Jeder Schritt vorwärts auf dieser demokratischen Grundlage ist eine neue Bewältigung der Macht des Monarchen, nämlich: des *Alleinherrschers*; das Prinzip selbst ist die vollständigste Verhöhnung der Monarchie, die eben nur im wirklichen *Allein*herrschertum gedacht werden kann: jeder Fortschritt im Konstitutionalismus ist eine Demütigung für den Herrscher, denn er ist ein Mißtrauensvotum gegen den Monarchen. Wie soll hier Liebe und Vertrauen gedeihen in diesem beständigen und oft so unwürdig ausgebeuteten Kampfe zwischen zwei vollkommen entgegengesetzten Prinzipien? Schmach und Kränkung verbittern dem Monarchen, als solchem, das Dasein: erlösen wir ihn daher aus diesem unglücklichen Halbleben; lassen wir den Monarchismus ganz enden, da die Alleinherrschaft durch die Volksherrschaft (Demokratie) eben unmöglich gemacht ist, aber emanzipieren wir dagegen in seiner vollsten, eigentümlichen Bedeutung das *Königtum*! An der Spitze des Freistaates (der Republik) wird der erbliche König eben das sein, was er seiner edelsten Bedeutung nach sein soll: *der erste des Volkes, der Freieste der Freien!* Würde dies nicht zugleich die schönste deutsche Auslegung des Ausspruches Christus' sein: »*Der höchste unter euch soll der Knecht aller sein?*« Denn indem er der Freiheit aller dient, erhöht er in sich den Begriff der Freiheit selbst zum höchsten, gotterfüllten Bewußtsein. – Je weiter wir in der Aufsuchung der Bedeutung des Königtums in den germanischen Nationen zurückgehen, je inniger wird sie sich dieser neu gewonnenen als einer eigentlich nur wiederhergestellten anschließen; der Kreislauf der geschichtlichen Entwicklung des Königtums wird an seinem Ziele, bei sich selbst wieder angelangt sein, und als die weiteste Verirrung von diesem Ziele werden wir den *Monarchismus,* diesen fremdartigen, undeutschen Begriff, anzusehen haben.

Sollen wir zu dem hier ausgesprochenen sehnlichen Wunsche in Form einer Petition Unterschriften sammeln? Ich bin gewiß, Hunderttausende würden unterzeichnen, denn sein Inhalt bietet die Versöhnung aller streitenden Parteien, wenigstens aller derjenigen in ihnen, die es redlich meinen. Aber nur ein einziger Namenszug kann hier der rechte und entscheidende sein: *der des geliebten Fürsten*, dem wir mit brünstiger Überzeugung ein schöneres Los, eine seligere Stellung wünschen, als sie ihm jetzt zuteil ist.

Dresden, am 14. Juni 1848.

Ein Mitglied des Vaterlandsvereins.

Deutschland und seine Fürsten

Sehen wir hin auf das weite deutsche Reich, überall erblicken wir ein schönes, reich gesegnetes Land, ein ehrliches, fleißiges, friedfertiges Volk. Alles ist im Überflusse vorhanden, was Deutschland zum herrlichsten, beneidenswertesten Aufenthalte der Erde machen müßte; und in welchem Zustande stellt es sich dar!

Dem Lasttiere gleich arbeitet der Bauer auf dem Felde, zwingt die Erde mit emsiger Rastlosigkeit zur äußersten Anstrengung ihrer Kräfte; willig kommt sie ihm entgegen, und der Erfolg der beiderseitigen Bemühungen ist *Reichtum, Überfluß an Naturerzeugnissen.* Nun seht hin! Tausende verkommen jährlich aus Mangel an genügender Nahrung, Hunderttausende fliehen jährlich über das Meer, um *hier,* im Lande des *Reichtums,* des *Überflusses* nicht zu *verhungern!* Ja der Bauer selbst, dessen Fleiß diesen Reichtum mit erzeugt, *er selbst* leidet Mangel am Nötigsten, *er selbst* kann die eigene Frucht nicht genießen, und seine Kräfte schwinden, weil *er,* der Miturheber des *Überflusses, Not* leidet. *Muß* das so sein?

Seht jenes große Haus, aus dem beständig Warenballen herausgetragen und auf starke Wagen geladen werden. Ein emsig Summen, Stampfen und Sausen schallt euch entgegen aus jenem Hause; es ist eine Fabrik. Tretet hinein und ihr seht hundert fleißige Hände, künstlich gebaute Maschinen in fruchtbarer Tätigkeit. Alles schafft und wirkt, und *ein* Stück des nützlichen Kleidungsstoffes nach dem andern wird zur Seite gelegt als Zeugnis der menschlichen Tätigkeit, des menschlichen Scharfsinns. Nun blickt hin auf die Menschen! Seht die bleichen, abgehärmten Gesichter, die matten, glanzlosen Augen, die ausgehungerten, nackten, frierenden Körper, seht auch *hier* das wahre Bild des Jammers und des Elends mitten im Überflusse! Und wieder frage ich: *Muß* das so sein?

Dort erzeugt der Bauer im Bunde mit der Natur *Überfluß* und leidet *Not,* hier schafft des Menschen Fleiß im Bunde mit seinem Scharfsinne *wieder Überfluß,* und er leidet *Not.* **Warum ist das?**

Geht in die Stadt, seht den emsigen Bürger. Kummer und Sorge spricht aus seinem Antlitz; der angestrengteste Fleiß reicht ja kaum hin, ihn und die Seinigen vor Mangel des Unentbehrlichsten zu bewahren! Ein Seufzer entringt sich seiner Brust, vernimmt der Vater die Kunde, daß ihm ein neues Kind geboren ward; erscheint es ihm doch wie ein Räuber, wie ein Bote neuerer, größerer Leiden! Blickt er auf die Seinen, so jammert sein Herz, denn er sieht in ihnen nur die Urheber, die Teilnehmer und die Erben seines eigenen jammervollen Elends! Stumpf wird sein Geist, kalt und gleichgültig sein Herz, und bald lernt er Hohn sprechen dem Ammenmärchen von »Gattenliebe und Vaterfreuden« und verwünschen den Leiden bringenden »Segen Gottes«!

Blickt hin auf die ganze Reihe der Tätigen, der Schaffenden aller Arten, überall dasselbe Bild mit helleren oder dunkleren Farben; *Ausnahmen* sind, wo dies nicht der Fall. Seht jene unglücklichen, verachteten Mädchen; der *Not* opfern sie Tugend und Selbstachtung, die *Not* benutzt sie und wirft ihnen den Sündenlohn nach, *denn das Laster ist ja wohlfeiler als die Tugend!* Fragt nach der Veranlassung, nach der ersten Ursache aller Vergehen, aller Verbrechen, fast überall schallt euch dieselbe Antwort entgegen: *Mangel, Not, Elend, Verzweiflung! Und dies im Lande des Fleißes, des Reichtums, des Überflusses!* Sprecht, *muß* das sein?

Wenn die Natur *Überfluß* bietet, warum muß der Mensch *Mangel* leiden? Wenn Deutschland, wie erwiesen ist, zehn Millionen Menschen *mehr* ernähren kann, als es besitzt, warum müssen seine gegenwärtigen Einwohner hungern? Wenn Deutschland so viel der müßigen und doch so gern tätigen, wirkenden Hände besitzt, warum müssen so viele alles Nötige entbehren? Warum müssen so viele das geliebte Vaterland fliehen? Warum entstehen Laster und Verbrechen aus *Not*, da doch keine Not ist? An *euch* richten wir diese Fragen, an *euch*, denen wir die Lenkung unsrer Geschicke anvertraut haben, die ihr die Verantwortung für unser Wohl und Wehe übernommen, an *euch*, die ihr euch nennt: *die von Gott bestimmten Leiter des Geschicks der Völker. Ihr* sollt uns Antwort geben, *warum* dies so ist, *wie* dies geworden, warum *ihr*, die ihr *alle* Macht besaßet, dem nicht gesteuert, und was ihr getan, um es zu verhindern oder wenigstens zu verbessern; und bis ihr nicht bewiesen, daß, wie es ist, es sein muß, seid *ihr allein* verantwortlich dafür, denn in *eurer* Hand lag die Macht, und *euer* Wille allein lenkte sie.

Das aber könnt ihr *nie* beweisen! **Es muß nicht so sein, wie es ist,** denn die Schuld liegt nicht in der *Natur*, sondern nur im Werke des *Menschen*, es ist keine von Gott gebotene *Notwendigkeit*, es ist eine von Menschen verschuldete *Ungerechtigkeit*. Die einfache Antwort, die sich auf jene Fragen ergibt, ist: *die Ursache unsrer*

Leiden liegt **darin**, daß die **Arbeit nicht** *unverkümmert ihren* **Lohn** *empfängt*; denn wenn der Bauer, der Arbeiter, der Schaffende Überfluß erzeugt, so muß sein Lohn auch wieder Überfluß sein, und er kann nur *dann* Not leiden, wenn ihm eben sein Lohn bis zur Not *verkürzt* wird, wenn er unverhältnismäßig *viel* schaffen muß, um *wenig* zu erlangen.

Dies ist die Ursache unsres Elends, dies ist aber auch eine von Menschen *erzeugte*, von Menschen also auch wieder *zerstörbare* Ursache, und *eure* Aufgabe, in deren Hände wir alle Macht und Gewalt gelegt, war es, sie zu *zerstören*, eure *Pflicht* war es, darüber zu wachen, daß unsre Leiden sich nicht vergrößerten.

Fühltet ihr euch zu schwach, eure *Aufgabe* zu lösen, so mußtet ihr wenigstens eure *Pflicht* erfüllen. Vergebens schützt ihr Unwissenheit vor, *ihr waret gewarnt und ermahnt!*

Es ward euch längst gesagt: das Land gehört dem Volke und das Volk gehört sich selbst; der *Mensch* hat nur *Gott* über sich.

Ihr habt dagegen gewaltet als die *Herren* des Landes und des Volkes; *eurem* Willen sollte alles gehorchen, alles sich beugen, und das Wohl aller sollte nicht aufwiegen die geringste eurer Launen. Könnt ihr es leugnen?

Es ward euch längst gesagt: der Mensch kann nur *ein* Verdienst besitzen, und das ist sein *eigenes*.

Ihr habt das zweifelhafte Verdienst eines Menschen, der vielleicht vor so und so viel hundert Jahren wirklich gelebt hat, übertragen auf den *Lebenden*, der *ohne* jedes Verdienst ist, und ihn höher gestellt als den andern, der sich *selbst* Verdienste erworben. Ihr habt den *Adel nicht abgeschafft*, sondern ihn *geschützt* und *vermehrt*. Könnt ihr es leugnen?

Es ward euch längst gesagt: das *Vor*recht ist ein *Un*recht; das *Vor*recht ist ein Betrug am *Rechte*; soll das *Recht* gelten, so darf kein *Vor*recht sein.

Ihr habt die Vorrechte *nicht* abgeschafft, ihr habt sie geschützt und vermehrt aus Besorgnis für *eure* Vorrechte, und *darin* täuschet ihr euch nicht, denn auch *ihr* seid nichts weiter denn *Menschen*, und auch *eure* Vorrechte sind eine Verletzung des *Rechtes*. Könnt ihr es leugnen?

Es ward euch längst gesagt: der Müßiggang des *Einen* ist ein Raub an der Arbeit des *Anderen*.

Ihr habt den Müßiggang *nicht* abgeschafft, ihr habt euch jeder Verminderung desselben widersetzt und ihn *vermehrt*. Ihr habt eine Schar von Müßiggängern an euren Höfen um euch versammelt, ihr habt die jüngsten, frischesten Kräfte des Landes durch eure bunten Röcke *gegen* ihren Willen zum Müßiggang *gezwungen, denn Müßiggang ist, was nichts nützt, nichts schafft*, und der Soldat im Frieden *nützt nichts, schafft nichts*. Ihr habt den Müßiggang geadelt und belohnt mit der Frucht des Fleißes, ihr habt ihn geehrt und gehoben über die Tätigkeit, die Nützlichkeit. Könnt ihrs leugnen?

So ward euch noch viel gesagt, und so ward noch viel von euch nicht verstanden, nicht befolgt. Statt *besser* ward es *schlechter* stets mit uns, und es kam die Zeit, wo unsre Not den höchsten Punkt erreicht und wir euch riefen: *Halt!*

Aufs neue wurden jene Fragen euch gestellt; was gabt ihr darauf für Antwort? Aufs neue wurden jene Warnungen euch wiederholt; was habt ihr darauf getan?

Wohl wart ihr überrascht durch die Fragen, durch die Warnungen, denn längst vergessen war, was ihr vor 33 Jahren habt versprochen, und keine Mahnung konnte zu euch dringen durch all die Schranzen und die Exzellenzen, die euch umlagerten, und wo eine Stimme sich erhob, ward sie erstickt in finstern Kerkern, hinter eisernen Gittern und Türen. Doch jetzt, wo das ganze Volk gar laut gesprochen, jetzt habt ihr gehört die Fragen, die Warnungen, und ihr habt gelobt, zu antworten und zu folgen.

Sechs Monate sind verflossen, was ist geschehen? Gern erlassen wir euch die Beantwortung jener Fragen, denn wir wissen, daß *ihr* sie nicht zu beantworten *vermögt*, und wir entschuldigen euern Anteil an unsren Leiden mit eurer Schwäche, eurer Unkenntnis. Doch die Warnungen *konntet, mußtet* ihr beherzigen, das lag in eurer Macht, in eurem freien Willen. Habt ihr es getan?

Noch immer nennt ihr euch die *Herren* der Länder und der Völker; noch immer wollt ihr euer Recht von *Gott* ableiten, der doch *euch* kein höheres gab, als uns *allen*; noch immer soll *euer* Wille, *euer* Gebot maßgebend sein, noch immer sprecht ihr nur von *Fürstenrechten* und von *Volkespflichten*, während es doch nur gibt: *Volksrechte* und *Fürstenpflichten*.

Noch immer steht der Adel fest um euch geschart, und wie er in *euch* sucht seinen Schutz, so glaubt auch ihr durch *ihn* euch zu erkräftigen.

Noch immer sucht die *Vor*rechte ihr zu wahren zum Trotz des Rechtes und der Wahrheit, noch immer schützt ihr und verteidigt die Vorrechte des *Standes*, der *Stellung*, des *Besitzes*, noch immer soll der *Mensch* in zweiter Linie stehen.

Noch immer ist der *Müßiggang* von euch geehrt und gehegt, noch immer ist er es, der euch umgibt, dem ihr allein vertraut, noch immer ist *er* allein eure Stütze, von der ihr Heil erwartet. Aufs neue sucht ihr ihn zu vermehren, und ihr verdoppelt die Heere, um die Herrschaft der *Vorrechte,* der *Verdienstlosigkeit*, des *Müßigganges* zu verteidigen gegen die *Wahrheit*, das *Recht*, das *Verdienst* und die *Tugend*. Hofft ihr wirklich, Sieger zu bleiben?

Erwacht! Die elfte Stunde hat geschlagen, und wahrlich, wir brauchen keinen Daniel, um uns die Zeichen zu erklären, die an euern Palästen prangen! Blickt nicht nach Osten; wer *dorthin* seine Schritte lenkt, den führt sein Weg in Nacht. Vergeßt, was ihr gewesen, *die* Zeit kehr nimmer wieder. Sühnt, was ihr gefehlt, noch ist Gelegenheit dazu geboten, noch liegt es in eurer Macht, das *Gute* zu tun, das *Schlechte* zu meiden; ergebt euch willig dem Geschick, das über euch, über uns allen waltet. Blickt um *euch*, seht, was *ist,* erkennt, was *ihr* seid. Ihr, die ihr nicht bewältigen könnt eure *eigenen* Schwächen, eure *eigenen* Fehler, *ihr* wollt lenken die *Völker*? Nicht vermochtet ihr zu befolgen, zu erfüllen die Mahnungen der *Menschen*, und ihr wähnt Kraft zu besitzen, an die Stelle *Gottes*, des *Schicksals* zu treten, das Rad der Zeit, welches über eure Sitze dahinrollt, aufzuhalten? O laßt das ohnmächtige, fruchtlose Widerstreben! es kann nur *Leiden* über uns, *Verderben* über *euch* bringen.

Das Leben der Völker und der Fürsten: im kleinen Bilde hat uns Gott es offenbart.

Seht die Raupe, wie sie auf der Erde kriecht, allein auf Nahrung bedacht, ihr schleimiger, wäßriger *Körper* nur zusammengehalten durch die weiche, schmiegsame *Haut*. Das ist der Völker erstes Alter, wo das Fürstentum, ohne sie zu bedrücken, ihnen Halt und Form gegeben. Da naht der Winter, die Haut der Raupe wird fest und hart, scheinbar leblos der Körper; doch im Innern regt sich ein wunderbares Schaffen und Gestalten, und aus dem Scheintod bereitet sich ein neues, höheres Leben. Härter, selbständiger ist die Haut, ihre Aufgabe: die allmählige Selbstvernichtung, erfüllend. Darin erkennt ihr der Völker zweites Alter und des Fürstentumes, wie es jetzt hinter uns liegt.

Jetzt naht der Frühling wieder; der letzte Zusammenhang zwischen der nun zur trocknen, marklosen Schale gewordenen Haut und dem inneren Körper ist gelöst, von allen Seiten springt sie auf, bricht unter ihrer eigenen Last in Staub zusammen; sie hat ihre Aufgabe erfüllt, sie ist *gewesen*. Aus der Hülle der Nacht ersteigt die wunderbare Schöpfung des Lichtes, und der Schmetterling schwebt empor in die blauen Lüfte, ein *Zeugnis der Allmacht Gottes*, **ein Gleichnis unsrer Zeit**.

Der Mensch und die bestehende Gesellschaft

Im vorigen Blatte ist nachgewiesen worden, wie durch ganz Europa die bestehende Gesellschaft, in der zunehmenden Volksbildung ihren größten Feind erkennend, sich derselben hemmend entgegenstemmte, ohne jedoch die drohende Gefahr dadurch aufhalten zu können. *Im Jahre 1848 hat der Kampf des Menschen gegen die bestehende Gesellschaft begonnen.* Nicht beirren darf es uns, daß dieser Kampf bis jetzt in den meisten Ländern noch nicht offen zutage tritt, daß namentlich die beiden größten deutschen Staaten uns bis jetzt äußerlich nur das alte Schauspiel eines Kampfes der verschiedenen *Teile* der Gesellschaft um die Oberherrschaft darbieten. Diese letzten Kämpfe der Adelsvorrechte in Preußen und Österreich, dies letzte Aufflackern der unbeschränkten Fürstenmacht, *nur* gestützt auf eine rohe Gewalt, die vor dem Lichte der Aufklärung täglich mehr dahinschmilzt, sie sind nichts weiter denn die Todeszuckungen eines Körpers, dem der Geist, das Leben bereits entschwunden, sie sind nichts weiter denn die letzten Nebeldünste der Nacht, welche die aufgehende Sonne vor sich hertreibt. Nicht dem im Todeskampfe bewußtlos um sich schlagenden Leichnam, nicht jenem Überreste der Finsternis gilt der Kampf unsrer Zeit, ob auch der Schwachnervige vor dem Toben des ersteren erschrickt, ob auch das Auge des Blödsichtigen die dichtgeballten Nebel nicht zu durchdringen vermag; wir wissen, daß der *heftigste* Krampf – der Todeskrampf ist, zu wissen, daß, wenn am schwersten die Morgennebel sich auf uns herabsenken, ein um so hellerer Tag folgt.

Der Kampf des *Menschen* gegen die *bestehende Gesellschaft* hat begonnen. Jene Kämpfe, der Überrest einer vergangenen Zeit, wie wir sie in Österreich, in Preußen, zum Teil auch im übrigen Deutschland sehen, sie können uns nicht täuschen, sie dienen ja nur dazu, das Schlachtfeld zu räumen für jenen letzten, erhabensten Kampf. Schon hat er offen in Frankreich begonnen, England bereitet sich auf ihn vor, und bald, bald auch erfaßt er Deutschland. Wir leben in ihm, wir haben ihn durchzukämpfen. Vergebens wollten wir versuchen, ihm auszuweichen, uns zu flüchten, um den Strom an uns vorüber rauschen zu lassen, er erfaßt uns dennoch, möge unser Zufluchtsort noch so gesichert sein, und wir alle, der Fürst in seinem Palaste, wie der Arme in seiner Hütte, wir alle müssen mitstreiten in diesem großen Kampfe, denn wir alle sind *Menschen* und unterliegen dem Gebote der *Zeit*.

Unwürdig wäre es des vernunftbegabten Menschen, sich gleich dem Tiere tat- und willenlos den Wellen zu überlassen. Seine Aufgabe, seine Pflicht erheischt, daß er mit *Bewußtsein* vollbringe, was die Zeit von ihm fordert. Unser aller ernstliches Bestreben als denkende Menschen muß daher sein: dies Bewußtsein, diese Erkenntnis dessen, was wir zu tun haben, zu erlangen, und wir erringen es, wenn wir uns bemühen, den Grund, die Ursache, und somit auch die *wahre Bedeutung* der Bewegung, in welcher wir leben, zu erforschen.

Wir haben gesagt: der Kampf des *Menschen* gegen die *bestehende Gesellschaft* hat begonnen. Dies ist nur dann wahr, wenn es erwiesen ist, daß unsre *bestehende Gesellschaft* gegen den *Menschen* ankämpft, daß die *Ordnung der bestehenden Gesellschaft der Bestimmung*, dem *Rechte* des Menschen feindlich gegenübertritt. Ob und inwieweit dies der Fall ist, werden wir erkennen, wenn wir den *Menschen, seine Bestimmung*, sein *Recht der bestehenden Gesellschaft* gegenüberhalten und prüfen, wie weit sie geeignet ist, den Menschen seiner *Bestimmung* entgegenzuführen, ihm sein *Recht* zu gewähren.

Des Menschen **Bestimmung** *ist, durch die immer höhere Vervollkommnung seiner geistigen, sittlichen und körperlichen Fähigkeiten zu immer höherem, reinerem Glücke zu gelangen.*

Des Menschen **Recht** *ist, durch die immer höhere Vervollkommnung seiner geistigen, sittlichen und körperlichen Fähigkeiten zum Genusse eines stets wachsenden, reineren Glückes zu gelangen.*

Somit entspringt der *Bestimmung* des Menschen das *Recht* des Menschen, *Bestimmung und Recht* sind *eins*, und das *Recht* des Menschen ist einfach: seine *Bestimmung* zu erreichen.

Forschen wir nun nach der *Kraft*, mit welcher der Mensch ausgerüstet ist, um sein Recht zu wahren, seine Bestimmung zu erreichen, so finden wir bald, daß ihm diese Kraft vollkommen mangelt. Wo ist die Kraft des Menschen, sich aus sich selbst geistig, sittlich und körperlich zu vervollkommnen? Wo ist die Kraft des Menschen, sich selbst zu lehren, was er doch nicht weiß? Wo ist die Kraft des Menschen, das Gute und Böse zu erkennen, das Gute zu üben, das Böse zu meiden, da er doch aus sich selbst nicht weiß, was gut oder böse? Wie soll endlich der Mensch aus sich selbst größere Körperkraft schöpfen, als er besitzt? – Wir sehen, daß der

Mensch an sich vollkommen unfähig ist, seine Bestimmung zu erreichen, daß er in sich keine Kraft hat, den in ihm wohnenden Keim, welcher ihn von dem Tiere unterscheidet, zu entfalten. Jene Kraft jedoch, welche wir bei dem *Menschen* vermissen, wir finden sie in endloser Fülle in der *Gesamtheit der Menschen*. Was allen, solange sie *vereinzelt* sind, ewig versagt bleibt, sie erreichen es, sobald sie *zusammentreten*. In der **Vereinigung** der Menschen finden wir die Kraft, welche wir bei den **Einzelnen** vergebens suchen. Während der Geist des *Vereinzelten* ewig in tiefster Nacht begraben bleibt, wird er in der *Vereinigung* der Menschen erweckt, angeregt und zu immer reicherer Kraft entfaltet. Während der *Vereinzelte* ohne Sittlichkeit ist, weil er weder das Gute noch das Böse zu erkennen vermag, entspringt der *Vereinigung* der Menschen die Sittlichkeit; sie lernen in dem, was schadet, das Böse, in dem, was nützt, das Gute erkennen, und ihre Sittlichkeit wächst, mit je klarerer Erkenntnis sie das Böse meiden, das Gute üben. Während die Kraft, die Geschicklichkeit des *Vereinzelten* stets in ihrer Schwäche bleibt, weil seine Bedürfnisse stets dieselben sind, steigert sich in der *Vereinigung* der Menschen ihre Kraft ins Unendliche mit ihren Bedürfnissen. Je ausgedehnter, je inniger die Vereinigung, um so reicher entfaltet sich der Geist, um so reiner wird die Sittlichkeit, um so mannigfacher werden die Bedürfnisse, und wächst mit ihnen die Kraft der Menschen, sie zu befriedigen.

Somit erkennen wir, daß nur in der Vereinigung die Menschen jene Kraft finden, welche sie ihrer Bestimmung entgegenzuführen vermag; nur allein da aber, wo die *Kraft* dazu liegt, kann auch die *Bestimmung* sein, und darum sagen wir jetzt richtiger:

Es ist die Bestimmung der **Menschheit**, *durch die immer höhere Vervollkommnung ihrer geistigen, sittlichen und körperlichen Kräfte zu immer höherem, reinerem Glücke zu gelangen.*

Der einzelne Mensch ist nur ein Teil des Ganzen; vereinzelt für sich ist er nichts, nur allein als Teil des Ganzen findet er seine Bestimmung, sein Recht, sein Glück.

Die Vereinigung der Menschen nennen wir: die **Gesellschaft**.

Wir sehen, daß die Gesellschaft nicht etwas Zufälliges, Willkürliches, Freiwilliges ist, wir sehen, daß ohne die Gesellschaft der Mensch kein Mensch mehr ist, sich nicht mehr von dem Tiere unterscheiden würde; wir sehen somit, daß die Gesellschaft die notwendige Bedingung unsres *Menschentums* ist.

Die Menschen sind daher nicht nur **berechtigt**, sondern auch **verpflichtet**, an die Gesellschaft die Anforderung zu stellen: **sie** durch Vervollkommnung ihrer geistigen, sittlichen und körperlichen Fähigkeiten zu immer höherem, reinerem Glücke zu führen. Wie erfüllt nun unsre bestehende Gesellschaft diese ihre Aufgabe?

Dem *Zufall* überläßt sie die geistige Vervollkommnung einzelner ihrer Glieder, während sie den größeren Teil derselben gewaltsam von einer höheren Entwicklung zurückhält; dem **Zufall** überläßt sie es, ob Einzelne sich sittlich veredeln, während sie überall das Laster, das Verbrechen erzeugt und schützt. Dem *Zufall* überläßt sie die Ausbildung, das Wachstum unserer körperlichen Kräfte, während ihr Streben nur dahin gerichtet ist, unsre Bedürfnisse zu beschränken, also unsre Fähigkeit, sie zu befriedigen, zu verringern. Dem *Zufall* überläßt unsre bestehende Gesellschaft *alles*: unsren geistigen, sittlichen und körperlichen Fortschritt; der *Zufall* entscheidet, ob wir uns unsrer Bestimmung nähern, ob wir unser Recht erlangen, ob wir glücklich werden.

Unsre bestehende Gesellschaft ist ohne Erkenntnis, ohne Bewußtsein ihrer Aufgabe, sie erfüllt sie nicht.

Der Kampf des **Menschen** *gegen die* **bestehende Gesellschaft** *hat begonnen.* Dieser Kampf, er ist der heiligste, der erhabenste, der je gekämpft wurde, denn er ist der Kampf des *Bewußtseins gegen den Zufall,* des *Geistes* gegen die *Geistlosigkeit,* der *Sittlichkeit* gegen das *Böse,* der *Kraft* gegen die *Schwäche: Es ist der Kampf um unsre Bestimmung, unser Recht, unser Glück.*

Das Bestehende, es hat große Gewalt über den Menschen. Unsre bestehende Gesellschaft hat eine furchtbare Macht über uns, denn sie hat absichtlich das Wachstum unsrer Kraft gehemmt. Die Kraft zu diesem heiligen Kampfe kann uns nur erwachsen aus der Erkenntnis der *Verworfenheit* unsrer Gesellschaft. Wenn wir klar *erkannt* haben, wie unsre bestehende Gesellschaft ihrer Aufgabe widerspricht, wie sie gewaltsam und oft vorsätzlich uns abhält, unsre Bestimmung, unser Recht, unser Glück zu erlangen, dann haben wir auch *die Kraft* gewonnen, sie zu bekämpfen, sie zu besiegen.

Unsre erste, wichtigste Aufgabe ist es daher: das Wesen und das Wirken unsrer bestehenden Gesellschaft nach allen Seiten hin zu prüfen und immer klarer zu erfassen; ist sie *einmal* **erkannt,** *dann ist sie auch* **gerichtet!**

Die Kunst und die Revolution

Fast allgemein ist heutigentages die Klage der Künstler über den Schaden, den ihnen die Revolution verursachte. Nicht jener große Straßenkampf, nicht die plötzliche und heftige Erschütterung des Staatsgebäudes, nicht der schnelle Wechsel der Regierung werden angeklagt: der Eindruck, den solche gewaltige Ereignisse an und für sich hinterlassen, ist verhältnismäßig meist nur flüchtig und auf kurze Zeit störend: aber der besonders nachhaltige Charakter der letzten Erschütterungen ist es, der das bisherige Kunsttreiben so tötlich berührt. Die bisherigen Grundlagen des Erwerbes, des Verkehrs, des Reichtums sind jetzt bedroht, und nach hergestellter äußerer Ruhe, nach vollkommener Wiederkehr der Physiognomie des gesellschaftlichen Lebens, zehrt tief in den Eingeweiden dieses Lebens eine sengende Sorge, eine quälende Angst: Verzagtheit zu Unternehmungen lähmt den Kredit; wer sicher erhalten will, entsagt einem ungewissen Gewinn, die Industrie stockt, und – die Kunst hat nicht mehr zu leben.

Es wäre grausam, den Tausenden von dieser Not Betroffener ein menschliches Mitleid zu versagen. War noch vor kurzem ein beliebter Künstler gewöhnt, von dem behaglich sorglosen Teile unsrer vermögenden Gesellschaft für seine gefälligen Leistungen goldenen Lohn und gleichen Anspruch auf behaglich sorgloses Leben zu gewinnen, so ist es für ihn nun hart, von ängstlich geschlossenen Händen sich zurückgewiesen und der Erwerbsnot preisgegeben zu sehen: er teilt hiermit ganz das Schicksal des Handwerkers, der seine geschickten Hände, mit denen er dem Reichen zuvor tausend angenehme Bequemlichkeiten schaffen durfte, nun müßig zu dem hungernden Magen in den Schoß legen muß. Er hat also recht, sich zu beklagen, denn wer Schmerz fühlt, dem hat die Natur das Weinen gestattet. Ob er aber ein Recht hat, sich mit der Kunst selbst zu verwechseln, seine Not als die Not der *Kunst* zu klagen, die Revolution, indem sie ihm die behagliche Nahrung erschwert, als die grundsätzliche Feindin der Kunst zu beschuldigen, dies dürfte in Frage zu stellen sein. Ehe hierüber entschieden würde, möchten zuvor wenigstens diejenigen Künstler zu befragen sein, welche durch Ausspruch und Tat kundgaben, daß sie die

Kunst rein um der Kunst selbst willen liebten und trieben, und von denen dies Eine erweislich ist, daß sie auch damals litten, als jene sich freuten.

Die Frage gilt also der Kunst und ihrem Wesen selbst. Nicht eine abstrakte Definition derselben soll uns hier aber beschäftigen, denn es handelt sich natürlich nur darum, die Bedeutung der Kunst als Ergebnis des staatlichen Lebens zu ergründen, die Kunst als soziales Produkt zu erkennen. Eine flüchtig übersichtliche Betrachtung der Hauptmomente der europäischen Kunstgeschichte soll uns hierzu willkommene Dienste leisten, und zur Aufklärung über die vorliegende, wahrlich nicht unwichtige Frage verhelfen.

Wir können bei einigem Nachdenken in unsrer Kunst keinen Schritt tun, ohne auf den Zusammenhang derselben mit der *Kunst der Griechen* zu treffen. In Wahrheit ist unsre moderne Kunst nur ein Glied in der Kette der Kunstentwicklung des gesamten Europa, und diese nimmt ihren Ausgang von den Griechen.

Der griechische Geist, wie er sich zu seiner Blütezeit in Staat und Kunst zu erkennen gab, fand, nachdem er die rohe Naturreligion der asiatischen Heimat überwunden und den *schönen und starken freien Menschen* auf die Spitze seines religiösen Bewußtseins gestellt hatte, seinen entsprechendsten Ausdruck in *Apollon*, dem eigentlichen Haupt- und Nationalgotte der hellenischen Stämme.

Apollon, der den chaotischen Drachen Python erlegt, die eitlen Söhne der prahlerischen Niobe mit seinen tötlichen Geschossen vernichtet hatte, der durch seine Priesterin zu Delphoi den Fragenden das Urgesetz griechischen Geistes und Wesens verkündete, und so dem in leidenschaftlicher Handlung Begriffenen den ruhigen, ungetrübten Spiegel seiner innersten, unwandelbar griechischen Natur vorhielt, – Apollon war der Vollstrecker von Zeus' Willen auf der griechischen Erde, er war das griechische Volk.

Nicht den weichlichen Musentänzer, wie ihn uns die spätere üppigere Kunst der Bildhauerei allein überliefert hat, haben wir uns zur Blütezeit des griechischen Geistes unter Apollon zu denken; sondern mit den Zügen heitern Ernstes schön, aber stark, kannte ihn der große Tragiker *Aischylos*. So lernte ihn die spartanische Jugend kennen, wenn sie den schlanken Leib durch Tanzen und Ringen zu Anmut und Stärke entwickelte; wenn der Knabe vom Geliebten auf das Roß genommen, und zu kecken Abenteuern weit in das Land hinaus entführt wurde; wenn der Jüngling in die Reihen der Genossen trat, bei denen er keinen andern Anspruch geltend zu machen hatte, als den seiner Schönheit und Liebenswürdigkeit, in denen allein seine Macht, sein Reichtum lag. So sah ihn der Athener, wenn alle Triebe seines schönen Leibes, seines rastlosen Geistes ihn zur Wiedergeburt seines eigenen Wesens durch den idealen Ausdruck der Kunst hindrängten; wenn die Stimme, voll und tönend, zum Chorgesang sich erhob, um zugleich des Gottes Taten zu singen und den Tänzern den schwungvollen Takt zu dem Tanze zu geben, der in anmutiger und kühner Bewegung jene Taten selbst darstellte; wenn er auf harmonisch geordneten Säulen das edle Dach wölbte, die weiten Halbkreise des Amphitheaters über einander reihte, und die sinnigen Anordnungen der Schaubühne entwarf. Und so sah ihn, den herrlichen Gott, der von Dionysos begeisterte tragische Dichter, wenn er allen Elementen der üppig aus dem schönsten menschlichen Leben, ohne Geheiß, von selbst, und aus innerer Naturnotwendigkeit aufgesproßten Künste, das kühne, bindende Wort, die erhabene dichterische Absicht zuwies, die sie alle wie in einen Brennpunkt vereinigte, um das höchste erdenkliche Kunstwerk, das *Drama*, hervorzubringen.

Die Taten der Götter und Menschen, ihre Leiden, ihre Wonnen, wie sie ernst und heiter als ewiger Rhythmus, als ewige Harmonie aller Bewegung, alles Daseins in dem hohen Wesen Apollons verkündet lagen, hier wurden sie wirklich und wahr; denn alles, was sich in ihnen bewegte und lebte, wie es im Zuschauer sich bewegte und lebte, hier fand es seinen vollendetsten Ausdruck, wo Auge und Ohr, wie Geist und Herz, lebendig und wirklich alles erfaßten und vernahmen, alles leiblich und geistig wahrhaftig sahen, was die Einbildung sich nicht mehr nur vorzustellen brauchte. Solch' ein Tragödientag war ein Gottesfest, denn hier sprach der Gott sich deutlich und vernehmbar aus: der Dichter war sein hoher Priester, der wirklich und leibhaftig in seinem Kunstwerk darinnen stand, die Reigen der Tänzer führte, die Stimme zum Chor erhob und in tönenden Worten die Sprüche göttlichen Willens verkündete.

Das war das griechische Kunstwerk, das der zu wirklicher, lebendiger Kunst gewordene Apollon, – das war das griechische Volk in seiner höchsten Wahrheit und Schönheit.

Dieses Volk, in jedem Teile, in jeder Persönlichkeit überreich an Individualität und Eigentümlichkeit, rastlos tätig, im Ziele einer Unternehmung nur den Angriffspunkt einer neuen Unternehmung erfassend, unter sich in beständiger Reibung in täglich wechselnden Bündnissen, täglich sich neu gestaltenden Kämpfen, heute im Gelingen, morgen im Mißlingen, heute von äußerster Gefahr bedroht, morgen seinen Feind bis zur Vernichtung bedrängend, nach innen und außen in unaufhaltsamster, freiester Entwicklung begriffen, – dieses Volk strömte von der Staatsversammlung, vom Gerichtsmarkte, vom Lande, von den Schiffen, aus dem Kriegslager, aus fernsten Gegenden, zusammen, erfüllte zu Dreißigtausend das Amphitheater, um die tiefsinnigste aller Tragödien, den *Prometheus*, aufführen zu sehen, um sich vor dem gewaltigsten Kunstwerke zu sammeln, sich selbst zu erfassen, seine eigene Tätigkeit zu begreifen, mit seinem Wesen, seiner Genossenschaft, seinem Gotte sich in die innigste Einheit zu verschmelzen, und so in edelster, tiefster Ruhe *das* wieder zu sein, was es vor wenigen Stunden in rastlosester Aufregung und gesondertster Individualität ebenfalls gewesen war.

Stets eifersüchtig auf seine größte persönliche Unabhängigkeit, nach jeder Richtung hin den »Tyrannen« verfolgend, der, möge er selbst weise und edel sein, dennoch seinen kühnen freien Willen zu beherrschen streben könnte; verachtend jenes weichliche Vertrauen, das unter dem schmeichlerischen Schatten einer fremden Fürsorge zu träger egoistischer Ruhe sich lagert; immer auf der Hut, unermüdlich zur Abwehr äußeren Einflusses, keiner noch so altehrwürdigen Überlieferung Macht gebend über sein freies, gegenwärtiges Leben, Handeln und Denken, – verstummte der Grieche vor dem Anrufe des Chores, ordnete er sich gern der sinnreichen Übereinkunft in der szenischen Anordnung unter, gehorchte er willig der großen Notwendigkeit, deren Ausspruch ihm der Tragiker durch den Mund seiner Götter und Helden auf der Bühne verkündete. Denn in der Tragödie fand er sich ja selbst wieder, und zwar das edelste Teil seines Wesens, vereinigt mit den edelsten Teilen des Gesamtwesens der ganzen Nation; aus sich selbst, aus seiner innersten, ihm bewußt werdenden Natur, sprach er sich durch das tragische Kunstwerk das Orakel der Pythia, Gott und Priester zugleich, herrlicher göttlicher Mensch, er in der Allgemeinheit, die Allgemeinheit in ihm, als eine jener Tausenden von Fasern, welche in dem einen Leben der Pflanze aus dem Erdboden hervorgewachsen, in schlanker Gestaltung in die Lüfte sich heben, um die eine schöne Blume hervorzubringen, die ihren wonnigen Duft der Ewigkeit spendet. Diese Blume war das Kunstwerk, ihr Duft der griechische Geist, der uns noch heute berauscht und zu dem Bekenntnisse entzückt, lieber einen halben Tag Grieche vor dem tragischen Kunstwerke sein zu mögen, als in Ewigkeit – ungriechischer *Gott!*

Genau mit der Auflösung des athenischen Staates hängt der Verfall der Tragödie zusammen. Wie sich der Gemeingeist in tausend egoistische Richtungen zersplitterte, löste sich auch das große Gesamtkunstwerk der Tragödie in die einzelnen, ihm inbegriffenen Kunstbestandteile auf: auf den Trümmern der Tragödie weinte in tollem Lachen der Komödiendichter Aristophanes, und aller Kunsttrieb stockte endlich vor dem ernsten Sinnen der Philosophie, welche über die Ursache der Vergänglichkeit des menschlichen Schönen und Starken nachdachte.

Der *Philosophie*, und nicht der Kunst, gehören die zwei Jahrtausende an, die seit dem Untergange der griechischen Tragödie bis auf unsre Tage verflossen. Wohl sandte die Kunst ab und zu ihre blitzenden Strahlen in die Nacht des unbefriedigten Denkens, des grübelnden Wahnsinns der Menschheit; doch dies waren nur die Schmerzens- und Freudenausrufe des Einzelnen, der aus dem Wuste der Allgemeinheit sich rettete und als ein aus weiter Fremde glücklich Verirrter zu dem einsam rieselnden, kastalischen Quelle gelangte, an dem er seine durstigen Lippen labte, ohne der Welt den erfrischenden Trank reichen zu dürfen; oder es war die Kunst, die irgend einem jener Begriffe, ja Einbildungen diente, welche die leidende Menschheit bald gelinder, bald herber drückten, und die Freiheit des Einzelnen wie der Allgemeinheit in Fesseln schlugen; nie aber war sie der freie Ausdruck einer freien Allgemeinheit selbst: denn die wahre Kunst ist höchste Freiheit, und nur die höchste Freiheit kann sie aus sich kundgeben, kein Befehl, keine Verordnung, kurz kein außerkünstlerischer Zweck kann sie entstehen lassen.

Die Römer, deren nationale Kunst frühzeitig vor dem Einflusse der ausgebildeten griechischen Künste gewichen war, ließen sich von griechischen Architekten, Bildhauern, Malern bedienen, ihre Schöngeister übten sich an griechischer Rhetorik und Verskunst; die große Volksschaubühne eröffneten sie aber nicht den Göttern und Helden des Mythus, nicht den freien Tänzern und Sängern des heiligen Chores; sondern wilde Bestien, Löwen, Panther und Elefanten mußten sich im Amphitheater zerfleischen, um dem römischen Auge zu schmeicheln, Gladiatoren, zur Kraft und Geschicklichkeit erzogene Sklaven, mußten mit ihrem Todesröcheln das römische Ohr vergnügen.

Diese brutalen Weltbesieger behagten sich nur in der positivsten Realität, ihre Einbildungskraft konnte sich nur in materiellster Verwirklichung befriedigen. Den, dem öffentlichen Leben schüchtern entflohenen, Philosophen ließen sie getrost sich dem abstraktesten Denken überliefern; in der Öffentlichkeit selbst liebten sie, sich der allerkonkretesten Mordlust zu überlassen, das menschliche Leiden in absoluter physischer Wirklichkeit sich vorgestellt zu sehen.

Diese Gladiatoren und Tierkämpfer waren nun die Söhne aller europäischen Nationen, und die Könige, Edlen und Unedlen dieser Nationen waren alle gleich Sklaven des römischen Imperators, der ihnen somit ganz praktisch bewies, daß alle Menschen gleich wären, wie wiederum diesem Imperator selbst von seinen gehorsamen Prätorianern sehr oft deutlich und handgreiflich gezeigt wurde, daß auch er nichts weiter als ein Sklave sei.

Dieses gegenseitig und allseitig sich so klar und unleugbar bezeugende Sklaventum verlangte, wie alles Allgemeine in der Welt, nach einem sich bezeichnenden Ausdrucke. Die offenkundige Erniedrigung und Ehrlosigkeit aller, das Bewußtsein des gänzlichen Verlustes aller Menschenwürde, der endlich notwendig eintretende Ekel vor den einzig ihnen übrig gebliebenen materiellsten Genüssen, die tiefe Verachtung alles eigenen Tuns und Treibens, aus dem mit der Freiheit längst aller Geist und künstlerische Trieb entwichen, diese jämmerliche Existenz ohne wirklichen, taterfüllten Lebens konnte aber nur einen Ausdruck finden, der, wenn auch allerdings allgemein, wie der Zustand selbst, doch der geradeste Gegensatz der Kunst sein mußte. Die Kunst ist Freude an sich, am Dasein, an der Allgemeinheit; der Zustand jener Zeit am Ende der römischen Weltherrschaft war dagegen Selbstverachtung, Ekel vor dem Dasein, Grauen vor der Allgemeinheit. Also nicht die *Kunst* konnte der Ausdruck dieses Zustandes sein, sondern das *Christentum*.

Das Christentum rechtfertigt eine ehrlose, unnütze und jämmerliche Existenz des Menschen auf Erden aus der wunderbaren Liebe Gottes, der den Menschen keineswegs – wie die schönen Griechen irrtümlich wähnten – für ein freudiges, selbstbewußtes Dasein auf der Erde geschaffen, sondern ihn hier in einen ekelhaften Kerker eingeschlossen habe, um ihm, zum Lohne seiner darin eingesogenen Selbstverachtung, nach dem Tode einen endlosen Zustand allerbequemster und untätigster Herrlichkeit zu bereiten. Der Mensch durfte daher und sollte sogar in dem Zustande tiefster und unmenschlicher Versunkenheit verbleiben, keine Lebenstätigkeit sollte er üben, denn dieses verfluchte Leben war ja die Welt des Teufels, d. i. der Sinne, und durch jedes Schaffen in ihm hätte er daher ja nur dem Teufel in die Hände gearbeitet, weshalb denn auch der Unglückliche, der mit freudiger Kraft dieses Lebens sich zu eigen machte, nach dem Tode ewige Höllenmarter erleiden mußte. Nichts wurde vom Menschen gefordert als der *Glaube*, d. h. das Zugeständnis seiner Elendigkeit, und das Aufgeben aller Selbsttätigkeit, sich dieser Elendigkeit zu entwinden, aus der nur die *unverdiente Gnade* Gottes ihn befreien sollte.

Der Historiker weiß nicht sicher, ob dieses die Ansicht jenes armen galiläischen Zimmermannssohn ebenfalls gewesen sei, welcher beim Anblicke des Elends seiner Mitbrüder ausrief, er sei nicht gekommen, den Frieden in die Welt zu bringen, sondern das Schwert, der in liebevoller Entrüstung gegen jene heuchlerischen Pharisäer donnerte, die feig der römischen Gewalt schmeichelten, um desto herzloser nach unten hin das Volk zu knechten und zu binden, der endlich allgemeine Menschenliebe predigte, die er doch unmöglich denen hätte zumuten können, welche sich selbst alle verachten sollten. Der Forscher unterscheidet nur deutlicher den ungeheuren Eifer des wunderbar bekehrten Pharisäers Paulus, mit welchem dieser in der Bekehrung der Heiden augenfällig glücklich die Weisung befolgte: »Seid klug wie die Schlangen« usw.; er vermag auch den sehr erkennbaren geschichtlichen Boden tiefster und allgemeinster Versunkenheit des zivilisierten Menschengeschlechtes zu beurteilen, aus welchem die Pflanze des endlich fertigen christlichen Dogmas seine Befruchtung empfing. So viel aber erkennt der redliche *Künstler* auf den ersten Blick, daß das Christentum weder Kunst war, noch irgendwie aus sich die wirkliche lebendige Kraft hervorbringen konnte.

Der freie Grieche, der sich an die Spitze der Natur stellte, konnte aus der Freude des Menschen an sich die Kunst erschaffen: der Christ, der die Natur und sich gleichmäßig verwarf, konnte seinem Gotte nur auf dem Altar der Entsagung opfern, nicht seine Taten, sein Wirken durfte er ihm als Gabe darbringen, sondern durch die Enthaltung von allem selbständig kühnen Schaffen glaubte er ihn sich verbindlich machen zu müssen. Die Kunst ist die höchste Tätigkeit des im Einklang mit sich und der Natur sinnlich schön entwickelten Menschen; der Mensch muß an der sinnlichen Welt die höchste Freude haben, wenn er aus ihr das künstlerische Werkzeug bilden soll; denn aus der sinnlichen Welt allein kann er auch nur den Willen zum Kunstwerk fassen. Der Christ, wenn er wirklich das seinem Glauben entsprechende Kunstwerk schaffen wollte, hätte umgekehrt aus dem Wesen des abstrakten Geistes, der Gnade Gottes, den Willen fassen und in ihm das Werkzeug finden müssen, – was hätte aber dann seine Absicht sein können? Doch nicht die sinnliche Schönheit, welche für ihn die Erscheinung des Teufels war? Und wie hätte je der Geist überhaupt etwas sinnlich Wahrnehmbares erzeugen können?

Jedes Nachgrübeln ist hier unfruchtbar: die historischen Erscheinungen sprechen den Erfolg beider entgegengesetzter Richtungen am deutlichsten aus. Wo der Grieche zu seiner Erbauung sich auf wenige, des tiefsten Gehaltes volle Stunden im Amphitheater versammelte, schloß sich der Christ auf Lebenszeit in ein Kloster ein: dort richtete die Volksversammlung, hier die Inquisition; dort richtet sich der Staat zu einer aufrichtigen Demokratie, hier zu einem heuchlerischen Absolutismus.

Die *Heuchelei* ist überhaupt der hervorstechendste Zug, die eigentliche Physiognomie der ganzen christlichen Jahrhunderte bis auf unsre Tage, und zwar tritt dieses Laster ganz in dem Maße immer greller und unverschämter hervor, als die Menschheit aus ihrem inneren unversiegbaren Quell, und trotz des Christentums, sich neu erfrischte und der Lösung ihrer wirklichen Aufgabe zureifte. Die Natur ist so stark, so unvertilgbar immer neu gebärend, daß keine erdenkliche Gewalt ihre Zeugungskraft zu schwächen vermöchte. In die siechenden Adern der römischen Welt ergoß sich das gesunde Blut der frischen germanischen Nationen; trotz der Annahme des Christentums blieb ein starker Tätigkeitstrieb, Lust zu kühnen Unternehmungen, ungebändigtes Selbstvertrauen das Element der neuen Herren der Welt. Wie in der ganzen Geschichte des Mittelalters wir aber immer nur auf den Kampf der weltlichen Gewalt gegen den Despotismus der römischen Kirche als den hervorstechendsten Zug treffen, so konnte auch da, wo er sich auszusprechen suchte, der künstlerische Ausdruck dieser neuen Welt immer nur im Gegensatze, im Kampfe gegen den Geist des Christentums sich geltend machen: als der Ausdruck einer vollkommen harmonisch gestimmten Einheit der Welt, wie es die Kunst der griechischen Welt war, konnte sich die Kunst der christlich-europäischen Welt nicht kundgeben, eben weil sie in ihrem tiefsten Innern, zwischen Gewissen und Lebenstrieb, zwischen Einbildung und Wirklichkeit, unheilbar und unversöhnbar gespalten war. Die ritterliche Poesie des Mittelalters, die, wie das Institut des Rittertums selbst, diesen Zwiespalt versöhnen sollte, konnte in ihren bezeichnendsten Gebilden nur die Lüge dieser Versöhnung dartun; je höher und kühner sie sich erhob, desto empfindlicher klaffte der Abgrund zwischen dem wirklichen Leben und der eingebildeten Existenz, zwischen dem rohen, leidenschaftlichen Gebaren jener Ritter im leiblichen Leben, und ihrer überzärtlichen, verhimmelnden Aufführung in der Vorstellung. Eben deshalb ward das wirkliche Leben aus einer ursprünglich edlen, durchaus nicht anmutlosen Volkssitte zu einem unflätigen und lasterhaften, weil es nicht aus sich heraus, aus der Freude an sich und seinem sinnlichen Gebaren den Kunsttrieb nähren durfte, sondern für alle geistige Tätigkeit auf das Christentum angewiesen war, welches von vornherein alle Lebensfreude verwies und als verdammlich darstellte. – Die ritterliche Poesie war die ehrliche Heuchelei des Fanatismus, der Aberwitz des Heroismus: sie gab die Konvention für die Natur.

Erst als das Glaubensfeuer der Kirche ausgebrannt war, als die Kirche offenkundig sich nur noch als sinnlich wahrnehmbarer weltlicher Despotismus, und in Verbindung mit dem durch sie geheiligten, nicht minder sinnlich wahrnehmbaren, weltlichen Herrscherabsolutismus kundgab, sollte die sogenannte Wiedergeburt der Künste vor sich gehen. Womit man sich so lange den Kopf zermartert hatte, das wollte man leibhaftig, wie die weltlich prunkende Kirche selbst, endlich vor sich sehen; dies war aber nicht anders möglich als dadurch, daß man die Augen aufmachte, und so den Sinnen wieder ihr Recht widerfahren ließ. Daß man nun die Gegenstände des Glaubens, die verklärten Geschöpfe der Phantasie, sich in sinnlicher Schönheit und mit künstlerischer Freude an dieser Schönheit vor die Augen stellte, dies war die vollkommene Verneinung des Christentums selbst: und daß die Anleitung zu diesen Kunstschöpfungen aus der heidnischen Kunst der Griechen selbst hergenommen werden mußte, das war die schmachvollste Demütigung des Christentums. Nichtsdestoweniger aber eignete sich die Kirche diesen neu erwachten Kunsttrieb zu, verschmähte es somit nicht, sich mit den fremden Federn des Heidentums zu schmücken, und sich so als offenkundige Lügnerin und Heuchlerin hinzustellen.

Aber auch das weltliche Herrentum hatte seinen Anteil an die Wiederbelebung der Künste. Nach langen Kämpfen in befestigter Gewalt nach unten, erweckte den Fürsten ein sorgenloser Reichtum die Lust zum feineren Genusse dieses Reichtums: sie nahmen dazu die den Griechen abgelernten Künste in ihren Sold: die »freie« Kunst diente den vornehmen Herren, und man weiß bei genauer Betrachtung nicht genau anzugeben, wer mehr Heuchler war, ob Ludwig XIV., als er sich an seiner Hofbühne in gewandten Versen griechischen Tyrannenhaß vorrezitieren ließ, oder Corneille und Racine, als sie gegen die Gunstbezeugungen ihres Herren die Freiheitsglut und politische Tugend des alten Griechenlands und Roms ihren Theaterhelden in den Mund legten.

Konnte nun aber die Kunst da wirklich und wahrhaftig vorhanden sein, wo sie nicht als Ausdruck einer freien selbstbewußten Allgemeinheit aus dem Leben emporblühte, sondern von den Mächten, welche eben diese Allgemeinheit an ihrer freien Selbstentwicklung hinderten, in Dienst genommen und deshalb auch nur willkürlich aus fremden Zonen verpflanzt werden konnte? Gewiß nicht. Und doch werden wir sehen, daß die Kunst, statt sich von immerhin respektablen Herren, wie die geistige Kirche und geistreiche Fürsten es waren, zu befreien, einer viel schlimmeren Herrin mit Haut und Haar sich verkaufte: *der Industrie.*

Der griechische Zeus, der Vater des Lebens, sandte den Göttern, wenn sie die Welt durchschweiften, vom Olympos einen Boten zu, den jugendlichen, schönen Gott *Hermes*; er war der geschäftige Gedanke des Zeus: beflügelt schwang er sich von den Höhen in die Tiefen, die Allgegenwart des höchsten Gottes zu künden; auch dem Tode des Menschen war er gegenwärtig, er geleitete die Schatten der Geschiedenen in das stille Reich der Nacht; denn überall, wo die große Notwendigkeit der natürlichen Ordnung sich deutlich verkündete, war Hermes tätig und erkennbar, wie der ausgeführte Gedanke des Zeus.

Die Römer hatten einen Gott *Mercurius*, den sie dem griechischen Hermes verglichen. Seine geflügelte Geschäftigkeit gewann bei ihnen aber eine praktische Bedeutung: sie galt ihnen als die bewegliche Betriebsamkeit jener schachernden und wuchernden Kaufleute, die von allen Enden in den Mittelpunkt der römischen Welt zusammenströmten, um den üppigen Herren dieser Welt gegen vorteilhaften Gewinn alle sinnlichen Genüsse zuzuführen, welche die nächst umgebende Natur ihnen nicht zu bieten vermochte. Dem Römer erschien der Handel beim Überblick seines Wesens und Gebarens zugleich als Betrug, und wie ihn diese Krämerwelt bei seiner immer steigenden Genußsucht ein notwendiges Übel dünkte, hegte er doch eine tiefe Verachtung vor ihrem Treiben, und so ward ihm der Gott der Kaufleute, Merkur, zugleich zum Gott der Betrüger und Spitzbuben.

Dieser verachtete Gott rächte sich aber an den hochmütigen Römern, und warf sich statt ihrer zum Herren der Welt auf: denn krönet sein Haupt mit dem Heiligenscheine christlicher Heuchelei, schmückt seine Brust mit dem seelenlosen Abzeichen abgestorbener feudalistischer Ritterorden, so habt ihr ihn, den Gott der modernen Welt, den heilig-hochadeligen Gott der fünf Prozent, den Gebieter und Festordner unsrer heutigen – Kunst. Leibhaftig seht ihr ihn in einem bigotten englischen Bankier, dessen Tochter einen ruinierten Ritter vom Hosenbandorden heiratete, vor euch, wenn er sich von den ersten Sängern der italienischen Oper, lieber noch in seinem Salon, als im Theater (jedoch auch hier um keinen Preis am heiligen Sonntage) vorsingen läßt, weil er den Ruhm hat, sie hier noch teurer bezahlen zu müssen, als dort. Das ist *Merkur* und seine gelehrige Dienerin, die *moderne Kunst*.

Das ist die Kunst, wie sie jetzt die ganze zivilisierte Welt erfüllt! Ihr wirkliches Wesen ist die Industrie, ihr moralischer Zweck der Gelderwerb, ihr ästhetisches Vorgeben die Unterhaltung der Gelangweilten. Aus dem Herzen unsrer modernen Gesellschaft, aus dem Mittelpunkte ihrer kreisförmigen Bewegung, der Geldspekulation im Großen, saugt unsre Kunst ihren Lebenssaft, erborgt sich eine herzlose Anmut aus den leblosen Überresten mittelalterlich ritterlicher Konvention, und läßt sich von da – mit scheinbarer Christlichkeit auch das Schärflein des Armen nicht verschmähend – zu den Tiefen des Proletariats herab, entnervend, entsittlichend, entmenschlichend überall, wohin sich das Gift ihres Lebenssaftes ergießt.

Ihren Lieblingssitz hat sie im *Theater* aufgeschlagen, gerade wie die griechische Kunst zu ihrer Blütezeit; und sie hat ein Recht auf das Theater, weil sie der Ausdruck des gültigen öffentlichen Lebens unsrer Gegenwart ist. Unsre moderne theatralische Kunst versinnlicht den herrschenden Geist unsers öffentlichen Lebens, sie drückt ihn in einer alltäglichen Verbreitung aus wie nie eine andre Kunst, denn sie bereitet ihre Feste Abend für Abend fast in jeder Stadt Europas. Somit bezeichnet sie, als ungemein verbreitete dramatische Kunst, dem Anscheine nach die Blüte unser Kultur, wie die griechische Tragödie den Höhepunkt des griechischen Geistes bezeichnete: aber diese ist die Blüte der Fäulnis einer hohlen, seelenlosen, naturwidrigen Ordnung der menschlichen Dinge und Verhältnisse.

Diese Ordnung der Dinge brauchen wir hier nicht selbst näher zu charakterisieren, wir brauchen nur ehrlich den Inhalt und das öffentliche Wirken unsrer Kunst, und namentlich eben der theatralischen zu prüfen, um den herrschenden Geist der Öffentlichkeit in ihr wie in einem getreuen Spiegelbilde zu erkennen: denn solch' ein Spiegelbild war die öffentliche Kunst immer.

Und so erkennen wir denn in unsrer öffentlichen theatralischen Kunst keineswegs das wirkliche Drama, dieses eine, unteilbare, größte Kunstwerk des menschlichen Geistes: unser Theater bietet bloß den unbequemen Raum zur lockenden Schaustellung einzelner, kaum oberflächlich verbundener, künstlerischer, oder besser: kunstfertiger Leistungen. Wie unfähig unser Theater ist, als wirkliches Drama die innige Vereinigung aller Kunstzweige zum höchsten, vollendetsten Ausdrucke zu bewirken, zeigt sich schon in seiner Teilung in die beiden Sonderarten des *Schauspiels* und der *Oper*, wodurch dem Schauspiel der idealisierende Ausdruck der Musik entzogen, der Oper aber von vornherein der Kern und die höchste Absicht des wirklichen Dramas abgesprochen ist. Während im allgemeinen das Schauspiel somit nie zu idealem, poetischem Schwunge sich erheben konnte, sondern – auch ohne des hier zu übergehenden Einflusses einer unsittlichen Öffentlichkeit zu gedenken – fast schon wegen der Armut an Mitteln des Ausdruckes aus der Höhe in die Tiefe, aus dem erwärmenden Elemente der Leidenschaft in das erkältende der Intrigue fallen mußte, ward vollends die Oper zu einem Chaos durcheinander flatternder sinnlicher Elemente ohne Haft und Band, aus dem sich ein jeder nach Belieben auflesen konnte, was seiner Genußfähigkeit am besten behagte, hier den zierlichen Sprung einer Tänzerin, dort die verwegene Passage eines Sängers, hier den glänzenden Effekt eines Dekorationsmalerstückes, dort den verblüffenden Ausbruch eines Orchestervulkans. Oder liest man nicht heutzutage, diese oder jene neue Oper sei ein Meisterstück, denn sie enthalte viele schöne Arien und Duetten, auch sei die Instrumentation des Orchesters sehr brillant usw.? Der Zweck, der einzig den Verbrauch so mannigfaltiger Mittel zu rechtfertigen hat, der große dramatische Zweck – fällt den Leuten gar nicht mehr ein.

Solche Urteile sind borniert, aber ehrlich; sie zeigen ganz einfach, um was es dem Zuhörer zu tun ist. Es gibt auch eine große Anzahl beliebter Künstler, welche durchaus nicht in Abrede stellen, daß sie gerade nicht mehr Ehrgeiz hätten, als jenen bornierten Zuhörer zu befriedigen. Sehr richtig urteilen sie: wenn der Prinz von einer anstrengenden Mittagstafel, der Bankier von einer angreifenden Spekulation, der Arbeiter vom ermüdenden Tagewerk im Theater anlangt, so will er ausruhen, sich zerstreuen, unterhalten, er will sich nicht anstrengen und von neuem aufregen. Dieser Grund ist so schlagend wahr, daß wir ihm einzig nur zu entgegnen haben, wie es schicklicher sei, zu dem angegebenen Zwecke alles Mögliche, nur nicht das Material und das Vorgeben der Kunst verwenden zu wollen. Hierauf wird uns dann aber erwidert, daß, wolle man die Kunst nicht so verwenden, die Kunst ganz aufhören und dem öffentlichen Leben gar nicht mehr beizubringen sein, d. h. der Künstler nichts mehr zu leben haben würde.

Nach dieser Seite hin ist alles jämmerlich, aber treuherzig, wahr und ehrlich: zivilisierte Versunkenheit, modern christlicher Stumpfsinn!

Was sagen wir aber bei unleugbar so bewandten Umständen zu dem heuchlerischen Vorgeben manches unsrer Kunstheroen, dessen Ruhm an der Tagesordnung ist, wenn er sich den melancholischen Anschein wirklich künstlerischer Begeisterung gibt, wenn er nach Ideen greift, tiefe Beziehungen verwendet, auf Erschütterungen Bedacht nimmt, Himmel und Hölle in Bewegung setzt, kurz, wenn er sich so gebärdet, wie jene ehrlichen Tageskünstler behaupteten, daß man *nicht* verfahren müsse, wolle man seine Ware los werden? Was sagen wir dazu, wenn solche Heroen wirklich nicht *nur* unterhalten wollen, sondern sich selbst in die Gefahr stürzen, zu langweilen, um für tiefsinnig zu gelten, wenn sie somit selbst auf großen Erwerb verzichten, ja – doch nur ein geborener Reicher vermag das! – sogar um ihrer Schöpfungen willen selbst Geld ausgeben, somit also das höchste moderne Selbstopfer bringen? Zu was dieser ungeheure Aufwand? Ach, es gibt ja noch Eines außer Geld: nämlich das, was man unter andern Genüssen auch durch Geld heutzutage sich verschaffen kann: *Ruhm!* – Welcher Ruhm ist aber in unsrer öffentlichen Kunst zu erringen? Der Ruhm derselben Öffentlichkeit, für welche diese Kunst berechnet ist, und welcher der Ruhmgierige nicht anders beizukommen vermag, als wenn er ihren trivialen Ansprüchen dennoch sich unterzuordnen weiß. So belügt er denn sich und das Publikum, indem er ihm sein scheckiges Kunstwerk gibt, und das Publikum belügt ihn und sich, indem es ihm Beifall spendet; aber diese gegenseitige Lüge ist der großen Lüge des modernen Ruhmes an sich wohl schon wert, wie wir es denn überhaupt verstehen, unsre allereigensüchtigsten Leidenschaften mit den schönen Hauptlügen von »Patriotismus«, »Ehre«, »Gesetzlichkeitssinn« usw. zu behängen.

Woher kommt es aber, daß wir es für nötig halten, uns gegenseitig so offenkundig zu belügen? – Weil jene Begriffe und Tugenden im Gewissen unsrer herrschenden Zustände allerdings vorhanden sind, zwar nicht in ihrem guten, aber doch in ihrem *schlechten* Gewissen. Denn so gewiß ist es, daß das Edle und Wahre wirklich vorhanden ist, so gewiß ist es auch, daß die wahre Kunst vorhanden ist. Die größten und edelsten Geister, – Geister, vor denen Aischylos und Sophokles freudig als Brüder sich geneigt haben würden, haben seit Jahrhunderten ihre Stimme aus der Wüste erhoben; wir haben sie gehört und noch tönt ihr Ruf in unsern Ohren: aber aus unsern eitlen, gemeinen Herzen haben wir den lebendigen Nachklang ihres Rufes verwischt; wir zittern vor ihrem Ruhm, lachen aber vor ihrer Kunst, wir ließen sie erhabene Künstler sein, verwehrten ihnen aber das Kunstwerk, denn das große, wirkliche, eine Kunstwerk können sie nicht allein schaffen, sondern dazu müssen wir mitwirken. Die Tragödie des Aischylos und Sophokles war das Werk Athens.

Was nützt nun dieser Ruhm der Edlen? Was nützte es uns, daß *Shakespeare* als zweiter Schöpfer den unendlichen Reichtum der wahren menschlichen Natur uns erschloß? Was nützte es uns, daß *Beethoven* der Musik männliche, selbständige Dichterkraft verlieh? Fragt die armseligen Karikaturen eurer Theater, fragt die gassenhauerischen Gemeinplätze eurer Opernmusiken, und ihr erhaltet die Antwort! Aber, braucht ihr erst zu fragen? Ach nein! Ihr wißt es recht gut; ihr wollt es ja eben nicht anders, ihr stellt euch nur, als wüßtet ihr es nicht!

Was ist nun eure Kunst, was euer Drama?

Die Februarrevolution entzog in Paris den Theatern die öffentliche Teilnahme, viele von ihnen drohten einzugehen. Nach den Junitagen kam ihnen Cavaignac, mit der Aufrechthaltung der bestehenden gesellschaftlichen Ordnung beauftragt, zu Hilfe und forderte Unterstützung zu ihrem Weiterbestehen. Warum? Weil die *Brotlosigkeit*, das *Proletariat* durch das Eingehen der Theater vermehrt werden würde. Also bloß dieses Interesse hat der Staat am Theater! Er sieht in ihm die industrielle Anstalt; nebenbei wohl aber auch ein geistschwächendes, Bewegung absorbierendes, erfolgreiches Ableitungsmittel für die gefahrdrohende Regsamkeit des erhitzten Menschenverstandes, welcher im tiefsten Mißmut über die Wege brütet, auf denen die entwürdigte menschliche Natur wieder zu sich selbst gelangen soll, sei es auch auf Kosten des Bestehens unsrer – sehr zweckmäßigen Theaterinstitute!

Nun, dies ist ehrlich ausgesprochen, und der Unverhohlenheit dieses Ausspruches ganz zur Seite steht die Klage unsrer modernen Künstlerschaft und ihr Haß gegen die Revolution. Was hat aber mit diesen Sorgen, diesen Klagen die *Kunst* gemein?

Halten wir nun die öffentliche Kunst des modernen Europa in ihren Hauptzügen zu der öffentlichen Kunst der Griechen, um uns deutlich den charakteristischen Unterschied derselben vor die Augen zu stellen.

Die öffentliche Kunst der Griechen, wie sie in der Tragödie ihren Höhepunkt erreichte, war der Ausdruck des Tiefsten und Edelsten des Volksbewußtseins: das Tiefste und Edelste unsres menschlichen Bewußtseins ist der reine Gegensatz, die Verneinung unsrer öffentlichen Kunst. Dem Griechen war die Aufführung einer Tragödie eine religiöse Feier, auf ihrer Bühne bewegten sich Götter und spendeten den Menschen ihre Weisheit: unser schlechtes Gewissen stellt unser Theater selbst so tief in der öffentlichen Achtung, daß es die Angelegenheit der Polizei sein darf, dem Theater alles Befassen mit religiösen Gegenständen zu verbieten, was gleich charakteristisch ist für unsre Religion wie für unsre Kunst. In den weiten Räumen des griechischen Amphitheaters wohnte das ganze Volk den Vorstellungen bei; in unsern vornehmen Theatern faulenzt nur der vermögende Teil desselben. Seine Kunstwerkzeuge zog der Grieche aus den Ergebnissen höchster gemeinschaftlicher Bildung; wir aus denen tiefster sozialer Barbarei. Die Erziehung des Griechen machte ihn von frühester Jugend an sich selbst zum Gegenstande künstlerischer Behandlung und künstlerischen Genusses, an Leib wie an Geist: unsre stumpfsinnige, meist nur auf zukünftigen industriellen Erwerb zugeschnittene Erziehung bringt uns ein albernes und doch hochmütiges Behagen an unsrer künstlerischen Ungeschicklichkeit bei, und läßt uns die Gegenstände irgend welcher künstlerischen Unterhaltung nur außer uns suchen, mit ungefähr demselben Verlangen, wie der Wüstling den flüchtigen Liebesgenuß einer Prostituierten aufsucht. So war der Grieche selbst Darsteller, Sänger und Tänzer, seine Mitwirkung bei der Aufführung einer Tragödie war ihm höchster Genuß an dem Kunstwerke selbst, und es galt ihm mit Recht als Auszeichnung, durch Schönheit und Bildung zu diesem Genusse berechtigt zu sein: wir lassen einen gewissen Teil unsers gesellschaftlichen Proletariats, das sich ja in jeder Klasse vorfindet, zu unsrer Unterhaltung abrichten; unsaubere Eitelkeit, Gefallsucht, und, unter gewissen Bedingungen, Aussicht auf schnellen, reichlichen Gelderwerb füllen die Reihen unsrer Theaterpersonale. Wo der griechische Künstler, außer durch seinen eigenen Genuß am Kunstwerke durch den Erfolg und die öffentliche Zustimmung belohnt wurde, wird der moderne Künstler gehalten und – *bezahlt*. Und so gelangen wir denn dahin, den wesentlichen Unterschied fest und scharf zu bezeichnen, nämlich: die griechische öffentliche Kunst war eben *Kunst*, die unsrige – künstlerisches *Handwerk*.

Der *Künstler* hat, außer an dem Zwecke seines Schaffens, schon an diesem Schaffen, an der Behandlung des Stoffes und dessen Formung selbst Genuß; sein Produzieren ist ihm an und für sich erfreuende und befriedigende Tätigkeit, nicht Arbeit. Dem *Hand-*

108

werker gilt nur der Zweck seiner Bemühung, der Nutzen, den ihm seine Arbeit bringt; die Tätigkeit, die er verwendet, erfreut ihn nicht, sie ist ihm nur Beschwerde, unumgängliche Notwendigkeit, die er am liebsten einer Maschine aufbürden möchte: seine Arbeit vermag ihn nur aus Zwang zu fesseln; deshalb ist er auch nicht mit dem Geiste dabei gegenwärtig, sondern beständig darüber hinaus bei dem Zwecke, den er so gerade wie möglich erreichen möchte. Ist nun aber der unmittelbare Zweck des Handwerkers nur die Befriedigung eines eigenen Bedürfnisses, z. B. die Herstellung seiner eigenen Wohnung, seiner eigenen Gerätschaften, Kleidung usw., so wird ihm mit dem Behagen an den ihm verbleibenden nützlichen Gegenständen allmählich auch Neigung zu einer solchen Zubereitung des Stoffes, wie sie seinem persönlichen Geschmacke zusagt, eintreten; nach der Herstellung des Notwendigsten wird daher sein auf weniger drängende Bedürfnisse gerichtetes Schaffen sich von selbst zu einem künstlerischen erheben: gibt er aber das Produkt seiner Arbeit von sich, verbleibt ihm davon nur der abstrakte Geldeswert, so kann sich unmöglich seine Tätigkeit je über den Charakter der Geschäftigkeit der Maschine erheben; sie gilt ihm nur als Mühe, als traurige, saure Arbeit. Dies letztere ist das Los des Sklaven der Industrie; unsre heutigen Fabriken geben uns das jammervolle Bild tiefster Entwürdigung des Menschen: ein beständiges, geist- und leibtötendes Mühen ohne Lust und Liebe, oft fast ohne Zweck.

Die beklagenswerte Einwirkung des Christentums läßt sich auch hierin nicht verkennen. Setzte dieses nämlich den Zweck des Menschen gänzlich außerhalb seines irdischen Daseins, und galt ihm nur dieser Zweck, der absolute, außermenschliche Gott, so konnte das Leben nur in bezug auf seine unumgänglichst notwendigen Bedürfnisse Gegenstand menschlicher Sorgfalt sein; denn, da man das Leben nun einmal empfangen hatte, war man auch verpflichtet, es zu erhalten, bis es Gott allein gefallen möchte, uns von seiner Last zu befreien: keineswegs aber durften seine Bedürfnisse uns Lust zu einer liebevollen Behandlung des Stoffes erwecken, den wir zu ihrer Befriedigung zu verwenden hatten; nur der abstrakte Zweck der notdürftigen Erhaltung des Lebens konnte unsre sinnliche Tätigkeit rechtfertigen, und so sehen wir mit Entsetzen in einer heutigen Baumwollenfabrik den Geist des Christentums ganz aufrichtig verkörpert: zugunsten der Reichen ist Gott Industrie geworden, die den armen christlichen Arbeiter gerade nur so lange am Leben erhält, bis himmlische Handelskonstellationen die gnadenvolle Notwendigkeit herbeiführen, ihn in eine bessere Welt zu entlassen.

Das eigentliche Handwerk kannte der Grieche gar nicht. Diese Beschaffung der sogenannten notwendigen Lebensbedürfnisse, welche, genau genommen, die ganze Sorge unsers Privat- wie öffentlichen Lebens ausmacht, dünkte den Griechen nie würdig, ihm der Gegenstand besondrer und anhaltender Aufmerksamkeit zu sein. Sein Geist lebte nur in der Öffentlichkeit, in der Volksgenossenschaft: die Bedürfnisse dieser Öffentlichkeit machten seine Sorge aus; diese aber befriedigte der Patriot, der Staatsmann, der Künstler, nicht der Handwerker. Zu dem Genusse der Öffentlichkeit schritt der Grieche aus einer einfachen, prunklosen Häuslichkeit: schändlich und niedrig hätte es ihm gegolten, hinter prachtvollen Wänden eines Privatpalastes der raffinierten Üppigkeit und Wollust zu fröhnen, wie sie heutzutage den einzigen Gehalt des Lebens eines Helden der Börse ausmachen; denn hierin unterschied sich der Grieche eben von dem egoistischen orientalisierten Barbaren. Die Pflege seines Leibes verschaffte er sich in den gemeinsamen öffentlichen Bädern und Gymnasien; die einfach edle Kleidung war der Gegenstand künstlerischer Sorgfalt meistens der Frauen, und wo er irgend auf die Notwendigkeit des Handwerkes stieß, lag es eben in seiner Natur, diesem alsbald die künstlerische Seite abzugewinnen und es zur Kunst zu erheben. Das gröbste der häuslichen Hantierung wies er aber von sich ab – dem *Sklaven* zu.

Dieser *Sklave* ist nun die verhängnisvolle Angel alles Weltgeschickes geworden. Der Sklave hat, durch sein bloßes, als notwendig erachtetes Dasein als Sklave, die Nichtigkeit und Flüchtigkeit aller Schönheit und Stärke des griechischen Sondermenschentumes aufgedeckt, und für alle Zeiten nachgewiesen, *daß Schönheit und Stärke, als Grundzüge des öffentlichen Lebens, nur dann beglückende Dauer haben können, wenn sie allen Menschen zu eigen sind*.

Leider aber ist es bis jetzt nur bei diesem Nachweise geblieben. In Wahrheit bewährt sich die Jahrtausende lange Revolution des Menschentumes fast nur im Geiste der Reaktion: sie hat den schönen freien Menschen zu sich, zum Sklaventum herabgezogen; der Sklave ist nicht frei, sondern der Freie ist Sklave geworden.

Dem Griechen galt nur der schöne und starke Mensch frei, und dieser Mensch war eben nur *er*: was außerhalb dieses griechischen Menschen, des Apollonpriesters lag, war ihm *Barbar*, und wenn er sich seiner bediente – *Sklave*. Sehr richtig war auch der Nicht-Grieche in Wirklichkeit Barbar und Sklave; aber er war *Mensch*, und sein Barbarentum, sein Sklaventum war nicht seine Natur, sondern sein Schicksal, die Sünde der Geschichte an seiner Natur, wie es heutzutage die Sünde der Gesellschaft und Zivilisation ist, daß aus den gesündesten Völkern im gesündesten Klima Elende und Krüppel geworden sind. Diese Sünde der Geschichte sollte sich aber an dem freien Griechen selbst gar bald ebenfalls ausüben: wo das Gewissen der *absoluten Menschenliebe* in den Nationen nicht lebte, brauchte der Barbar den Griechen nur zu unterjochen, so war es mit seiner Freiheit auch um seine Stärke, seine Schönheit getan; und in tiefer Zerknirschung sollten zweihundert Millionen im römischen Reich wüst durcheinander geworfener Menschen gar bald empfinden, daß – sobald *alle* Menschen nicht *gleich frei* und *glücklich* sein können – alle Menschen *gleich Sklave* und *elend sein* müßten.

Und so sind wir denn bis auf den heutigen Tag Sklaven, nur mit dem Troste des Wissens, daß wir eben alle Sklaven sind: Sklaven, denen einst christliche Apostel und Kaiser Konstantin rieten, ein elendes Diesseits geduldig um ein besseres Jenseits hinzugeben: Sklaven, denen heute von Bankiers und Fabrikbesitzern gelehrt wird, den Zweck des Daseins in der Handwerksarbeit um das tägliche Brot zu suchen. Frei von dieser Sklaverei fühlte sich zu seiner Zeit nur Kaiser Konstantin, der über das, ihnen als nutzlos dargestellte irdische Leben seiner gläubigen Untertanen als genußsüchtiger heidnischer Despot verfügte; frei fühlt sich heutzutage, wenigstens im Sinne der öffentlichen Sklaverei, nur der, welcher Geld hat, weil er sein Leben nach Belieben zu etwas Anderm, als eben nur dem Gewinne des Lebens verwenden kann. Wie nun das Bestreben nach Befreiung aus der allgemeinen Sklaverei in der römischen und mittelalterlichen Welt sich als Verlangen nach absoluter Herrschaft kundgab, so tritt es heute als Gier nach Geld auf; und wundern wir uns daher nicht, wenn auch die Kunst nach Gelde geht, denn nach seiner Freiheit, seinem Gotte strebt alles: unser Gott aber ist das Geld, unsre Religion der Gelderwerb.

Die Kunst bleibt an sich aber immer, was sie ist; wir müssen nur sagen, daß sie in der modernen Öffentlichkeit nicht vorhanden ist: sie lebt aber, und hat im Bewußtsein des Individuums immer als eine, unteilbare schöne Kunst gelebt. Somit ist der Unterschied nur der: bei den Griechen war sie im öffentlichen Bewußtsein vorhanden, wogegen sie heute nur im Bewußtsein des einzelnen, im Gegensatze zu dem öffentlichen Unbewußtsein davon, da ist. Zur Zeit ihrer Blüte war die Kunst bei den Griechen daher *konservativ*, weil sie dem öffentlichen Bewußtsein als ein gültiger und entsprechender Ausdruck vorhanden war: bei uns ist die echte Kunst *revolutionär*, weil sie nur im Gegensatze zur gültigen Allgemeinheit existiert.

Bei den Griechen war das vollendete, das dramatische Kunstwerk, der Inbegriff alles aus dem griechischen Wesen Darstellbaren; es war, im innigen Zusammenhange mit ihrer Geschichte, die Nation selbst, die sich bei der Aufführung des Kunstwerkes gegenüber stand, sich begriff, und im Verlaufe weniger Stunden zum eigenen, edelsten Genusse sich gleichsam selbst verzehrte. Jede Zerteilung dieses Genusses, jede Zersplitterung der in *einen* Punkt vereinigten Kräfte, jedes Auseinandergehen der Elemente nach verschiedenen besonderen Richtungen – mußte diesem herrlich *einen* Kunstwerke, wie dem ähnlich beschaffenen Staate selbst, nur nachteilig sein, und deswegen durfte es nur fortblühen, nicht aber sich verändern. Somit war die Kunst konservativ, wie die edelsten Männer des griechischen Staates zu der gleichen Zeit konservativ waren, und *Aischylos* ist der bezeichnendste Ausdruck dieses Konservativismus: sein herrlichstes konservatives Kunstwerk ist die *Oresteia*, mit der er sich als Dichter dem jugendlichen *Sophokles*, wie als Staatsmann dem revolutionären *Perikles* zugleich entgegenstellte. Der Sieg des Sophokles, wie der des Perikles, war im Geiste der fortschreitenden Entwicklung der Menschheit; aber die Niederlage des Aischylos war der erste Schritt abwärts von der Höhe der griechischen Tragödie, der erste Moment der Auflösung des athenischen Staates.

Mit dem späteren Verfall der Tragödie hörte die Kunst immer mehr auf, der Ausdruck des öffentlichen Bewußtseins zu sein: das Drama löste sich in seine Bestandteile auf: Rhetorik, Bildhauerei, Malerei, Musik usw. verließen den Reigen, in dem sie vereint sich bewegt hatten, um nun jede ihren Weg für sich zu gehen, sich selbständig, aber einsam, egoistisch fortzubilden. Und so war es bei der Wiedergeburt der Künste, daß wir zunächst auf diese vereinzelten griechischen Künste trafen, wie sie aus der Auflösung der Tragödie sich entwickelt hatten: das große griechische Gesamtkunstwerk durfte unserm verwilderten, an sich irren und zersplitterten Geiste nicht in seiner Fülle zuerst aufstoßen: denn wie hätten wir es verstehen sollen? Wohl aber wußten wir uns jene vereinzelten Kunsthandwerke zu eigen zu machen; denn als edle Handwerke, zu denen sie schon in der römisch-griechischen Welt herabgesunken waren, lagen sie unserm Geiste und Wesen nicht so ferne: der Zunft- und Handwerksgeist des neuen Bürgertums regte sich lebendig in den Städten; Fürsten und Vornehme gewannen es lieb, ihre Schlösser anmutiger bauen und verzieren, ihre Säle mit reizenderen Gemälden ausschmücken zu lassen, als es die rohe Kunst des Mittelalters vermocht hatte. Die Pfaffen bemächtigten sich der Rhetorik für die Kanzeln, der Musik für den Kirchenchor; und es arbeitete sich die neue Handwerkswelt tüchtig in die einzelnen Künste der Griechen hinein, so weit sie ihr verständlich und zweckmäßig erschienen.

Jede dieser einzelnen Künste, zum Genuß und zur Unterhaltung der Reichen üppig genährt und gepflegt, hat nun die Welt mit ihren Produkten reichlich erfüllt; große Geister haben in ihnen Entzükkendes geleistet: die eigentliche wirkliche Kunst ist aber durch und seit der Renaissance noch nicht wiedergeboren worden; denn das vollendete Kunstwerk, der große, einige Ausdruck einer freien schönen Öffentlichkeit, das *Drama,* die *Tragödie*, ist – so große Tragiker auch hie und da gedichtet haben – noch nicht *wiedergeboren*, eben weil es nicht *wieder* geboren, sondern von neuem *geboren* werden muß.

Nur die große *Menschheitsrevolution*, deren Beginn die griechische Tragödie einst zertrümmerte, kann auch dieses Kunstwerk uns gewinnen; denn nur die Revolution kann aus ihrem tiefsten Grunde *das* von neuem, und schöner, edler, allgemeiner gebären, was sie dem konservativen Geiste einer früheren Periode schöner, aber beschränkter Bildung, entriß und verschlang.

Aber eben die *Revolution*, nicht etwa die *Restauration,* kann uns jenes höchste Kunstwerk wiedergeben. Die Aufgabe, die wir vor uns haben, ist unendlich viel größer als die, welche bereits einmal gelöst worden ist. Umfaßte das griechische Kunstwerk den Geist einer schönen Nation, so soll das Kunstwerk der Zukunft den Geist der freien Menschheit über alle Schranken der Nationalitäten hinaus umfassen; das nationale Wesen in ihm darf nur ein Schmuck, ein Reiz individueller Mannigfaltigkeit, nicht eine hemmende Schranke sein. Etwas ganz Anders haben wir daher zu schaffen, als etwa eben nur das Griechentum wieder herzustellen; gar wohl ist die törige Restauration eines Scheingriechentums im Kunstwerke versucht worden, – was ist von Künstlern bisher auf Bestellung nicht versucht worden? – Aber etwas andres als wesenloses Gaukelspiel hat nie daraus hervorgehen können: es waren dies eben nur Kundgebungen desselben heuchlerischen Strebens, welches wir in unsrer ganzen offiziellen Zivilisationsgeschichte immer im Ausweichen des einzig richtigen Strebens begriffen sehen, des Strebens der Natur.

Nein, wir wollen nicht wieder Griechen werden; denn was die

Griechen nicht wußten, und weswegen sie eben zugrunde gehen mußten, das wissen *wir*. Gerade der Fall, dessen Ursache wir nach langem Elend und aus tiefstem allgemeinen Leiden heraus erkenne, zeigt uns deutlich, was wir werden müssen: er zeigt uns, daß wir alle Menschen lieben müssen, um uns selbst wieder lieben, um Freude an uns selbst wieder gewinnen zu können. Aus dem entehrenden Sklavenjoche des allgemeinen Handwerkertums mit seiner bleichen Geldseele wollen wir uns zum freien künstlerischen Menschentume mit seiner strahlenden Weltseele aufschwingen; aus mühselig beladenen Tagelöhnern der Industrie wollen wir alle zu schönen, starken Menschen werden, denen die Welt gehört als ein ewig unversiegbarer Quell höchsten künstlerischen Genusses.

Zu diesem Ziele bedürfen wir der allgewaltigsten Kraft der Revolution; denn nur *die* Revolutionskraft ist die unsrige, die an das Ziel hindringt, an das Ziel, dessen Errichtung sie einzig dafür rechtfertigen kann, daß sie ihre erste Tätigkeit in der Zersplitterung der griechischen Tragödie, in der Auflösung des athenischen Staates ausübte.

Woher sollen wir nun aber diese Kraft schöpfen im Zustande tiefster Entkräftigung? Woher die menschliche Stärke gegen den alles lähmenden Druck einer Zivilisation, welche den Menschen vollkommen verleugnet? Gegen den Übermut einer Kultur, welche den menschlichen Geist nur als Dampfkraft der Maschine verwendet? Woher das Licht zur Erleuchtung jenes herrschenden, grausamen Aberglaubens, daß jene Zivilisation, jene Kultur an sich mehr wert seien, als der wirkliche lebendige Mensch? Daß der Mensch nur als Werkzeug jener gebietenden abstrakten Mächte Wert und Geltung habe, nicht an sich und als Mensch?

Wo der gelehrte Arzt kein Mittel mehr weiß, da wenden wir uns endlich verzweifelnd wieder an – *die Natur*. Die Natur, und nur die Natur, kann auch die Entwirrung des großen Weltgeschickes allein vollbringen. Hat die Kultur, von dem Glauben des Christentums an die Verwerflichkeit der menschlichen Natur ausgehend, den Menschen verleugnet, so hat sie sich eben einen Feind erschaffen, der sie notwendig einst so weit vernichten muß, als der Mensch nicht in ihr Raum hat: denn dieser Feind ist eben die ewig und einzig lebende Natur. Die Natur, die menschliche Natur wird den beiden Schwestern, Kultur und Zivilisation, das Gesetz verkündigen: »so weit ich in euch enthalten bin, sollt ihr leben und blühen; so weit ich nicht in euch bin, sollt ihr aber sterben und verdorren!«

In dem menschenfeindlichen Fortschreiten der Kultur sehen wir jedenfalls dem glücklichen Erfolge entgegen, daß ihre Last und

Beschränkung der Natur so riesenhaft anwachse, daß sie der zusammengepreßten unsterblichen Natur endlich die nötige Schnellkraft gibt, mit einem einzigen Rucke die ganze Last und Beengung weit von sich zu schleudern; und diese ganze Kulturanhäufung hätte somit die Natur nur ihre ungeheure Kraft *erkennen* gelehrt: die Bewegung dieser Kraft aber ist – *die Revolution*.

Wie äußert sich auf dem gegenwärtigen Standpunkte der sozialen Bewegung nun diese revolutionäre Kraft? Äußert sie sich nicht zunächst als der Trotz des Handwerkers auf das moralische Bewußtsein von seiner Arbeitsamkeit gegenüber der lasterhaften Trägheit oder unsittlichen Geschäftigkeit der Reichen? Will er nicht, wie aus Rache, das Prinzip der Arbeit zur einzig berechtigten Religion der Gesellschaft erheben? Den Reichen zwingen, gleich ihm zu arbeiten, um auch im Schweiße seines Angesichts sein tägliches Brot sich zu verdienen? Hätten wir nicht zu fürchten, daß die Ausführung dieses Zwanges, die Anerkennung jenes Prinzipes gerade das menschenentwürdigende Handwerkertum endlich zur absoluten Weltmacht erheben, und, um bei unserm Hauptgegenstande zu bleiben, die Kunst geradezu für alle Zeit unmöglich machen müßte?

In Wahrheit ist dies die Befürchtung manches redlichen Freundes der Kunst, sogar manches aufrichtigen Menschenfreundes, dem es um den Schutz des edleren Kernes unsrer Zivilisation wirklich allein zu tun ist. Diese verkennen aber das eigentliche Wesen der großen sozialen Bewegung; sie beirren die zur Schau getragenen Theorien unsrer doktrinären Sozialisten, welche mit dem gegenwärtigen Bestande unsrer Gesellschaft unmögliche Verträge schließen wollen; sie täuscht der unmittelbare Ausdruck der Entrüstung des leidendsten Teiles unsrer Gesellschaft, welcher in Wahrheit aber ein tieferer, edlerer Naturdrang zugrunde liegt, der Drang nach würdigem Genusse des Lebens, dessen materiellen Unterhalt der Mensch sich nicht mit dem Aufwande aller seiner Lebenskräfte mühselig mehr verdienen, sondern dessen er sich als Mensch erfreuen will: es ist somit, genau betrachtet, der Drang aus dem Handwerkertume heraus zum künstlerischen Menschentum, zur freien Menschenwürde.

Gerade an der Kunst ist es nun aber, diesem sozialen Drange seine edelste Bedeutung erkennen zu lassen, seine wahre Richtung ihm zu zeigen. Aus ihrem Zustande zivilisierter Barbarei kann die wahre Kunst sich nur auf den Schultern unsrer großen sozialen Bewegung zu ihrer Würde erheben: sie hat mit ihr ein gemeinschaftliches Ziel, und beide können es nur erreichen, wenn sie es gemeinschaftlich erkennen. Dieses Ziel ist *der starke und schöne Mensch: die Revolution* gebe ihm die *Stärke*, die Kunst die *Schönheit*!

Den Gang der sozialen Entwicklung, wie er die Geschichte durchschreiten wird, hier näher zu bezeichnen, kann weder unsre Aufgabe sein, noch dürfte überhaupt in diesem Bezuge ein doktrinärer Kalkül dem von aller Voraussetzung unabhängigen geschichtlichen Gebaren der gesellschaftlichen Natur des Menschen etwas vorzeichnen können. Nichts wird gemacht in der Geschichte, sondern alles macht sich selbst nach seiner inneren Notwendigkeit. Unmöglich kann aber der Zustand, in welchem dereinst die Bewegung als bei ihrem Ziele angekommen sein wird, ein andrer als ein dem gegenwärtigen geradezu entgegengesetzter sein, sonst wäre die ganze Geschichte ein kreisförmiges, unruhiges Durcheinander, keineswegs aber die notwendige Bewegung eines Stromes, welcher bei allen Biegungen, Abweichungen und Überschwemmungen, dennoch immer in der Hauptrichtung sich ergießt.

In diesem künftigen Zustande nun dürfen wir die Menschen erkennen, wie sie sich von einem letzten Aberglauben, d. i. Verkennen der Natur, befreit haben, eben jenem Aberglauben, durch welchen der Mensch sich bisher nur als das Werkzeug zu einem Zwecke erblickte, der außer ihm selbst lag. Weiß der Mensch sich endlich selbst einzig und allein als Zweck seines Daseins, und begreift er, daß er diesen Selbstzweck am vollkommensten nur in der Gemeinschaft mit allen Menschen erreicht, so wird sein gesellschaftliches Glaubensbekenntnis nur in einer positiven Bestätigung jener Lehre Jesus' bestehen können, in welcher er ermahnte: »*Sorget* nicht, was werden wir essen, was werden wir trinken, noch auch, womit werden wir uns kleiden, denn dieses hat euch euer himmlischer Vater alles von selbst gegeben!« Dieser himmlische Vater wird dann kein andrer sein, als die soziale Vernunft der Menschheit, welche die Natur und ihre Fülle sich zum Wohle aller zu eigen macht. Eben daß die rein physische Erhaltung des Lebens bisher der Gegenstand der *Sorge*, und zwar der wirklichen, meist alle Geistestätigkeit lähmenden, Leib und Seele verzehrenden *Sorge* sein mußte, darin lag das Laster und der Fluch unsrer gesellligen Einrichtungen! Diese *Sorge* hat den Menschen schwach, knechtisch, stumpf und elend gemacht, zu einem Geschöpfe, das nicht lieben und nicht hassen kann, zu einem Bürger, der jeden Augenblick den letzten Rest seines freien Willens hingab, wenn nur diese *Sorge* ihm erleichtert werden konnte.

Hat die brüderliche Menschheit ein- für allemal diese Sorgen von sich abgeworfen, und sie – wie der Grieche dem Sklaven – der Maschine zugewiesen, diesem künftigen Sklaven des freien, schöpferischen Menschen, dem er bis jetzt diente wie der Fetischanbeter dem von seinen eigenen Händen verfertigten Götzen, so wird all' sein befreiter Tätigkeitstrieb sich nur noch als *künstlerischer* Trieb kundgeben. In weit erhöhtem Maße werden wir so das griechische Lebenselement wiedergewinnen: was dem Griechen der Erfolg natürlicher Entwicklung war, wird uns das Ergebnis geschichtlichen Ringens sein; was ihm ein halb unbewußtes Geschenk war, wird uns als ein erkämpftes Wissen verbleiben, denn was die Menschheit in ihrer großen Gesamtheit wirklich *weiß,* das kann ihr nicht mehr entschwinden.

Nur *starke* Menschen kennen die *Liebe*, nur die Liebe erfaßt die *Schönheit*, nur die Schönheit bildet die *Kunst.* Die Liebe der Schwachen unter sich kann sich nur als Kitzel der Wollust äußern; die Liebe des Schwachen zum Starken ist Demut und Frucht; die Liebe des Starken zum Schwachen ist Mitleid und Nachsicht: nur die Liebe des Starken zum Starken ist Liebe, denn sie ist freie Hingebung an den, der uns nicht zu zwingen vermag. In jedem Himmelsstriche, bei jedem Stamme, werden die Menschen durch die wirkliche Freiheit zu gleicher Stärke, durch die Stärke zur wahren Liebe, durch die wahre Liebe zur Schönheit gelangen können: die Tätigkeit der Schönheit aber ist die Kunst.

Was uns als der Zweck des Lebens erscheint, dafür erziehen wir uns und unsre Kinder. Zu Krieg und Jagd ward der Germane, zu Enthaltsamkeit und Demut der aufrichtige Christ, zu industriellem Erwerb, selbst durch Kunst und Wissenschaft, wird der moderne Staatsuntertan erzogen. Ist unserm zukünftigen freien Menschen der Gewinn des Lebensunterhaltes nicht mehr der Zweck des Lebens, sondern ist durch einen tätig gewordenen neuen Glauben, oder besser: Wissen, der Gewinn des Lebensunterhaltes gegen eine ihm entsprechende natürliche Tätigkeit uns außer allem Zweifel gesetzt, kurz – ist die Industrie nicht mehr unsre Herrin, sondern unsre Dienerin, so werden wir den Zweck des Lebens in die Freude am Leben setzen, und zu dem wirklichsten Genusse dieser Freude unsre Kinder durch Erziehung fähig und tüchtig zu machen streben. Die Erziehung, von der Übung der Kraft, von der Pflege der körperlichen Schönheit ausgehend, wird schon aus ungestörter Liebe zu dem Kinde, und aus Freude am Gedeihen seiner Schönheit, eine rein künstlerische werden, und jeder Mensch wird in irgend einem Bezuge in Wahrheit Künstler sein. Die Verschiedenartigkeit der natürlichen Neigungen wird die mannigfachsten Künste, und in ihnen die mannigfachsten Richtungen, zu einem ungeahnten Reichtume ausbilden; und wie das Wissen aller Menschen endlich in dem einen tätigen Wissen des freien, einigen Menschentumes seinen religiösen Ausdruck finden wird, so werden alle diese reich entwickelten Künste ihren verständnisreichsten Vereinigungspunkt im Drama, in der herrlichen Menschentragödie finden. Die Tragödien werden die Feste der Menschheit sein: in ihnen wird, losgelöst von jeder Konvention und Etikette, der freie, starke und schöne Mensch die Wonnen und Schmerzen seiner Liebe feiern, würdig und erhaben das große Liebesopfer seines Todes vollziehen.

Diese Kunst wird wieder *konservativ* sein; aber in Wahrheit und ihrer wirklichen Dauer- und Blütekraft wegen wird sie sich von selbst erhalten, nicht eines außer ihr liegenden Zwecke wegen bloß nach Erhaltung schreien, denn sehet: *diese* Kunst geht nicht nach *Gelde*!

»Utopien! Utopien!« höre ich sie rufen, die großen Weisen und Überzuckerer unsrer modernen Staats- und Kunstbarbarei, die sogenannten praktischen Menschen, die in der Handhabung ihrer Praktik sich täglich nur durch Lügen und Gewaltstreiche, oder – wenn sie nämlich ehrlich sind – höchsten durch Unwissenheit helfen können.

»Schönes Ideal, das, wie jedes Ideal, uns nur vorschweben, von dem zur Unvollkommenheit verdammten Menschen leider aber nicht erreicht werden soll.« So seufzt der gutmütige Schwärmer für das Himmelreich, in welchem, wenigstens für seine Person, Gott den unbegreiflichen Fehler dieser Erd- und Menschenschöpfung wieder gut machen wird.

Sie leben, leiden, lügen und lästern tatsächlich in dem widerlichsten Zustande, dem schmutzigen Bodensatze eines in Wahrheit eingebildeten und deshalb unverwirklichten Utopiens, mühen und überbieten sich in jeder Kunst der Heuchelei für die Aufrechthaltung der Lüge dieses Utopiens, aus welchem sie täglich als verstümmelte Krüppel gemeinster und frivolster Leidenschaft auf den platten, nackten Boden der nüchternsten Wahrheit jämmerlich herabfallen, und halten oder verschreien die einzig natürliche Erlösung aus ihrer Verzauberung für Chimäre, für ein Utopien, gerade wie die Leidenden im Narrenhause ihre verrückten Einbildungen für Wahrheit, die Wahrheit aber für Verrücktheit halten.

Kennt die Geschichte ein wirkliches Utopien, ein in Wahrheit unerreichbares Ideal, so war es das Christentum; denn sie hat klar

118

und deutlich gezeigt, und zeigt es noch jeden Tag, daß seine Prinzipien sich nicht verwirklichen ließen. Wie konnten diese Prinzipien auch wirklich lebendig werden, in das wahrhafte Leben übergehen, da sie gegen das Leben gerichtet waren, das Lebendige verleugneten und verdammten? Das Christentum ist rein geistigen, übergeistigen Gehaltes; es predigt Demut, Entsagung, Verachtung alles Irdischen, und in dieser Verachtung – Bruderliebe: wie stellt sich die Erfüllung heraus in der modernen Welt, die sich ja doch eine christliche nennt und die christliche Religion als ihre unantastbare Basis festhält? Als Hochmut der Heuchelei, Wucher, Raub an den Gütern der Natur und egoistische Verachtung der leidenden Nebenmenschen. Woher nun dieser krasse Gegensatz in der Ausführung gegen die Idee? Eben weil die Idee krank, der momentanen Erschlaffung und Schwächung der menschlichen Natur entkeimt war, und gegen die wahre, gesunde Natur des Menschen sich versündigte. Wie stark diese Natur aber ist, wie unversiegbar ihre immer neu gebärende Fülle, das hat sie gerade unter dem allgemeinen Drucke jener Idee bewiesen, die, wenn ihre innerste Konsequenz sich erfüllt hätte, den Menschen eigentlich gänzlich von der Erde vertilgt haben müßte, da ja auch die Enthaltung von der Geschlechtsliebe in ihr als höchste Tugend begriffen war. Ihr seht nun aber, daß trotz jener allmächtigen Kirche der Mensch in solcher Fülle vorhanden ist, daß eure christlich-ökonomische Staatsweisheit gar nicht einmal weiß, was sie mit dieser Fülle anfangen soll, daß ihr euch nach sozialen Mordmitteln umsehet zu ihrer Vertilgung, ja daß ihr wirklich froh wäret, wenn der Mensch vom Christentume umgebracht worden wäre, damit der einzige abstrakte Gott eures lieben Ichs allein nur noch auf dieser Welt Raum gewinnen dürfte!

Das sind die Menschen, die über »Utopien« schreien, wenn der gesunde Menschenverstand ihren wahnsinnigen Experimenten gegenüber an die wirklich und einzig sichtbar und greiflich vorhandene Natur appelliert, wenn er von der göttlichen Vernunft des Menschen nichts weiter verlangt, als daß sie uns den Instinkt des Tieres in der sorgenlosen, wenn auch nicht bemühungslosen, Auffindung der Mittel seines Lebensunterhaltes ersetzen soll! Und wahrlich, kein höheres Resultat verlangen wir von ihr für die menschliche Gesellschaft, um auf dieser einen Grundlage das herrlichste, reichste Gebäude der wirklichen schönen Kunst der Zukunft aufzubauen!

Der wirkliche Künstler, der schon jetzt den rechten Standpunkt erfaßt hat, vermag, da dieser Standpunkt doch ewig wirklich vorhanden ist, schon jetzt daher an dem Kunstwerk der Zukunft zu arbeiten. Jede der Schwesterkünste hat auch in Wahrheit von je her, und so auch jetzt, in zahlreichen Schöpfungen ihr hohes Bewußtsein von sich kundgegeben. Wodurch aber litten von je her, und vor allem in unserm heutigen Zustande, die begeisterten Schöpfer jener edlen Werke? War es nicht durch ihre Berührung mit der Außenwelt, also mit der Welt, der ihre Werke angehören sollten? Was hat wohl den Architekten empört, wenn er seine Schöpferkraft auf Bestellung an Kasernen und Mietwohnhäusern zersplittern mußte? Was kränkte den Maler, wenn er die widerliche Fratze eines Millionärs porträtieren, was den Musiker, wenn er Tafelmusiken komponieren, was den Dichter, wenn er Leihbibliothekromane schreiben mußte? Was war dann sein Leiden? Daß er seine Schöpfungskraft an den Erwerb vergeuden, seine Kunst zum Handwerk machen mußte! – Was aber hat endlich der Dramatiker zu leiden, wenn er alle Künste zum höchsten Kunstwerk, zum Drama vereinigen will? Alle Leiden der übrigen Künstler zusammen!

Was er schafft, wird zum Kunstwerke wirklich erst dadurch, daß es vor der Öffentlichkeit in das Leben tritt, und ein dramatisches Kunstwerk tritt nur durch das Theater in das Leben. Was sind aber heutzutage diese, über die Hülfe aller Künste verfügenden Theaterinstitute? Industrielle Unternehmungen, und zwar selbst da, wo Staaten oder Fürsten sie besonders dotieren: ihre Leitung wird meistens denselben Männern übertragen, die gestern eine Spekulation in Getreide dirigierten, morgen einer Unternehmung in Zucker ihre wohlerlernten Kenntnisse widmen, falls sie nicht ihre Kenntnisse in den Mysterien des Kammerherrndienstes oder ähnlichen Funktionen für das Erfassen der theatralischen Würde ausgebildet haben. So lange man in einem Theaterinstitute, dem herrschenden Charakter der Öffentlichkeit nach, und bei der dem Theaterdirektor auferlegten Notwendigkeit, mit dem Publikum eben nur als geschickter kaufmännischer Spekulant zu verkehren, nichts anders als ein Mittel für den Geldumlauf zur Produktion von Zinsen für das Kapital erblickt, ist es natürlich auch ganz folgerichtig, daß man nur einem in solchem Bezug Geschäftskundigen seine Leitung, d. h. Ausbeutung, übergibt: denn eine wirklich künstlerische Leitung, also eine solche, die dem ursprünglichen Zwecke des Theaters entspräche, würde allerdings sehr übel imstande sein, den modernen Zweck desselben zu verfolgen. – Eben deshalb muß es aber jedem Einsichtsvollen deutlich werden, daß, soll das Theater irgendwie seiner natürlichen edlen Bestimmung zugewendet werden, es von der Notwendigkeit industrieller Spekulation durchaus zu befreien ist.

Wie wäre dies möglich? Dieses einzige Institut sollte einer Dienstbarkeit entzogen werden, welcher heutzutage alle Menschen und jede gesellschaftliche Unternehmung der Menschen unterworfen sind? Ja, gerade das Theater soll in dieser Befreiung allem übrigen vorangehen; denn das Theater ist die umfassendste, die einflußreichste Kunstanstalt; und ehe der Mensch seine edelste Tätigkeit, die künstlerische, nicht frei ausüben kann, wie sollte er da hoffen, nach niedereren Richtungen hin frei und selbständig zu werden? Beginnen wir, nachdem schon der Staatsdienst, der Armeedienst, wenigstens kein industrielles Gewerbe mehr ist, mit der Befreiung der öffentlichen Kunst, weil, wie ich oben andeutete, gerade *ihr* eine unsägliche hohe Aufgabe, eine ungemein wichtige Tätigkeit bei unsrer sozialen Bewegung zuzuteilen ist. Mehr und besser als eine gealterte, durch den Geist der Öffentlichkeit verleugnete Religion, wirkungsvoller und ergreifender als eine unfähige, lange an sich irre gewordene Staatsweisheit, vermag die ewig jugendliche Kunst, die sich immer aus sich und dem edelsten Geiste der Zeit zu erfrischen vermag, dem leicht an wilde Klippen und in seichte Flächen abweichenden Strome leidenschaftlicher sozialer Bewegungen ein schönes und hohes Ziel zuzuweisen, das Ziel edler Menschlichkeit.

Liegt euch Freunden der Kunst wirklich daran, die Kunst vor den drohenden Stürmen erhalten zu wissen, so begreift, daß sie nicht nur erhalten, sondern wirklich erst zu ihrem eigentümlichen wahren, vollen Leben gelangen soll!

Ist es euch *redlichen* Staatsmännern wahrhaft darum zu tun, dem von euch geahnten Umsturze der Gesellschaft, dem ihr vielleicht deshalb nur widerstrebt, weil ihr bei erschüttertem Glauben an die Reinheit der menschlichen Natur nicht zu begreifen vermögt, wie dieser Umsturz einen fehlerhaften Zustand nicht in einen noch viel schlimmeren verwandeln sollte, – ist es euch, sage ich, darum zu tun, dieser Umwandlung ein lebenskräftiges Unterpfand künftiger schönster Gesittung einzuimpfen, so helft uns nach allen Kräften, die Kunst sich und ihrem edlen Berufe selbst wiederzugeben!

Ihr leidenden Mitbrüder jedes Teiles der menschlichen Gesellschaft, die ihr in heißem Grollen darüber brütet, wie ihr aus Sklaven des Geldes zu freien Menschen werden möchtet, begreift unsre Aufgabe, und helft uns die Kunst zu ihrer Würde zu erheben, damit wir euch zeigen können, wie ihr das Handwerk zur Kunst, den Knecht der Industrie zum schönen selbstbewußten Menschen erhebet, der der Natur, der Sonne und den Sternen, dem Tode und der Ewigkeit mit verständnisvollem Lächeln zuruft: *auch ihr seid mein, und ich bin euer Herr!*

Die ich euch anrief, wäret ihr einverstanden und einig mit uns, wie leicht wäre es eurem Willen, die einfachen Maßregeln in das Werk zu setzen, die das unausbleibliche Gedeihen jener wichtigsten aller Kunstanstalten, des Theaters, zur Folge haben müßten. Am Staat und an der Gemeinde wäre es, zunächst ihre Mittel gegen den Zweck abzuwägen, um das Theater in den Stand zu setzen, nur seiner höheren, wahrhaften Bestimmung nachgehen zu können. Dieser Zweck wird erreicht, wenn die Theater gerade so weit unterstützt werden, daß ihre Verwaltung nur noch eine rein künstlerische sein darf, und niemand besser wird diese zu führen imstande sein, als alle die Künstler selbst, welche sich zum Kunstwerke vereinigen und durch eine zweckmäßige Verfassung ihre gegenseitige gedeihliche Wirksamkeit sich gewährleisten: die vollständigste Freiheit kann sie einzig zu dem Streben verbinden, der Absicht zu entsprechen, um deren willen sie von der Notwendigkeit industrieller Spekulation befreit sind; und diese Absicht ist die Kunst, die nur der Freie begreift, nicht der Sklave des Erwerbes.

Der Richter ihrer Leistungen wird die freie Öffentlichkeit sein. Um aber auch diese der Kunst gegenüber völlig frei und unabhängig zu machen, müßte in dem betretenen Wege noch ein Schritt weiter gegangen werden: das Publikum müßte *unentgeltlichen Zutritt* zu den Vorstellungen des Theaters haben. So lange das Geld zu allen Lebensbedürfnissen nötig ist, so lange ohne Geld dem Menschen nur die Luft und kaum das Wasser verbleibt, könnte die zu treffende Maßregel nur bezwecken, die wirklichen Theateraufführungen, zu denen sich das Publikum versammelt, nicht als *Leistungen gegen Bezahlung* erscheinen zu lassen, – eine Ansicht von ihnen, die bekanntlich zum allerschmachvollsten Verkennen des Charakters von Kunstvorstellungen führt: – die Sache des Staates, oder mehr noch der betreffenden Gemeinde, müßte es aber sein, aus gesammelten Kräften die Künstler für ihre Leistungen im ganzen, nicht im einzelnen zu entschädigen.

Wo die Kräfte hierzu nicht hinreichen, würde es für jetzt und für immer besser sein, ein Theater, welches nur als industrielle Unternehmung seinen Fortbestand finden könnte, gänzlich eingehen zu lassen, mindestens auf ebenso lange, als das Bedürfnis in der Gemeinde sich nicht kräftig genug erweist, um seiner Befriedigung das nötige gemeinsame Opfer zu bringen.

Ist dann die menschliche Gesellschaft dereinst so menschlich schön und edel entwickelt, wie wir es allerdings durch die Wirksamkeit unsrer Kunst allein nicht erreichen werden, wie wir es aber im Verein mit den unausbleiblich bevorstehenden großen sozialen Revolutionen hoffen dürfen und erstreben müssen, so werden die theatralischen Vorstellungen auch die ersten gemeinsamen Unternehmungen sein, bei denen der Begriff von Geld und Erwerb gänzlich schwindet; denn, gedeiht die Erziehung unter den obigen Voraussetzungen immer mehr zu einer künstlerischen, so werden wir einst so weit alle selbst Künstler sein, daß wir gerade als Künstler zuerst nur um die Sache, der Kunstangelegenheit selbst, nicht um eines nebenbei liegenden gewerblichen Zweckes willen, zu einer gemeinsamen freien Wirksamkeit uns vereinigen können.

Die Kunst und ihre Institute, deren zu wünschende Organisation hier eben nur sehr flüchtig angedeutet werden dürfte, können somit die Vorläufer und Muster aller künftigen Gemeindeinstitutionen werden, der Geist, der eine künstlerische Körperschaft zur Erreichung ihres wahren Zweckes verbindet, würde sich in jeder andern gesellschaftlichen Vereinigung wiedergewinnen lassen, die sich einen bestimmten menschenwürdigen Zweck stellt; denn eben all' unser zukünftiges gesellschaftliches Gebaren soll und kann, wenn wir das Richtige erreichen, nur rein künstlerischer Natur noch sein, wie es allein den edlen Fähigkeiten des Menschen angemessen ist.

So würde uns denn *Jesus* gezeigt haben, daß wir Menschen alle gleich und Brüder sind; *Apollon* aber würde diesem großen Bruderbunde das Siegel der Stärke und Schönheit aufgedrückt, er würde den Menschen vom Zweifel an seinem Werte zum Bewußtsein seiner höchsten göttlichen Macht geführt haben. So laßt uns denn den Altar der Zukunft, im Leben wie in der lebendigen Kunst, den zwei erhabensten Lehrern der Menschheit errichten: — *Jesus, der für die Menschheit litt, und Apollon, der sie zu ihrer freudenvollen Würde erhob!*

Das Kunstwerk der Zukunft

I
Der Mensch und die Kunst im Allgemeinen

1.
Natur, Mensch und Kunst

Wie der Mensch sich zur Natur verhält, so verhält die Kunst sich
zum Menschen.

Als die Natur sich zu der Fähigkeit entwickelt hatte, welche die
Bedingungen für das Dasein des Menschen in sich schloß, entstand
auch ganz von selbst der Mensch: sobald das menschliche Leben
aus sich die Bedingungen für das Erscheinen des Kunstwerkes erzeugt, tritt dieses auch von selbst in das Leben.

Die Natur erzeugt und gestaltet absichtslos und unwillkürlich
nach Bedürfnis, daher aus Notwendigkeit: dieselbe Notwendigkeit ist die zeugende und gestaltende Kraft des menschlichen Lebens; nur was absichtslos und unwillkürlich, entspringt dem wirklichen Bedürfnisse, nur im Bedürfnisse liegt aber der Grund des
Lebens.

Die Notwendigkeit in der Natur erkennt der Mensch nur aus
dem Zusammenhange ihrer Erscheinungen: so lange er diesen
nicht erfaßt, dünkt sie ihn Willkür.

Von dem Augenblicke an, wo der Mensch seinen Unterschied
von der Natur empfand, somit überhaupt erst seine Entwicklung
als Mensch begann, indem er sich von dem Unbewußtsein tierischen Naturlebens losriß, um zu bewußtem Leben überzugehen, –
als er sich demnach der Natur gegenüberstellte, und, aus dem hieraus zunächst entspringenden Gefühle seiner Abhängigkeit von ihr,
sich das Denken in ihm entwickelte, – von diesem Augenblicke an
beginnt der Irrtum als erste Äußerung des Bewußtseins. Der Irrtum ist aber der Vater der Erkenntnis, und die Geschichte der Erzeugung der Erkenntnis aus dem Irrtume ist die Geschichte des
menschlichen Geschlechtes von dem Mythus der Urzeit bis auf den
heutigen Tag.

Der Mensch irrte von da an, wo er die Ursache der Wirkungen

übernatürliche

der Natur außerhalb des Wesens der Natur selbst setzte, der sinnlichen Erscheinung einen unsinnlichen, nämlich als menschlich willkürlich vorgestellten Grund unterschob, den unendlichen Zusammenhang ihrer unbewußten, absichtslosen Tätigkeit für absichtliches Gebaren zusammenhangsloser, endlicher Willensäußerungen hielt. In der Lösung dieses Irrtums besteht die Erkenntnis, und diese ist das Begreifen der Notwendigkeit in den Erscheinungen, deren Grund uns Willkür däuchte.

Durch diese Erkenntnis wird die Natur sich ihrer selbst bewußt, und zwar im Menschen, der nur durch seine Selbstunterscheidung von der Natur dazu gelangte, die Natur zu erkennen, indem sie ihm so Gegenstand wurde: dieser Unterschied hört aber da wieder auf, wo der Mensch das Wesen der Natur ebenfalls als sein eigenes, für alles wirklich Vorhandene und Lebende, also für das menschliche Dasein nicht minder als für das Dasein der Natur, dieselbe Notwendigkeit, daher nicht allein den Zusammenhang der natürlichen Erscheinungen unter sich, sondern auch seinen eigenen Zusammenhang mit der Natur erkennt.

Gelangt nun die Natur, durch ihren Zusammenhang dem Menschen, *im* Menschen zu ihrem Bewußtsein, und soll die Betätigung dieses Bewußtseins das menschliche Leben selbst sein, – gleichsam als die Darstellung, das Bild der Natur, – so erreicht das menschliche Leben selbst sein Verständnis durch die Wissenschaft, welche sich dieses wiederum zum Gegenstande der Erfahrung macht; die Betätigung des durch die Wissenschaft errungenen Bewußtseins, die Darstellung des durch sie erkannten Lebens, das Abbild seiner Notwendigkeit und Wahrheit aber ist die *Kunst**.

Der Mensch wird nicht eher das sein, was er sein kann und sein soll, als bis sein Leben der treue Spiegel der Natur, die bewußte Befolgung der einzig wirklichen Notwendigkeit, der *inneren Naturnotwendigkeit* ist, nicht die Unterordnung unter eine *äußere*, eingebildete und der Einbildung nur nachgebildete, daher nicht notwendige, sondern *willkürliche Macht.* Dann wird aber der Mensch auch wirklich erst Mensch sein, während er bis jetzt immer nur noch einem der Religion, der Nationalität oder dem Staate entnommenen Prädikate nach existiert. – Ebenso wird nun auch die Kunst nicht eher das sein, was sie sein kann und sein soll, als bis sie das treue, bewußtseinverkündende Abbild des wirklichen Menschen und des wahrhaften, naturnotwendigen Lebens

---

* d. h. die Kunst im allgemeinen, oder die Kunst der Zukunft ins besondere.

der Menschen ist oder sein kann, bis sie also nicht mehr von den Irrtümern, Verkehrtheiten und unnatürlichen Entstellungen unsers modernen Lebens die Bedingungen ihres Daseins erborgen muß.

Der wirkliche Mensch wird daher nicht eher vorhanden sein, als bis die wahre menschliche Natur, nicht willkürliche Staatsgesetze sein Leben gestalten und ordnen; die wirkliche Kunst aber wird nicht eher leben, als bis ihre Gestaltungen nur den Gesetzen der Natur, nicht der despotischen Laune der Mode unterworfen zu sein brauchen. Denn wie der Mensch nur frei wird, wenn er sich seines Zusammenhanges mit der Natur freudig bewußt wird, so wird die Kunst nur frei, wenn sie sich ihres Zusammenhanges mit dem Leben nicht mehr zu schämen hat. Nur im freudigen Bewußtsein seines Zusammenhanges mit der Natur überwindet der Mensch aber seine Abhängigkeit von ihr; ihre Abhängigkeit vom Leben überwindet die Kunst aber nur im Zusammenhange mit dem Leben wahrhafter, freier Menschen.

2.
Leben, Wissenschaft und Kunst

Gestaltet der Mensch das Leben unwillkürlich nach den Begriffen, welche sich aus seinen willkürlichen Anschauungen der Natur ergeben, und hält er den unwillkürlichen Ausdruck dieser Begriffe in der Religion fest, so werden sie ihm in der Wissenschaft Gegenstand willkürlicher, bewußter Anschauung und Untersuchung.

Der Weg der Wissenschaft ist der vom Irrtum zur Erkenntnis, von der Vorstellung zur Wirklichkeit, von der Religion zur Natur. Der Mensch steht daher im Beginne der Wissenschaft dem Leben so gegenüber, wie beim Anfange des, von der Natur sich unterscheidenden, menschlichen Lebens, er den Erscheinungen der Natur gegenüber stand. Die Willkürlichkeit der menschlichen Anschauungen in ihrer Totalität nimmt die Wissenschaft auf, während neben ihr das Leben selbst in seiner Totalität einer unwillkürlichen, notwendigen Entwicklung folgt. Die Wissenschaft trägt somit die Sünde des Lebens, und büßt sie an sich durch ihre Selbstvernichtung: sie endet in ihrem reinen Gegensatze, in der Erkenntnis der Natur, in der Anerkennung des Unbewußten, Unwillkürlichen, daher Notwendigen, Wirklichen, Sinnlichen. Das Wesen der Wissenschaft ist sonach endlich, das des Lebens unendlich, wie der Irrtum endlich, die Wahrheit aber unendlich ist. Wahr und lebendig ist aber nur, was sinnlich ist und den Bedingungen der Sinnlichkeit gehorcht. Die höchste Steigerung des Irrtumes ist der Hochmut der Wissenschaft in der Verleugnung und Verachtung der Sinnlichkeit; ihr höchster Sieg dagegen der, von ihr selbst herbeigeführte, Untergang dieses Hochmutes in der Anerkennung der Sinnlichkeit.

Das Ende der Wissenschaft ist das gerechtfertigte Unbewußte, das sich bewußte Leben, die als sinnig erkannte Sinnlichkeit, der Untergang der Willkür in dem Wollen des Notwendigen. Die Wissenschaft ist daher das Mittel der Erkenntnis, ihr Verfahren ein mittelbares, ihr Zweck ein vermittelnder; wogegen das Leben das Unmittelbare, sich selbst Bestimmende ist. Ist nun die Auflösung der Wissenschaft die Anerkennung des unmittelbaren, sich selbst bedingenden, also des wirklichen Lebens schlechtweg, so gewinnt diese Anerkenntnis ihren aufrichtigsten unmittelbaren Ausdruck in der Kunst, oder vielmehr im *Kunstwerk*.

Wohl verfährt der Künstler zunächst nicht unmittelbar; sein Schaffen ist allerdings ein vermittelndes, auswählendes, willkürliches: aber gerade da, wo er vermittelt und auswählt, ist das Werk seiner Tätigkeit noch nicht das Kunstwerk; sein Verfahren ist vielmehr das der Wissenschaft, der suchenden, forschenden, daher willkürlichen und irrenden. Erst da, wo die Wahl getroffen ist, wo diese Wahl eine notwendige war und das Notwendige erwählte, – da also, wo der Künstler sich im Gegenstande selbst wiedergefunden hat, wie der vollkommene Mensch sich in der Natur wiederfindet, – erst da tritt das Kunstwerk in das Leben, erst da ist es etwas Wirkliches, sich selbst Bestimmendes, Unmittelbares.

Das wirkliche Kunstwerk, d. h. das *unmittelbar sinnlich dargestellte, in dem Momente seiner leiblichsten Erscheinung*, ist daher auch erst die Erlösung des Künstlers, die Vertilgung der letzten Spuren der schaffenden Willkür, die unzweifelhafte Bestimmtheit des bis dahin nur Vorgestellten, die Befreiung des Gedankens in der Sinnlichkeit, die Befriedigung des Lebensbedürfnisses im Leben.

Das Kunstwerk in diesem Sinne, als unmittelbarer Lebensakt, ist somit die vollständige Versöhnung der Wissenschaft mit dem Leben, der Siegeskranz, den die besiegte, durch ihre Besiegung erlöste, dem freudig von ihr erkannten Sieger huldigend darreicht.

3.
Das Volk und die Kunst

Die Erlösung des Denkens, der Wissenschaft, in das Kunstwerk würde unmöglich sein, wenn das Leben selbst von der wissenschaftlichen Spekulation abhängig gemacht werden könnte. Würde das bewußte, willkürliche Denken das Leben in Wahrheit vollkommen beherrschen, könnte es sich des Lebenstriebes bemächtigen und ihn nach einer andern Absicht, als der Notwendigkeit des absoluten Bedürfnisses verwenden, so wäre das Leben selbst verneint, um in die Wissenschaft aufzugehen; und in der Tat hat die Wissenschaft in ihrem überspanntesten Hochmute von solchem Triumphe geträumt, und unser regierter Staat, unsre moderne Kunst sind die geschlechtslosen, unfruchtbaren Kinder dieser Träume.

Die großen unwillkürlichen Irrtümer des Volkes, wie sie in ihren religiösen Anschauungen von Anfang herein sich kundgaben und zu den Ausgangspunkten willkürlichen, spekulativen Denkens und Systematisierens in der Theologie und Philosophie wurden, haben sich in diesen Wissenschaften, namentlich vermittelst ihrer Adoptivschwester, der Staatsweisheit, zu Mächten erhoben, welche nicht geringere Ansprüche machen, als, kraft innewohnender göttlicher Unfehlbarkeit, die Welt und das Leben zu ordnen und zu beherrschen. Unlösbar würde demnach der Irrtum in alle Ewigkeit in siegreicher Zerstörung fortwähren, wenn dieselbe Lebensmacht, die ihn unwillkürlich hervorbrachte, nicht, kraft innewohnender natürlicher Notwendigkeit, ihn praktisch wiederum vernichtete, und zwar mit solcher Bestimmtheit und Augenscheinlichkeit, daß die, übermütig vom Leben sich aussondernde, Intelligenz endlich keine andre Rettung vor wirklichem Wahnsinne zu ersehen hat, als in der unbedingten Anerkennung dieses einzig Bestimmten und Augenscheinlichen. Diese Lebensmacht aber ist – *das Volk.* –

Wer ist das Volk? – Notwendig müssen wir zunächst in der Verantwortung dieser überaus wichtigen Frage uns einigen.

Das Volk war von jeher der Inbegriff *aller der Einzelnen*, welche ein *Gemeinsames* ausmachten. Es war vom Anfange die Familie und die Geschlechter; dann die durch Sprachgleichheit vereinigten Geschlechter der Nation. Praktisch durch die römische Weltherrschaft, welche die Nationen verschlang, und theoretisch durch das Christentum, welches nur noch den Menschen, d. h. den christlichen, nicht nationalen Menschen, zuließ, hat sich der Begriff des

Volkes dermaßen erweitert oder auch verflüchtigt, daß wir in ihm entweder den Menschen überhaupt, oder nach willkürlicher politischer Annahme, einen gewissen, gewöhnlich den nichtbesitzenden, Teil der Staatsbürgerschaft begreifen können. Außer einer frivolen, hat dieser Name aber auch eine unverwischbare *moralische* Bedeutung erhalten, und um dieser letzteren willen geschieht es namentlich, daß in bewegungsvollen, beängstigenden Zeiten sich gern alles zum Volke zählt, jeder vorgibt, für das Wohl des Volkes besorgt zu sein, keiner sich von ihm getrennt wissen will. Auch in unsrer neuesten Zeit ist daher im verschiedenartigsten Sinne oft die Frage aufgeworfen worden: wer ist denn das Volk? Kann in der Gesamtheit aller Staatsangehörigen ein besonderer Teil, eine gewisse Partei derselben, diesen Namen für sich allein ansprechen? Sind wir nicht vielmehr alle »das Volk«, vom Bettler bis zum Fürsten?

Diese Frage muß nach dem entscheidenden, weltgeschichtlichen Sinne, der ihr jetzt zugrunde liegt, also beantwortet werden: Das Volk ist der Inbegriff aller derjenigen, welche *eine gemeinschaftliche Not empfinden.* Zu ihm gehören daher alle diejenigen, welche ihre eigene Not als eine gemeinschaftliche erkennen, oder sie in einer gemeinschaftlichen begründet finden; somit alle diejenigen, welche die Stillung ihrer Not nur in der Stillung einer gemeinsamen Not verhoffen dürfen, und demnach ihre gesamte Lebenskraft auf die Stillung ihrer, als gemeinsam erkannten, Not verwenden; – denn nur die Not, welche zum Äußersten treibt, ist die wahre Not; nur diese Not ist aber die Kraft des wahren Bedürfnisses; nur ein gemeinsames Bedürfnis ist aber das wahre Bedürfnis; nur wer ein wahres Bedürfnis empfindet, hat aber ein Recht auf Befriedigung desselben; nur die Befriedigung eines wahren Bedürfnisses ist Notwendigkeit, und *nur das Volk handelt nach Notwendigkeit,* daher unwiderstehlich, siegreich und einzig wahr.

Wer gehört nun *nicht* zum Volke, und wer sind seine Feinde?

Alle diejenigen, *die keine Not empfinden,* deren Lebenstrieb also in einem Bedürfnisse besteht, das sich nicht bis zur Kraft der Not steigert, somit eingebildet, unwahr, egoistisch, und in einem gemeinsamen Bedürfnisse daher nicht nur nicht enthalten ist, sondern als bloßes Bedürfnis der Erhaltung des Überflusses – als welches ein Bedürfnis ohne Kraft der Not einzig gedacht werden kann – dem gemeinsamen Bedürfnisse geradezu entgegensteht.

Wo keine Not ist, ist kein wahres Bedürfnis; wo kein wahres Bedürfnis, keine notwendige Tätigkeit; wo keine notwendige Tätigkeit ist, da ist aber Willkür; wo Willkür herrscht, da blüht aber jedes Laster, jedes Verbrechen gegen die Natur. Denn nur durch Zurückdrängung, durch Versagung und Verwehrung der Befriedigung des wahren Bedürfnisses kann das eingebildete, unwahre Bedürfnis sich zu befriedigen suchen.

Die Befriedigung des eingebildeten Bedürnisses ist aber der *Luxus*, welcher nur im Gegensatze und auf Kosten der Entbehrung des Notwendigen von der andern Seite erzeugt und unterhalten werden kann.

Der *Luxus* ist ebenso herzlos, unmenschlich, unersättlich und egoistisch, als das Bedürfnis, welches ihn hervorruft, das er aber, bei aller Steigerung und Überbietung seines Wesens nie zu stillen vermag, weil das Bedürfnis eben selbst kein natürliches, deshalb zu befriedigendes ist, und zwar aus dem Grunde, weil es als ein unwahres, auch keinen wahren, wesenhaften Gegensatz hat, in dem es aufgehen, sich also vernichten, befriedigen könnte. Der wirkliche, sinnliche Hunger hat seinen natürlichen Gegensatz, die Sättigung, in welchem er – durch die Speisung – aufgeht: das unnötige Bedürfnis, das Bedürfnis nach Luxus, ist aber schon bereits Luxus, Überfluß selbst; der Irrtum in ihm kann daher nie in die Wahrheit aufgehen: es martert, verzehrt, brennt und peinigt stets ungestillt, läßt Geist, Herz und Sinne vergebens schmachten, verschlingt alle Lust, Heiterkeit und Freude des Lebens; verpraßt um eines einzigen, und dennoch unerreichbaren Augenblicks der Erlabung willen, die Tätigkeit und Lebenskraft Tausender von Notleidenden; lebt vom ungestillten Hunger abermals Tausender von Armen, ohne seinen eigenen Hunger nur einen Augenblick sättigen zu können; er hält eine ganze Welt in eisernen Ketten des Despotismus, ohne nur einen Augenblick die goldenen Ketten jenes Tyrannen brechen zu können, der es sich eben selbst ist.

Und dieser Teufel, dies wahnsinnige Bedürfnis ohne Bedürfnis, dies Bedürfnis des Bedürfnisses, – dies *Bedürfnis des Luxus*, welches der *Luxus selbst* ist, – regiert die Welt; er ist die Seele dieser Industrie, die den Menschen tötet, um ihn als Maschine zu verwenden; die Seele unseres Staates, der den Menschen ehrlos erklärt, um ihn als Untertan wieder zu Gnaden anzunehmen; die Seele unserer deistischen Wissenschaft, welche einem unsinnlichen Gotte, als dem Ausflusse alles geistigen Luxus, den Menschen zur Verzehrung vorwirft; er ist – ach! – die Seele, die Bedingung unserer – Kunst!

Wer wird nun die Erlösung aus diesem unseligsten Zustande vollbringen? –

Die *Not,* – welche der Welt das *wahre Bedürfnis* empfinden lassen wird, das Bedürfnis, *welches seiner Natur nach wirklich aber auch zu befriedigen ist.*

Die Not wird die Hölle des Luxus endigen; sie wird die zermarterten, bedürfnislosen Geister, die diese Hölle in sich schließt, das einfache, schlichte Bedürfnis des rein menschlich sinnlichen Hungers und Durstes lehren; gemeinschaftlich aber wird sie uns auch hinweisen zu dem nährenden Brote, zu dem klaren süßen Wasser der Natur; gemeinsam werden wir wirklich genießen, gemeinsam wahre Menschen sein. Gemeinsam werden wir aber auch den Bund der heiligen Notwendigkeit schließen, und der Bruderkuß, der diesen Bund besiegelt, wird das *gemeinsame Kunstwerk der Zukunft* sein. In ihm wird auch unser großer Wohltäter und Erlöser, der Vertreter der Notwendigkeit in Fleisch und Blut, – *das Volk*, kein Unterschiedenes, Besonderes mehr sein; denn im Kunstwerk werden wir eins sein, – Träger und Weiser der Notwendigkeit, Wissende des Unbewußten, Wollende des Unwillkürlichen, Zeugen der Natur, – *glückliche Menschen*.

4.
Das Volk als die bedingende Kraft für das Kunstwerk

Alles Bestehende hängt von den Bedingungen ab, durch die es besteht: nichts, weder in der Natur noch im Leben, steht vereinzelt da; alles hat seine Begründung in einem unendlichen Zusammenhange mit allem, somit auch das Willkürliche, Unnötige, Schädliche. Das Schädliche übt seine Kraft in der Verhinderung des Notwendigen, ja es verdankt seine Kraft, sein Dasein, einzig dieser Verhinderung, und ist somit in Wahrheit nichts andres, als die Ohnmacht des Notwendigen. Wäre diese Ohnmacht eine fortwährende, so müßte die natürliche Ordnung der Welt aber eine andre sein, als sie ist; das Willkürliche wäre das Notwendige, das Notwendige aber das Unnötige. Jene Schwäche ist aber eine vorübergehende, daher nur anscheinende; denn die Kraft des Notwendigen lebt und waltet namentlich auch als, im Grunde einzige Bedingung des Bestehens des Willkürlichen. So besteht der Luxus der Reichen einzig durch die Notdurft der Armen; und gerade die Not der Armen ist es, welche unaufhörlich dem Luxus der Reichen neuen Verzehrungsstoff vorwirft, indem der Arme, aus Bedürfnis der Nahrung für seine Lebenskraft, diese eigene Lebenskraft dem Reichen opfert.

So hat auch einst die Lebenskraft, das Lebensbedürfnis der tellurischen Natur, diejenigen schädlichen Kräfte, oder vielmehr die Macht des Vorhandenseins derjenigen Elementarverbindungen und Erzeugungen genährt, welche sie daran verhinderten, die ihrer Lebenskraft und Fähigkeit wahrhaft entsprechende Äußerung von sich zu geben. Der Grund hiervon ist der in Wirklichkeit vorhandene Überfluß, die strotzende Überfülle vorhandener Zeugungskraft und Lebensstoffes, die unerschöpfliche Ergiebigkeit der Materie: das Bedürfnis der Natur ist daher höchste Mannigfaltigkeit und Vielheit, und die Befriedigung dieses Bedürfnisses erreichte sie endlich dadurch oder vielmehr damit, daß sie – um so zu sagen – der Ausschließlichkeit, der massenhaften, durch sie selbst zuvor aber üppig genährten, Einzelheit ihre Kraft versagte, d. h. sie in die Vielheit auflöste. – Das Ausschließliche, Einzelne, Egoistische, vermag nur zu nehmen, nicht aber zu geben: es kann sich nur zeugen lassen, ist selbst aber zeugungsunfähig; zur Zeugung gehört das Ich und das Du, das Aufgehen des Egoismus in den Kommunismus. Die reichste Zeugungskraft ist daher in der größten Vielheit, und als die Erdnatur in ihrer Entäußerung zur mannigfaltigen Vielheit sich befriedigt hatte, gelangte sie somit in den Zustand von Sättigung, Selbstzufriedenheit, Selbstgenuß, der sich in ihrer gegenwärtigen Harmonie kundgibt; sie wirkt jetzt nicht mehr in massenhafter, totaler Umgestaltung, ihre Periode der Revolution ist abgeschlossen, sie ist jetzt das, was sie sein kann, somit von jeher sein konnte und werden mußte; sie hat ihre Lebenskraft nicht mehr an die Zeugungsunfähigkeit zu vergeuden, sie hat durch ihr ganzes, unendlich weites Gebiet die Vielheit, das Männliche und das Weibliche, das ewig sich selbst Erneuende und Erzeugende, in das Leben gerufen, – und in diesem unendlichen Zusammenhange ist sie nun beständig, unbedingt sie selbst geworden.

In der Darstellung dieses großen Entwicklungsprozesses der Natur *am Menschen selbst* ist nun das menschliche Geschlecht, seit seiner Selbstunterscheidung von der Natur, begriffen. Dieselbe Notwendigkeit ist die treibende Kraft in der großen Menschheitsrevolution, dieselbe Befriedigung wird diese Revolution abschließen.

Jene treibende Kraft, die eigentliche Lebenskraft schlechtweg, wie sie sich im Lebensbedürfnisse geltend macht, ist aber ihrer Natur nach eine unbewußte, unwillkürliche, und eben wo sie dies ist – im Volke –, ist sie auch einzig die wahre, entscheidende. In großem Irrtume sind daher unsere Volksbelehrer, wenn sie wähnen, das Volk müsse erst *wissen*, was es wolle, d. h. in *ihrem* Sinne wollen solle, ehe es auch fähig und berechtigt wäre, überhaupt zu wollen. Aus diesem Irrtume rühren alle unseligen Halbheiten, alles Unvermögen, alle schmachvolle Schwäche der letzten Weltbewegungen her.

Das wirklich Gewußte ist nichts andres als das, durch das Denken zum erfaßten, dargestellten Gegenstande gewordene, wirklich und sinnlich Vorhandene; das Denken ist so lange willkürlich, als es das sinnlich Gegenwärtige und das den Sinnen entrückte Abwesende oder Vergangene nicht mit der unbedingtesten Anerkennung seines notwendigen Zusammenhanges sich vorzustellen vermag; denn das Bewußtsein dieser Vorstellung ist eben das vernünftige Wissen. Je wahrhafter aber das Wissen ist, desto aufrichtiger muß es sich wiederum als einzig durch seinen Zusammenhang mit dem, zur sinnlichen Erscheinung gelangten, wirklich Fertigen und Vollendeten bedingt erkennen, die Bedingung der Möglichkeit des Wissens somit als in der Wirklichkeit begründet sich eingestehen. Sobald das Denken aber, von der Wirklichkeit abstrahierend, das zukünftige Wirkliche konstruieren will, vermag es nicht das *Wissen* zu produzieren, sondern es äußert sich als *Wähnen*, das sich gewaltig unterscheidet vom *Unbewußtsein*: erst wenn es sich in die Sinnlichkeit, in das wirklich sinnliche Bedürfnis sympathetisch und rückhaltlos zu versenken vermag, kann es an der Tätigkeit des Unbewußtseins teil nehmen, und erst das, durch das unwillkürliche, notwendige *Bedürfnis* zutage Geförderte, die wirklich sinnliche Tat, kann wieder befriedigender Gegenstand des Denkens und Wissens werden; denn der Gang der menschlichen Entwicklung ist der vernunftgemäße, natürliche, vom Unbewußtsein zum Bewußtsein, vom Unwissen zum Wissen, vom Bedürfnisse zur Befriedigung, nicht von der Befriedigung zum Bedürfnisse, – wenigstens nicht zu dem Bedürfnisse, dessen Ende jene Befriedigung war.

Nicht ihr Intelligenten seid daher erfinderisch, sondern das Volk, weil es die Not zur Erfindung treibt: alle großen Erfindungen sind die Taten des Volkes, wogegen die Erfindungen der Intelligenz nur die Ausbeutungen, Ableitungen, ja Zersplitterungen, Verstümmelungen der großen Volkserfindungen sind. Nicht ihr habt die *Sprache* erfunden, sondern das Volk; ihr habt ihre sinnliche Schönheit nur verderben, ihre Kraft nur brechen, ihr inniges Verständnis nur verlieren, das Verlorene mühselig nur wieder erforschen können. Nicht ihr seid die Erfinder der *Religion*, sondern das Volk; ihr habt nur ihren innigen Ausdruck entstellen, den in ihr liegenden Himmel zur Hölle, die in ihr sich kundgebende Wahrheit zur Lüge machen können. Nicht ihr seid die Erfinder des *Staa-*

tes, sondern das Volk; ihr habt ihn nur aus der natürlichen Verbindung Gleichbedürftiger zum unnatürlichen Zusammenzwang Ungleichbedürftiger, aus einem wohltätigen Schutzvertrage aller zu einem übeltätigen Schutzmittel der Bevorrechteten, als einem weichen, nachgiebigen Gewande am bewegungsfreudigen Leibe der Menschheit zu einem starren, nur ausgestopften Eisenpanzer, der Zierde einer historischen Rüstkammer gemacht. Nicht ihr gebt dem Volke zu leben, sondern es gibt euch; nicht ihr gebt dem Volke zu denken, sondern es gibt euch; nicht ihr sollt daher das Volk lehren wollen, sondern ihr sollt euch vom Volke lehren lassen; und an euch wende ich mich somit, *nicht an das Volk*, – denn *dem* sind nur wenige Worte zu sagen, und selbst der Zuruf: »Tu', wie du mußt!« ist ihm überflüssig, weil es von selbst tut, wie es muß; sondern ich wende mich im Sinne des Volkes – notwendig aber in eurer Ausdrucksweise – an euch, ihr Intelligenten und Klugen, um euch mit aller Gutherzigkeit des Volkes die Erlösung aus eurer egoistischen Verzauberung an dem klaren Quell der Natur, in der liebevollen Umarmung des Volkes – da, wo ich sie fand, wo sie mir als Künstler ward, wo ich, nach langem Kampfe zwischen Hoffnung aus Innen und Verzweiflung nach Außen den kühnsten, zuversichtlichsten Glauben an die Zukunft gewann, – ebenfalls anzubieten.

Das *Volk* also wird die Erlösung vollbringen, indem es sich genügt und zugleich seine eigenen Feinde erlöst. Sein Verfahren wird das Unwillkürliche der Natur sein: mit der Notwendigkeit elementarischen Waltens wird es den *Zusammenhang* zerreißen, der einzig die Bedingungen der Herrschaft der Unnatur ausmacht. So lange diese Bedingungen bestehen, so lange sie ihren Lebenssaft aus der vergeudeten Kraft des Volkes saugen, so lange sie – selbst zeugungsunfähig – die Zeugungsfähigkeit des Volkes nutzlos in ihrem egoistischen Bestehen aufzehren, – so lange ist auch alles Deuten, Schaffen, Ändern, Bessern, Reformieren* in diesen Zuständen nur willkürlich, zweck- und fruchtlos. Das Volk braucht aber nur *das* durch die Tat zu verneinen, was in der Tat *nichts* – nämlich unnötig, überflüssig, nichtig – ist; es braucht dabei nur zu wissen, was es *nicht* will, und dieses lehrt ihn sein unwillkürlicher Lebenstrieb; es braucht dieses *Nichtgewollte* durch die Kraft seiner Not nur zu einem *Nichtseienden* zu machen, das Vernichtungswerte zu vernichten, so steht das *Etwas* der enträtselten Zukunft auch schon von selbst da.

Sind die Bedingungen aufgehoben, dem die Überflüssigen ge-

---

* Wer nährt wohl weniger Hoffnung für den Erfolg seiner reformatorischen Bemühungen, als derjenige, der gerade am *redlichsten* dabei verfährt?

statten vom Marke des Notwendigen zu zehren, so stehen von selbst die Bedingungen da, welche das Notwendige, das Wahre, das Unvergängliche in das Leben rufen: sind die Bedingungen aufgehoben, die das Bedürfnis des Luxus bestehen lassen, so sind von selbst die Bedingungen gegeben, welche das *notwendige* Bedürfnis des Menschen durch den üppigsten Überfluß der Natur und der eigenen menschlichen Erzeugungsfähigkeit im undenklich reichsten, dennoch aber entsprechendsten Maße zu befriedigen vermögen. Sind die Bedingungen der Herrschaft der *Mode* aufgehoben, so sind aber auch die Bedingungen *der wahren Kunst* von selbst vorhanden, und wie mit einem Zauberschlage wird sie, die Zeugin edelsten Menschentumes, die hochheilige, herrliche Kunst, in derselben Fülle und Vollendung blühen, wie die Natur, als die Bedingungen ihrer jetzt uns erschlossenen harmonischen Gestaltung aus den Geburtswehen der Elemente hervorgingen: gleich dieser seligen Harmonie der Natur wird sie aber dauern und immer zeugend sich erhalten, als reinste, vollendetste Befriedigung des edelsten und wahrsten Bedürfnisses des vollkommenen Menschen, d. h. des Menschen, der das ist, was er seinem Wesen nach sein *kann* und deshalb sein *soll* und *wird*.

5.

Die kunstwidrige Gestaltung des Lebens der Gegenwart unter der Herrschaft der Abstraktion und der Mode

Das Erste, der Anfang und Grund alles Vorhandenen und Denkbaren, ist das wirkliche sinnliche Sein. Das Innewerden seines Lebensbedürfnisses als des *gemeinsamen* Lebensbedürfnisses seiner *Gattung*, im Unterschiede von der Natur und der in ihr enthaltenen, vom Menschen unterschiedenen, Gattungen lebendiger Wesen, – ist der Anfang und Grund des menschlichen Denkens. Das Denken ist demnach die Fähigkeit des Menschen, das Wirkliche und Sinnliche nach seinen Äußerungen nicht nur zu empfinden, sondern nach seiner Wesenheit zu unterscheiden, endlich in seinem Zusammenhange zu erfassen und sich darzustellen. Der Begriff von einer Sache ist das im Denken dargestellte Bild seines wirklichen Wesens; die Darstellung der Bilder aller erkenntlichen Wesenheiten in einem Gesamtbilde, in welchem das Denken sich die im Begriff dargestellte Wesenheit aller Realitäten nach ihrem Zusammenhange vergegenständlicht, ist das Werk der höchsten Tätigkeit der menschlichen Seele, des *Geistes*. Muß in diesem Gesamtbilde der Mensch das Bild, den Begriff, auch seines eigenen Wesens mit eingeschlossen haben, ja, – ist dieses vergegenständlichte eigene Wesen überhaupt die künstlerisch darstellende Kraft in dem ganzen Gedankenkunstwerke, so rührt diese Kraft und die durch sie dargestellte Totalität aller Realitäten, doch nur von dem realen, sinnlichen Menschen, ihrem letzten Grunde nach also aus seinem Lebensbedürfnisse, und endlich aus der Bedingung, welche dieses Lebensbedürfnis hervorruft, dem realen, sinnlichen Dasein der Natur, her. Wo im Denken diese verbindende Kette aber fahren gelassen wird, wo es, nach doppelter und dreifacher Selbstvergegenständlichung sich selbst endlich als seinen Grund erfassen, wo sich der Geist nicht als letzte und bedingteste, sondern als erste und unbedingteste Tätigkeit, daher als Grund und Ursache der Natur begreifen will, – da ist auch das Band der Notwendigkeit aufgehoben, und die Willkür ras't schrankenlos, – unbegrenzt, frei, wie unsere Metaphysiker wähnen, – durch die Werkstätte der Gedanken, ergießt sich als Strom des Wahnsinns in die Welt der Wirklichkeit.

Hat der Geist die Natur erschaffen, hat der Gedanke das Wirkliche gemacht, ist der Philosoph eher als der Mensch, so ist Natur, Wirklichkeit und Mensch auch nicht mehr notwendig, ihr Dasein, als überflüssig, sogar schädlich; das Überflüssigste aber ist das Unvollkommene *nach dem Vorhandensein des Vollkommenen.* Natur, Wirklichkeit und Menschen erhielten demnach nur dann einen Sinn, eine Berechtigung ihres Vorhandenseins, – wenn der *Geist,* – der unbedingte, einzig sich selbst Grund und Ursache, daher auch Gesetz seiende Geist, – nach seinem absoluten, souveränen Gutdünken sie verwendet. Ist der Geist an *sich* die Notwendigkeit, so ist das Leben das Willkürliche, ein phantastisches Maskenspiel, ein müßiger Zeitvertreib, eine frivole Laune, ein »car tel est notre plaisir« des Geistes; so ist alle rein menschliche Tugend, vor allem die Liebe, etwas nach Gutbefinden Deutbares und gelegentlich zu Verneinendes; so ist alles rein menschliche Bedürfnis Luxus, der Luxus aber das eigentliche Bedürfnis; so ist der Reichtum der Natur das Unnötige, die Auswüchse der Kultur aber sind das Nötige; so ist das Glück der Menschen Nebensache, der abstrakte Staat aber Hauptsache; das Volk der zufällige Stoff, der Fürst und der Intelligente aber der notwendige Verzehrer dieses Stoffes.

Nehmen wir das Ende für den Anfang, die Befriedigung für das Bedürfnis, die Sättigung für den Hunger, so ist Bewegung, Fortgang, aber auch nur denkbar in einem erkünstelten Bedürfnisse, in einem durch Stimulation erzeugten Hunger; und dies ist in Wahrheit die Lebensregung unserer ganzen heutigen Kultur, und ihr Ausdruck ist – die Mode.

Die *Mode* ist das künstliche Reizmittel, das da ein unnatürliches Bedürfnis erweckt, wo das natürliche nicht vorhanden ist: was aber nicht aus einem wirklichen Bedürfnisse hervorgeht, ist willkürlich, unbedingt, tyrannisch. Die Mode ist deshalb die unerhörteste, wahnsinnigste Tyrannei, die je aus der Verkehrtheit des menschlichen Wesens hervorgegangen ist: sie fordert von der Natur absoluten Gehorsam; sie gebietet dem wirklichen Bedürfnisse vollkommenste Selbstverleugnung zu gunsten eines eingebildeten; sie zwingt den natürlichen Schönheitssinn des Menschen zur Anbetung des Häßlichen; sie tötet seine Gesundheit, um ihm Gefallen an der Krankheit beizubringen; sie zerbricht seine Stärke und Kraft, um ihn an seiner Schwäche Behagen finden zu lassen. Wo die lächerlichste Mode herrscht, da muß die Natur als das Lächerlichste anerkannt werden; wo die verbrecherischste Unnatur herrscht, da muß die Äußerung der Natur als das höchste Verbrechen erscheinen; wo die Verrücktheit die Stelle der Wahrheit einnimmt, da muß die Wahrheit als Verrückte eingesperrt werden.

Das Wesen der Mode ist die absoluteste Einförmigkeit, wie ihr Gott ein egoistischer, geschlechtsloser, zeugungsunfähiger ist; ihre Tätigkeit ist daher willkürliche Veränderung, unnötiger Wechsel, unruhiges, verwirrtes Streben nach Gegensatz zu ihrem Wesen, eben dem der absoluten Einförmigkeit. Ihre Macht ist die Macht der Gewohnheit. Die *Gewohnheit* aber ist der unüberwindliche Despot aller Schwachen, Feigen, in Wahrheit Bedürfnislosen. Die Gewohnheit ist der Kommunismus des Egoismus, das erhaltungszähe Band gemeinschaftlichen, notlosen Eigennutzes; ihre künstliche Lebensregung ist eben die der Mode.

Die Mode ist daher nicht künstlerische Erzeugung aus sich, sondern nur künstliche Ableitung aus ihrem Gegensatze, der Natur, von der sie sich im Grunde doch einzig ernähren muß, wie der Luxus der vornehmen Klassen sich wiederum nur aus dem Drange nach Befriedigung natürlicher Lebensbedürfnisse der niederen, arbeitenden Klassen ernährt. Auch die Willkür der Mode kann daher nur aus der wirklichen Natur schaffen: alle ihre Gestaltungen, Schnörkel und Zierraten haben endlich doch nur in der Natur ihr Urbild; sie kann, wie all' unser abstraktes Denken in seinen weitesten Abirrungen, schließlich doch nichts anderes erdenken und erfinden, als was seinem ursprünglichen Wesen nach in der Natur und im Menschen sinnlich und förmlich vorhanden ist. Aber ihr Verfahren ist ein hochmütiges, von der Natur willkürlich sich lostrennendes: sie ordnet und befiehlt da, wo alles in Wahrheit sich nur unterzuordnen und zu gehorchen hat. Somit kann sie in ihren Bildungen nur die Natur entstellen, nicht aber darstellen; sie kann nur *ableiten*, nicht aber *erfinden*, denn Erfinden ist in Wahrheit nichts anderes als *Auffinden*, nämlich Auffinden, Erkennen der Natur.

Das Erfinden der Mode ist daher ein mechanisches. Das Mechanische unterscheidet sich vom Künstlerischen aber dadurch, daß es von Ableitung zu Ableitung, von Mittel zu Mittel geht, um endlich doch immer wieder nur ein Mittel, die *Maschine*, hervorzubringen; wogegen das Künstlerische gerade den entgegengesetzten Weg einschlägt, Mittel auf Mittel hinter sich wirft, von Ableitung auf Ableitung absieht, um endlich beim Quell aller Ableitung, alles Mittels, der *Natur*, mit verständnisvoller Befriedigung seines Bedürfnisses anzukommen.

So ist denn die *Maschine* der kalte, herzlose Wohltäter der luxusbedürftigen Menschheit. Durch die Maschine hat diese endlich aber auch noch den menschlichen Verstand sich untertänig gemacht; denn vom künstlerischen Streben, vom künstlerischen Auffinden abgelenkt, verleugnet, verunehrt, verzehrt er sich endlich im mechanischen Raffinieren, im Einswerden mit der Maschine, statt im Einswerden mit der Natur im Kunstwerke.

Das Bedürfnis der *Mode* ist somit der schnurgerade Gegensatz des Bedürfnisses der *Kunst*; denn das Bedürfnis der Kunst kann unmöglich da vorhanden sein, wo die Mode die gesetzgebende Gewalt des Lebens ist. In Wahrheit konnte das Streben einzelner begeisterter Künstler unserer Zeit auch nur darauf zielen, jenes notwendige Bedürfnis vom Standpunkte und durch die Mittel der Kunst erst aufzuregen: fruchtlos und eitel muß jedoch all' solches Bemühen angesehen werden. Das Unmöglichste für den Geist ist, Bedürfnis zu erwecken; dem wirklich vorhandenen Bedürfnisse zu entsprechen, hat der Mensch überall und schnell die Mittel; nirgends aber, es hervorzurufen, wo die Natur es versagt, wo die Bedingungen dazu in ihr nicht vorhanden sind. Ist aber das Bedürfnis des Kunstwerkes nicht da, so ist das Kunstwerk ebenso unmöglich; nur die Zukunft vermag es uns erstehen zu lassen, und zwar durch das Erstehen seiner Bedingungen aus dem Leben.

Nur aus dem *Leben*, aus dem einzig auch nur das Bedürfnis nach ihr erwachsen kann, vermag die Kunst *Stoff* und *Form* zu gewinnen: wo das Leben von der Mode gestaltet wird, kann die Kunst nicht aus ihm gestalten. Der von der Notwendigkeit des Natürlichen irrtümliche sich lostrennende Geist übt willkürlich, und im sogenannten gemeinen Leben selbst unwillkürlich, seinen entstellenden Einfluß auf Stoff und Form des Lebens in einer Weise aus, daß der in seiner Lostrennung endlich unselige, nach wirklicher gesunder Nahrung aus der Natur, nach seiner Wiedervereinigung mit ihr verlangende Geist den Stoff und die Form für seine Befriedigung im wirklichen gegenwärtigen Leben nicht mehr zu finden weiß. Drängt es ihn, im Streben nach Erlösung, zur rückhaltslosen Anerkennung der Natur, kann er sich mit dieser nur in ihrer getreuesten Darstellung, in der sinnlich gegenwärtigen Tat des Kunstwerkes versöhnen, so ersieht er, daß diese Versöhnung nicht durch Anerkennung und Darstellung der sinnlichen Gegenwart, nämlich dieses durch die Mode eben entstellten Lebens, zu gewinnen ist. Unwillkürlich muß er deshalb in seinem künstlerischen Erlösungsdrange willkürlich verfahren; er muß die Natur, die im gesunden Leben sich ihm ganz von selbst darbieten würde, da aufsuchen, wo er sie in minderer, endlich in mindester Entstellung zu gewahren vermag. Überall und zu jeder Zeit hat jedoch der Mensch der Natur das Gewand – wenn nicht der Mode – doch der *Sitte* umgeworfen; die natürlichste, einfachste, edelste und schönste Sitte ist allerdings die mindeste Entstellung der Natur, sie ist vielmehr das ihr entsprechende menschliche Kleid: die Nachahmung, Darstellung dieser Sitte, – ohne welche der moderne Künstler von nirgends her wiederum die Natur darzustellen vermag, – ist dem heutigen Leben gegenüber aber dennoch ebenfalls ein willkürliches, von der Absicht unerlösbar beherrschtes Verfahren, und was so im redlichsten Streben nach Natur geschaffen und gestaltet wurde, erscheint, sobald es vor das öffentliche Leben der Gegenwart tritt, entweder unverständlich, oder gar wieder als eine erfundene neue Mode.

In Wahrheit haben wir auf diese Weise dem Streben nach Natur innerhalb des modernen Lebens und im Gegensatze zu ihm nur die *Manier* und den häufigen, unruhigen Wechsel derselben zu verdanken. An der Manier hat sich aber unwillkürlich wieder das Wesen der Mode offenbart; ohne notwendigen Zusammenhang mit dem Leben, tritt sie, ebenso willkürlich maßgebend in die Kunst, wie die Mode in das Leben, verschmilzt sich mit der Mode, und beherrscht, mit einer der ihrigen gleichen Macht, jedwede Kunstrichtung. Neben ihrem Ernste zeigt sie sich – mit fast nicht minderer Notwendigkeit – auch in vollster Lächerlichkeit; und neben Antike, Renaissance und Mittelalter bemächtigen Rokkoko, Sitte und Gewand wilder Stämme in neuentdeckten Ländern, wie die Urmode der Chinesen und Japanesen, sich als »Manieren« zeitweise, und mehr oder weniger, aller unserer Kunstarten; ja, der religiös indifferentesten vornehmen Theaterwelt wird der Fanatismus religiöser Sekten, der luxuriösen Unnatur unserer Modewelt die Naivetät schwäbischer Dorfbauern, den feistgemästeten Göttern unserer Industrie die Not des hungernden Proletariers, mit keinen andern Wirkungen als denen unzureichender Stimulanz, von der leichtwechselnden Tagesmanier vorgeführt.

Hier sieht denn der Geist, in seinem künstlerischen Streben nach Wiedervereinigung mit der Natur im Kunstwerke, sich zu der einzigen Hoffnung auf die Zukunft hingewiesen, oder zur traurigen Kraftübung der Resignation gedrängt. Er begreift, daß er seine Erlösung nur im sinnlich gegenwärtigen Kunstwerke, daher also nur in einer wahrhaft kunstbedürftigen, d. h. kunstbedingenden, aus eigener Naturwahrheit und Schönheit kunstzeugenden Gegenwart zu gewinnen hat, und hofft daher auf die Zukunft, d. h. er glaubt an die Macht der Notwendigkeit, der das Werk der Zukunft vorbehalten ist. Der Gegenwart gegenüber aber verzichtet er auf das Erscheinen des Kunstwerkes an der Oberfläche der Gegenwart, der Öffentlichkeit, folglich auf die Öffentlichkeit selbst, soweit sie der Mode gehört. Das große Gesamtkunstwerk, das alle Gattungen der Kunst zu umfassen hat, um jede einzelne dieser Gattungen als Mittel gewissermaßen zu verbrauchen, zu vernichten zu gunsten der Erreichung des Gesamtzweckes *aller*, nämlich der unbedingten, unmittelbaren Darstellung der vollendeten menschlichen Natur, – diese große Gesamtkunstwerk erkennt er nicht als die willkürliche mögliche Tat des Einzelnen, sondern als das notwendig denkbare gemeinsame Werk der Menschen der Zukunft. Der Trieb, der sich als einen nur in der Gemeinsamkeit zu befriedigenden erkennt, entsagt der modernen Gemeinsamkeit, diesem Zusammenhange willkürlicher Eigensucht, um in einsamer Gemeinsamkeit mit sich und der Menschheit der Zukunft sich Befriedigung zu gewähren, so gut der Einsame es kann.

6.
Maßstab für das Kunstwerk der Zukunft

Nicht kann der einsame, nach seiner Erlösung in der Natur künstlerisch strebende Geist das Kunstwerk der Zukunft schaffen; nur der gemeinsame, durch das Leben befriedigte vermag dies. Aber er kann es sich vorstellen, und daß diese Vorstellung nicht nur ein Wähnen werde, davor bewahrt ihn eben die Eigenschaft seines

Strebens, des Strebens nach der *Natur*. Der nach der Natur sich zurücksehnende, und deshalb in der modernen Gegenwart unbefriedigte Geist findet nicht nur in der Totalität der Natur, sondern namentlich auch in der geschichtlich vor ihm dargelegten *menschlichen* Natur, die Bilder, durch deren Anschauung er sich mit dem Leben im Allgemeinen zu versöhnen vermag. Für alles Zukünftige erkennt er in dieser Natur ein in engeren Grenzen bereits dargestelltes Bild: diese Grenzen zum weitesten Umfange sich ausgedehnt zu denken, liegt in der Vorstellungsfähigkeit seines naturdürstigen Triebes.

Zwei *Hauptmomente* der Entwicklung der Menschheit liegen in der Geschichte deutlich vor: der *geschlechtlich nationale* und der *unnationale universelle*. Sehen wir jetzt in der Zukunft der Vollendung dieses zweiten Entwicklungsganges entgegen, so haben wir in der Vergangenheit den vollendeten Abschluß jenes ersteren deutlich erkennbar vor Augen. Bis zu welcher Höhe der Mensch, – so weit er sich nach geschlechtlicher Abkunft, nach Sprachgemeinschaft, nach Gleichartigkeit des Klimas und der natürlichen Beschaffenheit einer gemeinschaftlichen Heimat, dem Einflusse der Natur unbewußt überließ, – unter diesem fast unmittelbar bildenden Einflusse sich zu entwickeln vermochte, haben wir wahrlich nur mit freudigstem Entzücken anzuerkennen vollen Grund. In der natürlichen Sitte aller Völker, so weit sie den normalen Menschen in sich begreifen, selbst der als rohest verschrienen, lernen wir die Wahrheit der menschlichen Natur erst nach ihrem vollen Adel, ihrer wirklichen Schönheit, erkennen. Nicht *eine* wahre Tugend hat irgend welche Religion als göttliches Gebot in sich aufgenommen, die nicht in dieser natürlichen Sitte von selbst inbegriffen gewesen wäre; nicht *einen* wirklichen menschlichen Rechtsbegriff hat der spätere zivilisierte Staat – nur leider bis zur vollkommenen Entstellung! – entwickelt, der in ihr nicht bereits seinen sicheren Ausdruck erhalten; nicht *eine* wahrhaft gemeinnützige Erfindung hat die spätere Kultur – mit hochmütigem Undanke! – sich zu eigen gemacht, die sie nicht aus dem Werke des natürlichen Verstandes der Pfleger jener Sitte abgeleitet hätte.

Daß die *Kunst* aber nicht ein *künstliches* Produkt, – daß das Bedürfnis der Kunst nicht ein willkürlich hervorgebrachtes, sondern ein dem natürlichen, wirklichen und unentstellten Menschen ureigenes ist, – wer beweist dies schlagender, als eben jene Völker? Ja, woraus könnte unser Geist überhaupt den Beweis für ihre Notwendigkeit führen, wenn nicht aus der Wahrnehmung dieses Kunsttriebes und der ihm entsprossenen herrlichen Früchte bei jenen natürlich entwickelten Völkern, bei dem *Volke* überhaupt? Vor welcher Erscheinung stehen wir aber mit demütigenderer Empfindung von der Unfähigkeit unserer frivolen Kultur, als vor der Kunst der *Hellenen*? Auf sie, auf diese Kunst der Lieblinge der allliebenden Natur, der schönsten Menschen, die uns die zeugungsfrohe Mutter bis in die nebelgrauesten Tage heutiger modischer Kultur als ein unleugbares, siegreiches Zeugnis von dem, was sie zu leisten vermag, vorhält, – auf die herrliche griechische Kunst blicken wir hin, um aus ihrem innigen Verständnisse zu entnehmen, wie das Kunstwerk der Zukunft beschaffen sein müsse! Die Natur hat alles getan, was sie konnte, – sie hat den Hellenen gezeugt, an ihren Brüsten genährt, durch ihre Mutterweisheit ihn gebildet: sie stellt ihn uns hin mit Mutterstolz und ruft uns Menschen allen aus Mutterliebe zu: »Das tat ich für euch, nun tut ihr aus Liebe zu euch, was ihr könnt!«

So haben wir denn die *hellenische* Kunst zur *menschlichen* Kunst überhaupt zu machen; die Bedingungen, unter denen sie eben nur *hellenische,* nicht *allmenschliche* Kunst war, von ihr zu lösen; das *Gewand der Religion*, in welchem sie einzig eine gemeinsam hellenische Kunst war, und nach dessen Abnahme sie als egoistische, einzelne Kunstgattung, nicht mehr dem Bedürfnisse der Allgemeinheit, sondern nur dem des Luxus – wenn auch eines schönen! – entsprechen konnte, – dies Gewand der speziell *hellenischen Religion* haben wir zu dem Bande der Religion der Zukunft, der der *Allgemeinsamkeit*, zu erweitern, um eine gerechte Vorstellung vom Kunstwerke der Zukunft schon jetzt uns machen zu können. Aber eben dieses Band, *diese Religion der Zukunft,* vermögen wir Unseligen nicht zu knüpfen, weil wir, so viele wir derer auch sein mögen, die den Drang nach dem Kunstwerke der Zukunft in sich fühlen, doch nur *Einzelne, Einsame* sind. Das Kunstwerk ist die lebendig dargestellte Religion; – Religionen aber erfindet nicht der Künstler, die entstehen nur aus dem *Volke*. –

Genügen wir uns also dadurch, daß wir für jetzt – ohne alle egoistische Eitelkeit, ohne Befriedigung in irgend welcher eigensüchtigen Illusion suchen zu wollen, redlich und mit liebevoller Hingebung an die Hoffnung für das Kunstwerk der Zukunft, – zunächst das Wesen der Kunst*arten* prüfen, die heute in ihrer Zersplitterung das allgemeine Kunstwesen der Gegenwart ausmachen; stärken wir unseren Blick zu dieser Prüfung an der Kunst der Hellenen, und führen wir dann kühn und gläubig den Schluß auf das *große, allgemeinesame Kunstwerk der Zukunft!*

(...)

IV.
Grundzüge des Kunstwerkes der Zukunft

Betrachten wir die Stellung der modernen Kunst – so weit sie in Wahrheit *Kunst* ist – zum öffentlichen Leben, so erkennen wir zunächst ihre vollständige Unfähigkeit, auf dieses öffentliche Leben im Sinne ihres edelsten Strebens einzuwirken. Der Grund hiervon ist, daß sie, als bloßes Kulturprodukt, aus dem Leben nicht wirklich selbst hervorgegangen ist und nun, als Treibhauspflanze, unmöglich in dem natürlichen Boden und in dem natürlichen Klima der Gegenwart Wurzel zu schlagen vermag. Die Kunst ist das Sondereigentum einer Künstlerklasse geworden; Genuß bietet sie nur denen, die sie *verstehen*, und zu ihrem Verständnis erfordert sie ein besonderes, dem wirklichen Leben abgelegenes Studium, das Studium der *Kunstgelehrsamkeit.* Dieses Studium und das aus ihm zu erlangende Verständnis glaubt zwar heutzutage sich jeder zu eigen gemacht zu haben, der sich das Geld zu eigen gemacht hat, mit dem er die ausgebotenen Kunstgenüsse bezahlt: ob die große Zahl vorhandener Kunstliebhaber den Künstler in seinem besten Streben aber zu verstehen vermögen, wird dieser Künstler bei Befragen jedoch nur mit einem tiefen Seufzer zu beantworten haben. Erwägt er nun aber die unendlich größere Masse derjenigen, die durch die Ungunst unserer sozialen Verhältnisse nach jeder Seite hin sowohl vom Verständnisse, als selbst vom Genusse der modernen Kunst ausgeschlossen bleiben müssen, so hat der heutige Künstler inne zu werden, daß sein ganzes Kunsttreiben im Grunde nur ein egoistisches, selbstgefälliges Treiben ganz für sich, daß seine Kunst dem öffentlichen Leben gegenüber nichts anderes als Luxus, Überfluß, eigensüchtiger Zeitvertreib ist. Der täglich wahrgenommene und bitter beklagte Abstand zwischen sogenannter Bildung und Unbildung ist so ungeheuer, ein Mittelglied zwischen beiden so undenkbar, eine Versöhnung so unmöglich, daß, bei einiger Aufrichtigkeit, die auf jene unnatürliche Bildung begründete moderne Kunst zu ihrer tiefsten Beschämung sich eingestehen müßte, wie sie einem Lebenselemente ihr Dasein verdanke, welches *sein* Dasein wiederum nur auf die tiefste Unbildung der eigentlichen Masse der Menschheit stützen kann. Das Einzige, was in dieser ihr zugewiesenen Stellung die moderne Kunst vermögen sollte und in redlichen Herzen zu vermögen strebt, nämlich *Bildung zu verbreiten*, vermag sie nicht, und zwar einfach aus dem Grunde, weil die Kunst, um irgendwie im Leben wirken zu können, selbst die Blüte einer *natürlichen*, d. h. von unten heraufgewachsenen, Bildung sein muß, nie aber imstande sein kann, von *oben* herab Bildung auszugießen. Im besten Falle gleicht daher unsere Kulturkunst demjenigen, der in einer fremden Sprache einem Volke sich mitteilen will, welches diese nicht kennt: alles, und namentlich auch das Geistreichste, was er hervorbringt, kann nur zu den lächerlichsten Verwirrungen und Mißverständnissen führen. –

Stellen wir uns zunächst dar, wie die moderne Kunst zu verfahren haben müßte, um *theoretisch* zu ihrer Erlösung aus der einsamen Stellung ihres unbegriffenen Wesens heraus und zum allgemeinsten Verständnisse des öffentlichen Lebens vorzuschreiten: wie diese Erlösung aber durch die *praktische* Vermittelung des öffentlichen Lebens allein möglich werden kann, wird sich dann leicht von selbst herausstellen.

Die *bildende Kunst*, sahen wir, kann zu schöpferischem Gedeihen einzig dadurch gelangen, daß sie nur noch im Bunde mit dem *künstlerischen*, nicht dem auf bloße *Nützlichkeit* bedachten Menschen zu ihren Werken sich anläßt.

Der künstlerische Mensch kann sich nur in der Vereinigung aller Kunstarten zum *gemeinsamen* Kunstwerke vollkommen genügen: in jeder *Vereinzelung* seiner künstlerischen Fähigkeit ist er *unfrei*, nicht vollständig das, was er sein kann; wogegen er im *gemeinsamen Kunstwerke frei*, und vollständig *das* ist, was er sein kann.

Das *wahre Streben* der Kunst ist daher das *allumfassende*: jeder vom wahren *Kunsttriebe* Beseelte will durch die höchste Entwicklung seiner besonderen Fähigkeit nicht die Verherrlichung *dieser besonderen Fähigkeit*, sondern die Verherrlichung *des Menschen in der Kunst überhaupt* erreichen.

Das höchste gemeinsame Kunstwerk ist das *Drama*: nach seiner *möglichen Fülle* kann es nur vorhanden sein, wenn in ihm *jede Kunstart in ihrer höchsten Fülle* vorhanden ist.

Das wahre Drama ist nur denkbar als aus dem *gemeinsamen Drange aller Künste* zur unmittelbarsten Mitteilung an eine *gemeinsame Öffentlichkeit* hervorgehend: jede einzelne Kunstart vermag der gemeinsamen Öffentlichkeit zum *vollen Verständnisse* nur durch gemeinsame Mitteilung mit den übrigen Kunstarten im Drama sich zu erschließen, denn die Absicht jeder einzelnen Kunstart wird nur im gegenseitig sich verständigenden und verständnisgebenden Zusammenwirken aller Kunstarten vollständig erreicht. –

Die *Architektur* kann keine höhere Absicht haben, als einer Genossenschaft künstlerisch sich durch sich selbst darstellender Menschen die räumliche Umgebung zu schaffen, die dem menschlichen Kunstwerke zu seiner Kundgebung notwendig ist. Nur dasjenige Bauwerk ist nach Notwendigkeit errichtet, das einem Zwecke des Menschen am dienlichsten entspricht: der höchste Zweck des Menschen ist der künstlerische, der höchste künstlerische das Drama. Im gewöhnlichen Nutzgebäude hat der Baukünstler nur dem niedrigsten Zwecke der Menschheit zu entsprechen: Schönheit ist in ihm Luxus. Im Luxusgebäude hat er einem unnötigen und unnatürlichen Bedürfnisse zu entsprechen: sein Schaffen ist daher willkürlich, unproduktiv, unschön. Bei der Konstruktion desjenigen Gebäudes hingegen, das in allen seinen Teilen einzig einem gemeinsamen künstlerischen Zwecke entsprechen soll, – also des *Theaters*, hat der Baumeister einzig als *Künstler* und nach den Rücksichtsnahmen auf das *Kunstwerk* zu verfahren. In einem vollkommenen Theatergebäude gibt bis auf die kleinsten Einzelheiten nur das Bedürfnis der Kunst Maß und Gesetz. Dies Bedürfnis ist ein doppeltes, das des *Gebens* und des *Empfangens*, welches sich beziehungsvoll gegenseitig durchdringt und bedingt. Die *Szene* hat zunächst die Aufgabe, alle räumlichen Bedingungen für eine auf ihr darzustellende gemeinsame dramatische Handlung zu erfüllen: sie hat zweitens diese Bedingungen aber im Sinne der Absicht zu lösen, diese dramatische Handlung dem Auge und dem Ohre der Zuschauer zur verständlichen Wahrnehmung zu bringen. In der Anordnung des *Raumes der Zuschauer* gibt das Bedürfnis nach Verständnis des Kunstwerkes optisch und akustisch das notwendige Gesetz, dem, neben der Zweckmäßigkeit, zugleich nur durch die Schönheit der Anordnungen entsprochen werden kann; denn das Verlangen des gemeinsamen Zuschauers ist eben das Verlangen nach dem *Kunstwerk*, zu dessen Erfassen er durch alles, was sein Auge berührt, bestimmt werden muß*. So versetzt er durch Schauen und Hören sich gänzlich auf die Bühne; der Dar-

---

*   Die Aufgabe des Theatergebäudes der Zukunft darf durch unsre modernen Theatergebäude keineswegs als gelöst angesehen werden: in ihnen sind herkömmliche Annahmen und Gesetze maßgebend, die mit den Erfordernissen der reinen Kunst nichts gemein haben. Wo Erwerbsspekulationen auf der einen, und mit ihr luxuriöse Prunksucht auf der andern Seite bestimmend einwirken, muß das absolute Interesse der Kunst auf das Empfindlichste beeinträchtigt werden, und so wird kein Baumeister der Welt z. B. es vermögen, die durch die Trennung unsres Publikums in die unterschiedensten Stände und Staatsbürgerkategorien gebotene Übereinanderschichtung und Zersplitterung der Zuschauerräume zu einem Gesetze der Schönheit zu erheben. Denkt man

145

steller ist Künstler nur durch volles Aufgehen in das Publikum. Alles, was auf der Bühne atmet und sich bewegt, atmet und bewegt sich durch ausdrucksvolles Verlangen nach Mitteilung, nach Angeschaut-Angehörtwerden in jenem Raume, der, bei immer nur verhältnismäßigem Umfange, vom szenischen Standpunkte aus dem Darsteller doch die gesamte Menschheit zu enthalten dünkt; aus dem Zuschauerraume aber verschwindet das Publikum, dieser Repräsentant des öffentlichen Lebens, sich selbst; es lebt und atmet nur noch in dem Kunstwerke, das ihm das Leben selbst, und auf der Szene, die ihm der Weltraum dünkt.

Solche Wunder entblühen dem Bauwerke des Architekten, solchen Zaubern vermag er realen Grund und Boden zu geben, wenn er die Absicht des höchsten menschlichen Kunstwerkes zu der seinigen macht, wenn er die Bedingungen ihres Lebendigwerdens aus seinem eigentümlichen künstlerischen Vermögen heraus in das Dasein ruft. Wie kalt, regungslos und tot stellt sich hiergegen sein Bauwerk dar, wenn er, ohne einer höheren Absicht als der des Luxus sich anzuschließen, ohne die künstlerische Notwendigkeit, welche ihn im Theater nach jeder Seite hin das Sinnigste anordnen und erfinden läßt, nur nach der spekulierenden Laune seiner selbstverherrlichungssüchtigen Willkür zu verfahren, Massen und Zierraten zu schichten und zu reihen hat, um heute die Ehre eines übermütigen Reichen, morgen die eines modernisierten Jehovas zu versinnlichen! –

Aber auch die schönste Form, das üppigste Gemäuer von Stein, genügt dem dramatischen Kunstwerke nicht allein zu vollkommen entsprechenden räumlichen Bedingung seines Erscheinens. Die Szene, die dem Zuschauer das Bild des menschlichen Lebens vorführen soll, muß zum vollen Verständnisse des Lebens auch das lebendige Abbild der Natur darzustellen vermögen, in welchem der künstlerische Mensch erst ganz als solcher sich geben kann. Die Wände dieser Szene, die kalt und teilnahmlos auf den Künstler herab und zu dem Publikum hin starren, müssen sich mit den frischen Farben der Natur, mit dem warmen Lichte des Äthers schmücken, um würdig zu sein an dem menschlichen Kunstwerke teil zu nehmen. Die plastische *Architektur* fühlt hier ihre Schranke, ihre Unfreiheit, und wirft sich liebebedürftig der Malerkunst in die Arme, die sie zum schönsten Aufgehen in die Natur erlösen soll.

sich in die Räume des gemeinsamen Theaters der Zukunft, so erkennt man ohne Mühe, daß in ihm ein ungeahnt reiches Feld der Erfindung offen steht.

Hier tritt die *Landschaftsmalerei* ein, von einem gemeinsamen Bedürfnisse hervorgerufen, dem nur sie zu entsprechen vermag. Was der Maler mit glücklichem Auge der Natur entsehen, was er als künstlerischer Mensch der vollen Gemeinsamkeit zum künstlerischen Genusse darstellen will, fügt er hier als sein reiches Teil dem vereinten Werke aller Künste ein. Durch ihn wird die Szene zur vollen künstlerischen Wahrheit: seine Zeichnung, seine Farbe, seine warm belebende Anwendung des Lichtes zwingen die Natur, der höchsten künstlerischen Absicht zu dienen. Was der Landschaftsmaler bisher im Drange nach Mitteilung des Ersehenen und Begriffenen in den engen Rahmen des Bildstückes einzwängte, – was er an der einsamen Zimmerwand des Egoisten aufhängte, oder zu beziehungsloser, unzusammenhängender und entstellender Übereinanderschichtung in einem Bilderspeicher dahingab, – *damit* wird er nun den weiten Rahmen der tragischen Bühne erfüllen, den ganzen Raum der Szene zum Zeugnis seiner naturschöpferischen Kraft gestaltend. Was er durch den Pinsel und durch feinste Farbenmischung nur andeuten, der Täuschung nur annähern konnte, wird er hier durch künstlerische Verwendung aller ihm zu Gebote stehenden Mittel der Optik, der künstlerischen Lichtbenutzung, zur vollendet täuschenden Anschauung bringen. Ihn wird nicht die scheinbare Rohheit seiner künstlerischen Werkzeuge, das anscheinend Groteske seines Verfahrens bei der sogenannten Dekorationsmalerei beleidigen, denn er wird bedenken, daß auch der feinste Pinsel zum vollendeten Kunstwerke sich doch immer nur als demütigendes Organ verhält, und der Künstler erst *stolz* zu werden hat, wenn er *frei* ist, d. h. wenn sein Kunstwerk fertig und lebendig, und *er* mit allen helfenden Werkzeugen in ihm aufgegangen ist. Das vollendete Kunstwerk, das ihm von der *Bühne* entgegentritt, wird aber aus diesem Rahmen und von der vollen gemeinsamen Öffentlichkeit ihn unendlich mehr befriedigen, als sein früheres, mit feineren Werkzeugen geschaffenes; er wird die Benutzung des szenischen Raumes zu gunsten dieses Kunstwerkes um seiner früheren Verfügung über ein glattes Stück Leinwand willen wahrlich nicht bereuen: denn, wie im schlimmsten Falle sein Werk ganz dasselbe bleibt, gleichviel aus welchem Rahmen es gesehen werde, wenn es nur den Gegenstand zur verständnisvollen Anschauung bringt, so wird jedenfalls sein Kunstwerk in *diesem* Rahmen einen lebenvolleren Eindruck, ein größeres, allgemeineres Verständnis hervorrufen, als das frühere landschaftliche Bildstück.

Das Organ zu allem Naturverständnis ist der Mensch: der Landschaftsmaler hatte dieses Verständnis nicht nur an den Menschen mitzuteilen, sondern durch Darstellung des Menschen in seinem Naturgemälde auch erst deutlich zu machen. Dadurch, daß er sein Kunstwerk nun in den Rahmen der tragischen Bühne stellt, wird er den Menschen, an den er sich mitteilen will, zum gemeinsamen Menschen der vollen Öffentlichkeit erweitern und die Befriedigung haben, sein Verständnis auf diesen ausgedehnt, ihn zum Mitfühlenden seiner Freude gemacht zu haben; zugleich aber wird er dies öffentliche Verständnis dadurch erst vollkommen herbeiführen, daß er sein Werk einer gemeinsamen höchsten und allverständlichen Kunstabsicht zuordnet, diese Absicht aber von dem wirklichen leibhaftigen Menschen mit aller Wärme seines Wesens dem gemeinsamen Verständnisse unfehlbar erschlossen wird. Das allverständlichste ist die dramatische Handlung, eben weil sie erst künstlerisch vollendet ist, wenn im Drama gleichsam alle Hilfsmittel der Kunst hinter sich geworfen sind, und das wirkliche Leben auf das Treueste und Begreiflichste zur unmittelbaren Anschauung gelangt. Jede Kunstart teilt sich *verständlich* nur in dem Grade mit, als der Kern in ihr, der nur durch seinen Bezug auf den Menschen oder in seiner Ableitung von ihm das Kunstwerk beleben und rechtfertigen kann, dem *Drama* zureift. Allverständlich, vollkommen begriffen und gerechtfertigt wird jedes Kunstschaffen in dem Grade, als es im Drama aufgeht, vom Drama durchleuchtet wird*.

Auf die Bühne des Architekten und Malers tritt nun der *künstle-*

---

* Dem modernen Landschaftsmaler kann es nicht gleichgültig sein zu gewahren, von wie wenigen in Wahrheit sein Werk heutzutage verstanden, mit welch' stumpfsinnigem, blödem Behagen von der Philisterwelt, die ihn bezahlt, sein Naturgemälde eben nur beglotzt wird; wie die sogenannte *»schöne Gegend«* der bloßen müßigen, gedankenlosen Schaulust derselben Menschen, *ohne* Bedürfnis, Befriedigung zu gewähren imstande ist, deren Hörsinn durch unsere moderne inhaltslose Musikmacherei nicht minder bis zu jener albernen Freude erregt wird, die dem *Künstler* ein ebenso ekelhafter Lohn für seine Leistung ist, als sie der Absicht des *Industriellen* allerdings vollkommen entspricht. Unter der »schönen Gegend« und der »hübsch klingenden Musik« unsrer Zeit herrscht eine traurige Verwandtschaft, deren Verbindungsglied der sinnige Gedanke ganz gewiß nicht ist, sondern jene schwapperige, niederträchtige *Gemütlichkeit*, die sich vom Anblick der menschlichen Leiden in der Umgebung eigensüchtig zurückwendet, um sich ein Privathimmelchen im blauen Dunste der Naturallgemeinheit zu mieten: alles hören und sehen diese Gemütlichen gern, nur nicht den *wirklichen, unentstellten Menschen*, der mahnend am Ausgange ihrer Träume steht. *Gerade diesen müssen wir nun aber in den Vordergrund stellen!*

rische Mensch, wie der natürliche Mensch auf den Schauplatz der Natur tritt. Was *Bildhauer* und *Historienmaler in Stein* und auf *Leinwand* zu bilden sich mühten, das bilden sie nun an sich, an ihrer Gestalt, den Gliedern ihres Leibes, den Zügen ihres Antlitzes, zu bewußtem, künstlerischem Leben. Derselbe Sinn, der den Bildhauer leitete im Begreifen und Wiedergeben der menschlichen Gestalt, leitet den *Darsteller* nun im Behandeln und Gebahren seines wirklichen Körpers. Dasselbe Auge, das den Historienmaler in Zeichnung und Farbe, bei Anordnung der Gewänder und Aufstellung der Gruppen, das Schöne, Anmutige und Charakteristische finden ließ, ordnet nun die Fülle *wirklicher menschlicher Erscheinung*. Bildhauer und Maler lösten vom griechischen Tragiker einst den *Kothurn* und die *Maske* ab, auf dem und unter welcher der wahre Mensch immer nur nach einer gewissen religiösen Konvention noch sich bewegte. Mit Recht haben beide bildende Künste diese letzte Entstellung des reinen künstlerischen Menschen vernichtet, und so den tragischen Darsteller der Zukunft in Stein und auf Leinwand im Voraus gebildet. Wie sie ihn nach seiner unentstellten Wahrheit ersahen, sollen sie ihn nun in Wirklichkeit sich geben lassen, seine von ihnen gewissermaßen beschriebene Gestalt leibhaftig zur bewegungsvollen Darstellung bringen.

So wird die Täuschung der bildenden Kunst zur Wahrheit im Drama: dem *Tänzer*, dem *Mimiker*, reicht der bildende Künstler die Hand, um in ihm selbst aufzugehen, selbst Tänzer und Mimiker zu sein. – So weit es irgend in seiner Fähigkeit liegt, wird dieser den inneren Menschen, sein Fühlen und Wollen, an das Auge mitzuteilen haben. In vollster Breite und Tiefe gehört ihm der szenische Raum zur plastischen Kundgebung seiner Gestalt und seiner Bewegung, als Einzelner oder im Verein mit den Genossen der Darstellung. Wo sein Vermögen aber endet, wo die Fülle seines Wollens und Fühlens zur Entäußerung des inneren Menschen durch die *Sprache* ihn hindrängt, da wird das Wort seine deutlich bewußte Absicht künden: er wird zum *Dichter*, und um Dichter zu sein, *Tonkünstler*. Als Tänzer, Tonkünstler und Dichter ist er aber eines und dasselbe, nichts andres als *darstellender, künstlerischer Mensch, der sich nach der höchsten Fülle der Fähigkeiten an die höchste Empfängniskraft mitteilt.*

In ihm, dem unmittelbaren Darsteller, vereinigen sich die drei Schwesterkünste zu einer gemeinsamen Wirksamkeit, bei welcher die höchste Fähigkeit jeder einzelnen zu ihrer höchsten Entfaltung kommt. Indem sie gemeinsam wirken, gewinnt jede von ihnen das Vermögen, gerade *das* sein und leisten zu können, was sie ihrem eigentümlichsten Wesen nach zu sein und zu leisten verlangen. Dadurch, daß jede da, wo ihr Vermögen endet, in die andere, von da ab vermögende, aufgehen kann, bewahrt sie sich rein, frei und selbständig als *das*, was sie ist. Der *mimische Tänzer* wird seines Unvermögens ledig, sobald er singen und sprechen kann; die Schöpfungen der *Tonkunst* gewinnen allverständigende Deutung durch den Mimiker wie durch das gedichtete Wort, und zwar ganz in dem Maße, als sie selbst in der Bewegung des Mimikers und dem Worte des Dichters aufzugehen vermag. Der *Dichter* aber wird wahrhaft erst Mensch durch sein Übergehen in das Fleisch und Blut des *Darstellers*; weist er jeder künstlerischen Erscheinung die sie alle bindende und zu einem gemeinsamen Ziele hinleitende Absicht an, so wird diese Absicht aus einem Wollen zum Können erst dadurch, *daß eben dieses dichterische Wollen im Können der Darstellung untergeht.*

Nicht *eine* reich entwickelte Fähigkeit der einzelnen Künste wird in dem Gesamtkunstwerke der Zukunft unbenützt verbleiben, gerade in ihm erst wird sie zur vollen Geltung gelangen. So wird namentlich auch die in der Instrumentalmusik so eigentümlich mannigfaltig entwickelte Tonkunst nach ihrem reichsten Vermögen in diesem Kunstwerke sich entfalten können, ja sie wird die mimische Tanzkunst wiederum zu ganz neuen Erfindungen anregen, wie nicht minder den Atem der Dichtkunst zu ungeahnter Fülle ausdehnen. In ihrer Einsamkeit hat die Musik sich aber ein Organ gebildet, welches des unermeßlichsten Ausdruckes fähig ist, und dies ist das *Orchester*. Die Tonsprache Beethovens, durch das Orchester in das Drama eingeführt, ist ein ganz neues Moment für das dramatische Kunstwerk. Vermögen die Architektur und namentlich die szenische Landschaftsmalerei den darstellenden dramatischen Künstler in die Umgebung der physischen Natur zu stellen, und ihm aus dem unerschöpflichen Borne natürlicher Erscheinung einen immer reichen und beziehungsvollen Hintergrund zu geben, – so ist im Orchester, diesem lebenvollen Körper unermeßlich mannigfaltiger Harmonie, dem darstellenden individuellen Menschen ein unversiegbarer Quell gleichsam künstlerisch menschlichen Naturelements zur Unterlage gegeben. Das Orchester ist, so zu sagen, der Boden unendlichen, allgemeinsamen Gefühles, aus dem das individuelle Gefühl des einzelnen Darstellers zur höchsten Fülle herauszuwachsen vermag: es löst den starren, unbeweglichen Boden der wirklichen Szene gewissermaßen in eine flüssigweich nachgiebige, eindruckempfängliche, ätherische Fläche auf, deren ungemessener Grund das Meer des Gefühls selbst ist. So gleicht das Orchester der *Erde*, die dem *Antäos*, sobald er sie mit seinen Füßen berührte, neue unsterbliche Lebenskraft gab. Seinem Wesen nach vollkommen der szenischen Naturumgebung des Darstellers entgegengesetzt, und deshalb als Lokalität sehr richtig auch außerhalb des szenischen Rahmens in den vertieften Vordergrund gestellt, macht es zugleich aber den vollkommen ergänzenden Abschluß dieser szenischen Umgebung des Darstellers aus, indem es das unerschöpfliche *physische* Naturelement zu dem nicht minder unerschöpflichen künstlerisch *menschlichen* Gefühlselemente erweitert, das vereinigt den Darsteller wie mit dem atmosphärischen Ringe des Natur- und Kunstelementes umschließt, in welchem er sich, gleich dem Himmelskörper, in höchster Fülle sicher bewegt, und aus welchem er zugleich nach allen Seiten hin seine Gefühle und Anschauungen, bis in das Unendlichste erweitert, gleichsam in die ungemessensten Fernen, wie der Himmelskörper seine Lichtstrahlen, zu entsenden vermag.

So, im wechselvollen Reigen sich ergänzend, werden die vereinigten Schwesterkünste bald gemeinsam, bald zu zweien, bald einzeln, je nach Bedürfnis der einzig Maß und Absicht gebenden dramatischen Handlung, sich zeigen und geltend machen. Bald wird die plastische Mimik dem leidenschaftslosen Erwägen des Gedankens lauschen; bald der Wille des entschlossenen Gedankens sich in den unmittelbaren Ausdruck der Gebärde ergießen; bald die Tonkunst die Strömung des Gefühls, die Schauer der Ergriffenheit allein auszusprechen haben; bald aber werden in gemeinsamer Umschlingung alle drei den Willen des Dramas zur unmittelbaren, könnenden Tat erheben. Denn *eines* gibt es für sie alle, die hier vereinigten Kunstarten, was sie wollen müssen, um im Können frei zu werden, und das ist eben das *Drama*: auf die Erreichung der Absicht des Dramas muß es ihnen daher allen ankommen. Sind sie sich dieser Absicht bewußt, richten sie allen ihren Willen nur auf deren Ausführung, so erhalten sie auch die Kraft, nach jeder Seite hin die egoistischen Schößlinge ihres besonderen Wesens von ihrem eigenen Stamme abzuschneiden, damit der Baum nicht gestaltlos nach jeder Richtung hin, sondern zu dem stolzen Wipfel der Äste, Zweige und Blätter, zu seiner Krone aufwachse.

Die Natur des Menschen, wie jeder Kunstart, ist an sich überreich und mannigfaltig: nur *eines* aber ist die *Seele* jedes Einzelnen, sein notwendigster Trieb, sein bedürfniskräftigster Drang. Ist dieses Eine von ihm als sein Grundwesen erkannt, so vermag er, zu gunsten der unerläßlichen Erreichung dieses Einen, jedem schwächeren, untergeordnetem Gelüste, jedem unkräftigen Sehnen zu wehren, dessen Befriedigung ihn am Erlangen des Einen hindern könnte. Nur der Unfähige, Schwache kennt kein notwendigstes, stärkstes Seelenverlangen in sich: bei ihm überwiegt jeden Augenblick das zufällige, von außen gelegentlich angeregte Gelüsten, das er, eben weil es nur ein Gelüsten ist, nie zu stillen vermag, und daher, von einem zum andren willkürlich hin und her geschleudert, selbst nie zum wirklichen Genießen gelangt. Hat dieser Bedürfnislose aber die Macht, die Befriedigung zufälliger Gelüste hartnäckig zu verfolgen, so entstehen eben die scheußlichen, naturwidrigen Erscheinungen im Leben und in der Kunst, die uns als Auswüchse wahnsinnigen egoistischen Treibens, als mordlustige Wollust des Despoten, oder als geile moderne Opernmusik, mit so unsäglichem Ekel erfüllen. Erkennt der Einzelne aber ein starkes Verlangen in sich, einen Drang, der alles übrige Sehnen in ihm zurücktreibt, also den notwendigen, inneren Trieb, der seine Seele, sein Wesen ausmacht, und setzt er alle seine Kraft daran, diesen zu befriedigen, so erhebt er auch seine Kraft, wie seine eigentümlichste Fähigkeit, zu der Stärke und Höhe, die ihm irgend erreichbar sind.

Der einzelne Mensch kann aber bei voller Gesundheit des Leibes, Herzens und Verstandes kein höheres Bedürfnis empfinden, als das, welches allen ihm Gleichgearteten gemeinsam ist; denn es kann zugleich, als ein *wahres* Bedürfnis, nur ein solches sein, welches er in der Gemeinsamkeit allein zu befriedigen vermag. Das notwendigste und stärkste Bedürfnis des vollkommenen künstlerischen Menschen ist aber, sich selbst, in der höchsten Fülle seines Wesens, der vollsten Gemeinsamkeit mitzuteilen, und dies erreicht er mit notwendigem allgemeinen Verständnis nur im *Drama*. Im Drama erweitert er sein besonderes Wesen durch Darstellung einer individuellen Persönlichkeit, die er nicht selbst ist, zum allgemein menschlichen Wesen. Er muß vollständig aus sich herausgehen, um eine ihm fremde Persönlichkeit nach ihrem eigenen Wesen so vollständig zu verfassen, als es nötig ist, um sie darstellen zu können; er gelangt hierzu nur, wenn er dieses eine Individuum in seiner Berührung, Durchdringung und Ergänzung mit anderen und durch andere Individualitäten, also auch das Wesen dieser anderen Individualitäten selbst, so genau erforscht, so lebhaft wahrnimmt, daß es ihm möglich ist, diese Berührung, Durchdringung und Ergänzung an seinem eigenen Wesen sympathetisch inne zu werden; und der vollkommene künstlerische Darsteller ist daher der zum *Wesen der Gattung* erweiterte einzelne Mensch nach der höchsten Fülle seines eigenen besonderen Wesens. Der Raum, in dem sich dieser wundervolle Prozeß bewerkstelligt, ist aber die *theatralische Bühne*; das künstlerische Gesamtwerk, welches er zutage fördert, das *Drama.* Um in diesem *einen* höchsten Kunstwerke sein besonderes Wesen zur höchsten Blüte seines Inhaltes zu treiben, hat aber der einzelne Künstler, wie die einzelne Kunstart, jede willkürliche egoistische Neigung zu unzeitiger, dem Ganzen undienlicher, Ausbreitung in sich zurückzudrängen, um desto kräftiger zur Erreichung der höchsten gemeinsamen Absicht mitwirken zu können, die ohne das Einzelne, wie ohne zeitweise Beschränkung des Einzelnen, wiederum gar nicht zu verwirklichen ist.

Diese Absicht, die des Dramas, ist aber zugleich die einzig wahrhaft künstlerische Absicht, die überhaupt auch nur *verwirklicht* werden kann: was von ihr abliegt, muß sich notwendig in das Meer des Unbestimmten, Unverständlichen, Unfreien verlieren. Diese Absicht erreicht aber nicht *eine Kunstart für sich allein**, sondern

---

* Der moderne *Schauspieldichter* wird sich am schwersten geneigt fühlen zuzugestehen, daß auch *seiner* Kunstart, der *Dichtkunst*, das Drama nicht allein angehören sollte; namentlich wird er sich nicht überwinden können, es mit dem Tondichter teilen zu sollen, nämlich, wie er meint, das Schauspiel in die Oper aufgehen zu lassen. Sehr richtig wird, so lange die Oper besteht, das Schauspiel bestehen müssen, und ebensogut auch die Pantomime; solange ein Streit hierüber denkbar ist, bleibt aber auch das Drama der Zukunft selbst undenkbar. Liegt der Zweifel von seiten des Dichters jedoch tiefer, und heftet er sich daran, daß es ihn nicht begreiflich dünkt, wie der *Gesang* ganz und für alle Fälle die Stelle des rezitierten Dialoges einnehmen solle, so ist ihm zu entgegnen, daß er sich nach zwei Seiten hin über den Charakter des Kunstwerkes der Zukunft noch nicht klar geworden ist. Erstens ermißt er nicht, daß in diesem Kunstwerke die Musik durchaus eine andere Stellung zu erhalten hat, als in der modernen Oper: daß sie nur da, wo sie die *vermögendste* ist, in voller Breite sich zu entfalten, dagegen aber überall, wo z. B. die dramatische Sprache das *Notwendigste* ist, sich dieser vollkommen unterzuordnen hat; daß aber gerade die Musik die Fähigkeit besitzt, ohne gänzlich zu schweigen, dem gedankenvollen Elemente der Sprache sich so unmerklich anzuschmiegen, daß sie diese fast allein gewähren läßt, während sie dennoch sie unterstützt. Erkennt dies der Dichter an, so hat er zweitens nun einzusehen, daß Gedanken und Situationen, denen auch die leiseste und zurückhaltendste Unterstützung der Musik noch zudringlich und lästig erscheinen müßte, nur dem Geiste unsres modernen Schauspiels entnommen sein könnten, der in dem Kunstwerke der Zukunft ganz und gar keinen Raum zum Atmen mehr finden wird. Der Mensch, der im Drama der Zukunft sich darstellen wird, hat mit dem prosaisch intriganten, staatsmodegesetzlichen Wirrwarr, den unsre modernen Dichter in einem Schauspiele auf das

nur *alle gemeinsam*, und daher das *allgemeinste* Kunstwerk zugleich das einzig wirkliche, freie, d. h. das allgemein *verständliche* Kunstwerk.

V.
Der Künstler der Zukunft

Haben wir in allgemeinen Zügen das Wesen des Kunstwerkes angedeutet, in welchem alle Künste zu ihrer Erlösung durch allgemeinstes Verständnis aufzugehen haben, so fragt es sich nun, welche die Lebensbedingungen sein müssen, die dieses Kunstwerk und diese Erlösung als notwendig hervorrufen können. Wird es die verständnisbedürftige und nach Verständnis ringende moderne Kunst für sich, aus eigenem Ermessen und Vorausbedacht, nach willkürlicher Wahl der Mittel und mit überlegter Festsetzung des Modus der als notwendig erkannten Vereinigung, vermögen? Wird sie ein konstitutionelle Charte oktroyieren können, um zur Verständigung mit der sogenannten Umbildung des Volkes zu gelangen? Und wenn sie dies über sich bringt, wird diese Verständigung durch diese Konstitution wirklich ermöglicht werden? Kann die Kulturkunst von ihrem abstrakten Standpunkte aus *in das Leben* dringen, oder muß nicht vielmehr *das Leben in die Kunst* dringen, – das Leben aus sich heraus die ihm allein entsprechende Kunst *erzeugen,* in ihr *aufgehen,* – statt daß die Kunst (wohlverstanden: die *Kulturkunst*, die außerhalb des Lebens entstandene) aus sich *das Leben erzeuge* und in ihm *aufgehe?*

Verständigen wir uns zuerst darüber, *wen* wir uns unter dem Schöpfer des Kunstwerkes der Zukunft zu denken haben, um von ihm aus auf die Lebensbedingungen zu schließen, die ihn und sein Kunstwerk entstehen lassen können.

Wer also wird der *Künstler der Zukunft sein*?

Ohne Zweifel der Dichter*.

Wer aber wird der Dichter sein?

Unstreitig der *Darsteller*,

Wer wird jedoch wiederum der Darsteller sein?

Notwendig die *Genossenschaft aller Künstler*. –

cooperative

Umständlichste zu wirren und zu entwirren haben, durchaus nichts mehr zu tun: sein naturgesetzliches Handeln und Reden ist: Ja, ja! und Nein, nein! wogegen alles Weitere von Übel, d. h. modern, überflüssig ist.

* Den *Ton*dichter sei es uns gestattet als im *Sprach*dichter mit inbegriffen anzusehen, – ob persönlich oder genossenschaftlich, das gilt hier gleich.

Um Darsteller und Dichter naturgemäß entstehen zu sehen, stellen wir uns zuvörderst die künstlerische Genossenschaft der Zukunft vor, und zwar nicht nach willkürlichen Annahmen, sondern nach der notwendigen Folgerichtigkeit, mit der wir von dem Kunstwerke selbst auf diejenigen künstlerischen Organe weiter zu schließen haben, die es seinem Wesen nach einzig in das Leben rufen können. –

Das Kunstwerk der Zukunft ist ein gemeinsames, und nur aus einem gemeinsamen Verlangen kann es hervorgehen. Dieses Verlangen, das wir bisher nur, als der Wesenheit der einzelnen Kunstarten notwendig eigen, *theoretisch* dargestellt haben, ist *praktisch* nur in der *Genossenschaft aller Künstler* denkbar, und die *Vereinigung aller Künstler* nach Zeit und Ort, und zu *einem bestimmten Zwecke*, bildet diese Genossenschaft. Dieser bestimmte Zweck ist das *Drama*, zu dem sie sich alle vereinigen, um in der Beteiligung an ihm ihre besondere Kunstart zu der höchsten Fülle ihres Wesens zu entfalten, in dieser Entfaltung sich gemeinschaftlich alle zu durchdringen, und als Frucht dieser Durchdringung eben das lebendige, sinnlich gegenwärtige Drama zu erzeugen. Das, was allen ihre Teilnahme ermöglicht, ja was sie notwendig macht und was ohne diese Teilnahme gar nicht zur Erscheinung gelangen könnte, ist aber der eigentliche Kern des Dramas, *die dramatische Handlung*.

Die dramatische Handlung ist, als innerlichste Bedingung des Dramas, zugleich dasjenige Moment im ganzen Kunstwerk, welches das allgemeinste *Verständnis* desselben versichert. Unmittelbar dem (vergangenen oder gegenwärtigen) *Leben* entnommen, bildet sie gerade in dem Maße das verständnisgebende Band mit dem Leben, als sie der Wahrheit des Lebens am getreuesten entspricht, das Verlangen desselben nach seinem Verständnisse am geeignetsten befriedigt. Die dramatische Handlung ist somit der *Zweig vom Baume des Lebens*, der unbewußt und unwillkürlich diesem entwachsen, nach den Gesetzen des Lebens geblüht hat und verblüht ist, nun aber, von ihm abgelöst, *in den Boden der Kunst gepflanzt* wird, um zu neuem, schönerem, unvergänglichem Leben aus ihm zu dem üppigen Baume zu erwachsen, der dem Baume des wirklichen Lebens seiner inneren, notwendigen Kraft und Wahrheit nach vollkommen gleicht, dem Leben selbst gegenständlich geworden, diesem sein eigenes Wesen aber zur Anschauung bringt, das Unbewußtsein in ihm zum Bewußtsein von sich erhebt.

In der dramatischen Handlung stellt sich daher die Notwendigkeit des Kunstwerkes dar; ohne *sie*, oder ohne irgendwelchen Bezug auf sie, ist alles Kunstgestalten willkürlich, unnötig, zufällig, unverständlich. Der nächste und wahrhaftigste Kunsttrieb offenbart sich nur in dem Drange aus dem Leben heraus in das Kunstwerk, denn es ist der Drang, das Unbewußte, Unwillkürliche im Leben sich als notwendig zum Verständnis und zur Anerkennung zu bringen. Der Drang nach Verständigung setzt aber *Gemeinsamkeit* voraus: der Egoist hat sich mit niemand zu verständigen. Nur aus einem gemeinsamen Leben kann daher der Drang nach verständnisgebender Vergegenständlichung dieses Lebens im Kunstwerke hervorgehen; nur die Gemeinsamkeit der Künstler kann ihn aussprechen, nur gemeinschaftlich können diese ihn befriedigen. Er befriedigt sich aber nur in der getreuen Darstellung einer dem Leben entnommenen Handlung: zur künstlerischen Darstellung geeignet kann nur eine solche Handlung sein, die im Leben bereits zum Abschlusse gekommen ist, über die als reine Tatsache kein Zweifel mehr vorhanden ist, von der willkürliche Annahmen über ihren nur möglichen Abschluß nicht mehr sich bilden können. Erst an dem im Leben Vollendeten vermögen wir die Notwendigkeit seiner Erscheinung zu fassen, den Zusammenhang seiner einzelnen Momente zu begreifen: eine Handlung ist aber erst vollendet, wenn der *Mensch*, von dem diese Handlung vollbracht wurde, der im Mittelpunkt einer Begebenheit stand, die er als fühlende, denkende und wollende Person nach seinem notwendigen Wesen leitete, willkürlichen Annahmen über sein mögliches Tun ebenfalls nicht mehr unterworfen ist; diesen unterworfen ist aber ein Mensch, so lange er *lebt*: erst mit seinem Tode ist er von dieser Unterworfenheit befreit, denn wir wissen nun alles, was er tat und was er war. Diejenige Handlung muß der dramatischen Kunst als geeignetster und würdigster Gegenstand der Darstellung erscheinen, die mit dem Leben der sie bestimmenden Hauptperson zugleich abschließt, deren Abschluß in Wahrheit kein anderer ist, als der Abschluß des Lebens dieses Menschen selbst. Nur *die* Handlung ist eine vollkommen wahrhafte und ihre Notwendigkeit uns klar dartuende, an deren Vollbringung ein Mensch die ganze Kraft seines Wesens setzte, die ihm so notwendig und unerläßlich war, daß er mit der ganzen Kraft seines Wesens in ihr aufgehen mußte. Davon überzeugt er uns auf das Unwiderleglichste aber nur dadurch, daß er in der Geltendmachung der Kraft seines Wesens wirklich *persönlich unterging*, sein persönliches Drama um der entäußerten Notwendigkeit seines Wesens willen wirklich aufhob; daß er die Wahrheit seines Wesens nicht nur in seinem Handeln allein, – was uns, so lange er handelt, noch willkürlich erscheinen darf –, sondern mit dem vollbrachten Opfer seiner Persönlichkeit zu gunsten dieses notwendigen Handelns, uns bezeugt. Die letzte, vollständigste Entäußerung seines persönlichen Egoismus, die Darlegung seines vollkommenen Aufgehens in die Allgemeinheit, gibt uns ein Mensch nur mit seinem Tode kund, und zwar nicht mit seinem *zufälligen*, sondern seinem *notwendigen*, dem durch sein Handeln aus der Fülle seines Wesens bedingten Tode.

Die *Feier eines solchen Todes ist die würdigste, die von Menschen begangen werden kann.* Sie erschließt uns nach dem, durch jenen Tod erkannten, Wesen dieses *einen Menschen* die Fülle des Inhaltes des menschlichen Wesens überhaupt. Am vollkommensten versichern wir uns des Erkannten aber in der bewußtvollen *Darstellung* jenes Todes selbst, und, um ihn uns zu erklären, durch die Darstellung derjenigen Handlung, deren notwendiger Anschluß jener Tod war. Nicht in den widerlichen Leichenfeiern, wie wir sie in unserer christlich-modernen Lebensweise durch beziehungslose Gesänge und banale Kirchhofsreden begehen, sondern durch die künstlerische Wiederbelebung der Toten, durch lebensfreudige Wiederholung und Darstellung seiner Handlung und seines Todes im dramatischen Kunstwerke werden wir die Feier begehen, die uns Lebendige in der Liebe zu dem Geschiedenen hoch beglückt und sein Wesen zu dem unsrigen macht.

Ist das Verlangen nach dieser dramatischen Feier in der ganzen Künstlerschaft vorhanden, und kann nur der Gegenstand ein würdiger und den Drang zu seiner Darstellung rechtfertigender sein, der uns *gemeinschaftlich* diesen Drang erweckt; so hat doch die *Liebe*, die allein als tätige und ermöglichende Kraft hierbei gedacht werden kann, ihren unergründlich tiefen Sitz in dem Herzen jedes Einzelnen, in welchem sie, nach der besonderen Eigentümlichkeit der Individualität dieses Einzelnen, wiederum zu besonderer treibender Kraft gelangt. Diese besonders treibende Kraft der Liebe wird sich am drängendsten immer in dem Einzelnen kundgeben, der seinem Wesen nach, überhaupt oder gerade in dieser bestimmten Periode seines Lebens, sich diesem einen bestimmten Helden am verwandtesten fühlt, durch Sympathie das Wesen dieses Helden sich am besondersten zu eigen macht, und seine künstlerischen Fähigkeiten am geeignetsten dazu ermißt, gerade diesen Helden durch seine Darstellung für sich, seine Genossenschaft und die Gemeinsamkeit überhaupt, zu überzeugender Erinnerung wieder zu beleben. *Die Macht der Individualität* wird sich nie geltender machen als in der freien künstlerischen Genossenschaft, weil die Anregung zu gemeinsamen Entschlüssen gerade nur von demjenigen ausgehen kann, in dem die Individualität so kräftig sich ausspricht, daß sie zu gemeinsamen *freien* Entschlüssen zu bestimmen vermag. Diese Macht der Individualität wird gerade nur in den ganz besonderen, bestimmten Fällen auf die Genossenschaft wirken können, wo sie *wirklich*, nicht erkünstelt, sich geltend zu machen weiß. Eröffnet ein künstlerischer Genosse seine Absicht, diesen einen Helden darzustellen, und begehrt er hierzu die, seine Absicht einzig ermöglichende, gemeinsame Mitwirkung der Genossenschaft, so wird er seinem Verlangen nicht eher entsprochen sehen, als bis es ihm gelungen ist, die Liebe und Begeisterung für sein Vorhaben zu erwecken, die ihn selbst beleben, und die er nur mitzuteilen vermag, wenn seiner Individualität die dem besonderen Gegenstande entsprechende Kraft zu eigen ist.

Hat der Künstler durch die Energie seiner Begeisterung seine Absicht zu einer *gemeinsamen* erhoben, so ist von da an das künstlerische Unternehmen *ebenfalls ein gemeinsames*; wie aber die darzustellende dramatische Handlung ihren Mittelpunkt in dem *Helden* dieser Handlung hat, so behält das gemeinsame Kunstwerk auch seinen Mittelpunkt in dem *Darsteller* dieses Helden: seine Mitdarsteller und sonst Mitwirkenden verhalten sich im *Kunstwerke* zu ihm so, wie die mithandelnden Personen, – diejenigen also, an denen der Held als an den Gegenständen und Gegensätzen seines Wesens seine Handlung kundgab, – sowie die allgemeine menschliche und natürliche Umgebung, sich im *Leben* zu dem Helden verhielten, nur mit dem Unterschiede, daß vom darstellenden Helden mit *Bewußtsein* gestaltet und geordnet wird, was dem wirklichen Helden sich *unwillkürlich* darstellte. Der Darsteller wird in seinem Drange nach künstlerischer Reproduktion der Handlung somit *Dichter*. Er ordnet nach künstlerischem Maße seine eigene Handlung, sowie alle lebendigen gegenständlichen Beziehungen zu seiner Handlung. Aber nur in dem Grade erreicht er seine eigene Absicht, als er sie zu einer gemeinsamen erhoben hat, als jeder Einzelne in dieser gemeinsamen Absicht aufzugehen verlangt, – genau also in dem Maße, in welchem er vor allem seine besondere persönliche Absicht selbst auch in der gemeinsamen aufzugeben vermag, und so gewissermaßen im Kunstwerke die Handlung des gefeierten Helden nicht nur *darstellt*, sondern sie *moralisch* durch sich selbst *wiederholt*, indem er nämlich durch dieses Aufgeben seiner Persönlichkeit beweist, daß er auch in *sei-*

---

* Wie wir hierbei das *tragische* Element des Kunstwerkes der Zukunft in seiner Entwicklung aus dem Leben und durch die künstlerische Genossenschaft be-

ner künstlerischen Handlung eine notwendige, die ganze Individualität seines Wesen verzehrende Handlung vollbringt*.

Die *freie künstlerische Genossenschaft* ist daher der Grund und die Bedingung des Kunstwerkes selbst. Aus ihr geht der *Darsteller* hervor, der in der Begeisterung an diesem einen, seiner Individualität besonders entsprechenden Helden, sich bis zum *Dichter*, zum *künstlerischen Gesetzgeber* der Genossenschaft erhebt, um von dieser Höhe vollkommen wieder in die Genossenschaft aufzugehen. Das Wirken dieses Gesetzgebers ist daher immer nur ein *periodisches*, das nur auf den einen besonderen, von ihm aus seiner Individualität angeregten, und zum gemeinsamen künstlerischen Gegenstand erhobenen Fall sich zu erstrecken hat; es ist daher keineswegs ein auf *alle* Fälle sich ausdehnendes. Die Diktatur des dichterischen Darstellers ist naturgemäß zugleich mit der Erreichung seiner Absicht zu Ende, eben dieser Absicht, die er zu einer gemeinsamen erhoben hatte und in die er aufging, sobald sie als eine gemeinsame sich der Gemeinsamkeit mitteilte. Jeder einzelne Genosse vermag sich zur Ausübung dieser Diktatur zu erheben, wenn er eine besondere, seiner Individualität in dem Maße entsprechende Absicht kundzugeben hat, daß er sie zu einer gemeinschaftlichen zu erheben vermag; denn in derjenigen künstlerischen Genossenschaft, die zu keinem anderen Zwecke, als zu dem der Befriedigung gemeinschaftlichen Kunstdranges sich vereinigt, kann unmöglich je etwas Anderes zu maßgebender, gesetzlicher

---

rührt haben, so dürfen wir auf das *komische* Element desselben durch Umkehrung derjenigen Bedingungen schließen, welche das tragische als notwendig zur Erscheinung brachten. Der Held der Komödie wird der umgekehrte Held der Tragödie sein: wie dieser als Kommunist, d. h. als einzelner, der durch die Kraft seines Wesens aus innerer, freier Notwendigkeit in der Allgemeinheit aufgeht, sich unwillkürlich nur auf seine Umgebung und Gegensätze bezog, so wird jener als Egoist, als Feind der Allgemeinheit, sich dieser zu entziehen oder sie willkürlich auf sich allein zu beziehen streben, in diesem Streben aber von der Allgemeinheit in den mannigfaltigsten und abwechselndsten Gestalten bekämpft, gedrängt und endlich besiegt werden. Der Egoist wird *gezwungen* in die Allgemeinheit aufgehen, *diese* daher die eigentliche handelnde, vielfache Person sein, die dem immer handeln wollenden, nie aber könnenden, Egoisten so lange als willkürlich wechselnder Zufall erscheint, bis sie im gedrängtesten Kreise ihn umschließt, und er, ohne Luft zum weiteren eigensüchtigen Atmen, seine letzte Rettung endlich nur in der unbedingtesten Anerkennung ihrer Notwendigkeit ersieht. Die künstlerische Genossenschaft, als Repräsentant der Allgemeinheit, wird somit in der Komödie einen noch unmittelbareren Anteil an der Dichtung selbst haben, als in der Tragödie.

Bestimmung gelangen, als das, was die gemeinschaftliche Befriedigung herbeiführt, also die Kunst selbst und die Gesetze, welche, in der Vereinigung des Individuellen mit dem Allgemeinen, ihre vollkommensten Erscheinungen ermöglichen. –

In der gemeinschaftlichen Vereinigung der Menschen der Zukunft werden dieselben Gesetze *innerer* Notwendigkeit einzig als bestimmend sich geltend machen. Eine natürliche, nicht gewaltsame, Vereinigung einer größeren oder geringeren Anzahl von Menschen kann nur durch ein, diesen Menschen gemeinsames Bedürfnis hervorgerufen werden. Die Befriedigung dieses Bedürfnisses ist der alleinige Zweck der gemeinschaftlichen Unternehmung: nach diesem Zwecke richten sich die Handlungen jedes Einzelnen, so lange das gemeinsame Bedürfnis zugleich das stärkste ihm selbst eigene ist; und dieser Zweck gibt dann ganz von selbst die Gesetze für das gemeinschaftliche Handeln ab. Diese Gesetze sind nämlich selbst nichts Anderes, als die zur Erreichung des Zweckes dienlichsten Mittel. Das Erkennen der zweckdienlichsten Mittel ist demjenigen versagt, der zu diesem Zwecke durch kein wahres notwendiges Bedürfnis gedrängt wird: da wo dies aber vorhanden ist, entspringt das richtigste Erkennen dieser Mittel aus der Kraft des Bedürfnisses ganz von selbst, und namentlich eben durch die Gemeinsamkeit dieses Bedürfnisses. Natürliche Vereinigungen haben daher auch gerade nur so lange einen natürlichen Bestand, als das ihnen zu grunde liegende Bedürfnis ein gemeinsames und seine Befriedigung eine noch zu erstrebende ist: ist der Zweck erreicht, so ist diese Vereinigung, *mit* dem Bedürfnisse, das sie hervorrief, gelöst, und erst aus neu entstehenden Bedürfnissen entstehen auch wieder neue Vereinigungen derjenigen, denen wiederum diese neuen Bedürfnisse gemeinsam sind. Unsere modernen *Staaten* sind insofern die unnatürlichsten Vereinigungen der Menschen, weil sie, an und für sich nur durch äußere Willkür, z. B. dynastische Familieninteressen, entstanden, eine gewisse Anzahl von Menschen *ein- für allemal* zu einem Zwecke zusammenspannen, der einem ihnen gemeinsamen Bedürfnisse entweder nie entsprochen hat, oder unter der Veränderung der Zeiten ihnen allen doch keineswegs mehr gemeinsam ist. – *Alle* Menschen haben nur *ein* gemeinschaftliches Bedürfnis, welches jedoch nur seinem allgemeinsten Inhalte nach ihnen gleichmäßig inne wohnt: das ist das Bedürfnis *zu leben* und *glücklich zu sein.* Hierin liegt das natürliche Band aller Menschen; ein Bedürfnis, dem die reiche Natur der Erde vollkommen zu entsprechen vermag. Die besonderen Bedürfnisse, wie sie nach Zeit, Ort und Individualität sich kundgeben und steigern, können in dem vernünftigen Zustande der zukünftigen Menschheit allein die Grundlage der besonderen Vereinigungen abgeben, welche in ihrer Totalität die Gemeinschaft *aller* Menschen ausmachen. Diese Vereinigungen werden gerade so wechseln, neu sich gestalten, sich lösen und wiederum knüpfen, als die Bedürfnisse wechseln und wiederkehren; sie werden von Dauer sein, wo sie materieller Art sind, auf den gemeinschaftlichen Grund und Boden sich beziehen, und überhaupt den Verkehr der Menschen in so weit betreffen, als dieser aus gewissen, sich gleichbleibenden, örtlichen Bestimmungen als notwendig erwächst; sie werden sich aber immer neu gestalten, in immer mannigfaltigerem und regerem Wechsel sich kundgeben, je mehr sie aus allgemeineren höheren, geistigen Bedürfnissen hervorgehen. Der starren, nur durch äußeren Zwang erhaltenen, staatlichen Vereinigung unserer Zeit gegenüber werden die *freien* Vereinigungen der Zukunft in ihrem flüssigen Wechsel bald in ungemeiner Ausdehnung, bald in feinster naher Gliederung das zukünftige menschliche Leben selbst darstellen, dem der rastlose Wechsel mannigfaltigster Individualitäten unerschöpflich reichen Reiz gewährt, während das gegenwärtige Leben* in seiner modisch-polizeilichen Einförmigkeit das leider nur zu getreue Abbild des modernen *Staates*, mit seinen *Ständen, Anstellungen, Standrechten, stehenden* Heeren – und was sonst noch alles in ihm *stehen* möge – darstellt.

Keine Vereinigungen werden aber einen reicheren, ewig erfrischenderen Wechsel haben, als die *künstlerischen*, weil jede Individualität in ihnen, sobald sie sich dem Geiste der Gemeinsamkeit entsprechend zu geben weiß, durch sich und ihre gegenwärtig dargetane Absicht, zur Ermöglichung dieser *einen* Absicht, eine neue Vereinigung hervorruft, indem sie ihr besonderes Bedürfnis zu dem Bedürfnisse einer, soeben aus diesem Bedürfnisse entstehenden, Vereinigung erweitert. Jedes in das Leben tretende dramatische Kunstwerk wird somit das Werk einer neuen, vorher noch nie dagewesenen und so nie sich wiederholenden, Vereinigung von Künstlern sein: ihre Vereinigung wird von dem Augenblicke an bestehen, wo der dichterische Darsteller des Helden seine Absicht zur gemeinsamen der ihm nötigen Genossenschaft erhob, und in dem Augenblicke wird sie ausgelöst sein, wo diese Absicht erreicht ist.

Auf diese Weise kann nichts starr und stehend in dieser künstlerischen Vereinigung werden: sie findet nur zu diesem einen heute

---

* Und namentlich auch unser modernes Theaterinstitut.

erreichten Zwecke der Feier dieses einen bestimmten Helden statt, um morgen unter ganz neuen Bedingungen, durch die begeisternde Absicht eines ganz verschiedenen anderen Individuums, zu einer neuen Vereinigung zu werden, die ebenso unterschieden von der vorigen ist, als sie nach den *ganz besonderen Gesetzen* ihr Werk zu tage fördert, die, als zweckdienlichste Mittel zur Verwirklichung der neu aufgenommenen Absicht, sich ebenfalls als neu und ganz so noch nie dagewesen ergeben.

So und nicht anders muß die Künstlerschaft der Zukunft beschaffen sein, sobald sie eben kein anderer Zweck, als das *Kunstwerk*, vereinigt. Wer wird demnach aber der *Künstler der Zukunft* sein? Der Dichter? Der Darsteller? Der Musiker? Der Plastiker? – Sagen wir es kurz: *das Volk*. Das *selbige Volk, dem wir selbst heutzutage das in unserer Erinnerung lebende, von uns mit Entstellung nur nachgebildete, einzige wahre Kunstwerk, dem wir die Kunst überhaupt einzig verdanken.*

(...)

Das Künstlertum der Zukunft

Zum Prinzip des Kommunismus

Welchen endlichen, positiven Zweck haben doch alle die durch Sage und Geschichte, Religion und Staatsverfassung sich kundgebenden Bestrebungen, göttliche und dann sonstwie herkömmliche Berechtigungen für willkürlichen Besitz und das Eigentum aufzufinden? Sehen wir einen Eroberer, einen gewaltsamen Anmaßer, Volk oder Individuum, der sein willkürliches Sichaneignen nicht auf religiöse, mythische oder irgendwie aufgefrischte vertragsmäßige Rechtfertigungen zu begründen sucht? Woher all diese so überraschenden Erfindungen, Deutungen usw., denen wir die Gestaltungen von Religionen und Staatsverfassungen *allein* zu verdanken haben? Unstreitig daher, weil der nachdenkende Mensch keine wirkliche Berechtigung, kein wahrhaftes natürliches Recht auf diesen oder jenen Besitz usw. sich zusprechen konnte, daher, um ein doch gefühltes und ängstigendes Berechtigungsbedürfnis zu befriedigen, sich der Ausschweifung der Phantasie überlassen mußte, die denn auch in unsren heutigen Staatsinstitutionen, so nüchtern sie aussehen, zum Hohn der gesunden Vernunft ihre Ausgeburten niedergelegt hat.

*

Ihr glaubt, mit dem Untergange unsrer jetzigen Zustände und mit dem Beginn der neuen, kommunistischen Weltordnung würde die Geschichte, das geschichtliche Leben der Menschen aufhören? Gerade das Gegenteil, denn dann wird wirkliches, klares geschichtliches Leben erst beginnen, wenn die bisherige sogenannte historische Konsequenz aufhört, welche sich in Wahrheit und ihrem Kerne nach auf Fabel, Tradition, Mythus und Religion begründet, auf Herkommen und Einrichtungen, Berechtigungen und Annahmen, die in ihren äußersten Punkten keineswegs auf geschichtliches Bewußtsein, sondern auf (meist willkürlich) mythischer, phantastischer Erfindung beruhen, wie namentlich die Monarchie und der erbliche Besitz.

Das Streben nach ideeller Rechtfertigung eines unregelmäßigen Besitzes entsteht immer erst da, wo das unmittelbare Geschlechts- oder persönliche Anrecht sich gleichsam aus dem Blute des Menschen verwischt hat. Im Anfang leitete der Mensch von sich, seinem Bedürfnis und seiner Genußfähigkeit einzig alles Recht auf Genuß oder Besitz ab: seiner Kraft war sein Recht, und insofern sie auf seine Nachkommenschaft überging, blieb bei seinem Geschlechte ganz folgerichtig auch das Recht; das Geschlecht trat für die Person ein; immer aber war es bei der Geschlechtsverfassung der Mensch, der voranstand und die Sache sich untertan machte: der vollkommene Gegensatz ist endlich der, wo das Recht von der Sache auf den Menschen übertragen wird: der Mensch hat an und für sich demnach gar kein Recht, nicht einmal das des Existierens, sondern dies erhält er einzig erst durch den Besitz, durch die Sache; diesem unvernünftigen Verhältnisse nun eine Begründung zu verschaffen, wird nach ideellen Berechtigungsgründen gegriffen, welche der Eigenschaft der *Sachen* gleichsam innewohnen sollen.

*

Nur das vollste Maß zeigt die wirkliche Eigenschaft einer Sache wie eines Begriffs; erst wenn kein Komparativ mehr zu denken ist, ist der Begriff rein und wirklich: die Griechen kannten den Superlativ des *Freien* nicht, – erst durch den Superlativ des Gegensatzes, der Entmenschlichung, kommen wir jetzt zur vollen Kenntnis, weil zum vollsten Bedürfnis der Freiheit. – Die Natur gibt uns schlechtweg den Positiv: erst die Geschichte gibt den Superlativ. Der Hellene zeigt uns das Herrliche, was der Mensch sein kann, er zeigt uns aber auch das Schändliche, was er sein kann: daß der Mensch ganz das nur ist, was er sein soll, muß er dies »soll« in den Superlativ stellen.

*

Das Bewußtsein ist das Ende, die Auflösung des Unbewußtseins: die unbewußte Tätigkeit ist aber die Tätigkeit der Natur, der inneren Notwendigkeit; erst wenn das Resultat dieser Tätigkeit sinnlich zur Erscheinung gekommen ist, tritt – und zwar eben an der sinnlichen Erscheinung – das Bewußtsein ein. Ihr irrt nun also, wenn ihr die revolutionäre Kraft im Bewußtsein sucht, – und demnach durch die Intelligenz wirken wollt: eure Intelligenz ist falsch und willkürlich – solang sie nicht die Wahrnehmung des bereits zur sinnlichen Erscheinung Gereiften ist. Nicht ihr, sondern das Volk, – das – unbewußt – deshalb aber eben aus Naturtrieb handelt, – wird das Neue zustande bringen; die Kraft des Volkes ist aber eben noch so lange gelähmt, als es von einer veralteten Intelligenz, von einem hemmenden Bewußtsein sich fesseln und leiten läßt: erst wenn diese vollständig von und in ihm vernichtet sind, – erst wenn wir alle wissen und begreifen, daß wir nicht unsrer Intelligenz, sondern der Notwendigkeit der Natur uns überlassen müssen, wenn wir also so kühn geworden sind, unsre Intelligenz zu verneinen, erhalten wir alle die Kraft aus natürlichem Unbewußtsein, aus der Not heraus das Neue zu produzieren, den Drang der Natur durch seine Befriedigung uns zum Bewußtsein zu bringen.

*

Die vollkommenste Befriedigung des Egoismus erreicht sich im Kommunismus, d. h. durch vollständige Verneinung, Aufhebung des Egoismus, denn ein Bedürfnis ist nur dann befriedigt, wenn es nicht mehr vorhanden ist, – der Hunger ist befriedigt, wenn er gestillt, also nicht mehr da ist. Meinen *physischen* Egoismus, d. h. mein Lebensbedürfnis, befriedige ich der Natur gegenüber durch Verzehren, Nehmen; meinen moralischen Egoismus, d. h. mein Liebesbedürfnis den Menschen gegenüber durch mich Geben, mich Versenken. Der moderne Egoismus hat das entsetzlich Widerliche, daß er das moralische wie das physische Bedürfnis nur durch Verzehren, Nehmen zu stillen vermeint, – daß er die gleiche Gattung des Menschen in die Kategorie der außermenschlichen Natur stellt. –

*

Das durch Naturnotwendigkeit zur sinnlich dargestellten Gewißheit Gelangte kann uns erst Gegenstand sein, an ihm erst tritt das Bewußtsein ein; nur das Fertige weiß ich, nur was meinen Sinnen sich darstellt, darüber bin ich gewiß: an ihm auch nur wird mir das Wesen deutlich, ich kann es erfassen, mich seiner bemächtigen und als Kunstwerk es mir darstellen. Das Kunstwerk ist somit der Schluß, das Ende, die vollste Vergewisserung des mir bewußt gewordenen Wesens. – Irrtümlich ist aber das Kunstwerk in das stets werdende und neu schaffende Leben gesetzt worden, und zwar als: Staat. Die Erscheinung des Staates tritt gerade da ein, wo das Kunstwerk aufhörte: das tägliche Leben selbst kann aber nicht der Gegenstand bindender, auf Dauer berechneter Formung sein: das Gesamtleben ist eben das bewußtlose Walten der Natur selbst, es hat sein Gesetz in der Notwendigkeit: diese Notwendigkeit sich aber in politischen Staatsformen als bindend zur Darstellung bringen zu wollen, ist unseliger Irrtum, eben weil das Bewußtsein nicht vorangestellt werden kann, um so gleichsam das Unbewußtsein zu regeln: das Unbewußte ist eben das Unwillkürliche, Notwendige und Schöpferische. – erst wenn ein allgemeines Bedürfnis aus dieser unwillkürlichen Notwendigkeit heraus sich befriedigt hat, tritt das Bewußtsein hinzu, und das Befriedigte, Vergangene kann Gegenstand bewußter Behandlung durch Darstellung sein; dies erreicht sich aber in der Kunst und nicht im Staat: der Staat ist der Damm des notwendigen Lebens, die Kunst ist der bewußte Ausdruck des durch das Leben Vollendeten, Überwundenen: solange ich Hunger empfinde, beachte ich die Natur des Hungers nicht: er beherrscht mich, nicht ich ihn; ich leide und bin erst wieder frei, wenn ich mich seiner entledigt habe, – und erst wenn ich satt bin, kann mir der Hunger Gegenstand des Denkens, des Bewußtseins werden. Der Staat will aber das Leben, das Bedürfnis selbst darstellen: er will das Wissen von der Befriedigung eines früheren Bedürfnisses als Norm für die Befriedigung aller zukünftigen Bedürfnisse festhalten: dies ist sein unnatürliches Wesen. Die Kunst begnügt sich dagegen damit, der unmittelbare Ausdruck des Bewußtseins von der Befriedigung einer Notwendigkeit zu sein, – diese Notwendigkeit ist aber das Leben selbst, das der Staat nur hindern, nie aber beherrschen kann.

*

Die Kunst befaßt sich nur mit dem Vollendeten, – der Staat auch – aber mit der Anmaßung, es als Norm für die Zukunft festzuhalten, die ihm doch nicht gehört, sondern dem Leben, der Unwillkür. Die Kunst ist daher wahr und aufrichtig, – der Staat verwickelt sich in Lügen und Widersprüche, – die Kunst will nicht mehr sein, als sie sein kann – der Ausdruck der Wahrheit, – der Staat will mehr sein, als er sein kann; – so ist die Kunst ewig, weil sie das Endliche stets getreu und redlich darstellt – der Staat endlich, weil er den Moment für die Ewigkeit setzen will, und in sich daher tot ist, ehe er noch ins Leben tritt.

166

*

Der eigentliche Erfinder war von jeher nur das Volk, – die namhaften einzelnen sogenannten Erfinder haben nur das bereits entdeckte Wesen der Erfindung auf andere, verwandte Gegenstände übertragen, – sie sind nur Ableiter. Der Einzelne kann nicht erfinden, sondern sich nur der Erfindung bemächtigen.

*

Wir dürfen nur wissen, was wir *nicht* wollen, so erreichen wir aus unwillkürlicher Naturnotwendigkeit ganz sicher das, was wir wollen, das uns eben erst ganz deutlich und bewußt wird, wenn wir es erreicht haben: denn der Zustand, in dem wir das, was wir nicht wollen, beseitigt haben, ist eben derjenige, in welchem wir ankommen wollten. So handelt das Volk, und deshalb handelt es einzig richtig. – Ihr haltet es aber deshalb für unfähig, weil es *nicht* wisse, was es wolle: was *wisset* nun aber ihr? könnt ihr etwas anderes denken und begreifen, als das wirklich Vorhandene, also Erreichte? Einbilden könnt ihr es euch, – willkürlich wähnen, aber nicht wissen. Nur was das Volk vollbracht hat, das könnt ihr wissen, bis dahin genüge es euch, ganz deutlich zu erkennen, was ihr nicht wollt, zu verneinen, was verneinenswert ist, zu vernichten, was vernichtenswert ist.

*

Wer ist denn das Volk? Alle diejenigen, welche Not empfinden, und ihre eigene Not als die gemeinsame Not erkennen, oder sie in ihr inbegriffen fühlen.

*

Das Volk sind also die, die unwillkürlich und nach Notwendigkeit handeln; seine Feinde sind die, die sich von dieser Notwendigkeit trennen und nach Willkür egoistisch handeln.

*

Der moderne Egoist kann die innere Not nicht fassen, er versteht sie nur als äußere, von außen eindrängende Not: z. B. der Künstler würde nicht Kunst machen, wenn ihn nicht die Not, d. h. die Geld-

167

not, dazu triebe. Deshalb sei es auch gut, daß es Künstlern schlecht gehe, sie würden sonst nichts arbeiten.

*

Nur eine Not, die ihrem Wesen nach eine *gemeinsame* ist, ist auch eine wirkliche, in ihrem Verlangen nach Befriedigung schöpferische Not: nur wer daher eine gemeinsame Not fühlt, gehört zum Volk. Die Not des Egoisten ist ein isoliertes, der gemeinsamen Notdurft entgegenstehendes Bedürfnis, und deshalb unproduktiv, weil willkürlich.

*

Nur das Sinnliche ist auch sinnig: das Unsinnliche ist auch unsinnig: das Sinnige ist die Vollkommenheit des Sinnlichen; – das Unsinnige der wahre Gehalt des Unsinnlichen.

*

Die bewußte Tat des Dichters ist: in dem zur künstlerischen Darstellung erwählten Stoffe die Notwendigkeit seiner Fügung aufzudecken und so der Natur nachzuarbeiten: er möge wählen, welchen Stoff, welchen Vorfall er wolle, – nur in dem Grade wird er in seiner Darstellung ein Kunstwerk liefern, als er die Unwillkürlichkeit, d. i. die Notwendigkeit darin erkennt und zur Anschauung bringt. – Was daher das Volk, die Natur durch sich selbst produziert, kann erst dem Dichter Stoff werden, durch ihn aber gelangt das Unbewußte in dem Volksprodukte zum Bewußtsein, und er ist es, der dem Volke dies Bewußtsein mitteilt. In der Kunst also gelangt das unbewußte Leben des Volkes sich zum Bewußtsein, und zwar deutlicher und bestimmter als in der Wissenschaft.

*

Schaffen kann also der Dichter nicht, sondern nur das Volk, oder der Dichter nur insofern, als er die Schöpfung des Volkes begreift und ausspricht, darstellt.

*

168

Nur die Wissenschaft, die sich ganz und vollkommen selbst verleugnet und der Natur alle und jede Gültigkeit zugesteht, also nur die natürliche Notwendigkeit bekennt, sich selbst dadurch als Reglerin und Anordnerin aber gänzlich vernichtet, verneint, – nur diese Wissenschaft ist wahr: die Wahrheit der Wissenschaft beginnt also da, wo sie ihrem Wesen nach aufhört und nur als das Bewußtsein der natürlichen Notwendigkeit übrig bleibt. Die Darstellerin dieser Notwendigkeit ist aber – die Kunst.

*

Die Wissenschaft hat nur so lange Macht und Interesse, als in ihr *geirrt* wird: sobald in ihr das Wahre gefunden ist, hört sie auf: sie ist daher das Werkzeug, das nur so lange von Wichtigkeit ist, als der Stoff, auf dessen Gestaltung es nur ankommt, dem Werkzeuge noch widersteht: – ist der Kern des Stoffes enthüllt, so verliert das Werkzeug für mich allen Wert: so die Philosophie.

*

Die Wissenschaft ist die höchste Kraft des menschlichen Geistes; der Genuß dieser Kraft aber ist die Kunst.

*

Der Irrtum (Christentum) ist notwendig, nicht aber die Notwendigkeit selbst: die Notwendigkeit ist die Wahrheit, welche überall als treibende – selbst den Irrtum treibende – Kraft hervortritt, wo der Irrtum sein Ziel erreicht, sich selbst vernichtet hat und zu Ende ist. Der Irrtum ist daher endlich, die Wahrheit ewig: so ist die Wissenschaft endlich und die Kunst ewig: denn wo die Wissenschaft ihr Ende findet, im Erkennen des Notwendigen, des Wahren, da tritt die Kunst als tätige Wirksamkeit der Wahrheit ein, denn sie ist das Bild des Wahren, des Lebens.

*

Wollen kann ich alles – ausführen aber nur das, was wahr und notwendig ist; der sich von der Gemeinsamkeit abhängig Machende will daher nur das Notwendige der von der Gemeinsamkeit sich Abziehende – der Egoist, – das Willkürliche. Die Willkür vermag deshalb aber eben nichts zu produzieren.

Vom Irrtum ging die Wissenschaft aus: der Irrtum der griechischen Philosophen war aber nicht kräftig genug zur Selbstvernichtung; erst der große Volksirrtum des Christentums hatte die ungeheuere Wucht, sich selbst zu vernichten. Auch hier ist also das Volk die entscheidende Kraft.

*

Alles wächst aus dem Leben. Als sich der Polytheismus faktisch durch das Leben vernichtet hatte, und die Philosophen ihn wissenschaftlich zerstören halfen, trat die neue Schöpfung von selbst im Christentum hervor. Das Christentum war die Geburt des Volkes; solange es ein rein populärer Ausdruck war, war in ihm alles kräftig, wahr und ehrlich – ein notwendiger Irrtum: unwillkürlich zwang diese populäre Erscheinung alle Intelligenz und Bildung der römisch-griechischen Welt zur Bekehrung zu ihm, und erst als es dadurch wieder zum Gegenstande der Intelligenz, der Wissenschaft, ward, zeigte sich in ihm der Irrtum unredlich, heuchlerisch, als Theologie – wo die Theologie nicht weiter konnte, trat die Philosophie ein, und diese endlich hebt sich selbst auf, indem sie den Irrtum in sich, auf einer unnatürlichsten Höhe vernichtet, sich selbst – als Wissenschaft – verneint und der Natur und Notwendigkeit nur noch die Ehre läßt: – und siehe da, als die Wissenschaft so weit ist, stellt sich von selbst bereits der populäre Ausdruck ihres Resultates im Kommunismus heraus, der wiederum nur aus dem Volk entsprungen ist.

*

Der Irrtum des Volkes ist aber nur die tatsächliche Bestätigung, das Bekenntnis des Grades des allgemeinen Möglichen; deshalb wechselt er auch und löst sich, weil die Menschheit heute nicht mehr dieselbe ist, die sie z. B. vor hundert Jahren war. Dieser Irrtum ist daher redlich, weil unwillkürlich.

*

Was der Mensch der Natur ist, das ist das Kunstwerk dem Menschen: alle für das Dasein der Menschen nötigen Bedingungen erzeugten den Menschen; der Mensch ist das Produkt des unbewußten unwillkürlichen Zeugens der Natur; in ihm selbst aber, in seinem Dasein und Leben – als einem von der Natur wiederum unterschiedenen – stellt sich das Bewußtsein überhaupt aber heraus. Ebenso nun, wie aus dem unwillkürlichen, notwendig gestaltenden Leben der Menschen die Bedingungen, unter denen das Kunstwerk vorhanden sein kann, tritt auch das Kunstwerk ganz so von selbst, als bewußtes Zeugnis dieses Lebens, hervor: es entsteht, sobald es entstehen kann, dann aber auch mit Notwendigkeit.

*

Das Leben ist die unbewußte Notwendigkeit, die Kunst die erkannte und mit Bewußtsein dargestellte, vergegenständlichte Notwendigkeit: das Leben ist unmittelbar, die Kunst mittelbar.

*

Nur wo ein Lebensbedürfnis auf die einzig mögliche Weise – nämlich sinnlich – gestillt, daher auch sein Wesen sinnlich zur Erscheinung gekommen ist, wird die Kunst vorhanden sein können: denn volles Bewußtsein ist nur in der Sinnlichkeit: – das Christentum war dagegen unkünstlerisch – und die einzigen christlichen Künstler sind eigentlich die Kirchenväter, welche den naiven, populären, kernhaften Volksglauben rein und unentstellt darstellten.

*

Der Mensch, wie er der Natur gegenüber steht, ist willkürlich und deshalb unfrei: aus seiner Entgegengesetztheit, seinem willkürlichen Zwiespalt mit ihr, sind all seine Irrtümer (in Religion und Geschichte) hervorgegangen: erst wenn er die Notwendigkeit in den natürlichen Erscheinungen und seinen unlösbaren Zusammenhang mit ihr begreift und sich ihrer bewußt wird, ihren Gesetzen sich fügt, wird er frei. So der Künstler dem Leben gegenüber; so lange er wählt, willkürlich verfährt, ist er unfrei; erst wenn er die Notwendigkeit des Lebens erfaßt, vermag er sie auch darzustellen: dann aber hat er auch keine Wahl mehr, und ist somit frei und wahr.

*

Das Wesen des Verstandes ist durchaus willkürlich, weil er zunächst die Erscheinungen nur auf sich bezieht; erst wenn er im gemeinsamen Verstande, in der Vernunft aufgeht, d. h. die allgemeine Notwendigkeit der Dinge erkennt, ist er frei.

Das Judentum in der Musik

In der »Neuen Zeitschrift für Musik« kam unlängst ein »hebräischer Kunstgeschmack« zur Sprache: eine Anfechtung und eine Verteidigung dieses Ausdruckes konnten und durften nicht ausbleiben. Es dünkt mich nun nicht unwichtig, den hier zugrundeliegenden, von der Kritik immer nur noch versteckt oder im Ausbruche einer gewissen Erregtheit berührten Gegenstand näher zu erörtern. Hierbei wird es nicht darauf ankommen, etwas Neues zu sagen, sondern die unbewußte Empfindung, die sich im Volke als innerlichste Abneigung gegen jüdisches Wesen kundgibt, zu erklären, somit etwas wirklich Vorhandenes deutlich auszusprechen, keineswegs aber etwas Unwirkliches durch die Kraft irgend welcher Einbildung künstlich beleben zu wollen. Die Kritik verfährt wider ihre Natur, wenn sie in Angriff oder Verteidigung etwas andres will.

Da wir den Grund der volkstümlichen Abneigung auch unsrer Zeit gegen jüdisches Wesen uns hier lediglich in bezug auf die Kunst, und namentlich die Musik, erklären wollen, haben wir der Erläuterung derselben Erscheinung auf dem Felde der Religion und Politik gänzlich vorüberzugehen. In der Religion sind uns die Juden längst keine hassenswürdigen Feinde mehr, – Dank allen denen, welche innerhalb der christlichen Religion selbst den Volkshaß auf sich gezogen haben! In der reinen Politik sind wir mit den Juden nie in wirklichen Konflikt geraten; wir gönnten ihnen selbst die Errichtung eines jerusalemischen Reiches, und hatten in dieser Beziehung eher zu bedauern, daß Herr v. Rothschild zu geistreich war, um sich zum König der Juden zu machen, wogegen er bekanntlich es vorzog, »der Jude der Könige« zu bleiben. Anders verhält es sich da, wo die Politik zur Frage der Gesellschaft wird: hier hat uns die Sonderstellung der Juden seit ebenso lange als Aufforderung zu menschlicher Gerechtigkeitsübung gegolten, als in uns selbst der Drang nach sozialer Befreiung zu deutlicherem Bewußtsein erwachte. Als wir für Emanzipation der Juden stritten, waren wir aber doch eigentlich mehr Kämpfer für ein abstraktes Prinzip, als für den konkreten Fall: wie all' unser Liberalismus ein nicht sehr hellsehendes Geistesspiel war, indem wir für die

Freiheit des Volkes uns ergingen, ohne Kenntnis dieses Volkes, ja mit Abneigung gegen jede wirkliche Berührung mit ihm, so entsprang auch unser Eifer für die Gleichberechtigung der Juden viel mehr aus der Anregung eines allgemeinen Gedankens, als aus einer realen Sympathie; denn bei allem Reden und Schreiben für Judenemanzipation fühlten wir uns bei wirklicher, tätiger Berührung mit Juden von diesen stets unwillkürlich abgestoßen.

Hier treffen wir denn auf den Punkt, der unsrem Vorhaben uns näher bringt; wir haben uns das *unwillkürlich Abstoßende*, welches die Persönlichkeit und das Wesen der Juden für uns hat, zu erklären, um diese instinktmäßige Abneigung zu rechtfertigen, von welcher wir doch deutlich erkennen, daß sie stärker und überwiegender ist, als unser bewußter Eifer, dieser Abneigung uns zu entledigen. Noch jetzt belügen wir uns in dieser Beziehung nur absichtlich, wenn wir es für verpönt und unsittlich halten zu müssen glauben, unsren natürlichen Widerwillen gegen jüdisches Wesen öffentlich kundzugeben. Erst in neuester Zeit scheinen wir zu der Einsicht zu gelangen, daß es vernünftiger sei, von dem Zwange jener Selbsttäuschung uns frei zu machen, um dafür ganz nüchtern den Gegenstand unsrer gewaltsamen Sympathie zu betrachten, und unsren, trotz aller liberalen Vorspiegelungen bestehenden, Widerwillen gegen ihn uns zum Verständnis zu bringen. Wir gewahren nun zu unsrem Erstaunen, daß wir bei unsrem liberalen Kampfe in der Luft schwebten und mit Wolken fochten, während der schöne Boden der ganz realen Wirklichkeit einen Aneigner fand, den unsre Luftsprünge zwar sehr wohl unterhielten, der uns aber doch für viel zu albern hält, um hierfür uns durch einiges Ablassen von diesem usurpierten realen Boden zu entschädigen. Ganz unvermerkt ist der »Gläubiger der Könige« zum Könige der Gläubigen geworden, und wir können nun die Bitte dieses Königs um Emanzipierung nicht anders als ungemein naiv finden, da *wir* vielmehr uns in die Notwendigkeit versetzt sehen, um Emanzipierung von den Juden zu kämpfen. Der Jude ist nach dem gegenwärtigen Stande der Dinge dieser Welt wirklich bereits mehr als emanzipiert: er herrscht, und wird so lange herrschen, als das Geld die Macht bleibt, vor welcher all' unser Tun und Treiben seine Kraft verliert. Daß das geschichtliche Elend der Juden und die räuberische Roheit der christlich-germanischen Gewalthaber den Söhnen Israels diese Macht selbst in die Hände geführt haben, braucht hier nicht erst erörtert zu werden. Daß aber die Unmöglichkeit, auf Grundlage derjenigen Stufe, auf welche jetzt die Entwicklung der Künste gelangt ist, ohne gänzliche Veränderung dieser Grundlage

Natürliches, Notwendiges und wahrhaft Schönes weiter zu bilden, den Juden auch den öffentlichen Kunstgeschmack unsrer Zeit zwischen die geschäftigen Finger gebracht hat, davon haben wir die Gründe hier etwas näher zu betrachten. Was den Herren der römischen und mittelalterlichen Welt der leibeigene Mensch in Plack und Jammer gezinst hat, das setzt heutzutage der Jude in Geld um: wer merkt es den unschuldig aussehenden Papierchen an, daß das Blut zahlloser Geschlechter an ihnen klebt? Was die Heroen der Künste dem kunstfeindlichen Dämon zweier unseliger Jahrtausende mit unerhörter, Lust und Leben verzehrender Anstrengung abrangen, setzt heute der Jude in Kunstwarenwechsel um: wer sieht es den manierlichen Kunststückchen an, daß sie mit dem heiligen Notschweiße des Genies zweier Jahrtausende geleimt sind? –

Wir haben nicht erst nötig, die Verjüdung der modernen Kunst zu bestätigen; sie springt in die Augen und bestätigt sich den Sinnen von selbst. Viel zu weit ausholend würden wir auch verfahren müssen, wollten wir aus dem Charakter unsrer Kunstgeschichte selbst diese Erscheinung nachweislich zu erklären unternehmen. Dünkt uns aber das Notwendigste die Emanzipation von dem Drucke des Judentumes, so müssen wir es vor allem für wichtig erachten, unsre Kräfte zu diesem Befreiungskampfe zu prüfen. Diese Kräfte gewinnen wir aber nun nicht aus einer abstrakten Definition jener Erscheinung selbst, sondern aus dem genauen Bekanntwerden mit der Natur der uns innewohnenden unwillkürlichen Empfindung, die sich uns als instinktmäßiger Widerwille gegen das jüdische Wesen äußert: an ihr, der unbesieglichen, muß es uns, wenn wir sie ganz unumwunden eingestehen, deutlich werden, was wir an jenem Wesen hassen; was wir dann bestimmt kennen, dem können wir die Spitze bieten; ja schon durch seine nackte Aufdeckung dürfen wir hoffen, den Dämon aus dem Felde zu schlagen, auf dem er sich nur im Schutze eines dämmerigen Halbdunkels zu halten vermag, eines Dunkels, das wir gutmütigen Humanisten selbst über ihn warfen, um uns seinen Anblick minder widerwärtig zu machen.

Der Jude, der bekanntlich einen Gott ganz für sich hat, fällt uns im gemeinen Leben zunächst durch seine äußere Erscheinung auf, die, gleichviel welcher europäischen Nationalität wir angehören, etwas dieser Nationalität unangenehm Fremdartiges hat: wir wünschen unwillkürlich mit einem so aussehenden Menschen nichts gemein zu haben. Dies mußte bisher als ein Unglück für den Juden gelten; in neuerer Zeit erkennen wir aber, daß er bei diesem Unglücke sich ganz wohl fühlt; nach seinen Erfolgen darf ihn seine Unterschiedenheit von uns als eine Auszeichnung dünken. Der moralischen Seite in der Wirkung dieses an sich unangenehmen Naturspieles vorübergehend, wollen wir hier nur auf die Kunst bezüglich erwähnen, daß dieses Äußere uns nie als ein Gegenstand der darstellenden Kunst denkbar sein kann: wenn die bildende Kunst Juden darstellen will, nimmt sie ihre Modelle meist aus der Phantasie, mit weislicher Veredelung oder gänzlicher Hinweglassung alles dessen, was uns im gemeinen Leben die jüdische Erscheinung eben charakterisiert. Nie verirrt sich der Jude aber auf die theatralische Bühne: die Ausnahmen hiervon sind der Zahl und der Besonderheit nach von der Art, daß sie die allgemeine Annahme nur bestätigen. Wir können uns auf der Bühne keinen antiken oder modernen Charakter, sei es ein Held oder ein Liebender, von einem Juden dargestellt denken, ohne unwillkürlich das bis zur Lächerlichkeit Ungeeignete einer solchen Vorstellung zu empfinden*. Dies ist sehr wichtig: einen Menschen, dessen Erscheinung wir zu künstlerischer Kundgebung, nicht in dieser oder jener Persönlichkeit, sondern allgemeinhin seiner Gattung nach, für unfähig halten müssen, dürfen wir zur künstlerischen Äußerung seines Wesens überhaupt ebenfalls nicht für befähigt halten.

Ungleich wichtiger, ja entscheidend wichtig ist jedoch die Beachtung der Wirkung auf uns, welche der Jude durch seine *Sprache* hervorbringt; und namentlich ist dies der wesentliche Anhaltspunkt für die Ergründung des jüdischen Einflusses auf die Musik. – Der Jude spricht die Sprache der Nation, unter welcher er von Geschlecht zu Geschlecht lebt, aber er spricht sie immer als Ausländer. Wie es von hier abliegt, uns mit den Gründen auch dieser Erscheinung zu befassen, dürfen wir ebenso die Anklage der

---

* Hierüber läßt sich nach den neueren Erfahrungen von der Wirksamkeit jüdischer Schauspieler allerdings noch manches sagen, worauf ich hier im Vorbeigehen nur hindeute. Den Juden ist es seitdem nicht nur gelungen, auch die Schaubühne einzunehmen, sondern selbst dem Dichter seine dramatischen Geschöpfe zu eskamotieren; ein berühmter jüdischer »Charakterspieler« stellt nicht mehr die gedichteten Gestalten Shakespeares, Schillers usw. dar, sondern substituiert diesen die Geschöpfe seiner eigenen effektvollen und nicht ganz tendenzlosen Auffassung, was dann etwa den Eindruck macht, als ob aus einem Gemälde der Kreuzigung der Heiland ausgeschnitten, und dafür ein demagogischer Jude hineingesteckt sei. Die Fälschung unsrer Kunst ist auf der Bühne bis zur vollendeten Täuschung gelungen, weshalb denn auch jetzt über Shakespeare und Genossen nur noch im Betreff ihrer bedingungsweisen Verwendbarkeit für die Bühne gesprochen wird.

christlichen Zivilisation unterlassen, welche den Juden in seiner gewaltsamen Absonderung erhielt, als wir anderseits durch die Berührung der Erfolge dieser Absonderung die Juden auch keineswegs zu bezichtigen im Sinne haben können. Dagegen liegt es uns hier ob, den ästhetischen Charakter dieser Ergebnisse zu beleuchten. – Zunächst muß im allgemeinen der Umstand, daß der Jude die modernen europäischen Sprachen nur wie erlernte, nicht als angeborene Sprachen redet, ihn von aller Fähigkeit, in ihnen sich seinem Wesen entsprechend, eigentümlich und selbständig kundzugeben, ausschließen. Eine Sprache, ihr Ausdruck und ihre Fortbildung, ist nicht das Werk Einzelner, sondern einer geschichtlichen Gemeinsamkeit: nur wer unbewußt in dieser Gemeinsamkeit aufgewachsen ist, nimmt auch an ihren Schöpfungen Teil. Der Jude stand aber außerhalb einer solchen Gemeinsamkeit, einsam mit seinem Jehova in einem zersplitterten, bodenlosen Volksstamme, welchem alle Entwicklung aus sich versagt bleiben mußte, wie selbst die eigentümliche (hebräische) Sprache dieses Stammes ihm nur als eine tote erhalten ist. In einer fremden Sprache wahrhaft zu dichten, ist nun bisher selbst den größten Genies noch unmöglich gewesen. Unsre ganze europäische Zivilisation und Kunst ist aber für den Juden eine fremde Sprache geblieben; denn, wie an der Ausbildung dieser, hat er auch an der Entwicklung jener nicht teilgenommen, sondern kalt, ja feindselig hat der Unglückliche, Heimatlose ihr höchstens nur zugesehen. In dieser Sprache, dieser Kunst kann der Jude nur nachsprechen, nachkünsteln, nicht wirklich redend dichten oder Kunstwerke schaffen.

Im besonderen widert uns nun aber die rein sinnliche Kundgebung der jüdischen Sprache an. Es hat der Kultur nicht gelingen wollen, die sonderliche Hartnäckigkeit des jüdischen Naturells in bezug auf Eigentümlichkeiten der semitischen Aussprechweise durch zweitausendjährigen Verkehr mit europäischen Nationen zu brechen. Als durchaus fremdartig und unangenehm fällt unserm Ohre zunächst ein zischender, schrillender, summsender und murksender Lautausdruck der jüdischen Sprechweise auf: eine unsrer nationalen Sprache gänzlich uneigentümliche Verwendung und willkürliche Verdrehung der Worte und der Phrasenkonstruktionen gibt diesem Lautausdrucke vollends noch den Charakter eines unerträglich verwirrten Geplappers, bei dessen Anhörung unsre Aufmerksamkeit unwillkürlich mehr bei diesem widerlichen *Wie,* als bei dem darin enthaltenen *Was* der jüdischen Rede verweilt. Wie ausnehmend wichtig dieser Umstand zur Erklärung des Eindruckes namentlich der Musikwerke moderner Juden auf uns ist, muß vor allem erkannt und festgehalten werden. Hören wir einen Juden sprechen, so verletzt uns unbewußt aller Mangel rein menschlichen Ausdruckes in seiner Rede: die kalte Gleichgültigkeit des eigentümlichen »Gelabbers« in ihr steigert sich bei keiner Veranlassung zur Erregtheit höherer, herzdurchglühter Leidenschaft. Sehen *wir* uns dagegen im Gespräche mit einem Juden zu diesem erregteren Ausdrucke gedrängt, so wird er uns stets ausweichen, weil er zur Erwiderung unfähig ist. Nie erregt sich der Jude im gemeinsamen Austausche der Empfindungen mit uns, sondern, uns gegenüber, nur im ganz besonderen egoistischen Interesse seiner Eitelkeit oder seines Vorteiles, was solcher Erregtheit, bei dem entstellenden Ausdrucke seiner Sprechweise überhaupt, dann immer den Charakter des Lächerlichen gibt, und uns alles, nur nicht Sympathie für des Redenden Interesse zu erwecken vermag. Muß es uns schon denkbar erscheinen, daß bei gemeinschaftlichen Anliegenheiten untereinander, und namentlich da, wo in der Familie die rein menschliche Empfindung zum Durchbruche kommt, gewiß auch Juden ihren Gefühlen einen Ausdruck zu geben vermögen, der für sie gegenseitig von entsprechender Wirkung ist, so kann das doch hier nicht in Betrachtung kommen, wo wir den Juden zu vernehmen haben, der im Lebens- und Kunstverkehr geradeswegs zu *uns* spricht.

Macht nun die hier dargetane Eigenschaft seiner Sprechweise den Juden fast unfähig zur künstlerischen Kundgebung seiner Gefühle und Anschauungen durch die *Rede*, so muß zu solcher Kundgebung durch den *Gesang* seine Befähigung noch bei weitem weniger möglich sein. Der Gesang ist eben die in höchster Leidenschaft erregte Rede: die Musik ist die Sprache der Leidenschaft. Steigert der Jude seine Sprechweise, in der er sich uns nur mit lächerlich wirkender Leidenschaftlichkeit, nie aber mit sympathisch berührender Leidenschaft zu erkennen geben kann, gar zum Gesang, so wird er uns damit geradeswegs unausstehlich. Alles, was in seiner äußeren Erscheinung und seiner Sprache uns abstoßend berührte, wirkt in seinem Gesange auf uns endlich davonjagend, so lange wir nicht durch die vollendete Lächerlichkeit dieser Erscheinung gefesselt werden sollten. Sehr natürlich gerät im Gesange, als dem lebhaftesten und unwiderleglich wahrsten Ausdrucke des persönlichen Empfindungswesens, die für uns widerliche Besonnenheit der jüdischen Natur auf ihre Spitze, und auf jedem Gebiete der Kunst, nur nicht auf demjenigen, dessen Grundlage der Gesang ist, sollten wir, einer natürlichen Annahme gemäß, den Juden je für kunstbefähigt halten dürfen.

Die sinnliche Anschauungsgabe der Juden ist nie vermögend gewesen, bildende Künstler aus ihnen hervorgehen zu lassen: ihr Auge hat sich von je mit viel praktischeren Dingen befaßt, als da Schönheit und geistiger Gehalt der förmlichen Erscheinungswelt sind. Von einem jüdischen Architekten oder Bildhauer kennen wir in unsern Zeiten, meines Wissens, nichts: ob neuere Maler jüdischer Abkunft in ihrer Kunst wirklich geschaffen haben, muß ich Kennern von Fach zur Beurteilung überlassen; sehr vermutlich dürften aber diese Künstler zur bildenden Kunst keine andre Stellung einnehmen, als diejenige der modernen jüdischen Komponisten zur Musik, zu deren genauerer Beleuchtung wir uns nun wenden.

Der Jude, der an sich unfähig ist, weder durch seine äußere Erscheinung, noch durch seine Sprache, am allerwenigsten aber durch seinen Gesang, sich uns künstlerisch kundzugeben, hat nichtsdestoweniger es vermocht, in der verbreitetsten der modernen Kunstarten, der Musik, zur Beherrschung des öffentlichen Geschmackes zu gelangen. – Betrachten wir, um uns diese Erscheinung zu erklären, zunächst, wie es dem Juden möglich ward, Musiker zu werden. –

Von der Wendung unsrer gesellschaftlichen Entwicklung an, wo mit immer unumwundenerer Anerkennung das Geld zum wirklich machtgebenden Adel erhoben ward, konnte den Juden, denen Geldgewinn ohne eigentliche Arbeit, d. h. der Wucher, als einziges Gewerbe überlassen worden war, das Adelsdiplom der neueren, nur noch geldbedürftigen Gesellschaft nicht nur nicht mehr vorenthalten werden, sondern sie brachten es ganz von selbst dahin mit. Unsre moderne Bildung, die nur dem Wohlstande zugänglich ist, blieb ihnen daher um so weniger verschlossen, als sie zu einem käuflichen Luxusartikel herabgesunken war. Von nun an tritt also der *gebildete Jude* in unsrer Gesellschaft auf, dessen Unterschied vom ungebildeten, gemeinen Juden wir genau zu beachten haben. Der gebildete Jude hat sich die undenklichste Mühe gegeben, alle auffälligen Merkmale seiner niederen Glaubensgenossen von sich abzustreifen: in vielen Fällen hat er es selbst für zweckmäßig gehalten, durch die christliche Taufe auf die Verwischung aller Spuren seiner Abkunft hinzuwirken. Dieser Eifer hat den gebildeten Juden aber nie die erhofften Früchte gewinnen lassen wollen: er hat nur dazu geführt, ihn vollends zu vereinsamen, und ihn zum herzlosesten aller Menschen in einem Grade zu machen, daß wir selbst die frühere Sympathie für das tragische Geschick seines Stammes verlieren mußten. Für den Zusammenhang mit seinen ehemaligen Leidensgenossen, den er übermütig zerriß, blieb es ihm unmöglich, einen neuen Zusammenhang mit der Gesellschaft zu finden, zu welcher er sich aufschwang. Er steht nur mit denen in Zusammenhang, welche sein Geld bedürfen: nie hat es aber dem Gelde gelingen wollen, ein gedeihenvolles Band zwischen Menschen zu knüpfen. Fremd und teilnahmlos steht der gebildete Jude inmitten einer Gesellschaft, die er nicht versteht, mit deren Neigungen und Bestrebungen er nicht sympathisiert, deren Geschichte und Entwicklung ihm gleichgültig geblieben sind. In solcher Stellung haben wir ihn unter den Juden Denker entstehen sehen: der Denker ist der rückwärtsschauende Dichter; der wahre Dichter ist aber der vorverkündende Prophet. Zu solchem Prophetenamte befähigt nur die tiefste, seelenvollste Sympathie mit einer großen, gleichstrebenden Gemeinsamkeit, deren unbewußten Ausdruck der Dichter eben nach seinem Inhalte deutet. Von dieser Gemeinsamkeit der Natur seiner Stellung nach gänzlich ausgeschlossen, aus dem Zusammenhange mit seinem eigenen Stamme gänzlich herausgerissen, konnte dem vornehmeren Juden seine eigene erlernte und bezahlte Bildung nur als Luxus gelten, da er im Grunde nicht wußte, was er damit anfangen sollte. Ein Teil dieser Bildung waren nun aber auch unsre modernen Künste geworden, und unter diesen namentlich diejenige Kunst, die sich am leichtesten eben erlernen läßt, die *Musik*, und zwar *die* Musik, die, getrennt von ihren Schwesterkünsten, durch den Drang und die Kraft der größten Genies auf die Stufe allgemeinster Ausdrucksfähigkeit erhoben worden war, auf welcher sie nun entweder, im neuen Zusammenhange mit den andern Künsten, das Erhabenste, oder, bei fortgesetzter Trennung von jenen, nach Belieben auch das Allergleichgültigste und Trivialste aussprechen konnte. Was der gebildete Jude in seiner bezeichneten Stellung auszusprechen hatte, wenn er künstlerisch sich kund geben wollte, konnte natürlich eben nur das Gleichgültige und Triviale sein, weil sein ganzer Trieb zur Kunst ja nur ein luxuriöser, unnötiger war. Je nachdem seine Laune, oder ein außerhalb der Kunst liegendes Interesse es ihm eingab, konnte er so, oder auch anders sich äußern; denn nie drängte es ihn, ein Bestimmtes, Notwendiges und Wirkliches auszusprechen; sondern er wollte gerade eben nur sprechen, gleichviel *was*, so daß ihm natürlich nur das *Wie* als besorgenswertes Moment übrig blieb. Die Möglichkeit, in ihr zu reden, ohne etwas Wirkliches zu sagen, bietet jetzt keine Kunst in so blühender Fülle, als die Musik, weil in ihr die größten Genies bereits das gesagt haben, was in ihr als absoluter Sonderkunst zu sagen war. War dieses einmal ausgesprochen, so konnte in ihr nur noch nachgeplappert werden, und zwar ganz peinlich genau und täuschend ähnlich, wie Papageien menschliche Wörter und Reden nachpapeln, aber ebenso ohne Ausdruck und wirkliche Empfindung, wie diese närrischen Vögel es tun. Nur ist bei dieser nachäffenden Sprache unsrer jüdischen Musikmacher ein besondere Eigentümlichkeit bemerkbar, und zwar die der jüdischen Sprechweise überhaupt, welche wir oben näher charakterisierten.

Wenn die Eigentümlichkeiten dieser jüdischen Sprech- und Singweise in ihrer grellsten Sonderlichkeit vor allem den stammtreu gebliebenen gemeineren Juden zugehören, und der gebildete Jude mit unsäglichster Mühe sich ihrer zu entledigen sucht, so wollen sie doch nichtsdestoweniger mit impertinenter Hartnäckigkeit auch an diesem haften bleiben. Ist dieses Mißgeschick rein physiologisch zu erklären, so erhellt sein Grund aber auch noch aus der berührten gesellschaftlichen Stellung des gebildeten Juden. Mag all' unsre Luxuskunst auch fast ganz nur noch in der Luft unsrer willkürlichen Phantasie schweben, eine Faser des Zusammenhanges mit ihrem natürlichen Boden, dem wirklichen Volksgeiste, hält sie doch immer noch nach unten fest. Der wahre Dichter, gleichviel in welcher Kunstart er dichte, gewinnt seine Anregung immer nur noch aus der getreuen, liebevollen Anschauung des unwillkürlichen Lebens, dieses Lebens, das sich ihm nur im Volke zur Erscheinung bringt. Wo findet der gebildete Jude nun dieses Volk? Unmöglich auf dem Boden der Gesellschaft, in welcher er seine Künstlerrolle spielt? Hat er irgend einen Zusammenhang mit dieser Gesellschaft, so ist dies eben nur mit jenem, von ihrem wirklichen, gesunden Stamme gänzlich losgelösten Auswuchse derselben; dieser Zusammenhang ist aber ein durchaus liebloser, und diese Lieblosigkeit muß ihm immer offenbarer werden, wenn er, um Nahrung für sein künstlerisches Schaffen zu gewinnen, auf den Boden dieser Gesellschaft hinabsteigt: nicht nur wird ihm hier alles fremder und unverständlicher, sondern der unwillkürliche Widerwille des Volkes gegen ihn tritt ihm hier mit verletzendster Nacktheit entgegen, weil er nicht, wie bei den reicheren Klassen, durch Berechnung des Vorteils und Beachtung gewisser gemeinschaftlicher Interessen geschwächt oder gebrochen ist. Von der Berührung mit diesem Volke auf das Empfindlichste zurückgestoßen, jedenfalls gänzlich unvermögend, den Geist dieses Volkes zu fassen, sieht sich der gebildete Jude auf die Wurzel seines eigenen Stammes hingedrängt, wo ihm wenigstens das Verständnis unbedingt leichter fällt. Wollend oder nicht wollend, muß er aus diesem Quelle schöpfen: aber nur ein *Wie,* nicht ein *Was* hat er ihm zu entnehmen. Der Jude hat nie eine eigene Kunst gehabt, daher nie ein Leben vom kunstfähigem Gehalte: ein Gehalt, ein allgemeingiltiger menschlicher Gehalt ist diesem auch jetzt vom Suchenden nicht zu entnehmen, dagegen nur eine sonderliche Ausdrucksweise, und zwar eben diese Ausdrucksweise, welche wir oben näher charakterisierten. Dem jüdischen Tonsetzer bietet sich nun als einziger musikalischer Ausdruck seines Volkes die musikalische Feier seines Jehovadienstes dar: die Synagoge ist der einzige Quell, aus welchem der Jude *ihm verständliche* volkstümliche Motive für seine Kunst schöpfen kann. Mögen wir diese musikalische Gottesfeier in ihrer ursprünglichen Reinheit auch noch so edel und erhaben uns vorzustellen gesonnen sein, so müssen wir desto bestimmter ersehen, daß diese Reinheit nur in allerwiderwärtigster Trübung auf uns gekommen ist: hier hat sich seit Jahrtausenden nichts aus innerer Lebensfülle weiterentwickelt, sondern alles ist, wie im Judentum überhaupt, in Gehalt und Form starr haften geblieben. Eine Form, welche nie durch Erneuerung des Gehaltes belebt wird, zerfällt aber; ein Ausdruck, dessen Inhalt längst nicht mehr lebendiges Gefühl ist, wird sinnlos und verzerrt sich. Wer hat nicht Gelegenheit gehabt, von der Fratze des gottesdienstlichen Gesanges in einer eigentlichen Volkssynagoge sich zu überzeugen? Wer ist nicht von der widerwärtigsten Empfindung, gemischt von Grauenhaftigkeit und Lächerlichkeit, ergriffen worden beim Anhören jenes Sinn und Geist verwirrenden Gegurgels, Gejodels und Geplappers, das keine absichtliche Karikatur widerlicher zu entstellen vermag, als es sich hier mit vollem naiven Ernste darbietet? In der neueren Zeit hat sich der Geist der Reform durch die versuchte Wiederherstellung der älteren Reinheit in diesen Gesängen zwar auch rege gezeigt: was von seiten der höheren, reflektierenden jüdischen Intelligenz hier geschah, ist aber eben nur ein, seiner Natur nach fruchtloses Bemühen von oben herab, welches nach unten nie in dem Grade Wurzel fassen kann, daß, dem gebildeten Juden, der eben für seinen Kunstbedarf die eigentliche Quelle des Lebens im Volke aufsucht, der Spiegel seiner intelligenten Bemühungen als diese Quelle entgegenspringen könnte. Er sucht das Unwillkürliche, und nicht das Reflektierte, welches eben *sein* Produkt ist; und als dieses Unwillkürliche gibt sich ihm gerade nur jener verzerrte Ausdruck kund.

Ist dieses Zurückgehen auf den Volksquell bei dem gebildeten Juden, wie bei jedem Künstler überhaupt, ein absichtsloses, durch die Natur der Sache mit unbewußter Notwendigkeit gebotenes, so trägt sich auch der hier empfangene Eindruck ebenso unbeabsichtigt, und daher mit unüberwindlicher Beherrschung seiner ganzen Anschauungsweise, auf seine Kunstproduktionen über. Jene Melismen und Rhythmen des Synagogengesanges nehmen seine musikalische Phantasie ganz in der Weise ein, wie das unwillkürliche Innehaben der Weisen und Rhythmen unsers Volksliedes und Volkstanzes die eigentliche gestaltende Kraft der Schöpfer unsrer Kunstgesang- und Instrumentalmusik ausmachte. Dem musikalischen Wahrnehmungsvermögen des gebildeten Juden ist daher aus dem weiten Kreise des Volkstümlichen wie Künstlerischen in unsrer Musik nur das erfaßbar, was ihn überhaupt als verständlich anmutet: verständlich, und zwar so verständlich, daß er es künstlerisch zu verwenden vermöchte, ist ihm aber nur dasjenige, was durch irgend eine Annäherung jener jüdisch-musikalischen Eigentümlichkeit ähnelt. Würde der Jude bei seinem Hinhorchen auf unser naives, wie bewußt gestaltendes musikalisches Kunstwesen, das Herz und den Lebensnerven desselben zu ergründen sich bemühen, so müßte er aber inne werden, daß *seiner* musikalischen Natur hier in Wahrheit nicht das Mindeste ähnelt, und das gänzlich Fremdartige dieser Erscheinung müßte ihn dermaßen zurückschrecken, daß er unmöglich den Mut zur Mitwirkung bei unsrem Kunstschaffen sich erhalten könnte. Seine ganze Stellung unter uns verführt den Juden jedoch nicht zu so innigem Eindringen in unser Wesen: entweder mit Absicht (sobald er seine Stellung zu uns erkennt) oder unwillkürlich (sobald er uns überhaupt gar nicht verstehen kann) horcht er daher auf unser Kunstwesen und dessen lebengebenden inneren Organismus nur ganz oberflächlich hin, und vermöge dieses teilnahmlosen Hinhorchens allein können sich ihm äußerliche Ähnlichkeiten mit dem seiner Anschauung einzig Verständlichen, seinem besonderen Wesen Eigentümlichen, darstellen. Ihm wird daher die zufälligste Äußerlichkeit der Erscheinungen auf unsrem musikalischen Lebens- und Kunstgebiete als deren Wesen gelten müssen, daher seine Empfängnisse davon, wenn er sie als Künstler uns zurückspiegelt, uns fremdartig, kalt, sonderlich, gleichgültig, unnatürlich und verdreht erscheinen, so daß jüdische Musikwerke auf uns oft den Eindruck hervorbringen, als ob z. B. ein Goethesches Gedicht im jüdischen Jargon uns vorgetragen würde.

Wie in diesem Jargon mit wunderlicher Ausdruckslosigkeit Worte und Konstruktionen durcheinander geworfen werden, so wirft der jüdische Musiker auch die verschiedenen Formen und Stilarten aller Meister und Zeiten durcheinander. Dicht neben einander treffen wir da im buntesten Chaos die formellen Eigentümlichkeiten aller Schulen angehäuft. Da es sich bei diesen Produktionen immer nur darum handelt, daß überhaupt geredet werden soll, nicht aber um den Gegenstand, welcher sich des Redens erst verlohnte, so kann dieses Geplapper eben auch nur dadurch irgendwie für das Gehör anregend gemacht werden, daß es durch den Wechsel der äußerlichen Ausdrucksweise jeden Augenblick eine neue Reizung zur Aufmerksamkeit darbietet. Die innerliche Erregung, die wahre Leidenschaft findet ihre eigentümliche Sprache in dem Augenblicke, wo sie, nach Verständnis ringend, zur Mitteilung sich anläßt: der in dieser Beziehung von uns bereits näher charakterisierte Jude hat keine wahre Leidenschaft, am allerwenigsten eine Leidenschaft, welche ihn zum Kunstschaffen aus sich drängte. Wo diese Leidenschaft nicht vorhanden ist, da ist aber auch keine Ruhe anzutreffen: wahre, edle Ruhe ist nichts andres, als die durch Resignation beschwichtigte Leidenschaft. Wo der Ruhe nicht die Leidenschaft vorangegangen ist, erkennen wir nur Trägheit: der Gegensatz der Trägheit ist aber nur jene prickelnde Unruhe, die wir in jüdischen Musikwerken von Anfang bis zu Ende wahrnehmen, außer da, wo sie jener geist- und empfindungslosen Trägheit Platz macht. Was so der Vornahme der Juden, Kunst zu machen, entsprießt, muß daher notwendig die Eigenschaft der Kälte, der Gleichgültigkeit, bis zur Trivialität und Lächerlichkeit an sich haben, und wir müssen die Periode des Judentums in der modernen Musik geschichtlich als die der vollendeten Unproduktivität, der verkommenden Stabilität bezeichnen.

An welcher Erscheinung wird uns dies alles klarer, ja an welcher konnten wir es einzig fast inne werden, als an den Werken eines Musikers jüdischer Abkunft, der von der Natur mit einer spezifisch musikalischen Begabung ausgestattet war, wie wenige Musiker überhaupt vor ihm? Alles, was sich bei der Erforschung unsrer Antipathie gegen jüdisches Wesen der Betrachtung darbot, aller Widerspruch dieses Wesens in sich selbst und uns gegenüber, alle Unfähigkeit desselben, außerhalb unsres Bodens stehend, dennoch auf diesem Boden mit uns verkehren, ja sogar die ihm entsprossenen Erscheinungen weiter entwickeln zu wollen, steigern sich zu einem völlig tragischen Konflikt in der Natur, dem Leben und Kunstwirken des frühe verschiedenen *Felix Mendelssohn-Bartholdy*. Dieser hat uns gezeigt, daß ein Jude von reichster spezifischer Talentfülle sein, die feinste und mannigfaltigste Bildung, das gesteigertste, zartempfindende Ehrgefühl besitzen kann, ohne durch die Hilfe aller dieser Vorzüge es je ermöglichen zu können, auch nur ein einziges Mal die tiefe, Herz und Seele ergreifende Wirkung auf uns hervorzubringen, welche wir von der Kunst erwarten, weil wir sie dessen fähig wissen, weil wir diese Wirkung zahllos oft empfunden haben, sobald ein Heros unsrer Kunst, so zu sagen, nur den Mund auftat, um zu uns zu sprechen. Kritikern von Fach, welche hierüber zu gleichem Bewußtsein mit uns gelangt sein sollten, möge es überlassen sein, diese zweifellos gewisse Erscheinung aus den Einzelnheiten der Mendelssohnschen Kunstproduktionen nachweislich zu bestätigen; uns genüge es hier, zur Verdeutlichung unsrer allgemeinen Empfindung uns zu vergegenwärtigen, daß bei Anhörung eines Tonstückes dieses Komponisten wir uns nur dann gefesselt fühlen konnten, wenn nichts andres unsrer, mehr oder weniger nur unterhaltungssüchtigen Phantasie, als Vorführung, Reihung und Verschlingung der feinsten, glättesten und kunstfertigsten Figuren, wie im wechselnden Farben- und Formenreize des Kaleidoskopes, dargeboten wurde, – nie aber da, wo diese Figuren die Gestalt tiefer und markiger menschlicher Herzensempfindungen anzunehmen bestimmt waren*. Für diesen letzteren Fall hörte für Mendelssohn selbst alles formelle Produktionsvermögen auf, weshalb er denn namentlich da, wo er sich, wie im Oratorium, zum Drama anläßt, ganz offen nach jeder formellen Einzelnheit, welche diesem oder jenem zum Stilmuster gewählten Vorgänger als individuell charakteristisches Merkmal besonders zu eigen war, greifen mußte. Bei diesem Verfahren ist es noch bezeichnend, daß der Komponist für seine ausdrucksunfähige moderne Sprache besonders unsren alten Meister *Bach* als nachzuahmendes Vorbild sich erwählte. Bachs musikalische Sprache bildete sich in der Periode unsrer Musikgeschichte, in welcher die allgemeine musikalische Sprache eben noch nach der Fähigkeit individuelleren, sicheren Ausdrucks rang: das rein Formelle, Pedantische haftete noch so stark an ihr, daß ihr rein menschlicher Ausdruck bei Bach, durch die ungeheure Kraft seines Genies eben erst zum Durchbruche kam. Die Sprache Bachs steht zur Sprache Mozarts und endlich Beethovens in dem Verhältnisse, wie die ägyptische Sphynx zur griechischen Menschenstatue: wie die Sphynx mit dem menschlichen Gesichte aus dem Tierleibe erst noch herausstrebt, so strebt Bachs edler Menschenkopf aus der Perrücke hervor. Es liegt eine unbegreiflich gedankenlose Verwirrung des luxu-

---

* Über das neu-jüdische System, welches auf diese Eigenschaft der Mendelssohnschen Musik, wie zur Rechtfertigung dieser künstlerischen Vorkommnis, entworfen worden ist, sprechen wir später.

riösen Musikgeschmacks unsrer Zeit darin, daß wir die Sprache Bachs neben derjenigen Beethovens ganz zu gleicher Zeit uns vorsprechen lassen, und uns weismachen können, in den Sprachen beider läge nur ein individuell formeller, keinesweges aber ein kulturgeschichtlich wirklicher Unterschied vor. Der Grund hiervon ist aber leicht einzusehen: die Sprache Beethovens kann nur von einem vollkommenen, ganzen, warmen Menschen gesprochen werden, weil sie eben die Sprache eines so vollendeten Musikmenschen war, daß dieser mit notwendigem Drange über die absolute Musik hinaus, deren Bereich er bis an seine äußersten Grenzen ermessen und erfüllt hatte, uns den Weg der Befruchtung aller Künste durch die Musik als ihre einzige erfolgreiche Erweiterung angewiesen hat. Die Sprache Bach's hingegen kann füglich von einem sehr fertigen Musiker, wenn auch nicht im Sinne Bachs, nachgesprochen werden, weil das Formelle in ihr noch das Überwiegende, und der rein menschliche Ausdruck noch nicht das so bestimmt Vorherrschende ist, daß in ihr bereits unbedingt nur das *Was* ausgesagt werden könnte oder müßte, da sie eben noch in der Gestaltung des *Wie* begriffen ist. Die Zerflossenheit und Willkürlichkeit unsres musikalischen Stiles ist durch Mendelssohns Bemühen, einen unklaren, fast nichtigen Inhalt so interessant und geistblendend wie möglich auszusprechen, wenn nicht herbeigeführt, so doch auf die höchste Spitze gesteigert worden. Rang der letzte in der Kette unsrer wahrhaften Musikheroen, Beethoven, mit höchstem Verlangen und wunderwirkendem Vermögen nach klarstem, sicherstem Ausdrucke eines unsäglichen Inhaltes durch scharfgeschnittene plastische Gestaltung seiner Tonbilder, so verwischt dagegen Mendelssohn in seinen Produktionen diese gewonnenen Gestalten zum zerfließenden, phantastischen Schattenbilde, bei dessen unbestimmtem Farbenschimmer unsre launenhafte Einbildungskraft willkürlich angeregt, unser rein menschliches inneres Sehnen nach deutlichem künstlerischem Schauen aber kaum nur mit der Hoffnung auf Erfüllung berührt wird. Nur da, wo das drückende Gefühl von dieser Unfähigkeit sich der Stimmung des Komponisten zu bemächtigen scheint, und ihn zu dem Ausdrucke weicher und schwermütiger Resignation hindrängt, vermag sich uns Mendelssohn charakteristisch darzustellen, charakteristisch in dem subjektiven Sinne einer zartsinnigen Individualität, die sich der Unmöglichkeit gegenüber ihre Ohnmacht eingesteht. Dies ist, wie wir sagten, der tragische Zug in Mendelssohns Erscheinung; und wenn wir auf dem Gebiete der Kunst an die reine Persönlichkeit unsre Teilnahme verschenken wollten, so dürften wir sie Mendelssohn in starkem Maße nicht versagen, selbst wenn die Kraft dieser Teilnahme durch die Beachtung geschwächt würde, daß das Tragische seiner Situation Mendelssohn mehr anhing, als es ihm zum wirklichen, schmerzlichen und läuternden Bewußtsein kam.

Eine ähnliche Teilnahme vermag aber kein anderer jüdischer Komponist uns zu erwecken. Ein weit und breit berühmter jüdischer Tonsetzer unsrer Tage hat sich mit seinen Produktionen einem Teile unsrer Öffentlichkeit zugewendet, in welchem die Verwirrung alles musikalischen Geschmackes von ihm weniger erst zu veranstalten, als nur noch auszubeuten war. Das Publikum unsrer heutigen Operntheater ist seit längerer Zeit nach und nach gänzlich von den Anforderungen abgebracht worden, welche nicht etwa an das dramatische Kunstwerk selbst, sondern überhaupt an Werke des guten Geschmacks zu stellen sind. Die Räume dieser Unterhaltungslokale füllen sich meistens nur mit jenem Teile unsrer bürgerlichen Gesellschaft, bei welchem der einzige Grund zur wechselnden Vornahme irgend welcher Beschäftigung die Langeweile ist: die Krankheit der Langeweile ist aber nicht durch Kunstgenüsse zu heilen, denn sie kann absichtlich gar nicht zerstreut, sondern nur durch eine andre Form der Langeweile über sich selbst getäuscht werden. Die Besorgung dieser Täuschung hat nun jener berühmte Opernkomponist zu seiner künstlerischen Lebensaufgabe gemacht. Es ist zwecklos, den Aufwand künstlerischer Mittel näher zu bezeichnen, deren er sich zur Erreichung seiner Lebensaufgabe bediente: genug, daß er es, wie wir aus dem Erfolge ersehen, vollkommen verstand, zu täuschen, und dieses namentlich damit, daß er jenen von uns näher charakterisierten Jargon seiner gelangweilten Zuhörerschaft* als modern pikante Aussprache aller der Trivialitäten aufheftete, welche ihr so wiederholt oft schon in ihrer natürlichen Albernheit vorgeführt worden waren. Daß dieser Komponist auch auf Erschütterungen und auf die Benutzung der Wirkung von eingewobenen Gefühlskatastrophen bedacht war, darf niemanden befremden, der da weiß, wie notwendig dergleichen von Gelangweilten gewünscht wird; daß hierin ihm seine Absicht aber auch gelingt, darf denjenigen nicht wundern,

---

* Wer die freche Zerstreutheit und Gleichgültigkeit einer jüdischen Gemeinde während ihres musikalisch ausgeführten Gottesdienstes in der Synagoge beobachtet hat, kann begreifen, warum ein jüdischer Opernkomponist durch das Antreffen derselben Erscheinung bei einem Theaterpublikum sich gar nicht verletzt fühlt, und unverdrossen für dasselbe zu arbeiten vermag, da sie ihn hier sogar minder unanständig dünken muß, als im Gotteshause.

der die Gründe bedenkt, aus denen unter solchen Umständen ihm alles gelingen muß. Dieser täuschende Komponist geht sogar so weit, daß er sich selbst täuscht, und dieses vielleicht ebenso absichtlich, als er seine Gelangweilten täuscht. Wir glauben wirklich, daß er Kunstwerke schaffen möchte, und zugleich weiß, daß er sie nicht schaffen kann: um sich aus diesem peinlichen Konflikt zwischen Wollen und Können zu ziehen, schreibt er für Paris Opern, und läßt diese dann leicht in der übrigen Welt aufführen, – heutzutage das sicherste Mittel, ohne Künstler zu sein, doch Kunstruhm sich zu verschaffen. Unter dem Drucke dieser Selbsttäuschung, welche nicht so mühelos sein mag, als man denken könnte, erscheint er uns fast gleichfalls in einem tragischen Lichte; das rein Persönliche in dem gekränkten Interesse macht die Erscheinung aber zu einer tragikomischen, wie überhaupt das Kaltlassende, wirklich Lächerliche, das Bezeichnende des Judentums für diejenige Kundgebung desselben ist, in welcher der berühmte Komponist sich uns in bezug auf die Musik zeigt.

Aus der genaueren Betrachtung der vorgeführten Erscheinungen, welche wir durch die Ergründung und Rechtfertigung unseres unüberwindlichen Widerwillens gegen jüdisches Wesen verstehen lernen konnten, ergibt sich uns besonders nun die dargetane *Unfähigkeit unsrer musikalischen Kunstepoche.* Hätten die näher erwähnten beiden jüdischen Komponisten* in Wahrheit unsre Musik zu höherer Blüte gefördert, so müßten wir uns nur eingestehen, daß unser Zurückbleiben hinter ihnen auf einer bei uns eingetretenen organischen Unfähigkeit beruhe: dem ist aber nicht so; im Ge-

---

* Charakteristisch ist noch die Stellung, welche die übrigen jüdischen Musiker, ja überhaupt die gebildete Judenschaft, zu ihren beiden berühmtesten Komponisten einnehmen. Den Anhängern Mendelssohns ist jener famose Opernkomponist ein Gräuel: sie empfinden mit feinem Ehrgefühle, wie sehr er das Judentum dem gebildeteren Musiker gegenüber kompromittiert, und sind deshalb ohne alle Schonung in ihrem Urteil. Bei weitem vorsichtiger äußert sich dagegen der Anhang dieses Komponisten über Mendelssohn, mehr mit Neid, als mit offenbarem Widerwillen das Glück betrachtend, das er in der »gediegeneren« Musikwelt gemacht hat. Einer dritten Fraktion, derjenigen der immer noch fortkomponierenden Juden, liegt es ersichtlich daran, jeden Skandal unter sich zu vermeiden, um sich überhaupt nicht bloßzustellen, damit ihr Musikproduzieren ohne alles peinliche Aufsehen seinen bequemen Fortgang nehme: die immerhin unleugbaren Erfolge des großen Opernkomponisten gelten ihnen denn doch für beachtenswert, und etwas müsse doch daran sein, wenn man auch vieles nicht gutheißen und für »solid« ausgeben könnte. In Wahrheit, die Juden sind viel zu klug, um nicht zu wissen, wie es im Grunde mit ihnen steht! –

genteile stellte sich das individuelle rein musikalische Vermögen gegen vergangene Kunstepochen als eher vermehrt denn vermindert heraus. Die Unfähigkeit liegt in dem Geiste unserer Kunst selbst, welche nach einem andren Leben verlangt, als das künstliche es ist, das ihr mühsam jetzt erhalten wird. Die Unfähigkeit der musikalischen Kunstart selbst wird uns in Mendelssohns, des spezifisch ungemein begabten Musikers, Kunstwirken dargetan; die Nichtigkeit unsrer ganzen Öffentlichkeit, ihr durchaus unkünstlerisches Wesen und Verlangen, wird uns aber aus den Erfolgen jenes berühmten jüdischen Opernkomponisten auf das Ersichtlichste klar. Dies sind die wichtigen Punkte, die jetzt die Aufmerksamkeit eines jeden, welcher es ehrlich mit der Kunst meint, ausschließlich auf sich zu ziehen haben: hierüber haben wir zu forschen, uns zu fragen und zum deutlichen Verständnis zu bringen. Wer diese Mühe scheut, wer sich von dieser Erforschung abwendet, entweder weil ihn kein Bedürfnis dazu treibt, oder weil er die mögliche Erkenntnis von sich abweist, die ihn aus dem trägen Geleise eines gedanken- und gefühllosen Schlendrians heraustreiben müßte, den eben begreifen wir jetzt mit unter der Kategorie der »Judenschaft in der Musik«. Dieser Kunst konnten sich die Juden nicht eher bemächtigen, als bis in ihr das darzutun war, was sie in ihr erweislich eben offengelegt haben: ihre innere Lebensunfähigkeit. So lange die musikalische Sonderkunst ein wirkliches organisches Lebensbedürfnis in sich hatte, bis auf die Zeiten Mozarts und Beethovens, fand sich nirgends ein jüdischer Komponist: unmöglich konnte ein diesem Lebensorganismus gänzlich fremdes Element an den Bildungen dieses Lebens teilnehmen. Erst wenn der innere Tod eines Körpers offenbar ist, gewinnen die außerhalb liegenden Elemente die Kraft, sich seiner zu bemächtigen, aber nur, um ihn zu zerfetzen; dann löst sich wohl das Fleisch dieses Körpers in wimmelnde Viellebigkeit von Würmern auf: wer möchte aber bei ihrem Anblicke den Körper selbst noch für lebendig halten? Der Geist, das ist: das Leben, floh von diesem Körper hinweg zu wiederum Verwandtem, und dieses ist nur das Leben selbst: nur im wirklichen Leben können auch wir den Geist der Kunst wiederfinden, nicht bei ihrer würmerzerfressenen Leiche. –

Ich sagte oben, die Juden hätten keinen wahren Dichter hervorgebracht. Wir müssen nun hier *Heinrich Heines* erwähnen. Zur Zeit, da Goethe und Schiller bei uns dichteten, wissen wir allerdings von keinem dichtenden Juden: zu der Zeit aber, wo das Dichten bei uns zur Lüge wurde, unsrem gänzlich unpoetischen Lebenselemente alles Mögliche, nur kein wahrer Dichter mehr entsprießen wollte, da war es das Amt eines sehr begabten dichterischen Juden, diese Lüge, diese bodenlose Nüchternheit und jesuitische Heuchelei unsrer immer noch poetisch sich gebaren wollenden Dichterei mit hinreißendem Spotte aufzudecken. Auch seine berühmten musikalischen Stammesgenossen geißelte er unbarmherzig für ihr Vorgehen, Künstler sein zu wollen; keine Täuschung hielt bei ihm vor: von dem unerbittlichen Dämon des Verneinens dessen, was verneinenswert schien, ward er rastlos vorwärtsgejagt, durch alle Illusionen moderner Selbstbelügung hindurch, bis auf den Punkt, wo er nun selbst wieder sich zum Dichter log, und dafür auch seine gedichteten Lügen von unsren Komponisten in Musik gesetzt erhielt. – Er war das Gewissen des Judentums, wie das Judentum das üble Gewissen unsrer modernen Zivilisation ist.

Noch einen Juden haben wir zu nennen, der unter uns als Schriftsteller auftrat. Aus seiner Sonderstellung als Jude trat er Erlösung suchend unter uns: er fand sie nicht und mußte sich bewußt werden, daß er sie nur *mit auch unsrer Erlösung zu wahrhaften Menschen* finden können würde. Gemeinschaftlich mit uns Mensch werden, heißt für den Juden aber zu allernächst soviel als: aufhören, Jude zu sein. *Börne* hatte dies erfüllt. Aber gerade Börne lehrt auch, wie diese Erlösung nicht in Behagen und gleichgültig kalter Bequemlichkeit erreicht werden kann, sondern daß sie, wie uns, Schweiß, Not, Ängste und Fülle des Leidens und Schmerzes kostet. Nehmt rücksichtslos an diesem, durch Selbstvernichtung wiedergebärenden Erlösungswerke teil, so sind wir einig und unterschieden! Aber bedenkt, daß nur eines eure Erlösung von dem auf euch lastenden Fluche sein kann: die Erlösung Ahasvers, – der *Untergang*!

Oper und Drama

Einleitung

Keine Erscheinung kann ihrem Wesen nach eher vollständig begriffen werden, als sie bis selbst zur vollsten Tatsache geworden ist; ein Irrtum wird nicht eher gelöst, als bis alle Möglichkeiten seines Bestehens erschöpft, alle Wege, innerhalb dieses Bestehens zur Befriedigung des notwendigen Bedürfnisses zu gelangen, versucht und ausgemessen worden sind.

Als ein unnatürliches und nichtiges konnte uns das Wesen der *Oper* erst klar werden, als die Unnatur und Nichtigkeit in ihr zur offenbarsten und widerwärtigsten Erscheinung kam; der Irrtum, welcher der Entwicklung dieser musikalischen Kunstform zugrunde liegt, konnte uns erst einleuchten, als die edelsten Genies mit Aufwand ihrer ganzen künstlerischen Lebenskraft alle Gänge seines Labyrinthes durchforscht, nirgend aber den Ausweg, überall nur den Rückweg zum Ausgangspunkte des Irrtumes fanden, – bis dieses Labyrinth endlich zum bergenden Narrenhause für allen Wahnsinn der Welt wurde.

Die Wirksamkeit der modernen Oper, in ihrer Stellung zur Öffentlichkeit, ist ehrliebenden *Künstlern* bereits seit lange ein Gegenstand des tiefsten und heftigsten Widerwillens geworden; sie klagten aber nur die Verderbtheit des Geschmacks und die Frivolität derjenigen Künstler, die sie ausbeuteten, an, ohne darauf zu verfallen, daß jene Verderbtheit eine ganz natürliche, und diese Frivolität demnach eine ganz notwendige Erscheinung war. Wenn die *Kritik* das wäre, was sie sich meistens einbildet zu sein, so müßte sie längst das Rätsel des Irrtumes gelöst und den Widerwillen des ehrlichen Künstlers gründlich gerechtfertigt haben. Statt dessen hat auch sie nur den Instinkt dieses Widerwillens empfunden, an die Lösung des Rätsels aber ebenso befangen nur herangetappt, als der Künstler selbst innerhalb des Irrtumes nach Ausweggängen sich bewegte.

Das große Übel für die Kritik liegt hierbei in ihrem Wesen selbst. Der Kritiker fühlt in sich nicht die drängende Notwendigkeit, die den Künstler selbst zu der begeisterten Hartnäckigkeit treibt, in der er endlich ausruft: *so ist es und nicht anders!* Der Kritiker, will er hierin dem Künstler nachahmen, kann nur in den widerlichen Fehler der Anmaßung verfallen, d. h. des zuversichtlich gegebenen Ausspruches irgend einer Ansicht von der Sache, in der er nicht mit künstlerischem Instinkte empfindet, sondern über die er mit bloß ästhetischer Willkür Meinungen äußert, an deren Geltendmachung ihm vom Standpunkte der abstrakten Wissenschaft aus liegt. Erkennt nun der Kritiker seine *richtige* Stellung zur künstlerischen Erscheinungswelt, so fühlt er sich zu jener Scheu und Vorsicht angehalten, in der er immer nur Erscheinungen zusammenstellt und das Zusammengestellte wieder neuer Forschung übergibt, nie aber das entscheidende Wort mit enthusiastischer Bestimmtheit auszusprechen wagt. Die Kritik lebt somit vom »allmählichen« Fortschritte, d. h. der ewigen *Unterhaltung* des Irrtumes; sie fühlt, wird der Irrtum gründlich gebrochen, so tritt dann die wahre, nackte Wirklichkeit ein, die Wirklichkeit, an der man sich nur noch erfreuen, über die man aber unmöglich mehr kritisieren kann, – gerade wie der Liebende in der Erregtheit der Liebesempfindung ganz gewiß nicht dazu kommt, über das Wesen und den Gegenstand seiner Liebe nachzudenken. An diesem vollen Erfülltsein von dem Wesen der Kunst muß es der Kritik, so lange sie besteht und bestehen *kann*, ewig gebrechen; sie kann nie ganz bei ihrem Gegenstande sein, mit einer vollen Hälfte muß sie sich immer abwenden, und zwar mit der Hälfte, die ihr eigenes Wesen ist. Die Kritik lebt vom »Doch« und »Aber«. Versenkte sie sich ganz auf den Grund der Erscheinungen, so müßte sie mit Bestimmtheit nur dies Eine aussprechen können, eben den erkannten Grund, – vorausgesetzt, daß der Kritiker überhaupt die nötige Fähigkeit, d. h. Liebe zu dem Gegenstande, habe: dies Eine ist aber gemeinhin der Art, daß, mit Bestimmtheit ausgesprochen, es alle weitere Kritik geradezu unmöglich machen müßte. So hält sie sich vorsichtig, um ihres Lebens willen, immer nur an die Oberfläche der Erscheinung, ermißt ihre Wirkung, wird bedenklich, und – siehe da! – das feige, unmännliche »Jedoch« ist da, die Möglichkeit unendlicher Unbestimmtheit und Kritik ist von Neuem gewonnen!

Und doch haben wir jetzt alle Hand an die Kritik zu legen; denn durch sie allein kann der, durch die Erscheinungen enthüllte, Irrtum einer Kunstrichtung uns zum Bewußtsein kommen; nur aber durch das Wissen von einem Irrtume werden wir seiner ledig. Hatten die Künstler unbewußt diesen Irrtum genährt und endlich bis zur Höhe seiner ferneren Unmöglichkeit gesteigert, so müssen sie, um ihn vollkommen zu überwinden, eine letzte männliche Anstrengung machen, selbst Kritik zu üben; so vernichten sie den Irrtum und heben die Kritik zugleich auf, um von da ab wieder, und zwar erst wirklich, Künstler zu werden, die sorgenlos dem Drange ihrer Begeisterung sich überlassen können, unbekümmert um alle ästhetische Definition ihres Vorhabens. Der Augenblick, der diese Anstrengung gebieterisch fordert, ist aber jetzt erschienen: wir *müssen* tun, was wir nicht lassen dürfen, wenn wir nicht in verächtlichem Blödsinn zugrunde gehen wollen. –

Welcher ist nun der von uns allen geahnte, noch nicht aber gewußte *Irrtum*? –

Ich habe die Arbeit eines tüchtigen und erfahrenen Kunstkritikers vor mir, einen längeren Artikel in der Brockhausschen »Gegenwart«: »Die moderne Oper«. Der Verfasser stellt alle bezeichnenden Erscheinungen der modernen Oper auf kenntnisvolle Weise zusammen und lehrt an ihnen recht deutlich die ganze Geschichte des Irrtumes und seiner Enthüllung; er bezeichnet diesen Irrtum fast mit dem Finger, enthüllt ihn fast vor unsren Augen, und fühlt sich wieder so unvermögend, seinen Grund mit Bestimmtheit auszusprechen, daß er dagegen es vorziehen muß, auf dem Punkte des notwendigen Ausspruches angekommen, sich in die allerirrigsten Darstellungen der Erscheinung selbst zu verlieren, um so gewissermaßen den Spiegel wieder zu trüben, der bis dahin uns immer heller entgegenleuchtete. Er *weiß*, daß die Oper keinen geschichtlichen (soll heißen: natürlichen) Ursprung hat, daß sie nicht aus dem Volke, sondern aus künstlerischer Willkür entstanden ist; er *errät* den verderblichen Charakter dieser Willkür ganz richtig, wenn er es als einen argen Mißgriff der meisten jetzt lebenden deutschen und französischen Opernkomponisten bezeichnet, »daß sie auf dem Wege der *musikalischen* Charakteristik Effekte anstreben, die man allein durch das *verstandesscharfe Wort der dramatischen Dichtung* erreichen kann«; er kommt auf das wohlbegründete Bedenken hin, ob die Oper nicht wohl an sich ein ganz widerspruchvolles und unnatürliches Kunstgenre sei; er stellt in den Werken *Meyerbeers* – allerdings hier fast schon ohne Bewußtsein – diese Unnatur als bis auf die unsittlichste Spitze getrieben dar, – und, statt nun das Notwendige, von jedem fast schon Gewußte, rund und kurz auszusprechen, sucht er plötzlich der Kritik ein ewiges Leben zu bewahren, indem er sein Bedauern darüber ausspricht, das *Mendelssohns* früher Tod die *Lösung* des Rätsels verhindert, d. h. hinausgeschoben hätte! – Was spricht der Kritiker mit diesem Bedauern aus? Doch nur die Annahme, daß Mendelssohn, bei seiner feinen Intelligenz und seiner außerordentlichen musikalischen Befähigung, entweder imstande hätte sein müssen, eine Oper zu schreiben, in welcher die herausgestellten Widersprüche dieser Kunstform glänzend widerlegt und ausgesöhnt worden, oder aber dadurch, daß er trotz jener Intelligenz und Befähigung dies nicht vermögend gewesen wäre, diese Widersprüche endgültig bezeugt, das Genre somit als unnatürlich und nichtig dargestellt hätte? – Diese Darlegung glaubte der Kritiker also nur von dem Wollen einer besonders befähigten – musikalischen – Persönlichkeit abhängig machen zu können? War *Mozart* ein geringerer Musiker? Ist es möglich, Vollendeteres zu finden, als jedes Stück seines »Don Juan«? Was aber hätte Mendelssohn im glücklichsten Falle andres vermocht, als Nummer für Nummer Stücke zu liefern, die jenen Mozartschen an Vollendung gleichkämen? Oder will der Kritiker etwas andres, will er mehr, als Mozart leistete? – In der Tat, das will er: *er will den großen, einheitvollen Bau des ganzen Dramas, er will – genau genommen – das Drama in seiner höchsten Fülle und Potenz.* An wen stellt aber er diese Forderung? *An den Musiker!* – Den ganzen Gewinn seines einsichtsvollen Überblickes der Erscheinungen der Oper, den festen Knoten, zu dem er alle Fäden der Erkenntnis in seiner geschickten Hand zusammengefaßt hat, – läßt er schließlich fahren, und wirft alles in das alte Chaos wieder zurück! Er will sich ein Haus bauen lassen, und wendet sich an den Skulptor oder Tapezierer; der *Architekt*, der auch den Skulptor und Tapezierer, und sonst alle bei Herrichtung des Hauses nötigen Helfer mit in sich begreift, weil er ihrer gemeinsamen Tätigkeit Zweck und Anordnung gibt, der fällt ihm nicht ein! – Er hatte das Rätsel selbst gelöst, aber nicht Tageshelle hatte ihm die Lösung gegeben, sondern nur die Wirkung eines Blitzes in finsterer Nacht, nach dessen Verschwinden ihm plötzlich die Pfade nur noch unerkennbarer als vorher geworden sind. So tappt er nun endlich in vollster Finsternis umher, und da, wo sich der Irrtum in nacktester Widerwärtigkeit und prostituiertester Blöße für den Handgriff erkenntlich hinstellt, wie in der Meyerbeerschen Oper, da glaubt der vollständig Geblendete plötzlich den hellen Ausweg zu erkennen: er stolpert und strauchelt jeden Augenblick über Stock und Stein, bei jedem Tasten fühlt er sich ekelhaft berührt, sein Atem versagt ihm bei stickend unnatürlicher Luft, die er einsaugen muß, – und doch glaubt er sich auf dem richtigen, gesunden Wege zum Heile, weshalb er sich auch alle Mühe gibt, sich über alles das zu belügen, was ihm auf diesem Wege eben hinderlich und von bösem Anzeichen ist. – Und doch

194

wandelt er, aber eben nur unbewußt, auf dem Wege des Heiles; dieser ist in Wirklichkeit der Weg aus dem Irrtume, ja, er ist schon mehr, er ist das Ende dieses Weges, denn er ist die in der höchsten Spitze des Irrtumes ausgesprochene Vernichtung dieses Irrtumes, und diese Vernichtung heißt hier: *der offenkundige Tod der Oper*, – der Tod, den Mendelssohns guter Engel besiegelte, als er seinem Schützlinge zur rechten Zeit die Augen zudrückte!

Daß die Lösung des Rätsels vor uns liegt, daß sie in den Erscheinungen klar und deutlich ausgesprochen ist, Kritiker wie Künstler sich aber von ihrer Erkenntnis willkürlich noch abwenden können, das ist das wahrhaft Beklagenswerte an unsrer Kunstepoche. Seien wir noch so redlich bemüht, uns nur mit dem wahren Inhalte der Kunst zu befassen, ziehen wir noch so ehrlich entrüstet gegen die Lüge zu Felde, dennoch täuschen wir uns über jenen Inhalt und kämpfen wir nur mit der Unkraft dieser Täuschung wieder gegen jene Lüge, sobald wir über das Wesen der wirkungsreichsten Kunstform, in der die Musik sich der Öffentlichkeit mitteilt, geflissentlich in demselben Irrtume beharren, dem unwillkürlich diese Kunstform entsprungen und dem jetzt allein ihre offenkundige Zersplitterung, die Darlegung ihrer Nichtigkeit, zuzuschreiben ist. Es scheint mir fast, als gehöre für euch ein großer Mut und ein besonders kühner Entschluß dazu, jenen Irrtum einzugestehen und offen auszusprechen zu sollen; es ist mir, als fühlet ihr das Schwinden aller Notwendigkeit eures jetzigen musikalischen Kunstproduzierens, sobald ihr den, in Wahrheit notwendigen, Ausspruch getan hättet, zu dem ihr euch deshalb nur mit dem höchsten Selbstopfer anlassen könntet. Wiederum will es mich aber bedünken, als erfordere es weder der Kraft noch der Mühe, am allerwenigsten des Mutes und der Kühnheit, sobald es sich um nichts weiter handelt, als das Offenkundige, längst Gefühlte, jetzt aber ganz unleugbar Gewordene einfach und ohne allen Aufwand von Staunen und Betroffenheit anzuerkennen. Fast scheue ich mich, die kurze Formel der Aufdeckung des Irrtumes mit *erhobener* Stimme auszusprechen, weil ich mich schämen möchte, etwas so Klares, Einfaches, und in sich selbst Gewisses, daß meinem Bedünken nach alle Welt es längst und bestimmt gewußt haben muß, mit der Bedeutung einer wichtigen Neuigkeit kundzutun. Wenn ich diese Formel nun dennoch mit stärkerer Betonung ausspreche, wenn ich also erkläre, *der Irrtum in dem Kunstgenre der Oper bestand darin,*

daß ein Mittel des Ausdrucks (die Musik) zum Zwecke, der Zweck des Ausdrucks (das Drama) aber zum Mittel gemacht war,

so geschieht dies keineswegs in dem eitlen Wahne, etwas Neues gefunden zu haben, sondern in der Absicht, den in dieser Formel aufgedeckten Irrtum handgreiflich deutlich hinzustellen, um so gegen die unselige Halbheit zu Felde zu ziehen, die sich jetzt in Kunst und Kritik bei uns ausgebreitet hat. Beleuchten wir mit der Zünde der in der Aufdeckung dieses Irrtumes enthaltenen Wahrheit die Erscheinungen unsrer Opernkunst und -kritik, so müssen wir mit Staunen ersehen, in welchem Labyrinthe des Wahnes wir beim Schaffen und Beurteilen bisher uns bewegten; es muß uns erklärlich werden, warum nicht nur im Schaffen jedes begeisterte Streben an den Klippen der Unmöglichkeit scheitern mußte, sondern auch beim Beurteilen die gescheitesten Köpfe selbst in das Faseln und Irrereden gerieten.

Sollte es zuvörderst nötig sei, das Richtige in jener kundgegebenen Aufdeckung des Irrtumes im Kunstgenre der Oper nachzuweisen? Sollte es bezweifelt werden können, daß in der Oper wirklich die Musik als Zweck, das Drama aber nur als Mittel verwandt worden sei? Gewiß nicht. Der kürzeste Überblick der geschichtlichen Entwicklung der Oper belehrt uns hierüber ganz untrüglich; jeder, der sich um Darstellung dieser Entwicklung bemühte, deckte – durch seine bloße Geschichtsarbeit – unwillkürlich die Wahrheit auf. Nicht aus den mittelalterlichen Volksschauspielen, in welchen wir die Spuren eines natürlichen Zusammenwirkens der Tonkunst mit der Dramatik finden, ging die Oper hervor; sondern an den üppigen Höfen Italiens – merkwürdigerweise des einzigen großen europäischen Kulturlandes, in welchem sich das Drama nie zu irgend welcher Bedeutung entwickelte – fiel es vornehmen Leuten, die an Palestrinas Kirchenmusik keinen Geschmack mehr fanden, ein, sich von Sängern, die bei Festen sie unterhalten sollten, *Arien*, d. h. ihrer Wahrheit und Naivetät entkleidete Volksweisen, vorsingen zu lassen, denen man willkürliche, und aus Not zu einem Anscheine von dramatischem Zusammenhang verbundene, Verstexte unterlegte. Diese *dramatische Kantate*, deren Inhalt auf alles, nur nicht auf das Drama, abzielte, ist die Mutter unsrer Oper, ja sie ist die Oper selbst. Je weiter sie sich von diesem Entstehungspunkte aus entwickelte, je folgerechter sich die, als nur noch rein musikalisch übriggebliebene, Form der Arie zur Unterlage für die Kehlfertigkeit der Sänger fortbildete, desto klarer stellte sich für den *Dichter*, der zur Hülfe bei diesen musikalischen Divertissements herbeigezogen wurde, die Aufgabe heraus, eine Dichtungsform herzurichten, die gerade zu weiter gar nichts dienen sollte, als dem Bedürfnisse des Sängers und der musikalischen Arienform den nötigen Wortversbedarf zu liefern. *Metastasios* großer Ruhm bestand darin, daß er dem Musiker nie die mindeste Verlegenheit bereitete, vom dramatischen Standpunkte aus ihm nie eine ungewohnte Forderung stellte, und somit der allerergebenste und verwendbarste Diener dieses Musikers war. Hat sich dieses Verhältnis des Dichters zum Musiker bis auf den heutigen Tag um ein Haar geändert? Wohl darin, was nach rein musikalischem Dafürhalten heute für dramatisch gilt und allerdings von der altitalienischen Oper sich unterscheidet, keineswegs aber darin, was das Charakteristische der Stellung selbst betrifft. Als dieses gilt heute wie vor 150 Jahren, daß der Dichter seine Inspirationen vom Musiker erhalte, daß er den Launen der Musik lausche, der Neigung des Musikers sich füge, den Stoff nach dessen Geschmacke wähle, seine Charaktere nach der, für die rein musikalische Kombination erforderlichen, Stimmgattung der Sänger modele, dramatische Unterlagen für gewisse Tonstückformen, in denen der Musiker sich ergehen und ausbreiten will, herbeischaffe, – kurz, daß er in seiner Unterordnung unter den Musiker das Drama nur aus speziell musikalischen Intentionen des Komponisten heraus konstruiere, – oder, wenn er dies alles nicht wolle oder könne, sich gefallen lasse, für einen unbrauchbaren Operntextdichter angesehen zu werden. – Ist dies wahr oder nicht? Ich zweifle, daß gegen diese Darstellung das Mindeste eingewendet werden könnte.

(...)

Dritter Teil
Dichtkunst und Tonkunst im Drama der Zukunft

I.

Der Dichter hat bisher nach zwei Seiten hin versucht, das Organ des Verstandes, die absolute Wortsprache, zu dem Gefühlsausdrucke zu stimmen, in welchem es ihm zur Mitteilung an das Gefühl behilflich sein sollte: durch das *Versmaß* – nach der Seite der *Rhythmik*, durch den *Endreim* – nach der Seite der *Melodik* hin. –

Im Versmaße bezogen sich die Dichter des Mittelalters mit Bestimmtheit noch auf die *Melodie*, sowohl was die Zahl der Silben, als namentlich was die Betonung betraf. Nachdem die Abhängigkeit des Verses von einer stereotypen Melodie, mit der er nur noch durch ein rein äußerliches Band zusammenhing, zu knechtischer Pedanterie ausgeartet war – wie in den Schulen der Meistersinger –, wurde in neueren Zeiten aus der Prosa heraus ein von irgend welcher wirklicher Melodie gänzlich unabhängiges Versmaß dadurch zustande gebracht, daß man den rhythmischen Versbau der Lateiner und Griechen – so wie wir ihn jetzt in der Literatur vor Augen haben – zum Muster nahm. Die Versuche zur Nachahmung und Aneignung dieses Musters knüpften sich zunächst an das Verwandteste an, und steigerten sich nur so allmählich, daß wir des hier zugrunde liegenden Irrtumes erst dann vollständig gewahr werden konnten, als wir auf der einen Seite zu immer innigerem Verständnis der antiken Rhythmik, auf der andern Seite, durch unsre Versuche sie nachzuahmen, zu der Einsicht der Unmöglichkeit und Fruchtlosigkeit dieser Nachahmung gelangen mußten. Wir wissen jetzt, daß das, was die unendliche Mannigfaltigkeit der griechischen Metrik erzeugte, die unzertrennliche lebendige Zusammenwirkung der Tanzgebärde mit der Ton-Wortsprache war, und alle hieraus hervorgegangenen Versformen nur durch eine Sprache sich bedangen, welche unter dieser Zusammenwirkung sich gerade so gebildet hatte, daß wir aus *unserer* Sprache heraus, deren Bildungsmotiv ein ganz andres war, sie in ihrer rhythmischen Eigentümlichkeit fast gar nicht begreifen können.

Das Besondere der griechischen Bildung ist, daß sie der rein leiblichen Erscheinung des Menschen eine so bevorzugende Aufmerksamkeit zuwandte, daß wir diese als die Basis aller griechischen Kunst anzusehen haben. Das lyrische und das dramatische Kunstwerk war die durch die Sprache ermöglichte Vergeistigung der Bewegung dieser leiblichen Erscheinung, und die monumentale bildende Kunst endlich ihre unverhohlene Vergötterung. Zur Ausbildung der Tonkunst fühlten sich die Griechen nur so weit gedrungen, als sie zur Unterstützung der Gebärde zu dienen hatte, deren Inhalt die Sprache an sich schon melodisch ausdrückte. In der Begleitung der Tanzbewegung durch die tönende Wortsprache gewann diese ein so festes prosodisches Maß, d. h. ein so bestimmt abgewogenes, rein sinnliches Gewicht für die Schwere und Leichtigkeit der Silben, nach welchem sich ihr Verhältnis zueinander in der Zeitdauer ordnete, daß gegen diese rein sinnliche Bestimmung (die nicht willkürlich war, sondern auch für die Sprache von der natürlichen Eigenschaft der tönenden Laute in den Wurzelsilben, oder der Stellung dieser Laute zu verstärkten Mitlautern sich herleitete) der unwillkürliche Sprachakzent, durch welchen auch Silben hervorgehoben werden, denen das sinnliche Gewicht keine Schwere zuteilt, sogar zurückzustehen hatte, – eine Zurückstellung im Rhythmus, die jedoch die Melodie durch Hebung des

Sprachakzentes wieder ausglich. Ohne diese versöhnende Melodie sind nun aber die Metren des griechischen Versbaues auf uns gekommen (wie die Architektur ohne ihren einstigen farbigen Schmuck), und den unendlich mannigfaltigen Wechsel dieser Metren selbst können wir uns wiederum noch weniger aus dem Wechsel der Tanzbewegung erklären, weil wir eben diese nicht mehr vor Augen, wie jene Melodie nicht mehr vor Ohren haben. – Ein unter solchen Umständen von der griechischen Metrik abstrahiertes Versmaß mußte daher alle denkbaren Widersprüche in sich vereinigen. Zu seiner Nachahmung erforderte es vor allem einer Bestimmung unsrer Sprachsilben zu Längen und Kürzen, die ihrer natürlichen Beschaffenheit durchaus zuwider war. In einer Sprache, die sich bereits zu vollster Prosa aufgelöst hat, gebietet Hebungen und Senkungen des Sprachtones nur noch der *Akzent*, den wir *zum Zweck der Verständlichung* auf Worte oder Silben legen. Dieser Akzent ist aber durchaus nicht ein für ein- und allemal gültiger, wie das Gewicht der griechischen Prosodie ein für alle Fälle gültiges war; sondern er wechselt ganz in dem Maße, als dieses Wort oder diese Silbe in der Phrase, zum Zwecke der Verständlichung, von stärkerer oder schwächerer *Bedeutung* ist. Ein griechisches Metron in unsrer Sprache nachbilden können wir nur, wenn wir einerseits den Akzent willkürlich zum prosodischen Gewichte umstempeln, oder anderseits den Akzent einem *eingebildeten* prosodischen Gewichte aufopfern. Bei den bisherigen Versuchen ist abwechselnd beides geschehen, so daß die Verwirrung, welche solche rhythmisch sein sollende Verse auf das Gefühl hervorbrachten, nur durch willkürliche Anordnung des Verstandes geschlichtet werden konnte, der sich das griechische Schema zur Verständlichung über den Wortvers setzte, und durch dieses Schema sich ungefähr das sagte, was jener Maler dem Beschauer seines Bildes sagte, unter das er die Worte geschrieben hatte: »dies ist eine Kuh«.

Wie unfähig unsre Sprache zu jeder rhythmisch genau bestimmten Kundgebung im Verse ist, zeigt sich am ersichtlichsten in dem einfachsten Versmaße, in das sie sich zu kleiden gewöhnt hat, um – so bescheiden wie möglich – sich doch in irgend welchem rhythmischen Gewande zu zeigen. Wir meinen den sogenannten *Jamben*, auf welchem sie als fünffüßiges Ungeheuer unsern Augen und – leider auch – unserm Gehöre am häufigsten sich vorzuführen pflegt. Die Unschönheit dieses Metrons, sobald es – wie in unsern Schauspielen – ununterbrochen vorgeführt wird: ist an und für sich beleidigend für das Gefühl; wird nun aber – wie es gar nicht anders möglich ist – seinem eintönigen Rhythmos zu Liebe dem lebendigen Sprachakzente noch der empfindlichste Zwang angetan, so wird das Anhören solcher Verse zur vollständigen Marter; denn, durch den verstümmelten Sprachakzent vom richtigen und schnellen Verständnisse des Auszudrückenden abgelenkt, wird dann der Hörer mit Gewalt angehalten, sein Gefühl einzig dem schmerzlich ermüdenden Ritte auf dem hinkenden Jamben hinzugeben, dessen klappernder Trott ihm endlich Sinn und Verstand rauben muß. – Eine verständige Schauspielerin ward von den Jamben, als sie von unsern Dichtern auf der Bühne eingeführt wurden, so beängstigt, daß sie für ihre Rollen diese Verse sich in Prosa ausschreiben ließ, um durch ihren *Anblick* nicht verführt zu werden, den natürlichen Sprachakzent gegen ein dem Verständnisse schädliches Skandieren des Verses aufzugeben. Bei diesem gesunden Verfahren entdeckte die Künstlerin gewiß sogleich, daß der vermeintliche Jambe eine Illusion des Dichters war, die sofort verschwand, wenn der Vers in Prosa ausgeschrieben und diese Prosa mit verständlichem Ausdrucke vorgetragen wurde; sie fand gewiß, daß jede Verszeile, wenn sie von ihr nach unwillkürlichem Gefühle ausgesprochen und nur mit Rücksicht auf überzeugend verständliche Kundgebung des Sinnes betont wurde, nur eine oder höchstens zwei Silben enthielt, auf denen ein bevorzugendes Weilen mit verschärfter Betonung zugleich notwendig war, – daß die übrigen Silben zu dieser einen oder zwei akzentuierten sich nur im gleichmäßigen, durch Zwischenverweilungen ununterbrochenen, Heben und Senken, Steigen und Fallen, sich verhielten, – prosodische Längen und Kürzen unter ihnen nur dadurch aber zum Vorschein kommen konnten, daß den Wurzelsilben ein unsrer modernen Sprachgewohnheit gänzlich fremder, das Verständnis einer Phrase durchaus störender, ja vernichtender Akzent aufgedrückt würde, – ein Akzent nämlich, der sich zugunsten des Verses als ein rhythmisches Verweilen kundgeben müßte.

Ich gebe zu, daß gute Versmacher von schlechten sich eben dadurch unterschieden, daß sie die Längen des Jamben nur auf Wurzelsilben verlegten, und die Kürzen dagegen auf Ein- oder Ausgangssilben: werden die so bestimmten Längen aber, wie es doch in der Absicht des Jambos liegt, mit rhythmischer Genauigkeit vorgetragen – ungefähr im Werte von ganzen Taktnoten zu halben Taktnoten –, so stellt sich gerade hieran ein Verstoß gegen unsern Sprachgebrauch heraus, der einen, unserm Gefühle entsprechenden, wahren und verständlichen Ausdruck vollständig verhindert. Wäre unserm Gefühle eine prosodisch gesteigerte Quantität der Wurzelsilben gegenwärtig, so müßte es dem Musiker ganz unmöglich gewesen sein, jene jambischen Verse nach jedem beliebigen Rhythmos aussprechen zu lassen, namentlich auch die unterscheidende Quantität ihnen der Art zu benehmen, daß er zu gleich langen und kurzen Noten die im Vers als lang und kurz gedachten Silben zum Vortrag bringt. Nur an den Akzent war aber der Musiker gebunden, und erst in der Musik gewinnt dieser Akzent von Silben, die in der gewöhnlichen Sprache – als eine Kette rhythmisch ganz gleicher Momente – zum Hauptakzente sich wie ein steigender Auftakt verhalten, eine Bedeutung, weil er hier dem rhythmischen Gewichte der guten und schlechten Taktteile zu entsprechen, und durch Steigen oder Sinken des Tones eine bezeichnende Unterscheidung zu gewinnen hat. – Gemeinhin sah sich im Jamben der Dichter aber auch genötigt, von der Bestimmung der Wurzelsilbe zur prosodischen Länge abzusehen, und aus einer Reihe gleich akzentuierter Silben nach Belieben oder zufälliger Fügung diese oder jene auszuwählen, der er die Ehre einer prosodischen Länge zuteilte, während er dicht dabei durch eine für das Verständnis notwendige Wortstellung veranlaßt wurde, eine Wurzelsilbe zur prosodischen Kürze herabzusetzen. – Das Geheimnis dieses Jamben ist auf unsern Schauspieltheatern offen geworden. Verständige Schauspieler, denen daran lag, sich dem Verstande des Zuhörers mitzuteilen, haben ihn als nackte Prosa gesprochen; unverständige, die vor dem Takte des Verses dessen Inhalt nicht zu fassen vermochten, haben ihn als sinn- und tonlose, gleich unverständliche wie unmelodische, Melodie deklamiert.

Da, wo eine auf prosodische Längen und Kürzen zu begründende Rhythmik im Sprachverse nie versucht wurde, wie bei den romanischen Völkern, und wo die Verszeile daher nur nach der Zahl der Silben bestimmt ward, hat sich der *Endreim* als unerläßliche Bedingung für den Vers überhaupt festgesetzt.

In ihm charakterisiert sich das Wesen der *christlichen* Melodie, als deren sprachlicher Überrest er anzusehen ist. Seine Bedeutung vergegenwärtigen wir uns sogleich, wenn wir den kirchlichen Choralgesang uns vorführen. Die Melodie dieses Gesanges bleibt rhythmisch gänzlich unentschieden; sie bewegt sich Schritt für Schritt in vollkommen gleichen Taktlängen vor sich, um nur am Ende des Atems, und zum neuen Atemholen zu verweilen. Die Einteilung in gute und schlechte Taktteile ist eine Unterlegung späterer Zeit; die ursprüngliche Kirchenmelodie wußte von solcher Einteilung nichts: für sie galten Wurzel und Bindesilben ganz gleich; die Sprache hatte für sie keine Berechtigung, sondern nur die Fähigkeit, sich in einen Gefühlsausdruck aufzulösen, dessen Inhalt Furcht vor dem Herren und Sehnsucht nach dem Tode war. Nur wo der Atem ausging, am Schlusse des Melodieabschnittes, nahm die Wortsprache Anteil an der Melodie durch den Reim der Endsilbe, und dieser Reim galt so bestimmt nur dem letzten ausgehaltenen Tone der Melodie, daß bei sogenannten weiblichen Wortendungen gerade nur die kurze Nachschlagsilbe sich zu reimen brauchte, und der Reim einer solchen Silbe einem vorangehenden oder folgenden männlichen Endreime gültig entsprach: ein deutlicher Beweis für die Abwesenheit aller Rhythmik in dieser Melodie und in diesem Verse.

Der von dieser Melodie durch den weltlichen Dichter endlich losgetrennte Wortvers wäre ohne Endreim als Vers völlig unkenntlich gewesen. Die Zahl der Silben, auf denen ohne alle Unterscheidung gleichmäßig verweilt, und nach denen einzig die Verszeile bestimmt wurde, konnte, da der Atemabschnitt des Gesanges sie nicht so merklich wie in der gesungenen Melodie unterschied, die Verszeilen nicht voneinander als kenntlich absondern, wenn nicht der Endreim den hörbaren Moment dieser Absonderung so bezeichnete, daß er den fehlenden Moment der Melodie, den Wechsel des Gesangatems, ersetzte. Der Endreim erhielt somit, da auf ihm zugleich als auf dem scheidenden Versabsatze verweilt wurde, eine so wichtige Bedeutung für den Sprachvers, daß alle Silben der Verszeile nur wie ein vorbereitender Angriff auf die Schlußsilbe, wie ein verlängerter Auftakt des Niederschlages im Reime, zu gelten hatten.

Diese Bewegung auf die Schlußsilbe hin entsprach ganz dem Charakter der Sprache der romanischen Völker, die, nach der mannigfaltigsten Mischung fremder und abgelebter Sprachbestandteile, sich in solcher Weise herausgebildet hatte, daß in ihr das Verständnis der ursprünglichen Wurzeln dem Gefühle vollständig verwehrt blieb. Am deutlichsten erkennen wir dies an der französischen Sprache, in welcher der Sprachakzent zum vollkommenen Gegensatze der Betonung der Wurzelsilben, wie sie dem Gefühle bei irgend noch vorhandenem Zusammenhange mit der Sprachwurzel natürlich sein müßte, geworden ist. Der Franzose betont nie anders als die Schlußsilbe eines Wortes, liege bei zusammengesetzten oder verlängerten Worten die Wurzel auch noch so weit vorn, und sei die Schlußsilbe auch nur eine unwesentliche Anhangssilbe. In der Phrase aber drängt er alle Worte zu einem gleichtönenden, wachsend beschleunigten Angriffe des Schlußwortes, oder besser – der Schlußsilbe, zusammen, worauf er mit einem stark erhobenen Akzente verweilt, selbst wenn dieses Schlußwort – wie gewöhnlich – durchaus nicht das wichtigste der Phrase ist, – denn, ganz diesem Sprachakzente zuwider, konstruiert der Franzose die Phrase durchgehends so, daß er ihre bedingenden Momente nach vorn zusammendrängt, während z. B. der Deutsche diese an den Schluß der Phrase verlegt. Diesen Widerstreit zwischen dem Inhalte der Phrase und ihrem Ausdrucke durch den Sprachakzent können wir uns leicht aus dem Einflusse des endgereimten Verses auf die gewöhnliche Sprache erklären. Sobald sich diese in besonderer Erregtheit zum Ausdrucke anläßt, äußert sie sich unwillkürlich nach dem Charakter jenes Verses, dem Überbleibsel der älteren Melodie, wie dagegen der Deutsche im gleichen Falle in Stabreimen spricht – z. B. »Zittern und Zagen«, »Schimpf und Schande«. –

Das Bezeichnendste des Endreimes ist somit aber, daß er, ohne beziehungsvollen Zusammenhang mit der Phrase, als eine Nothilfe zur Herstellung des Verses erscheint, zu deren Gebrauch der gewöhnliche Sprachausdruck sich gedrängt fühlt, wenn er sich in erhöhter Erregtheit kundgeben will. Der endgereimte Vers ist dem gewöhnlichen Sprachausdrucke gegenüber der Versuch, einen erhöhten Gegenstand auf solche Weise mitzuteilen, daß er auf das Gefühl einen entsprechenden Eindruck hervorbringe, und zwar dadurch, daß der Sprachausdruck sich auf eine andre, von dem Alltagsausdrucke sich unterscheidende Art, mitteile. – Dieser Alltagsausdruck war aber das Mitteilungsorgan des Verstandes an den Verstand; durch einen von diesem unterschiedenen, erhöhten Ausdruck wollte der Mitteilende dem Verstande gewissermaßen ausweichen, d. h. eben an das vom Verstande Unterschiedene, an das Gefühl, sich wenden. Dies suchte er dadurch zu erreichen, daß er das sinnliche Organ des Sprachempfängnisses, welches die Mitteilung des Verstandes in ganz gleichgültiger Unbewußtheit aufnahm, zum Bewußtsein seiner Tätigkeit erweckt, indem er in ihm ein rein sinnliches Gefallen an dem Ausdrucke selbst hervorzubringen sucht. Der im Endreim sich abschließende Wortvers vermag nun wohl das sinnliche Gehörorgan so weit zur Aufmerksamkeit zu bestimmen, daß es sich durch Lauschen auf die Wiederkehr des gereimten Wortabschnittes gefesselt fühlen mag; hierdurch wird es aber eben erst nur zur Aufmerksamkeit gestimmt, d. h. es gerät in eine gespannte Erwartung, die dem Vermögen des Gehörorganes *genügend* erfüllt werden muß, wenn es sich zu so reger Teilnahme anlassen, und endlich so vollständig befriedigt werden soll, daß es das entzückende Empfängnis dem ganzen Empfindungsvermögen des Menschen mitteilen kann. Nur wenn das ganze Gefühlsvermögen des Menschen zur Teilnahme an einem, ihm durch einen empfangenden Sinn mitgeteilten, Gegenstande vollständig erregt ist, gewinnt dieses die Kraft, sich aus voller Zusammengedrängtheit nach innen wiederum in der Weise auszudehnen, daß es dem Verstande eine unendlich bereicherte und gewürzte Nahrung zuführt. Da es bei jeder Mitteilung doch nur auf *Verständnis* abgesehen ist, so geht auch die dichterische Absicht endlich nur auf eine Mitteilung an den Verstand hinaus: um aber zu diesem ganz sicheren Verständnisse zu gelangen, setzt sie ihn da, wohin sie sich mitteilt, nicht von vornherein voraus, sondern sie will ihn an ihrem Verständnisse sich gewissermaßen erst erzeugen lassen, und das Gebärungsorgan dieser Zeugung ist, so zu sagen, das Gefühlsvermögen des Menschen. Dieses Gefühlsvermögen ist aber zu dieser Gebärung nicht eher willig, als bis es durch ein Empfängnis in die allerhöchste Erregung versetzt ist, in welcher es die Kraft des Gebärens gewinnt. Diese Kraft kommt ihm aber erst durch die Not, und die Not durch die Überfülle, zu der das Empfangene in ihm angewachsen ist: erst das, was einen gebärenden Organismus übermächtig erfüllt, nötigt ihn zum Akte des Gebärens, und der Akt des Gebärens des Verständnisses der dichterischen Absicht ist die Mitteilung dieser Absicht von seiten des empfangenden Gefühles an den innern Verstand, den wir als die Beendigung der Not des gebärenden Gefühles ansehen müssen.

Der Wortdichter nun, der seine Absicht dem nächstempfangenden Gehörorgane nicht in solcher Fülle mitteilen kann, daß dieses durch die Mitteilung in jene höchste Erregtheit versetzt werde, in welcher es das Empfangene wiederum dem ganzen Empfindungsvermögen mitzuteilen gedrängt wäre, – kann entweder dieses Organ, will er es andauernd fesseln, nur erniedrigen und abstumpfen, indem er es seines unendlichen Empfängnisvermögens gewissermaßen vergessen macht, – oder er entsagt seiner unendlich vermögenden Mittätigkeit vollständig, er läßt die Fesseln seiner sinnlichen Teilnahme fahren, und benutzt es wieder nur als sklavisch unselbständigen Zwischenträger der unmittelbaren Mitteilung des Gedankens an den Gedanken, des Verstandes an den Verstand, d. h. aber so viel als: der Dichter gibt seine Absicht auf, er hört auf zu dichten, er regt in dem empfangenden Verstande nur das bereits ihm Bekannte, früher schon durch sinnliche Wahrnehmung ihm Zugeführte, Alte, zu einer Kombination an, teilt ihm aber selbst keinen neuen Gegenstand mit. – Durch bloße Steigerung der Wortsprache zum Reimverse kann der Dichter nichts andres erreichen, als das empfangende Gehör zu einer teilnahmlosen, kindisch oberflächlichen Aufmerksamkeit zu nötigen, die für ihren Gegenstand, eben den ausdruckslosen Wortreim, sich nicht nach innen zu erstrecken vermag. Der Dichter, dessen Absicht nun nicht bloß die Erregung einer so unteilnehmenden Aufmerksamkeit war, muß endlich von der Mitwirkung des Gefühles ganz absehen, und seine fruchtlose Erregung ganz wieder zu zerstreuen suchen, um sich ungestört wieder nur dem Verstande mitteilen zu können.

Wie jene höchste, gebärungskräftige Gefühlserregung einzig zu ermöglichen ist, werden wir nun näher erkennen lernen, wenn wir zuvor noch geprüft haben, in welcher Beziehung unsre moderne Musik zu diesem rhyhthmischen oder endgereimten Verse der heutigen Dichtkunst steht, und welchen Einfluß dieser Vers auf sie zu äußern vermochte.

Getrennt von dem Wortverse, der sich von ihr losgelöst hatte, war die Melodie einen besonderen Entwicklungsweg gegangen. Wir haben diesen früher bereits genauer verfolgt und erkannt, daß die Melodie als Oberfläche einer unendlich ausgebildeten Harmonie und auf den Schwingen einer mannigfaltigsten, dem leiblichen Tanze entnommenen und zu üppigster Fülle entfalteten Rhythmik, als selbständige Kunsterscheinung zu den Ansprüchen erwuchs, von sich aus die Dichtkunst zu bestimmen und das Drama anzuordnen. Der wiederum selbständig für sich ausgebildete Wortvers konnte, in seiner Gebrechlichkeit und Unfähigkeit für den Gefühlsausdruck, auf diese Melodie überall da, wo er in Berührung mit ihr geriet, keine gestaltende Kraft ausüben; im Gegenteil mußte bei seiner Berührung mit der Melodie seine ganze Unwahrheit und Nichtigkeit offenbar werden. Der rhyhthmische Vers ward von der Melodie in seine, in Wahrheit ganz unrhythmischen Bestandteile aufgelöst, und nach dem absoluten Ermessen der rhythmischen Melodie ganz neu gefügt: der Endreim ging aber in ihren mächtig an das Gehör antönenden Wogen klang- und spurlos unter. Die Melodie, wenn sie sich *genau* an den Wortvers hielt und sein für die sinnliche Wahrnehmung konstruiertes Gerüst durch ihren Schmuck erst recht kenntlich machen wollte, deckte von diesem Verse gerade das auf, was der verständige Deklamator, dem es um das Verständnis des Inhaltes zu tun war, an ihm eben verbergen zu müssen glaubte, nämlich seine ärmliche, den richtigen Sprachausdruck entstellende, seinen sinnvollen Inhalt verwirrende äußere Fassung, – eine Fassung, die, so lange sie eine nur eingebildete, den Sinnen nicht merklich aufgedrungene blieb, am mindesten zu stören vermochte, die aber dem Inhalte alle Möglichkeit des Verständnisses abschnitt, sobald sie dem Gehörsinne mit bestimmender Prägnanz sich kundtat und diesen dadurch veranlaßte, sich zwischen die Mitteilung und die innere Empfängnis als schroffe Schranke aufzustellen. Ordnete sich die Melodie so dem Wortverse unter, begnügte sie sich, seinen Rhythmen und Reimen eben nur die Fülle des gesungenen Tones beizugeben, so bewirkte sie jedoch nicht nur die Darstellung der Lüge und Unschönheit der sinnlichen Fassung des Verses zugleich mit der Unverständlichung seines Inhaltes, sondern sie selbst beraubte sich aller Fähigkeit, sich in sinnlicher Schönheit darzustellen und den Inhalt des Wortverses zu einem ergreifenden Gefühlsmomente zu erheben.

Die Melodie, die sich ihrer auf dem eigenen Felde der Musik erworbenen Fähigkeit für unendlichen Gefühlsausdruck bewußt blieb, beachtete daher die sinnliche Fassung des Wortverses, der sie für ihre Gestaltung aus eigenem Vermögen empfindlich beeinträchtigen mußte, durchaus gar nicht, sondern setzte ihre Aufgabe darein, ganz für sich, als selbständige Gesangsmelodie, in einem Ausdrucke sich kundzugeben, der den Gefühlsinhalt des Wortverses nach seiner weitesten Allgemeinheit aussprach, und zwar in einer besonderen, rein musikalischen Fassung, zu der sich der Wortvers nur wie die erklärende Unterschrift zu einem Gemälde verhielt. Das Band des Zusammenhanges zwischen Melodie und Vers blieb da, wo die Melodie nicht auch den Inhalt des Verses von sich wies, und die Vokale und Konsonanten seiner Wortsilben nicht zu einem bloßen sinnlichen Stoffe zum Zerkäuen im Munde des Sängers verwendete, der *Sprachakzent*. – Glucks Bemühen ging, wie ich früher bereits erwähnte, nur auf die Rechtfertigung des – bis zu ihm in bezug auf den Vers meist willkürlichen – melodischen Akzentes durch den Sprachakzent. Hielt sich nun der Musiker, dem es nur um melodisch verstärkte, aber an sich treue Wiedergabe des natürlichen Sprachausdruckes zu tun war, an den *Akzent der Rede*, als an das Einzige, was ein natürliches und Verständnis gebendes Band zwischen der Rede und der Melodie knüpfen konnte, so hatte er hiermit *den Vers vollständig aufzuheben*, weil er aus ihm den Akzent als das einzig zu Betonende herausheben und alle übrigen Betonungen, seien es nun die eines eingebildeten prosodischen Gewichtes, oder die des Endreimes, fallen lassen mußte. Er überging den Vers somit aus demselben Grunde, der den verständigen Schauspieler bestimmte, den Vers als natürlich akzentuierte Prosa zu sprechen: hiermit *löste* der Musiker aber nicht nur den Vers, sondern auch seine Melodie in *Prosa auf*, denn nichts andres als eine *musikalische Prosa* blieb von der Melodie übrig, die nur den rhetorischen Akzent eines zur Prosa aufgelösten Verses durch den Ausdruck des Tones verstärkte. – In der Tat hat sich der ganze Streit in der verschiedensten Auffassung der Melodie nur darum gedreht, ob und wie die Melodie durch den Wortvers zu bestimmen sei. Die im Voraus fertige, ihrem Wesen nach aus dem Tanze gewonnene Melodie, unter welcher unser modernes Gehör das Wesen der Melodie überhaupt einzig zu begreifen vermag, will sich nun und nimmermehr dem Sprachakzent des Wortverses fügen. Dieser Akzent zeigt sich bald in diesem, bald in jenem Gliede des Wortverses, und nie kehrt er an der gleichen Stelle der Verszeile wieder, weil unsre Dichter ihrer Phantasie mit dem Gaukelbilde eines prosodisch rhythmischen, oder durch den Endreim melodisch gestimmten Verses schmeichelten, und über diesem Phantasiebilde den wirklichen lebendigen Sprachakzent, als einzig rhythmisch maßgebendes Moment auch für den Vers, vergaßen. Ja, diese Dichter waren im unprosodischen Verse nicht einmal darauf bedacht, den Sprachakzent mit Bestimmtheit auf das einzig kenntliche Merkmal dieses Verses, den Endreim, zu legen; sondern jedes unbedeutende Nebenwort, ja – jede gänzlich unzubetonende Endsilbe, ward von ihnen umso häufiger in den Endreim gestellt, als die Eigenschaft des Reimes ihnen gewöhnlicher ist. – Eine Melodie prägt sich aber nur dadurch dem Gehöre faßlich ein, daß sie eine Wiederkehr bestimmter melodischer Momente in einem bestimmten Rhythmus enthält; kehren solche Momente entweder gar nicht wieder, oder machen sie sich dadurch unkenntlich, daß sie auf Taktteilen, die sich rhythmisch nicht entsprechen, wiederkehren, so fehlt der Melodie eben das bindende Band, welches sie erst zur Melodie macht, – wie der Wortvers ebenfalls erst durch ein ganz ähnliches Band zum wirklichen Verse wird. Die so gebundene Melodie will nun auf den Wortvers, der dieses bindende Band aber nur in der Einbildung, nicht in der Wirklichkeit besitzt, nicht passen: der, dem *Sinne* des Verses nach einzig hervorzuhebende Sprachakzent entspricht den notwendigen melismischen und rhythmischen Akzenten der Melodie in ihrer Wiederkehr nicht, und der Musiker, der die Melodie nicht aufopfern, sondern sie vor allem geben will, – weil er nur in ihr dem Gefühle verständlich sich mitteilen kann, – sieht sich daher genötigt, den Sprachakzent nur da zu beachten, wo er sich *zufällig* der Melodie anschließt. Dies heißt aber so viel, als allen Zusammenhang der Melodie mit dem Verse aufgeben; denn, sieht sich der

Musiker einmal gedrängt, den Sprechakzent außer acht zu lassen, so kann er sich noch viel weniger gegen die eingebildete prosodische Rhythmik des Verses verpflichtet fühlen, und er verfährt mit diesem Verse – als ursprünglich veranlassendem Sprachmomente – endlich allein nur nach absolut melodischem Belieben, das er so lange für vollkommen gerechtfertigt erachten kann, als es ihm daran gelegen bleibt, in der Melodie den allgemeinen Gefühlsinhalt des Verses so wirksam wie möglich auszusprechen.

Wäre je einem Dichter das wirkliche Verlangen angekommen, den ihm zu Gebote stehenden Sprachausdruck zur überzeugenden Fülle der Melodie zu steigern, so müßte er zunächst sich bemüht haben, den Sprachakzent als einzig maßgebendes Moment für den Vers so zu verwenden, daß er in seiner entsprechenden Wiederkehr einen gesunden, dem Verse selbst wie der Melodie notwendigen Rhythmos genau bestimmt hätte. Nirgends sehen wir davon aber eine Spur, oder wenn wir diese Spur erkennen, ist es da, wo der Versmacher von vornherein auf eine dichterische Absicht Verzicht leistet, nicht dichten, sondern als untertäniger Diener und Worthandlanger des absoluten Musikers abgezählte und zu verreimende Silben zusammenstellen will, mit denen der Musiker in tiefster Verachtung für die Worte dann macht, was er Lust hat.

Wie bezeichnend ist es dagegen, daß gewisse schöne Verse Goethes, d. h. Verse, in denen der Dichter sich bemühte, so weit es ihm möglich war, zu einem gewissen melodischen Schwunge zu gelangen, – von den Musikern gemeinsam als *zu schön*, zu vollendet für die musikalische Komposition bezeichnet werden! Das Wahre an der Sache ist, daß eine vollkommen dem Sinne entsprechende musikalische Komposition auch diese Verse in Prosa auflösen, und aus dieser Prosa sie als selbständige Melodie erst wiedergebären müßte, weil unserm musikalischen Gefühle es sich unwillkürlich darstellt, daß jene *Vers*melodie ebenfalls nur eine *gedachte*, ihre Erscheinung ein Schmeichelbild der Phantasie, somit eine ganz andre, als die musikalische Melodie ist, die in ganz bestimmter sinnlicher Wirklichkeit sich kundzugeben hat. Halten wir daher jene Verse für zu schön zur Komposition, so sagen wir damit nur, daß es uns leid tut, sie als Verse vernichten zu sollen, was wir mit weniger Herzbeklemmung uns erlauben, sobald uns eine minder respektable Bemühung des Dichters gegenübersteht; – somit gestehen wir aber ein, daß wir ein richtiges Verhältnis zwischen Vers und Melodie uns gar nicht vorstellen können.

Der Melodiker der neuesten Zeit, der all' die fruchtlosen Versuche zu einer entsprechenden, gegenseitig sich erlösenden und schöpferisch bestimmenden Verbindung des Wortverses mit der Tonmelodie überschaute, und namentlich auch den übeln Einfluß gewahrte, den eine treue Wiedergebung des Sprachakzentes auf die Melodie bis zu ihrer Entstellung zur musikalischen Prosa ausübte, – sah sich, sobald er auf der andern Seite wieder die Entstellung oder gänzliche Verleugnung des Verses durch die frivole Melodie von sich wies, veranlaßt, Melodien zu komponieren, in welchen er aller verdrießlichen Berührung mit dem Verse, den er an sich respektierte, der ihm für die Melodie aber lästig war, gänzlich auswich. Er nannte dies *»Lieder ohne Worte«*, und sehr richtig mußten Lieder *ohne* Worte auch der Ausgang von Streitigkeiten sein, in denen zu einem Entscheid nur dadurch zu kommen war, daß man sie ungelöst auf sich beruhen ließ. – Dieses jetzt so beliebte »Lied ohne Worte« ist die getreue Übersetzung unsrer ganzen Musik in das Klavier zum bequemen Handgebrauche für unsre Kunst-Commisvoyageurs; in ihm sagt der Musiker dem Dichter: »Mach', was du Lust hast, ich mache auch, was ich Lust habe! Wir vertragen uns am besten, wenn wir nichts miteinander zu schaffen haben.« –

Sehen wir nun, wie wir diesem »Musiker ohne Worte« durch die drängende Kraft der höchsten dichterischen Absicht auf eine Weise beikommen, daß wir ihn vom sanften Klaviersessel herunterheben und in eine Welt höchsten künstlerischen Vermögens versetzen, die ihm die zeugende Macht des *Wortes* erschließen soll, – des Wortes, dessen er sich so weibisch bequem entledigte, – des Wortes, das *Beethoven* aus den ungeheuren Mutterwehen der Musik heraus gebären ließ!

II.

Wir haben, wenn wir in einer verständlichen Beziehung zum Leben bleiben wollen, *aus der Prosa unsrer gewöhnlichen Sprache* den erhöhten Ausdruck zu gewinnen, in welchem die dichterische Absicht allvermögend an das Gefühl sich kundgeben soll. Ein Sprachausdruck, der das Band des Zusammenhanges mit der gewöhnlichen Sprache dadurch zerreißt, daß er seine sinnliche Kundgebung auf fremd hergenommene, dem Wesen unsrer gewöhnlichen Sprache uneigentümliche – wie die näher bezeichneten prosodisch-rhythmischen – Momente stützt, kann nur verwirrend auf das Gefühl wirken.

In der modernen Sprache finden nun keine andern Betonungen

statt, als die des prosaischen *Sprachakzentes*, der nirgends auf dem natürlichen Gewichte der Wurzelsilben eine feste Stätte hat, sondern für jede Phrase von neuem *dahin* verlegt wird, wo er dem Sinne der Phrase gemäß zu dem *Zwecke* des Verständnisses einer bestimmten Absicht nötig ist. Die Sprache des modernen gewöhnlichen Lebens unterscheidet sich von der dichterischen älteren Sprache namentlich aber dadurch, daß sie um des Verständnisses willen einer bei weitem gehäufteren Verwendung von Worten und Phraseabsätzen bedarf, als diese. Unsre Sprache, in der wir uns im gewöhnlichen Leben über Dinge verständigen, die – wie sie von der Natur überhaupt fernab liegen – von der Bedeutung unsrer eigentlichen Sprachwurzeln gar nicht mehr berührt werden, hat sich der mannigfaltigsten, verwickeltsten Windungen und Wendungen zu bedienen, um die, mit bezug auf unsre gesellschaftlichen Verhältnisse und Anschauungen abgeänderten, umgestimmten oder neu vermittelten, jedenfalls unserm Gefühle entfremdeten Bedeutungen ursprünglicher oder von fremdher angenommener Sprachwurzeln zu umschreiben, und ihr konventionelles Verständnis zu ermöglichen. Unsre, zur Aufnahme dieses vermittelnden Apparates unendlich gedehnten und zerfließenden Phrasen würden vollkommen unverständlich gemacht, wenn der Sprachakzent in ihnen sich durch hervorgehobene Betonung der Wurzelsilben häufte. Diese Phrase können dem Verständnisse nur dadurch erleichtert werden, daß der Sprachakzent in ihnen mit großer Sparsamkeit nur auf ihre entscheidendsten Momente gelegt wird, wogegen natürlich alle übrigen, ihrer Wurzelbedeutung nach noch so wichtigen Momente, gerade ihrer Häufung wegen, in der Betonung gänzlich fallen gelassen werden müssen.

Bedenken wir nun recht, was wir unter der, zur Verwirklichung der dichterischen Absicht notwendigen Verdichtung und Zusammendrängung der Handlungsmomente und ihrer Motive zu verstehen haben, und erkennen wir, daß diese wiederum nur durch einen ebenso verdichteten und zusammengedrängten Ausdruck zu ermöglichen sind, so werden wir dazu, wie wir mit unsrer Sprache zu verfahren haben, ganz von selbst gedrängt. Wie wir von diesen Handlungsmomenten, und um ihretwillen von den sie bedingenden Motiven, alles Zufällige, Kleinliche und Unbestimmte auszuscheiden hatten; wie wir aus ihrem Inhalte alles von außen her Entstellende, pragmatisch Historische, Staatliche, und dogmatisch Religiöse hinwegnehmen mußten, um diesen Inhalt als einen rein menschlichen, gefühlsnotwendigen darzustellen, so haben wir auch aus dem Sprachausdrucke alles von diesen Entstellungen des

Reinmenschlichen, Gefühlsnotwendigen Herrührende und ihnen einzig Entsprechende in der Weise auszuscheiden, daß von ihm eben nur dieser Kern übrigbleibt. – Gerade das, was diesen rein menschlichen Inhalt einer sprachlichen Kundgebung entstellte, ist es aber, was die Phrase so ausdehnte, daß der Sprachakzent in ihr so sparsam verteilt, und dagegen das Fallenlassen einer unverhältnismäßigen Anzahl unzubetonender Wörter notwendig werden mußte. Der Dichter, der diesen unzubetonenden Wörtern ein prosodisches Gewicht beilegen wollte, gab sich deshalb einer vollkommenen Täuschung hin, über die ihn ein gewissenhaft skandierter Vortrag seines Verses insofern aufklären mußte, als er durch diesen Vortrag den Sinn der Phrase entstellt und unverständlich gemacht sah. Wohl bestand dagegen allerdings die Schönheit eines Verses bisher darin, daß der Dichter aus der Phrase so viel wie möglich alles das ausschied, was als erdrückende Hilfe vermittelnder Wörter den Hauptakzent zu massenhaft umgab: er suchte die einfachsten, der Vermittlung am wenigsten bedürftigen Ausdrükke, um die Akzente sich näher zu rücken, und löste hierzu, so viel er konnte, auch den zu dichtenden Gegenstand aus einer drückenden Umgebung historisch-sozialer und staatlich-religiöser Verhältnisse und Bedingungen los. Nie vermochte zeither der Dichter dies aber bis zu dem Punkte, wo er seinen Gegenstand unbedingt nur noch an das Gefühl hatte mitteilen können, – wie er den Ausdruck auch nie bis zu dieser Steigerung brachte; denn diese Steigerung zu höchster Gefühlsäußerung wäre eben nur im Aufgehen des Verses in die Melodie erreicht worden, – ein Aufgehen, das, wie wir sahen, weil wir es sehen mußten, – nicht ermöglicht worden ist. Wo der Dichter aber, ohne des Aufgehens seines Verses in die wirkliche Melodie, den Sprachvers selbst zu bloßen Gefühlsmomenten verdichtet zu haben glaubte, da wurde *er,* wie der darzustellende Gegenstand, weder vom Verstande mehr, noch aber auch vom Gefühle begriffen. Wir kennen Verse der Art als Versuche unsrer größten Dichter, ohne Musik Worte zu Tönen zu stimmen.

Nur der dichterischen Absicht, über deren Wesen wir uns im Vorhergehenden bereits verständigt haben, kann es bei ihrem notwendigen Drange nach Verwirklichung zu ermöglichen sein, die Prosaphrase der modernen Sprache von all' dem mechanisch vermittelnden Wörterapparate so zu befreien, daß die in ihr liegenden Akzente zu einer schnell wahrnehmbaren Kundgebung zusammengedrängt werden können. Eine getreue Beobachtung des Ausdruckes, dessen wir uns bei erhöhter Gefühlserregung selbst im gewöhnlichen Leben bedienen, wird dem Dichter ein untrügliches Maß für die Zahl der Akzente in einer natürlichen Phrase züführen. Im aufrichtigen Affekte, wo wir alle konventionellen, die gedehnte moderne Phrase bedingenden Rücksichten fahren lassen, suchen wir uns immer *in einem Atem* kurz und bündig so bestimmt wie möglich auszudrücken: in diesem gedrängten Ausdrucke betonen wir aber auch – durch die Kraft des Affektes – bei weitem stärker als gewöhnlich, und zumal rücken wir die Akzente näher zusammen, auf denen wir, um sie wichtig und dem Gefühle ebenso eindringlich zu machen, als wir unser Gefühl in ihnen ausgedrückt wissen wollen, mit lebhaft erhobener Stimme verweilen. Die Zahl dieser Akzente, die unwillkürlich während der Ausströmung eines Atems sich zu einer Phrase, oder zu einem Hauptabschnitte der Phrase abschließen, wird stets im genauen Verhältnisse zum Charakter der Erregtheit stehen, so daß z. B. ein zürnender, *tätiger* Affekt auf einem Atem eine größere Zahl von Akzenten ausströmen lassen wird, während dagegen ein tief und schmerzlich *leidender* in wenigeren, länger tönenden Akzenten die ganze Atemkraft verzehren muß. –

Je nach der Art des kundzugebenden Affektes, in den sich der Dichter sympathetisch zu versetzen weiß, wird dieser daher die Zahl der Akzente einer, durch den Atem sich bestimmenden, durch den Inhalt des Ausdruckes entweder zur vollen Phrase oder zum wesentlichen Phrasenabschnitte sich gestaltenden, Wortreihe feststellen, in welcher die übermäßige Zahl von, der komplizierten Literaturphrase eigentümlichen, vermittelnden und verdeutlichenden Nebenwörter in dem Maße verringert worden ist, daß diese den für den Akzent nötigen Atem, trotz ihrer fallengelassenen Betonung – dennoch, ihrer numerischen Häufung wegen, nicht unnütz aufzehren. – Das für den Gefühlsausdruck so Schädliche in der komplizierten modernen Phrase bestand nämlich darin, daß die zu große Masse unzubetonender Nebenwörter den Atem des Sprechenden in der Weise in Anspruch nahm, daß er, bereits erschöpft oder aus sparender Vorsicht, auch auf dem Hauptakzente nur kurz verweilen konnte, und so das Verständnis des hastig akzentuierten Hauptwortes nur dem Verstande, nicht aber dem Gefühle mitteilen durfte, welches sich nur der *Fülle* des sinnlichen Ausdruckes gegenüber zur Teilnahme anlassen kann. – Die von dem Dichter bei gedrängter Redefassung beibehaltenen Nebenworte werden, in ihrer minderen, gerade nur notwendigen Zahl, zu dem durch den Sprachakzent betonten Worte sich so verhalten, wie die stummen Mitlauter zu dem tönenden Vokale, den sie umgeben, um ihn unterscheidend zu individualisieren und aus einem allgemeinen Empfindungsausdrucke zum verdeutlichenden Ausdrucke eines besonderen Gegenstandes zu verdichten: eine vor dem Gefühle durch nichts gerechtfertigte starke Häufung der Konsonanten um den Vokal benehmen diesem seinen Gefühlswohllaut ebenso, wie eine bloß durch den vermittelnden Verstand veranlaßte Häufung von Nebenwörtern um das Hauptwort dieses dem Gefühle unkenntlich macht. Dem Gefühle ist Verstärkung des Konsonanten durch Verdoppelung oder Verdreifachung nur dann von Notwendigkeit, wenn dadurch der Vokal eine so drastische Färbung erhält, wie sie wiederum der drastischen Besonderheit des Gegenstandes, den die Wurzel ausdrückt, entspricht; und so wird eine verstärkte Zahl der beziehungsvollen Nebenwörter nur dann vor dem Gefühle gerechtfertigt, wenn durch sie das akzentuierte Hauptwort in seinem Ausdrucke besonders gesteigert, nicht aber – wie in der modernen Phrase – gelähmt wird. – Wir kommen hiermit auf die natürliche Grundlage des Rhythmos im Sprachverse, wie er in den *Hebungen und Senkungen* des Akzentes sich darstellt, und wie er einzig durch Steigerung zum musikalischen Rhythmos in höchster Bestimmtheit und unendlichster Mannigfaltigkeit sich äußern kann.

Welche Zahl von Hebungen des Tones wir, dem Charakter der auszudrückenden Stimmung gemäß, für einen Atem, somit für eine Phrase oder einen Phrasenabschnitt, auch zu bestimmen haben, nie werden diese Hebungen selbst von ganz gleicher Stärke sein. Eine *vollkommen gleiche Stärke* der Akzente gestattet zuvörderst der Sinn einer Rede nicht, welche stets *bedingende* und *bedingte* Momente in sich schließt, und je nach ihrem Charakter das bedingende gegen das bedingte, oder umgekehrt das bedingte gegen das bedingende hervorhebt. Aber auch das Gefühl gestattet eine gleiche Stärke der Akzente nicht, weil gerade das Gefühl nur durch leicht merkbare, sinnlich scharf bestimmte *Unterscheidung* der Ausdrucksmomente zur Teilnahme erregt werden kann. Wenn wir zu erkennen haben, daß diese Teilnahme des Gefühles endlich am sichersten nur durch Modulation des musikalischen Tones zu bestimmen ist, so wollen wir für jetzt dieser Steigerung noch nicht gedenken, sondern uns nur den Einfluß vergegenwärtigen, den die ungleiche Stärke der Akzente zunächst auf den Rhythmos der Phrase ausüben muß. – Sobald wir die zusammengedrängten, und aus einer drückenden Umgebung von Nebenwörtern befreiten, Akzente nach ihrer Unterscheidung als stärkere und schwächere kundgeben wollen, so können wir dies nur auf eine Weise, die vollständig den *guten und schlechten Hälften des musikalischen Taktes*, oder – was im Grunde dasselbe ist – den guten und schlechten Takten einer musikalischen Periode entspricht. Diese guten und schlechten Takte oder Takthälften machen als solche sich dem Gefühle aber nur dadurch kenntlich, daß sie unter sich in einer Beziehung stehen, die wiederum durch die kleineren zwischenliegenden Bruchteile des Taktes vermittelt und verdeutlicht wird. Gute und schlechte Takthälfte, sobald sie ganz nackt nebeneinander stehen, – wie in der kirchlichen Choralmelodie –, könnten an sich nur dadurch dem Gefühle sich kenntlich machen, daß sie sich ihm als Hebung und Senkung des Akzentes darstellten, wodurch die schlechte Takthälfte in der Periode den Akzent vollkommen verlieren müßte und als solcher gar nicht mehr gelten könnte: nur dadurch, daß die zwischen der guten und schlechten Takthälfte liegenden Taktbruchteile rhythmisch zum Leben, und zum Anteile an dem Akzente der Takthälften gebracht werden, läßt sich auch der schwächere Akzent der schlechten Takthälfte als Akzent zur Wahrnehmung bringen. – Die akzentuierte Wortphrase bedingt nun aus sich die charakteristische Beziehung jener Taktbruchteile zu den Takthälften, und zwar aus den *Senkungen* des Akzentes und dem Verhältnisse dieser Senkungen zu den Hebungen. Die an sich unbetonten Worte oder Silben, die wir in die Senkung setzen, steigen im gewöhnlichen Sprachausdrucke durch anschwellende Betonung zum Hauptakzente hinauf, und fallen von diesem durch abnehmende Betonung wieder herab. Der Punkt, bis zu welchem sie herabfallen, und von welchem sie von neuem zu einem Hauptakzente wieder hinaufsteigen, ist aber der schwächere Nebenakzent, der – wie dem *Sinne* der Rede, so auch ihrem *Ausdrucke* gemäß – durch den Hauptakzent bedingt wird, wie der Planet durch den Fixstern. Die Zahl der vorbereitenden oder nachfallenden Silben hängt allein von dem Sinne der dichterischen Rede ab, von welcher wir annehmen, daß sie sich in höchster Gedrängtheit ausdrückt; je notwendiger aber dem Dichter es erscheint, die Zahl der vorbereitenden oder nachfallenden Silben zu verstärken, desto charakteristischer vermag er dadurch den Rhythmos zu beleben und dem Akzente selbst besondere Bedeutung zu geben, – wie er auf der andern Seite den Charakter der Akzente wiederum dadurch besonders zu bestimmen vermag, daß er ihn *ohne* alle Vorbereitung und Nachfall dicht neben den folgenden Akzent setzt.

Sein Vermögen ist hierin unbegrenzt mannigfaltig: vollkommen kann er sich dessen aber nur bewußt werden, wenn er den akzentuierten Sprachrhythmos bis zum musikalischen, von der Tanzbewegung unendlich mannigfaltig belebten, Rhythmos steigert. Der rein musikalische Takt bietet dem Dichter Möglichkeiten für den Sprachausdruck dar, denen er für den nur gesprochenen Wortvers von vornherein entsagen mußte. Im nur gesprochenen Wortverse mußte der Dichter sich darauf beschränken, die Zahl der Silben in der Senkung nicht über *zwei* auszudehnen, weil bei *drei* Silben der Dichter es nicht hätte vermeiden können, daß *eine* dieser Silben bereits als Hebung zu betonen gewesen wäre, was seinen Vers natürlich sogleich über den Haufen geworfen hätte. Diese falsche Betonung hätte er nun nicht zu fürchten gehabt, sobald ihm wirkliche prosodische Längen und Kürzen zu Gebote gestanden hätten; da er aber die Betonungen nur auf den Sprachakzent verlegen konnte, und dieser dem Verse zu lieb als auf jeder Wurzelsilbe möglich angenommen werden mußte, so konnte er über kein kenntliches Maß verfügen, welches den wirklichen Sprachakzent so unfehlbar nachgewiesen hätte, daß nicht auch Wurzelsilben, denen der Dichter *keine* Betonung beigelegt wissen wollte, mit dem Sprachakzente belegt worden wären. Wir sprechen hier natürlich von dem geschriebenen, durch die Schrift mitgeteilten und der Schrift nachgesprochenen Verse: den, der Literatur unangehörigen, lebendigen Vers haben wir aber ohne rhythmisch-musikalische Melodie gar nicht zu verstehen, und wenn wir die auf uns gekommenen Monumente der griechischen Lyrik ins Auge fassen, so erfahren wir gerade an diesen, daß der von uns nur noch gesprochene griechische Vers, wenn wir ihn nach unwillkürlicher Sprachakzentuation aussprechen, uns eben die Verlegenheit bereitet, Silben durch den Akzent zu betonen, die in der wirklichen rhythmischen Melodie als *im Auftakte mit inbegriffen*, an sich unbetont bleiben. An dem bloß gesprochenen Verse können wir nicht mehr als zwei Silben in der Senkung verwenden, weil uns mehr als zwei Silben sogleich den richtigen Akzent entrücken würden, und wir bei der hieraus erfolgenden Auflösung des Verses uns sogleich in die Notwendigkeit versetzt sehen müßten, ihn nur noch als flüchtige Prosa auszusprechen.

Es fehlt uns für den gesprochenen oder zu sprechenden Vers nämlich das Moment, das uns die Zeitandauer der Hebung in der Weise fest bestimme, daß wir nach ihrem Maße die Senkungen wieder genau berechnen könnten. Wir können die Dauer einer akzentuierten Silbe nach unserm bloßen Aussprachevermögen nicht über die doppelte Dauer unbetonter Silben erstrecken, ohne der Sprache gegenüber in den Fehler des Dehnens, oder – wie wir es auch nennen – Singens zu verfallen. Dieses »Singen« gilt da, wo es nicht wirklich zum tönenden Gesange wird und somit die gewöhnliche Sprache vollkommen aufhebt, *in* dieser gewöhnlichen Sprache mit Recht als Fehler; denn es ist als eine bloße tonlose Dehnung des Vokales, oder gar des Konsonanten, durchaus unschön. Dennoch liegt diesem Hange zum Dehnen in der Aussprache da, wo er nicht eine bloße dialektische Angewöhnung ist, sondern bei gesteigerter Erregtheit sich unwillkürlich zeigt, etwas zugrunde, was unsre Prosodiker und Metriker sehr wohl zu beachten gehabt hätten, wenn sie sich griechische Metren erklären wollten. Sie hatten nur unsern, von der Gefühlsmelodie losgelösten, hastigen Sprachakzent im Ohre, als sie das Maß erfanden, nach welchem allemal zwei Kürzen auf eine Länge gehen sollten; die Erklärung griechischer Metren, in denen zuweilen sechs und noch mehr Kürzen sich auf zwei oder auch eine Länge beziehen, hätte ihnen sehr leicht fallen müssen, wenn sie den im *musikalischen Takte lang ausgehaltenen Ton* auf der sogenannten Länge im Gehöre gehabt hätten, wie ihn jene Lyriker mindestens noch im Gehöre hatten, als sie zu bekannten Volksmelodien den Wortvers variierten. Dieser ausgehaltene, rhythmisch gemessene Ton ist es, den der Sprachversdichter jetzt aber nicht mehr im Gehöre hatte, wogegen er nur noch den flüchtig verweilenden Sprachakzent kannte. Halten wir nun aber diesen Ton fest, dessen Dauer wir im musikalischen Takte nicht nur genau bestimmen, sondern auch nach seinen rhythmischen Bruchteilen auf das Mannigfaltigste zerlegen können, so erhalten wir an diesen Bruchteilen die rhythmisch gerechtfertigten und nach ihrer Bedeutung gegliederten, melodischen Ausdrucksmomente für die Silben der Senkung, deren Zahl sich einzig nur nach dem Sinne der Phrase und der beabsichtigten Wirkung des Ausdruckes zu bestimmen hat, da wir im musikalischen Takte das sichere Maß gefunden haben, nach welchem sie zum unfehlbaren Verständnisse kommen müssen.

Diesen Takt hat der Dichter aber nach dem von ihm beabsichtigten Ausdrucke allein zu bestimmen; er muß ihn selbst zu einem kenntlichen Maße machen, nicht etwa als ein solches sich aufnötigen lassen. Als ein kenntliches bestimmt er es aber dadurch, daß er die gehobenen Akzente ihrem Charakter nach, ob starke oder schwächere in der Art verteilt, daß sie einen Atem- oder Phrasenabschnitt, dem ein folgender zu entsprechen vermag, bilden, und dieser folgende als notwendig für den ersten bedingt erscheint; denn nur in einer notwendigen, verstärkenden oder beruhigenden Wiederholung stellt sich ein wichtiges Ausdrucksmoment dem Gefühle verständlich dar. Die Anordnung der stärkeren und schwächeren Akzente ist daher maßgebend für die Taktart und den rhythmischen Bau der Periode. – Stellen wir uns eine solche maßgebende Anordnung, als aus der Absicht des Dichters sich herleitend, mit folgendem vor.

Nehmen wir einen Ausdruck an, der von der Beschaffenheit ist, daß er einem Atem die Betonung von drei Akzenten gestattet, von denen der erste der stärkste, der zweite (wie meist immer in diesem Falle anzunehmen ist) der schwächere, der dritte dagegen wieder ein gehobener sein soll, so würde der Dichter unwillkürlich eine Phrase von zwei geraden Takten anordnen, von denen der erste auf seiner guten Hälfte den stärksten, auf seiner schlechten Hälfte den schwächeren, der zweite Takt auf seinem Niederschlage aber den dritten, wiederum gehobenen Akzent enthalten würde. Die schlechte Hälfte des zweiten Taktes würde zum Atemholen und zum Auftakte des ersten Taktes der zweiten rhythmischen Phrase verwendet werden, welche eine entsprechende Wiederholung der ersten enthalten müßte. In dieser Phrase würden die Senkungen sich so verhalten, daß sie als Auftakt zu dem Niederschlage des ersten Taktes hinaufstiegen, als Nachtakt von diesem zu der schlechten Takthälfte hinabfielen, und von dieser als Auftakt zu der guten Hälfte des zweiten Taktes wieder hinaufsteigen. Die durch den Sinn der Phrase etwa geforderte Verstärkung auch des zweiten Akzentes würde (außer durch die melodische Hebung des Tones) rhythmisch leicht auch dadurch zu ermöglichen sein, daß entweder die Senkung zwischen ihm und dem ersten Akzente, oder auch der Auftakt zu dem dritten gänzlich ausfiele, was gerade diesem Zwischenakzente eine gesteigerte Aufmerksamkeit zuziehen müßte. –

Möge diese Andeutung, der leicht zahllose ähnliche hinzuzufügen wären, genügen, um auf die unendliche Mannigfaltigkeit hinzuweisen, die dem Sprachverse für seine stets *sinnvolle* rhythmische Kundgebung zu Gebote steht, wenn in ihm der Sprachausdruck, ganz seinem Inhalte gemäß, sich zum notwendigen Aufgehen in die musikalische Melodie in der Weise anläßt, daß er diese als die Verwirklichung seiner Absicht aus sich bedingt. Durch die Zahl, Stellung und Bedeutung der Akzente, sowie durch die größere oder mindere Beweglichkeit der Senkungen zwischen den Hebungen und ihre unerschöpflich reichen Beziehungen zu diesen, ist aus dem reinen Sprachvermögen heraus eine solche Fülle mannigfaltigster rhythmischer Kundgebung bedingt, daß ihr Reichtum und die aus ihnen quellende Befruchtung des rein musikalischen Vermögens des Menschen durch jede neue, aus innerem Dichterdrange entsprungene Kunstschöpfung nur als unermeßlicher sich herausstellen muß.

Wir sind durch den rhythmisch akzentuierten Sprachvers bereits so dicht auf den gehaltenen Gesangston hingewiesen worden, daß wir dem hier zugrunde liegenden Gegenstande jetzt notwendig näher treten müssen.

Behalten wir fortgesetzt das Eine im Auge, daß die dichterische Absicht sich nur durch vollständige Mitteilung derselben aus dem Verstande an das Gefühl verwirklichen läßt, so haben wir hier, wo die Vorstellung des Aktes dieser Verwirklichung durch jene Mitteilung uns beschäftigt, alle Momente des Ausdruckes genau nach ihrer Fähigkeit zu unmittelbarer Kundgebung an die Sinne zu erforschen, denn durch die Sinne unmittelbar empfängt einzig das Gefühl. Wir hatten zu diesem Zwecke aus der Wortphrase alles das auszuscheiden, was sie für das Gefühl eindruckslos und zum bloßen Organe des Verstandes machte; wir drängten ihren Inhalt dadurch zu einem rein menschlichen, dem Gefühle faßbaren zusammen, und gaben diesem Inhalte einen ebenso gedrängten sprachlichen Ausdruck, indem wir die notwendigen Akzente der erregten Rede durch dichte Annäherung aneinander zu einem, das Gehör (namentlich auch durch Wiederholung der Akzentreihe) unwillkürlich fesselnden Rhythmos erhoben.

Die Akzente der so bestimmten Phrase können nun nicht anders als auf Sprachbestandteile fallen, in welchen der rein menschliche, dem Gefühle faßbare Inhalt am entschiedensten sich ausdrückt; sie werden daher stets auf diejenigen bedeutsamen Sprachwurzelsilben fallen, in welchen ursprünglich nicht nur ein bestimmter, dem Gefühle faßlicher Gegenstand, sondern auch die Empfindung, die dem Eindrucke dieses Gegenstandes auf uns entspricht, von uns ausgedrückt wurde.

Ehe wir unsre staatlich-politisch oder religiös-dogmatisch, bis zur vollsten Selbstunverständlichkeit umgebildeten Empfindungen nicht bis zu ihrer ursprünglichen Wahrheit gleichsam zurück zu empfinden vermögen, sind wir auch nicht imstande, den sinnlichen Gehalt unsrer *Sprachwurzeln* zu fassen. Was die wissenschaftliche Forschung uns über sie enthüllt hat, kann nur den Verstand belehren, nicht aber das Gefühl zu ihrem Verständnisse bestimmen, und kein wissenschaftlicher Unterricht, wäre er auch noch so populär bis in unsre Volksschulen hinabgeleitet, würde dieses Sprachverständnis zu erwecken vermögen, das uns nur durch einen ungetrübten liebevollen Verkehr mit der Natur aus einem notwendigen Bedürfnisse nach ihrem rein menschlichen Verständnisse, kurz aus einer Not kommen kann, wie der Dichter sie empfindet, wenn er dem Gefühle mit überzeugender Gewißheit sich mitzuteilen gedrängt ist. – Die Wissenschaft hat uns den Organismus der Sprache aufgedeckt; aber was sie uns zeigte, war ein *abgestorbener* Organismus, den nur die höchste Dichternot wieder zu beleben vermag, und zwar dadurch, daß sie die Wunden, die das anatomische Seziermesser schnitt, dem Leibe der Sprache wieder schließt, und ihm den Atem einhaucht, der ihn zur Selbstbewegung beseele. *Dieser Atem aber ist – die Musik.* – –

Der nach Erlösung schmachtende Dichter steht jetzt im Winterfroste der Sprache da, und blickt sehnsüchtig über die pragmatisch prosaischen Schneeflächen hin, von denen das einst so üppig prangende Gefilde, das holde Angesicht der liebenden Mutter Erde bedeckt ist. Vor seinem schmerzlich heißen Atemhauche schmilzt aber da und dort, wohin er sich ergießt, der starre Schnee, und siehe da! – aus dem Schoße der Erde sprießen ihm frische grüne Keime entgegen, die aus den erstorben gewähnten alten Wurzeln neu und üppig emporschießen, – bis die warme Sonne des nie alternden neuen Menschenfrühlings heraufsteigt, allen Schnee hinwegschmilzt, und den Keimen die wonnigen Blumen entblühen, die mit lächelndem Auge froh die Sonne begrüßen. –

Jenen alten Urwurzeln muß, wie den Wurzeln der Pflanzen und Bäume – so lange sie noch in dem wirklichen Erdboden sich festzuhalten vermögen, eine immer neu zeugende Kraft innewohnen, sobald auch sie aus dem Boden des Volkes selbst noch nicht herausgerissen worden sind. Das Volk bewahrt aber, unter der frostigen Schneedecke seiner Zivilisation, in der Unwillkür seines natürlichen Sprachausdruckes die Wurzeln, durch die es selbst mit dem Boden der Natur zusammenhängt, und jeder wendet sich ihrem unwillkürlichen Verständnisse zu, der aus der Hatz unsers staatsgeschäftlichen Sprachverkehrs sich einer liebevollen Anschauung der Natur zukehrt, und so dem Gefühle diese Wurzeln durch einen unbewußten Gebrauch von ihren *verwandtschaftlichen Eigenschaften* erschließt. Der Dichter ist nun aber der *Wissende des Unbewußten*, der absichtliche Darsteller des Unwillkürlichen; das Gefühl, das er dem Mitgefühle kundgeben will, lehrt ihn den Ausdruck, dessen er sich bedienen muß: sein Verstand aber zeigt ihm die Notwendigkeit dieses Ausdrucks. Will der Dichter, der so aus dem Bewußtsein zu dem Unbewußtsein spricht, sich Rechenschaft von dem natürlichen Zwange geben, aus dem er *die-*

sen Ausdruck und keinen andern gebrauchen muß, so lernt er die Natur dieses Ausdruckes kennen, und in seinem Drange zur Mitteilung gewinnt er aus dieser Natur das Vermögen, diesen Ausdruck als einen notwendigen selbst zu beherrschen. – Forscht nun der Dichter nach der Natur des Wortes, das ihm von dem Gefühle als das einzige bezeichnende für einen Gegenstand, oder eine durch ihn erweckte Empfindung, aufgenötigt wird, so erkennt er diese zwingende Kraft in der *Wurzel* dieses Wortes, die aus der Notwendigkeit des ursprünglichsten Empfindungszwanges des Menschen erfunden oder gefunden ward. Versenkt er sich tiefer in den Organismus dieser Wurzel, um der gefühlszwingenden Kraft inne zu werden, die ihr zu eigen sein muß, weil sie aus ihr so bestimmend sich auf sein Gefühl äußert, – so gewahrt er endlich den Quell dieser Kraft in dem rein sinnlichen Körper dieser Wurzel, dessen ursprünglichster Stoff der *tönende Laut* ist.

Dieser tönende Laut ist das verkörperte innere Gefühl, das seinen verkörpernden Stoff in dem Momente seiner Kundgebung nach außen gewinnt, und zwar gerade so gewinnt, wie er sich – nach der Besonderheit der Erregung – in dem tönenden Laute dieser Wurzel kundgibt. In dieser Äußerung des inneren Gefühles liegt nun auch der zwingende Grund ihrer Wirkung durch Anregung des entsprechenden inneren Gefühls des anderen Menschen, an den jene Äußerung gelangt; und dieser Gefühlszwang, will ihn der Dichter auf andre so ausüben, wie er ihn selbst empfand, ermöglicht sich nur durch die größte Fülle in der Äußerung des tönenden Lautes, in welchem sich das besondre innere Gefühl am erschöpfendsten und überzeugendsten einzig mitteilen kann.

Dieser tönende Laut, der bei vollster Kundgebung der in ihm enthaltenen Fülle ganz von selbst zum musikalischen Tone wird, ist für die besondre Eigentümlichkeit seiner Kundgebung in der Sprachwurzel aber durch die *Mitlauter* bestimmt, die ihn aus einem Momente *allgemeinen* Ausdrucks zum besonderen Ausdrucke dieses einen Gegenstandes oder dieser einen Empfindung bestimmen. Der Konsonant hat somit zwei Hauptwirksamkeiten, die wir, ihrer entscheidenden Wichtigkeit wegen genau zu beachten haben.

Die erste Wirksamkeit des *Konsonanten* besteht darin, daß er den tönenden Laut der Wurzel zu bestimmter Charakteristik dadurch erhebt, daß er sein unendlich flüssiges Element sicher begrenzt, und durch die Linien dieser Umgrenzung gewissermaßen seiner Farbe die Zeichnung zuführt, die ihn zur genau unterscheidbaren, kenntlichen Gestalt macht. Diese Wirksamkeit des Konsonanten ist demnach vom Vokale ab nach außen gewandt. Sie geht darauf hin, das vom Vokale zu Unterscheidende bestimmt von ihm abzusondern, zwischen ihm und dem zu Unterscheidenden sich gleichsam als Grenzpfahl hinzustellen. Diese wichtige Stellung nimmt der Konsonant *vor* dem Vokale, als *Anlaut*, ein; als *Ablaut, nach* dem Vokale, ist er insofern von minderer Wichtigkeit für die Abgrenzung des Vokales nach außen, als dieser in seiner charakteristischen Eigenschaft sich bereits vor dem Mitklingen des Ablautes kundgegeben haben muß, und dieses somit mehr aus dem Vokale selbst als sein ihm notwendiger Absatz bedingt wird; wogegen er allerdings dann von entschiedener Wichtigkeit ist, wenn der Ablaut durch Verstärkung des Konsonanten den vorlautenden Vokal in der Weise bestimmt, daß der Ablaut selbst zum charakteristischen Hauptmomente der Wurzel sich erhebt.

Auf die Bestimmung des Vokales durch den Konsonanten kommen wir nachher zurück; für jetzt haben wir die Wirksamkeit des Konsonanten nach außen uns vorzuführen, und diese Wirksamkeit äußert er am entscheidendsten in der Stellung *vor* dem Vokale der Wurzel, als Anlaut. In dieser Stellung zeigt er uns gewissermaßen das Angesicht der Wurzel, deren Leib als warmströmendes Blut der Vokal erfüllt, und deren, dem betrachtenden Auge abliegende Rückseite der Ablaut ist. Verstehen wir unter dem Angesichte der Wurzel die ganze physiognomische Außenseite des Menschen, die uns dieser beim Begegnen zuwendet, so gewinnen wir eine genau entsprechende Bezeichnung für die entscheidende Wichtigkeit des konsonierenden Anlautes. In ihm zeigt sich uns die Individualität der begegnenden Wurzel zunächst, wie der Mensch zunächst durch seine physiognomische Außenseite uns als Individualität erscheint, und an diese Außenseite halten wir uns so lange, bis das Innere durch breitere Entwickelung sich uns hat kundgeben können. Die physiognomische Außenseite der Sprachwurzel teilt sich – so zu sagen – dem *Auge des Sprachverständnisses* mit, und diesem Auge hat sie der Dichter auf das Wirkungsvollste zu empfehlen, der, um von dem Gefühle vollständig begriffen zu werden, seine Gestalten dem Auge und dem Ohre zugleich vorzuführen hat. Wie nun aber das Gehör eine Erscheinung unter vielen andren als kenntlich und Aufmerksamkeit fesselnd nur dadurch fassen kann, daß sie sich ihm in einer Wiederholung vorführt, die den andren Erscheinungen eben nicht zu Teil wird, und durch diese Wiederholung ihm als das Ausgezeichnete hinstellt, das als ein Wichtiges seine vorzügliche Teilnahme erregen soll, so ist auch jenem »Auge« des Gehörs die wiederholte Vorführung der Erscheinung notwendig, die sich als eine unterschiedene und bestimmt kenntliche ihm darstellen soll. Die nach der Notwendigkeit des Atems rhythmisch gebundene Wortphrase teilte ihren inhaltlichen Sinn nur dadurch verständlich mit, daß sie durch mindestens zwei sich entsprechende Akzente, in einem das Bedingende wie das Bedingte umfassenden Zusammenhange, sich kundgab. In dem Drange, das Verständnis der Phrase als eines *Gefühls*ausdruckes dem *Gefühle* zu erschließen, und im Bewußtsein, daß dieser Drang nur durch die erregteste Teilnahme des unmittelbaren empfangenden sinnlichen Organes zu befriedigen ist, hat nun der Dichter die notwendigen Akzente des rhythmischen Verses, um sie dem Gehöre auf das Wirkungsvollste zu empfehlen, in einem Gewande vorzuführen, das sie nicht nur von den unbetonten Wurzelwörtern der Phrase vollkommen unterscheidet, sondern diese Unterscheidung dem »Auge« des Gehöres auch dadurch merklich macht, daß es sich als ein *gleiches*, ähnliches Gewand *beider Akzente* darstellt. Die Gleichheit der Physiognomie der durch den Sprachsinn akzentuierten Wurzelwörter macht diese jenem Auge schnell kenntlich, und zeigt sie ihm in einem verwandtschaftlichen Verhältnisse, das nicht nur dem sinnlichen Organe schnell faßlich ist, sondern in Wahrheit auch dem *Sinne* der Wurzel innewohnt.

Der *Sinn* einer Wurzel ist die in ihr verkörperte Empfindung von einem Gegenstande; erst die *verkörperte* Empfindung ist aber eine *verständliche*, und dieser Körper ist sowohl selbst ein *sinnlicher*, als auch ein nur von dem entsprechenden Gehörsinne entscheidend wahrnehmbarer. Der Ausdruck des Dichters wird daher ein schnell verständlicher, wenn er die auszudrückende Empfindung zu ihrem innersten Gehalte zusammendrängt, und dieser innerste Gehalt wird in seinem bedingenden wie bedingten Momente notwendig ein verwandtschaftlich *einheitlicher* sein. Eine einheitliche Empfindung äußert sich aber unwillkürlich auch in einem einheitlichen *Ausdrucke*, und dieser einheitliche Ausdruck gewinnt seine vollste Ermöglichung aus der Einheit der Sprachwurzel, die sich in der Verwandtschaft des bedingenden und des bedingten Hauptmomentes der Phrase offenbart. Eine Empfindung, die sich in ihrem Ausdrucke durch den *Stabreim* der unwillkürlich zu betonenden Wurzelwörter rechtfertigen kann, ist uns, sobald die Verwandtschaft der Wurzeln durch den Sinn der Rede nicht absichtlich entstellt und unkenntlich wird – wie in der modernen Sprache –, ganz unzweifelhaft begreiflich; und erst wenn diese Empfindung in solchem Ausdrucke als eine einheitliche unser Gefühl unwillkürlich bestimmt hat, rechtfertigt sich vor unserem Gefühle auch die Mischung dieser Empfindung mit einer andren. Eine gemischte Empfindung dem bereits bestimmten Gefühle schnell verständlich zu machen, hat die dichterische Sprache wiederum im *Stabreime* ein unendlich vermögendes Mittel, das wir abermals als ein *sinnliches* in der Bedeutung bezeichnen können, daß auch ein umfassender und doch bestimmter *Sinn* in der Sprachwurzel ihm zugrunde liegt. Der sinnig-sinnliche Stabreim vermag den Ausdruck einer Empfindung mit dem einer andern zunächst durch seine rein sinnliche Eigenschaft in der Weise zu verbinden, daß die Verbindung dem Gehöre lebhaft merklich wird und als eine natürliche sich ihm einschmeichelt. Der Sinn des stabgereimten Wurzelwortes, in welchem bereits die neu hinzugezogene andre Empfindung sich kundgibt, stellt sich, durch die unwillkürliche Macht des gleichen Klanges auf das sinnliche Gehör, an sich aber schon als ein *Verwandtes* heraus, als ein Gegensatz, der in der Gattung der Hauptempfindung mit inbegriffen ist, und als solcher nach seiner generellen Verwandtschaft mit der zuerst ausgedrückten Empfindung durch das ergriffene Gehör dem Gefühle, und durch dieses endlich selbst dem Verstande, mitgeteilt wird*.

Das Vermögen des unmittelbar empfangenden Gehörs ist hierin so unbegrenzt, daß es die entferntest von sich abliegenden Empfindungen, sobald sie ihm in einer ähnlichen Physiognomie vorgeführt werden, zu verbinden weiß, und sie dem Gefühle als verwandte, rein, menschliche, zur umfassenden Aufnahme zuweist. Was ist gegen diese allumfassende und allverbindende Wundermacht des sinnlichen Organes der nackte Verstand, der sich dieser Wunderhilfe begibt und den Gehörsinn zum sklavischen Lastträger seiner sprachlichen Industriewaren-Ballen macht! Dieses sinnliche Organ ist gegen den, der sich ihm liebevoll mitteilt, so hingebend und überschwenglich reich an Liebesvermögen, daß es das durch den wühlerischen Verstand millionenfach Zerrissene und Zertrennte als Reinmenschliches, ursprünglich und immer und ewig Einiges wiederherzustellen, und dem Gefühle zum entzückendsten Hochgenusse darzubieten vermag. – Naht euch diesem herrlichen Sinne, ihr Dichter! Naht euch ihm aber als ganze Männer und mit vollem Vertrauen! Gebt ihm das Umfangreichste, was ihr zu fassen vermögt, und was euer Verstand nicht binden kann, das wird dieser Sinn euch binden und als unendliches Ganzes euch wieder zuführen. Drum kommt ihm herzhaft entgegen, Aug' in Aug'; bietet ihm euer Angesicht, das Angesicht des Wortes,

* »Die Liebe bringt Lust und – Leid.«

– nicht aber das welke Hinterteil, das ihr schlaff und matt im End-reim eurer prosaischen Rede nachschleppt und dem Gehöre zur Abfertigung hinhaltet, – wie als ob es eure Worte um den Lohn dieses kindischen Geklingels, das man Wilden und Albernen zur Beschwichtigung vormacht, ungestört durch seine Pforte zu dem neu zersetzten Hirne einlassen solle. Das Gehör ist kein Kind; es ist ein starkes, liebevolles Weib, das in seiner Liebe den am höch-sten zu beseligen vermag, der *in sich* ihm den vollsten Stoff zur Beseligung zuführt.

Und wie wenig boten wir bis jetzt noch diesem Gehöre, da wir ihm soeben nur den konsonierenden Stabreim zuführten, durch den allein schon es uns das Verständnis aller Sprache erschloß! For-schen wir weiter, um zu sehen, wie dieses Sprachverständnis durch die höchste Erregung des Gehöres sich zum höchsten Menschen-verständnisse zu erheben vermag. –

Wir haben nochmals zu dem Konsonanten zurückzukehren, um ihn in seiner zweiten Wirksamkeit uns vorzustellen. –

Die befähigende Kraft, selbst die anscheinend verschiedensten Gegenstände und Empfindungen dem Gehöre durch den Reim des Anlautes als verwandt vorzuführen, erhält der Konsonant, der hierin seine Wirksamkeit nach außen kundgab, wiederum nur aus seiner Stellung zu dem tönenden Vokale der Wurzel, in der er seine Wirksamkeit nach *innen*, durch Bestimmung des Charakters des Vokales selbst, äußert. – Wie der Konsonant den Vokal nach außen abgrenzt, so begrenzt er ihn auch nach innen, d. h. er bestimmt die besondere Eigentümlichkeit seiner Kundgebung durch die Schärfe oder Weichheit, mit der er ihn nach innen berührt*. Diese wichtige Wirkung des Konsonanten nach innen bringt uns aber in so unmittelbare Berührung mit dem Vokale, daß wir jene Wirkung zu einem großen Teile wiederum nur aus dem Vokale selbst begrei-

---

* Der Sänger, der aus dem Vokale den vollen Ton zu ziehen hat, empfindet sehr lebendig den bestimmenden Unterschied, den energische Konsonanten – wie K, R, P, T – oder gar verstärkte – wie Schr, Sp, St, Pr –, und schlaffere, weiche – wie G, L, B, D, W, – auf den tönenden Laut äußern. Ein verstärkter Ablaut – nd, rt, st, ft – gibt da, wo er wurzelhaft ist – wie in »Hand«, »hart«, »Hast«, »Kraft« –, dem Vokale mit solcher Bestimmtheit die Eigentümlichkeit und Dauer seiner Kundgebung an, daß er diese letztere als eine kurze, lebhaft gedrängte geradeswegs bedingt, und daher als charakteristisches Merkmal der Wurzel zum Reime – als Assonanz – sich bestimmt (wie in »Hand« und »Mund«).

fen können, auf den wir, als den eigentlichen rechtfertigenden Inhalt der Wurzel, mit unwiderstehlicher Notwendigkeit hingewiesen werden.

Wir bezeichneten die umgebenden Konsonanten als das Gewand des Vokales, oder, bestimmter, als seine physiognomische Außenseite. Bezeichnen wir sie nun, und zumal um ihrer erkannten Wirkung nach Innen willen, noch genauer als das organisch mit dem inneren des menschlichen Leibes verwachsene Fleischfell desselben, so erhalten wir eine getreu entsprechende Vorstellung von dem Wesen des Konsonanten und des Vokales, sowie von ihren organischen Beziehungen zueinander. – Fassen wir den Vokal als den ganzen inneren Organismus des lebendigen menschlichen Leibes, der aus sich heraus die Gestaltung seiner äußeren Erscheinung so bedingt, wie er sie dem Auge des Beschauenden mitteilt, so haben wir den Konsonanten, die sich als diese Erscheinung eben dem Auge darstellen, außer dieser Wirksamkeit nach außen auch die wichtige Tätigkeit zuzusprechen, die darin besteht, daß sie dem inneren Organismus durch die verzweigte Zusammenwirkung der Empfindungsorgane diejenigen äußeren Eindrücke zuführen, die diesen Organismus für seine Besonderheit im Äußerungsvermögen wiederum bestimmen. Wie nun das Fleischfell des menschlichen Leibes eine Haut hat, die es nach außen vor dem Auge begrenzt, so hat es auch eine Haut, die es nach innen den inneren Lebensorganen zuwendet: mit dieser inneren Haut ist es von diesen Organen aber keineswegs vollständig abgesondert, sondern an ihr hängt es vielmehr mit diesen in der Weise zusammen, daß es von ihnen seine Nahrung und sein nach außen zu wendendes Gestaltungsvermögen gewinnen kann. – Das Blut, dieser nur in ununterbrochenem Fließen lebengebende Saft des Leibes, dringt von dem Herzen aus, vermöge jenes Zusammenhanges des Fleischfelles mit den inneren Organen, bis in die äußerste Haut dieses Fleisches vor; von da aus fließt es aber, mit Hinterlassung der nötigen Nahrung, wieder zurück zum Herzen, welches nun, wie in Überfülle inneren Reichtumes, durch den Atem der Lungen, die dem Blute zur Belebung und Erfrischung den äußeren Luftstrom zuführten, diesen von seinem bewegten Inhalte geschwängerten Luftstrom, als eigenste Kundgebung seiner lebendigen Wärme, nach außen unmittelbar selbst ergießt. – Dieses Herz ist der *tönende Laut* in seiner reichsten, selbständigsten Tätigkeit. Sein belebendes Blut, das er nach außen zum Konsonanten verdichtete, kehrt, da es in seiner Überfülle durch diese Verdichtung durchaus nicht aufgezehrt werden konnte, von diesem zu seinem eigensten Sitze zurück, um durch den das Blut wiederum unmittelbar belebenden Luftstrom *sich selbst* in höchster Fülle nach außen zu wenden.

Nach außen wendet sich der innere Mensch als *tönender* an das Gehör, wie seine äußere Gestalt sich an das Gesicht wandte. Als diese *äußere* Gestalt des Wurzelvokales erkannten wir den Konsonanten, und wir mußten, da Vokal wie Konsonant sich an das *Gehör* mitteilen, dies Gehör uns nach einer hörenden und sehenden Eigenschaft vorstellen, um diese letztere für den Konsonanten, gleichsam den äußeren Sprachmenschen, in Anspruch zu nehmen. Stellte sich dieser Konsonant, den wir nach seiner äußersten und wichtigsten, sinnlichen wie sinnigen, Wirksamkeit im Stabreime uns vergegenwärtigten, nun dem »Auge« des Gehöres dar, so teilt sich dagegen jetzt der Vokal, den wir nach seiner eigensten lebengebenden Eigenschaft erkannten, dem »Ohre« des Gehöres selbst mit. Nur aber, wenn er nach seiner vollsten Eigenschaft, ganz in der selbständigen Fülle, wie wir sie den Konsonanten im Stabreime entfalten ließen, nicht nur als tönender *Laut*, sondern als lautender *Ton* sich kundzugeben vermag, ist er imstande, jenes »Ohr« des Gehöres, dessen »Sehkraft« wir nach höchster Fähigkeit für den Konsonanten in Anspruch nahmen, nach der unendlichen Fülle seines hörenden Vermögens in dem Grade zu erfüllen, daß es in das notwendige Übermaß von Entzücken gerät, aus welchem es das Empfangene an das zu höchster Erregung zu steigernde Allgefühl des Menschen mitteilen muß. – Wie sich uns zu vollster, befriedigendster Gewißheit nur derjenige Mensch darstellt, der unsrem Auge und Ohre zugleich sich kundgibt, so überzeugt auch das Mitteilungsorgan des inneren Menschen unser Gehör nur dann zu vollständigster Gewißheit, wenn es sich dem »Auge und dem Ohre« dieses Gehörs gleichbefriedigend mitteilt. Dies geschieht aber nur durch die *Wort-Tonsprache*, und der Dichter wie der Musiker teilte bisher nur den halben Menschen mit: der Dichter wandte sich nur an das Auge, der Musiker nur an das Ohr dieses Gehöres. Nur das ganz sehende und hörende, das ist – das vollkommen *verstehende* Gehör, vernimmt aber den inneren Menschen mit untrügerischer Gewißheit. –

Jene zwingende Kraft, die der Sprachwurzel innewohnte und den nach sicherstem Gefühlsausdrucke suchenden Dichter mit Notwendigkeit dazu bestimmte, sich gerade dieses einen, seiner Absicht einzig entsprechenden Wurzelwortes zu bedienen, erkennt dieser Dichter nun mit überzeugendster Gewißheit in dem tönenden Vokale, sobald er ihn in seiner höchsten Fülle als wirklichen atembeseelten *Ton* sich vorführt. In diesem Tone spricht sich am unverkennbarsten der *Gefühlsinhalt* des Vokales aus, der aus innerster Notwendigkeit gerade in diesem und keinem andren Vokale sich äußern konnte, wie dieser Vokal, dem äußeren Gegenstande gegenüber, gerade diesen und keinen andren Konsonanten aus sich nach außen verdichtete. Diesen Vokal in seinen höchsten Gefühlsausdruck auflösen, ihn nach höchster Fülle im Herzensgesangstone sich ausbreiten und verzehren lassen, heißt für den Dichter so viel, als das bisher willkürlich und deshalb beunruhigend Erscheinende in seinem dichterischen Ausdrucke zu einem Unwillkürlichen, das Gefühl so bestimmt Wiedergebenden als bestimmend Erfassenden, machen. Volle Beruhigung gewinnt er daher nur in der vollsten Erregtheit seines Ausdrucks; dadurch, daß er sein Ausdrucksvermögen nach der höchsten, ihm innewohnenden Fähigkeit verwendet, macht er es einzig zu dem Organe des Gefühls, das dem Gefühle wiederum unmittelbar sich mitteilt; und aus seinem eigenen Sprachvermögen erwächst ihm dieses Organ, sobald er es nach seiner *ganzen* Fähigkeit ermißt und verwendet. –

Der Dichter, der zu möglichst bestimmter Mitteilung einer Empfindung bereits die, nach Sprachakzenten geordnete Reihe im musikalischen Takte sich kundgebender Wörter durch den konsonierenden Stabreim, zu einem dem Gefühle leichter mitteilbaren sinnlichen Verständnisse zu bringen suchte, wird dies Gefühlsverständnis nun immer vollkommener ermöglichen, wenn er die Vokale der akzentuierten Wurzelwörter, wie zuvor ihre Konsonanten, wiederum zu einem Reime verbindet, der ihr Verständnis dem Gefühle auf das Bestimmendste erschließt. Das Verständnis des Vokales begründet sich aber nicht auf seine oberflächliche Verwandtschaft mit einem gereimten andren Wurzelvokale, sondern, *da alle Vokale unter sich urverwandt sind*, auf die *Aufdeckung dieser Urverwandtschaft* durch die volle Geltendmachung seines *Gefühlsinhaltes vermöge des musikalischen Tones*. Der Vokal ist selbst nichts andres, als der *verdichtete Ton*: seine besondre Kundgebung bestimmt sich durch seine Wendung nach der äußeren Oberfläche des Gefühlskörpers, der – wie wir sagten – dem Auge des Gehöres das abgespiegelte Bild des äußeren, auf den Gefühlskörper wirkenden, Gegenstandes darstellt; die Wirkung des Gegenstandes auf den Gefühlskörper selbst gibt der Vokal durch unmittelbare Äußerung des Gefühles auf dem ihm nächsten Wege kund, indem er seine, von Außen empfangene Individualität zu der Universalität des reinen Gefühlsvermögens ausdehnt, und dies geschieht im musikalischen Tone. Was den Vokal gebar und ihn zu besonderster Verdichtung zum Konsonanten nach außen bestimmte, zu dem kehrt er, von außen bereichert, als ein besonderer zurück, um sich in ihm, dem nun ebenfalls Bereicherten, aufzulösen: dieser bereicherte, individuell gefestigte, zur Gefühlsuniversalität ausgedehnte Ton ist das erlösende Moment des dichtenden Gedankens, der in dieser Erlösung zum unmittelbaren *Gefühlsergusse* wird.

Dadurch, daß der Dichter den Vokal des akzentuierten und stabgereimten Wurzelwortes in sein Mutterelement, den musikalischen Ton, auflöst, tritt er mit Bestimmtheit nun in die Tonsprache ein: von diesem Augenblicke an hat er die Verwandtschaft der Akzente nicht mehr nach einem, jenem Auge des Gehöres erkennbaren Maße zu bestimmen, sondern die für das schnelle Empfängnis des Gefühles als notwendig erforderliche Verwandtschaft der zu musikalischen Tönen gewordenen Vokale bestimmt sich nun nach einem Maße, das, nur jenem Ohre des Gehöres erkennbar, in seiner empfängnisfähigen Eigentümlichkeit sicher und gebieterisch begründet ist. – Die Verwandtschaft der Vokale zeigt sich schon für die Wortsprache als eine ihnen allen urgleiche mit solcher Bestimmtheit, daß wir Wurzelsilben, denen der Anlaut fehlt, allein schon aus dem Offenstehen des Vokales nach vorn als stabzureimende erkennen, und hierin keinesweges durch die volle äußere Ähnlichkeit des Vokales bestimmt werden; wir reimen z. B. »Aug' und Ohr«*. Diese Urverwandtschaft, die in der Wortsprache als ein unbewußtes Gefühlsmoment sich erhalten hat, bringt die volle Tonsprache dem Gefühle zum untrüglichen Bewußtsein; indem sie den besonderen Vokal zum musikalischen Tone erweitert, teilt sie seine Besonderheit unsrem Gefühle als in einem urverwandtschaftlichen Verhältnisse enthalten und aus dieser Verwandtschaft geboren mit, und läßt uns als die Mutter der reichen Vokalfamilie das unmittelbar nach außen gewandte rein menschliche Gefühl selbst erkennen, das sich nur nach außen wendet, um wiederum unsrem rein menschlichen Gefühle sich mitzuteilen.

Die Darstellung der Verwandtschaft der zu Tönen gewordenen Vokallaute an unser Gefühl kann daher nicht mehr der Wortdichter bewerkstelligen, sondern der *Tondichter*.

---

* Wie vortrefflich bezeichnet in diesem Reime die Sprache die zwei nach außen offenliegendsten Empfängnisorgane durch die nach außen ebenfalls offenliegenden Vokale; es ist, als ob diese Organe hierin als mit der ganzen Fülle ihrer universellen Empfängniskraft aus dem Innern unmittelbar und nackt nach außen gewandt sich kundgäben.

III.

Der charakteristische Unterschied zwischen *Wort-* und *Tondichter* besteht darin, daß der Wortdichter unendlich zerstreute, nur dem Verstande wahrnehmbare Handlungs-, Empfindungs- und Ausdrucksmomente auf einem, dem Gefühle möglichst erkennbaren Punkt zusammendrängte; wogegen nun der Tondichter den zusammengedrängten dichten Punkt nach seinem vollen Gefühlsinhalte zur höchsten Fülle auszudehnen hat. Das Verfahren des dichtenden Verstandes ging im Drange nach Mitteilung an das Gefühl dahin, aus den weitesten Fernen sich zu dichtester Wahrnehmbarkeit durch das sinnliche Empfängsnisvermögen zu sammeln; von hier aus, vom Punkte der unmittelbaren Berührung mit dem sinnlichen Empfängsnisvermögen, hat sich das Gedicht ganz so auszubreiten, wie das empfangende sinnliche Organ, das zur Wahrnehmung des Gedichtes sich ebenfalls auf einen dichten, nach außen gewandten Punkt zusammen drängte, unmittelbar durch die Empfängnis sich in weitere und immer weitere Kreise, bis zur Erregung alles innerlichen Empfindungsvermögens, ausbreitet.

Das Verkehrte in dem notgedrungenen Verfahren des einsamen Dichters und des einsamen Musikers lag bisher eben darin, daß der Dichter, um dem Gefühle sich faßlich mitzuteilen, sich in jene vage Breite ausdehnte, in der er zum Schilderer tausender von Einzelheiten wurde, die eine bestimmte Gestalt der Phantasie so kenntlich wie möglich vorführen sollten: die von vielfach bunten Einzelheiten bedrängte Phantasie konnte sich des vorgeführten Gegenstandes endlich immer wieder nur dadurch bemächtigen, daß sie diese verwirrenden Einzelheiten genau zu fassen suchte, und hierdurch in die Wirksamkeit des reinen Verstandes sich verlor, an den der Dichter sich einzig nur wieder wenden konnte, wenn er von der massenhaften Breite seiner Schilderungen betäubt sich schließlich nach einem ihm vertrauten Anhaltspunkte umsah. Der absolute Musiker sah sich dagegen bei seinen Gestalten gedrängt, ein unendlich weites Gefühlselement zu bestimmten, dem Verstande möglichst wahrnehmbaren Punkten zusammenzudrängen; er mußte hierzu der Fülle seines Elementes immer mehr entsagen, das Gefühl zu einem – an sich aber unmöglichen – Gedanken zu verdichten sich mühen, und endlich diese Verdichtung nur durch vollständige Entkleidung von allem Gefühlsausdrucke als eine gedachte, einem beliebigen äußeren Gegenstande nachgeahmte Erscheinung, der willkürlichen Phantasie empfehlen. – Die Musik glich so dem lieben Gotte unserer Legenden, der vom Himmel auf die Erde herabstieg, um sich dort aber ersichtlich zu machen, Gestalt und Gewand gemeiner Alltagsmenschen annehmen mußte: keiner merkte in dem oft zerlumpten Bettler mehr den lieben Gott. Der wahre Dichter soll nun aber kommen, der mit dem hellsehenden Auge der höchsten erlösungsbedürftigen Dichternot in dem schmutzigen Bettler den erlösenden Gott erkennt, Krücken und Lumpen von ihm nimmt, und auf dem Hauche seines sehnsüchtigen Verlangens mit ihm sich in die unendlichen Räume aufschwingt, in die der befreite Gott mit seinem Atem unendliche Wonnen des seligsten Gefühles auszugießen weiß. So wollen wir die kärgliche Sprache des Alltagslebens, in welchem wir noch nicht das sind, was wir sein *können*, und deshalb auch noch nicht kundgeben, was wir kundgeben *können*, hinter uns werfen, um im Kunstwerke eine Sprache zu reden, in der wir einzig das auszusprechen vermögen, was wir kundgeben *müssen*, wenn wir ganz das *sind*, was wir sein können.

Der Tondichter hat nun die Töne des Verses nach ihrem verwandtschaftlichen Ausdrucksvermögen so zu bestimmen, daß sie nicht nur den Gefühlsinhalt dieses oder jenes Vokales, als *besonderen* Vokales, kundgeben, sondern diesen Inhalt zugleich als einen *allen* Tönen des Verses verwandten, und diesen verwandten Inhalt als *ein besonderes Glied der Urverwandtschaft aller Töne* dem Gefühle darstellen.

Dem Wortdichter war die Aufdeckung einer dem Gefühle und durch dieses dem Verstande endlich selbst einleuchtenden Verwandtschaft der von ihm hervorgehobenen Akzente nur durch den konsonierenden Stabreim der Sprachwurzeln möglich; was diese Verwandtschaft bestimmte, war aber gerade nur die Besonderheit des gleichen Konsonanten; kein anderer Konsonant konnte sich mit diesem reimen, und die Verwandtschaft war daher nur auf eine besondere Familie beschränkt, die gerade nur dadurch dem Gefühle kenntlich war, daß sie als eine durchaus getrennte Familie sich kundgab. Der Tondichter dagegen hat über einen verwandtschaftlichen Zusammenhang zu verfügen, der bis in das Unendliche reicht; und mußte sich der Wortdichter damit begnügen, durch die volle Gleichheit ihrer anlautenden Konsonanten gerade nur die besonders hervorgehobenen Wurzelwörter seiner Phrase dem Gefühle als sinnlich wie sinnig verwandt vorzuführen, so hat der Musiker dagegen die Verwandtschaft seiner Töne zunächst in *der* Ausdehnung darzustellen, daß er sie von den Akzenten aus über *alle*, auch unbetonteren Vokale der Phrase ausgießt, so daß nicht die Vokale der Akzente allein, sondern alle Vokale überhaupt als unter sich verwandt dem Gefühle sich darstellen.

Wie die Akzente in der Phrase ihr besonderes Licht nicht nur zuerst durch den Sinn, sondern in ihrer sinnlichen Kundgebung durch die in der Senkung befindlichen, unbetonteren Wörter und Silben erhalten, so haben auch die Haupttöne ihr besonderes Licht von den Nebentönen zu gewinnen, welche zu ihnen sich ganz so zu verhalten haben, wie die Auf- und Abtakte zu den Hebungen. Die Wahl und Bedeutung jener Nebenwörter und -silben, sowie ihre Beziehung zu den akzentuierten Wörtern ward zunächst von dem Verstandesinhalte der Phrase bestimmt; nur in dem Grade, als dieser Verstandesinhalt durch Verdichtung umfangreicher Momente zu einem gedrängten, dem Gehörsinne auffallend wahrnehmbaren Ausdrucke gesteigert wurde, verwandelte er sich in einen Gefühlsinhalt. Die Wahl und Bedeutung der Nebentöne, sowie ihre Beziehung zu den Haupttönen ist nun vom Verstandesinhalte der Phrase insofern nicht mehr abhängig, als dieser im rhythmischen Verse und im Stabreime bereits zu einem Gefühlsinhalte sich verdichtet hat, und die volle Verwirklichung dieses Gefühlsinhaltes durch seine unmittelbarste Mitteilung an die Sinne von da an einzig nur noch bewerkstelligt werden soll, wo durch die Auflösung des Vokales in den Gesangston die reine Sprache des Gefühles als die einzig noch vermögende anerkannt worden ist. Von dem musikalischen Ertönen des Vokales in der Wortsprache an ist das Gefühl zum bestimmten Anordner aller weiteren Kundgebung an die Sinne erhoben worden, und das musikalische Gefühl bestimmt nun allein noch die Wahl und Bedeutung der Neben- wie Haupttöne, und zwar nach der Natur der Tonverwandtschaft, deren besonderes Glied durch den notwendigen Gefühlsausdruck der Phrase zur Wahl entschieden wird.

Die Verwandtschaft der Töne ist aber die musikalische *Harmonie*, die wir hier zunächst nach ihrer Ausdehnung in der Fläche aufzufassen haben, in welcher sich die Gliedfamilien der weitverzweigten Verwandtschaft der *Tonarten* darstellen. Behalten wir jetzt die hier gemeinte *horizontale* Ausdehnung der Harmonie im Auge, so behalten wir uns ausdrücklich die allbestimmende Eigenschaft der Harmonie in ihrer *vertikalen* Ausdehnung zu ihrem Urgrunde für den entscheidenden Moment unserer Darstellung vor. Jene horizontale Ausdehnung als Oberfläche der Harmonie ist aber die Physiognomie derselben, die dem Auge des Dichters noch erkennbar ist; sie ist der Wasserspiegel, der dem Dichter noch sein eigenes Bild zurückspiegelt, wie er dies Bild zugleich auch dem beschauenden Auge desjenigen, an den der Dichter sich mitteilen wollte, zuführt. Dieses Bild aber ist in Wahrheit die verwirklichte Absicht des Dichters, – eine Verwirklichung, die dem Musiker wiederum nur möglich ist, wenn er aus der Tiefe des Meeres der Harmonie zu dessen Oberfläche auftaucht, auf der eben die entzückende Vermählung des zeugenden dichterischen Gedankens mit dem unendlichen Gebärungsvermögen der Musik gefeiert wird.

Jenes wogende Spiegelbild ist *die Melodie*. In ihr wird der dichterische Gedanke zum unwillkürlich ergreifenden Gefühlsmomente, wie das musikalische Gefühlsvermögen in ihr die Fähigkeit gewinnt, sich bestimmt und überzeugend, als scharf begrenzte, zu plastischer Individualität gestaltete, menschliche Erscheinung kundzugeben. Die Melodie ist die Erlösung des unendlich bedingten dichterischen Gedankens zum tiefempfundenen Bewußtsein höchster Gefühlsfreiheit: sie ist das gewollte und dargetane Unwillkürliche, das bewußte und deutlich verkündete Unbewußte, die gerechtfertigte Notwendigkeit eines aus weitester Verzweigung zur bestimmtesten Gefühlsäußerung verdichteten, unendlich umfangreichen Inhaltes.

Halten wir nun diese, auf der horizontalen Oberfläche der Harmonie als Spiegelbild des dichterischen Gedankens erscheinende, und der Urverwandtschaft der Töne durch Aufnahme in eine Familie dieser Verwandtschaft – die Tonart – eingereihte Melodie gegen jene mütterliche *Urmelodie*, aus der einst die Wortsprache geboren wurde, so zeigt sich uns folgender überaus wichtige, und hier mit Bestimmtheit ins Auge zu fassende Unterschied.

Aus einem unendlich verfließenden Gefühlsvermögen drängten sich zuerst menschliche Empfindungen zu einem allmählich immer bestimmteren Inhalte zusammen, um sich in jener Urmelodie der Art zu äußern, daß der naturnotwendige Fortschritt in ihr sich endlich bis zur Ausbildung der reinen Wortsprache steigerte. Das Bezeichnendste der ältesten Lyrik ist das, daß in ihr die Worte und der Vers aus dem Tone und der Melodie hervorgingen, wie sich die Leibesgebärde aus der allgemein hindeutenden und nur in öfterster Wiederholung verständlichen Tanzbewegungen zur gemesseneren, bestimmteren mimischen Gebärde verkürzte. Je mehr sich in der Entwicklung des menschlichen Geschlechtes das unwillkürliche Gefühlsvermögen zum willkürlichen Verstandesvermögen verdichtete; je mehr demnach auch der Inhalt der Lyrik aus einem Gefühlsinhalte zu einem Verstandesinhalte ward, – desto erkenn-

barer entfernte sich auch das Wortgedicht von seinem ursprünglichen Zusammenhange mit jener Urmelodie, deren es sich gewissermaßen für seinen Vortrag nur noch bediente, um einen kälteren
didaktischen Inhalt dem altgewohnten Gefühle so schmackhaft
wie möglich zuzuführen. Die Melodie selbst, wie sie einst dem Ur-
empfindungsvermögen der Menschen als notwendiger Gefühlsausdruck entblüht war und in dem ihr entsprechenden Vereine mit
Wort und Gebärde sich zu der Fülle entwickelt hatte, die wir noch
heute in der echten Volksmelodie wahrnehmen, vermochten jene
reflektierenden Verstandesdichter nicht zu modeln und dem Inhalte ihrer Ausdrucksweise entsprechend zu variieren; noch weniger
aber war es ihnen möglich, aus dieser Ausdrucksweise selbst zur
Bildung neuer Melodien sich anzulassen, weil eben der Fortschritt
der allgemeinen Entdeckung in dieser großen Bildungsperiode ein
Fortschreiten aus dem Gefühle zum Verstande war, und der wachsende Verstand in seinem Experimentieren sich nur gehindert fühlen konnte, wenn er zur Erfindung neuer Gefühlsausdrücke, die
ihm fern lagen, irgendwie gedrängt worden wäre.

So lange die lyrische Form eine von der Öffentlichkeit erkannte
und geforderte blieb, variierten daher die Dichter, die dem Inhalte
ihrer Dichtungen nach zum Erfinden von Melodien unfähig geworden waren, vielmehr das Gedicht, nicht aber die Melodie, die
sie unverrückt stehen ließen, und der zu lieb sie nur dem Ausdruk-
ke ihrer dichterischen Gedanken eine äußerliche Form verliehen,
welche sie als Textvariation der unveränderten Melodie unterleg-
ten. Die so überreiche Form der auf uns gekommenen griechischen Sprachlyrik, und namentlich auch die Chorgesänge der Tragiker, können wir uns als aus dem *Inhalte* dieser Dichtungen notwendig bedingt gar nicht erklären. Der meist didaktische und philosophische Inhalt dieser Gesänge steht gemeinhin in einem so leb-
haften Widerspruche mit dem sinnlichen Ausdrucke in der überreich wechselnden Rhythmik der Verse, daß wir diese so mannigfaltige sinnliche Kundgebung nicht als aus dem Inhalte der dichterischen Absicht an sich hervorgegangen, sondern als aus der Melodie bedingt, und ihren unwandelbaren Anforderungen mit Gehorsam zurechtgelegt, begreifen können. – Noch heute kennen wir die
echtesten Volksmelodien nur mit späteren Texten, die zu ihnen,
den einmal bestehenden und beliebten Melodien, auf diese oder
jene äußere Veranlassung hin nachgedichtet worden sind, und –
wenn auch auf einer bei weitem niedrigeren Stufe – verfahren noch
heute, zumal französische Vaudevilledichter, indem sie ihre Verse
zu bekannten Melodien dichten und diese Melodien kurzweg dem

Darsteller bezeichnen, nicht unähnlich den griechischen Lyrikern und Tragödiendichtern, die jedenfalls zu fertigen, der ältesten Lyrik ureigenen und im Munde des Volkes – namentlich bei heiligen Gebräuchen – fortlebenden Melodien die Verse dichteten, deren wunderbar reiche Rhythmik uns jetzt, da wir jene Melodien nicht mehr kennen, in Erstaunen setzt.

Die eigentliche Darlegung der Absicht des griechischen Tragödiendichters enthüllt aber, nach Inhalt und Form, der ganze Verlauf ihrer Dramen, der sich unstreitbar aus dem Schoße der Lyrik zur Verstandesreflexion hin bewegt, wie der Gesang des Chores in die nur noch gesprochene jambische Rede der Handelnden ausmündet. Was diese Dramen in ihrer Wirkung uns aber noch als so ergreifend hinstellt, das ist eben das in ihnen beibehaltene, und in den Hauptmomenten stärker wiederkehrende lyrische Element, in dessen Verwendung der Dichter mit vollem Bewußtsein verfuhr, gerade wie der Didaktiker, der seine Lehrgedichte der Jugend in den Schulen im gefühlbestimmenden lyrischen Gesange vorführte. Nur zeigt uns ein tieferer Blick, daß der tragische Dichter seiner Absicht nach minder unverhohlen und redlich war, wenn er sie in das lyrische Gewand einkleidete, als da, wo er sie unumwunden nur noch in der gesprochenen Rede ausdrückte, und in dieser didaktischen Rechtschaffenheit, aber künstlerischen Unredlichkeit, liegt der schnelle Verfall der griechischen Tragödie begründet, der das Volk bald anmerkte, daß sie nicht sein Gefühl unwillkürlich, sondern seinen Verstand willkürlich bestimmen wollte. Euripides hatte unter der Geißel des aristophanischen Spottes blutig für diese plump von ihm aufgedeckte Lüge zu büßen. Daß die immer didaktisch absichtlichere Dichtkunst zur staatspraktischen Rhetorik, und endlich gar zur Literaturprosa werden mußte, war die äußerste, aber ganz natürliche Konsequenz der Entwicklung des Verstandes aus dem Gefühle, und – für den künstlerischen Ausdruck – der Wortsprache aus der Melodie. –

Die Melodie, deren Gebärung wir jetzt lauschen, verhält sich aber zu jener mütterlichen Urmelodie als ein vollkommener Gegensatz, den wir nun, nach den vorangegangenen umständlicheren Betrachtungen, als ein Fortschreiten aus dem Verstande zum Gefühl, aus der Wortphrase zur Melodie, gegenüber dem Fortschreiten aus dem Gefühle zum Verstande, aus der Melodie zur Wortphrase, kurz zu bezeichnen haben. Auf dem Wege des Fortschreitens von der Wortsprache zur Tonsprache gelangten wir bis auf die horizontale Oberfläche der Harmonie, auf der sich die Wortphrase des Dichters als musikalische Melodie abspiegelte. Wie wir nun von dieser Oberfläche aus uns des ganzen Gehaltes der unermeßlichen Tiefe der Harmonie, dieses urverwandtschaftlichen Schoßes aller Töne, zur immer ausgedehnteren Verwirklichung der dichterischen Absicht bemächtigen, und so die dichterische Absicht als zeugendes Moment in die volle Tiefe jenes Urmutterelementes in der Weise versenken wollen, daß wir jedes Atom dieses ungeheuren Gefühlschaos zu bewußter, individueller Kundgebung in einem dennoch nie sich verengenden, sondern stets sich erweiternden Umfange bestimmen; der künstlerische Fortschritt also, der sich in der Ausbreitung einer bestimmten, bewußten Absicht in ein unendliches, und bei aller Unermeßlichkeit dennoch wiederum genau und bestimmt sich kundgebendes Gefühlsvermögen herausstellt, – soll nun der Gegenstand unsrer weiteren schließlichen Darstellungen sein. –

Bestimmen wir zunächst aber noch Eines, um unsren heutigen Erfahrungen gegenüber uns verständlich zu machen.

Wenn wir die Melodie, wie wir sie bis jetzt nur bezeichneten, als äußerste, vom Dichter notwendig zu ersteigende Höhe des Gefühlsausdruckes der Wortsprache faßten, und auf dieser Höhe den Wortvers bereits auf der Oberfläche der musikalischen Harmonie widergespiegelt erblickten, so erkennen wir bei näherer Prüfung zu unsrer Überraschung, daß diese Melodie der Erscheinung nach vollkommen dieselbe ist, die aus der unermeßlichen Tiefe der *Beethoven*schen Musik an deren Oberfläche sich heraufdrängte, um in der »neunten Symphonie« das helle Sonnenlicht des Tages zu grüßen. Die Erscheinung dieser Melodie auf der Oberfläche des harmonischen Meeres ermöglichte sich, wie wir sahen, nur aus dem Drange des Musikers, dem Dichter Aug' in Auge zu sehen; nur der Wortvers des Dichters war vermögend, sie auf jener Oberfläche festzuhalten, auf der sie sonst sich nur als flüchtige Erscheinung kundgegeben hätte, um ohne diesen Anhalt schnell wieder in die Tiefe des Meeres unterzusinken. Diese Melodie war der Liebesgruß des Weibes an den Mann; das umfassende »ewig Weibliche« bewährte sich hier liebevoller als das egoistische Männliche, denn es ist die Liebe selbst, und nur als höchstes Liebesverlangen ist das Weibliche zu fassen, offenbare es sich nun im Manne oder im Weibe. Der geliebte Mann wich bei jener wundervollen Begegnung dem Weibe noch aus: was für dieses Weib der höchste, opferduftigste Genuß eines ganzen Lebens war, war für den Mann nur ein flüchtiger Liebesrausch. Erst der Dichter, dessen Absicht wir uns hier darstellten, fühlt sich zur herzinnigsten Vermählung mit dem »ewig Weiblichen« der Tonkunst so unwiderstehlich stark gedrängt, daß er in dieser Vermählung zugleich seine Erlösung feiert.

Durch den erlösenden Liebeskuß jener Melodie wird der Dichter nun in die tiefen, unendlichen Geheimnisse der weiblichen Natur eingeweiht: er sieht mit andren Augen und fühlt mit andren Sinnen. Das bodenlose Meer der Harmonie, aus dem ihm jene beseligende Erscheinung entgegentauchte, ist ihm kein Gegenstand der Scheu, der Furcht, des Grausens mehr, wie als ein unbekanntes, fremdes Element es seiner Vorstellung zuvor erschien; nicht nur auf den Wogen dieses Meeres vermag er nun zu schwimmen, sondern – mit neuen Sinnen begabt – taucht er jetzt bis auf den tiefsten Grund hinab. Aus seinem einsamen, furchtbar weiten Mutterhause hatte es das Weib hinausgetrieben, um des Nahens des Geliebten zu harren; jetzt senkt dieser mit der Vermählten sich hinab, und macht sich mit allen Wundern der Tiefe traulich bekannt. Sein verständiger Sinn durchdringt alles klar und besonnen bis auf den Urquell, von dem aus er die Wogensäulen ordnet, die zum Sonnenlichte emporsteigen sollen, um an seinem Scheine in wonnigen Wellen dahinzuwallen, nach dem Säuseln des Westes sanft zu plätschern, oder nach den Stürmen des Nordes sich männlich zu bäumen; denn auch dem Atem des Windes gebietet nun der Dichter, – denn dieser Atem ist nichts andres, als der Hauch unendlicher Liebe, der Liebe, in deren Wonne der Dichter erlöst ist, in deren Macht er zum Walter der Natur wird.

Prüfen wir das Walten des tonvermählten Dichters nun mit nüchternem Auge. –

Das verwandtschaftliche Band der Töne, deren rhythmisch bewegte, und in Hebungen und Senkungen gegliederte Reihe die Versmelodie ausmacht, verdeutlicht sich dem Gefühle zunächst in der *Tonart*, die aus sich die besondere Tonleiter bestimmt, in welcher die Töne jener melodischen Reihe als besondere Stufen enthalten sind. – Wir sahen bis dahin den Dichter in dem notwendigen Streben begriffen, die Mitteilung seines Gedichtes an das Gefühl dadurch zu ermöglichen, daß er den aus weiten Kreisen gesammelten und zusammengedrängten Einzelheiten seiner sprachorganischen Ausdrucksmittel das unter sich Fremdartige benahm, indem er sie, namentlich auch durch den Reim, in möglichst darstellbarer Verwandtschaft dem Gefühle vorführte. Diesem Drange lag das unwillkürliche Wissen von der Natur des Gefühles zugrunde, das nur das Einheitliche, in seiner Einheit das Bedingte und Bedingende zugleich Enthaltende, das mitgeteilte Gefühl also nach seinem Gattungswesen, in der Art erfaßt, daß es sich von den in ihm enthaltenen Gegensätzen nicht nach eben diesem Gegensatze, sondern nach dem Wesen der Gattung, in welchem die Gegensätze versöhnt sind, bestimmen läßt. Der Verstand löst, das Gefühl bindet; d. h. der Verstand löst die Gattung in die ihr inliegenden Gegensätze auf, das Gefühl bindet die Gegensätze wieder zur einheitlichen Gattung zusammen. Diesen einheitlichen Ausdruck gewann der Dichter am vollständigsten endlich im Aufgehen des, nach Einheit nur ringenden Wortverses in die Gesangsmelodie, die ihren einheitlichen, das Gefühl unfehlbar bestimmenden Ausdruck aus der, den Sinnen unwillkürlich sich darstellenden Verwandtschaft der Töne gewinnt.

Die *Tonart* ist die gebundenste, unter sich eng verwandteste *Familie* der ganzen *Tongattung*; als wahrhaft verwandt mit der ganzen Tongattung zeigt sie sich uns aber da, wo sie aus der Neigung ihrer einzelnen Tonfamilienglieder zu unwillkürlichen Verbindungen mit andren Tonarten fortschreitet. Wir können die Tonart hier sehr entsprechend mit den alten patriarchalischen Stammfamilien der menschlichen Geschlechter vergleichen: in diesen Familien begriffen sich nach unwillkürlichem Irrtume die ihnen Angehörigen als Besondere, nicht als Glieder der ganzen menschlichen Gattung; die Geschlechtsliebe des Individuums, die sich nicht an einer gewöhnten, sondern nur an einer ungewöhnten Erscheinung entzündete, war es aber, was die Schranken der patriarchalischen Familie überstieg und die Verbindung mit anderen Familien knüpfte. Das Christentum hat die Einheit der menschlichen Gattung in ahnungsvoller Verzückung verkündet: die Kunst, die dem Christentume ihre eigentümlichste Entwicklung verdankte, die Musik, hat jenes Evangelium in sich aufgenommen und zu schwelgerisch entzückender Kundgebung an das sinnliche Gefühl als moderne Tonsprache gestaltet. Vergleichen wir jene urpatriarchalischen Nationalmelodien, die eigentlichen Familienüberlieferungen besonderer Stämme, mit der Melodie, die aus dem Fortschritte der Musik durch die christliche Entwicklung uns heute ermöglicht ist, so finden wir dort als charakteristisches Merkmal, daß sich die Melodie fast nie aus einer bestimmten Tonart herausbewegt, und mit ihr bis zur Unbeweglichkeit verwachsen erscheint; dagegen hat die *uns* mögliche Melodie die unerhört mannigfaltigste Fähigkeit erhalten, vermöge der harmonischen Modulation die in ihr angeschlagene Haupttonart mit den entferntesten Tonfamilien in Verbindung zu setzen, so daß uns in einem größeren Tonsatze die Urverwandtschaft aller Tonarten gleichsam im Lichte einer besonderen Haupttonart vorgeführt wird.

Dies unermeßliche Ausdehnungs- und Verbindungsvermögen hat den modernen Musiker so berauscht, daß er, aus diesem Rausche wiederum ernüchtert, sogar absichtlich nach jener beschränkteren Familienmelodie sich umsah, um durch eine ihr nachgeahmte Einfachheit sich verständlich zu machen. Dieses Umsehen nach jener patriarchalischen Beschränktheit zeigt uns die eigentliche schwache Seite unsrer ganzen Musik, in der wir bisher – so zu sagen – die Rechnung ohne den Wirt gemacht hatten. Von dem Grundtone der Harmonie aus war die Musik zu einer ungeheuer mannigfaltigen Breite aufgeschossen, in der dem zweck- und ruhelos daherschwimmenden absoluten Musiker endlich bang zu Mute wurde: er sah vor sich nichts wie eine unendliche Wogenmasse von Möglichkeiten, in sich selbst aber ward er sich keines, diese Möglichkeiten bestimmenden Zweckes bewußt, – wie die christliche Allmenschlichkeit auch nur ein verschwimmendes Gefühl ohne den Anhalt war, der es einzig als ein deutliches Gefühl rechtfertigen konnte, und dieser Anhalt ist der *wirkliche* Mensch. Somit mußte der Musiker sein ungeheures Schwimmvermögen fast bereuen; er sehnte sich nach den urheimatlichen stillen Buchten zurück, wo zwischen engen Ufern das Wasser ruhig und nach einer bestimmten Stromrichtung floß. Was ihn zu dieser Rückkehr bewog, war nichts anderes als die empfundene Zwecklosigkeit seines Umherschweifens auf hoher See, genau genommen also das Bekenntnis, eine Fähigkeit zu besitzen, die er nicht zu nutzen vermöge, – die Sehnsucht nach dem Dichter. Beethoven, der kühnste Schwimmer, sprach diese Sehnsucht deutlich aus; nicht aber nur jene patriarchalische Melodie stimmte er wieder an, sondern er sprach auch den Dichtervers zu ihr aus. Schon an einer andren Stelle machte ich in diesem letzteren Bezuge auf ein ungemein wichtiges Moment aufmerksam, auf das ich hier zurückkommen muß, weil es uns jetzt zu einem neuen Anhaltspunkte aus dem Gebiete der Erfahrung zu dienen hat. Jene – wie ich sie zur Charakteristik ihrer historischen Stellung fortfahre zu nennen – patriarchalische Melodie, die Beethoven in der »neunten Symphonie« als zur *Bestimmung* des Gefühls endlich gefundene anstimmt, und von der ich früher behauptete, daß sie nicht *aus* dem Gedichte Schillers entstanden, sondern daß sie vielmehr, außerhalb des Wortverses erfunden, diesem nur übergebreitet worden sei, zeigt sich uns als gänzlich in dem Tonfamilienverhältnisse beschränkt, in welchem sich das alte Nationalvolkslied bewegt. Sie enthält so gut wie gar keine Modulation und erscheint in einer solchen tonleitereigenen Einfachheit, daß sich in ihr die Absicht des Musikers, als eine auf den historischen Quell der Musik rückgängige, unverhohlen deutlich ausspricht. Diese Absicht war eine notwendige für die absolute Musik, die nicht auf der Basis der Dichtkunst steht: der Musiker, der sich nur in Tönen klar verständlich dem Gefühle mitteilen will, kann dieses nur durch Herabstimmung seines unendlichen Vermögens zu einem sehr beschränkten Maße. Als Beethoven jene Melodie aufzeichnete, sagte er: – so können wir absoluten Musiker uns einzig verständlich kundgeben. Nicht aber eine Rückkehr zu dem Alten ist der Gang der Entwicklung alles Menschlichen, sondern der Fortschritt: alle Rückkehr zeigt sich uns überall als keine natürliche, sondern als eine künstliche. Auch die Rückkehr Beethovens zu der patriarchalischen Melodie war, wie diese Melodie selbst, eine künstliche. Aber die bloße Konstruktion dieser Melodie war auch nicht der künstlerische Zweck Beethovens; vielmehr sehen wir, wie er sein melodisches Erfindungsvermögen absichtlich nur für einen Augenblick so weit herabstimmt, um auf der natürlichen Grundlage der Musik anzukommen, auf der er dem Dichter seine Hand hinzustrecken, aber auch die des Dichters zu ergreifen vermochte. Als er mit dieser einfachen, beschränkten Melodie die Hand des Dichters in der seinigen fühlt, schreitet er nun auf dem Gedichte selbst, und aus diesem Gedichte, seinem Geiste und seiner Form nach gestaltend, zu immer kühnerem und mannigfaltigerem Tonbau vorwärts, um uns endlich Wunder, wie wir sie bisher noch nie geahnt, Wunder wie das »Seid umschlungen, Millionen!«, »Ahnest du den Schöpfer, Welt?« und endlich das sicher verständliche Zusammenertönen des »Seid umschlungen« mit dem »Freude, schöner Götterfunken!« – aus dem Vermögen der dichtenden Tonsprache entstehen zu lassen. Wenn wir nun den breiten melodischen Bau in der musikalischen Ausführung des ganzen Verses »Seid umschlungen« mit der Melodie vergleichen, die der Meister aus absolutem musikalischem Vermögen über den Vers »Freude, schöner Götterfunken« gleichsam nur ausbreitete, so gewinnen wir ein genaueres Verständnis des Unterschiedes zwischen der – wie ich sie nannte – patriarchalischen Melodie und der aus der dichterischen Absicht auf dem Wortverse emporwachsenden Melodie. Wie jene nur im beschränktesten Tonfamilienverhältnisse sich deutlich kundgab, so vermag diese – und zwar nicht nur *ohne* unverständlich zu werden, sondern gerade erst um dem Gefühle *recht* verständlich zu sein – die engere Verwandtschaft der Tonart, durch die Verbindung mit wiederum verwandten Tonarten, bis zur Urverwandtschaft der Töne überhaupt auszudehnen, indem sie so das sicher geleitete Gefühl zum unendlichen, rein menschlichen Gefühle erweitert. –

Die Tonart einer Melodie ist das, was die in ihr enthaltenen verschiedenen Töne dem Gefühle zunächst in einem verwandtschaftlichen Bande vorführt. Die Veranlassung zur Erweiterung dieses engeren Bandes zu einem ausgedehnteren, reicheren leitet sich noch aus der dichterischen Absicht, insofern sie sich im Sprachverse bereits zu einem Gefühlsmoment verdichtet hat, und zwar nach dem Charakter des besonderen Ausdrucks einzelner Haupttöne her, die eben vom Verse aus bestimmt worden sind. Diese Haupttöne sind gewissermaßen die jugendlich erwachsenden Glieder der Familie, die sich aus der gewohnten Umgebung der Familie heraus nach ungeleiteter Selbständigkeit sehnen: diese Selbständigkeit gewinnen sie aber nicht als Egoisten, sondern durch Berührung mit einem andren, eben außerhalb der Familie Liegenden. Die Jungfrau gelangt zu selbständigem Heraustreten aus der Familie nur durch die Liebe des Jünglings, der als der Sprößling einer anderen Familie die Jungfrau zu sich hinüberzieht. So ist der Ton, der aus dem Kreise der Tonart hinaustritt, ein bereits von einer andren Tonart angezogener und von ihr bestimmter, und in diese Tonart muß er sich daher nach dem notwendigen Gesetze der Liebe ergießen. Der aus einer Tonart in eine andre drängende Leitton, der durch dieses Drängen allein schon die Verwandtschaft mit dieser Tonart aufdeckt, kann nur als von dem Motive der Liebe bestimmt gedacht werden. Das Motiv der Liebe ist das aus dem Subjekte heraustreibende, und dieses Subjekt zur Verbindung mit einem andren nötigende. Dem einzelnen Tone kann dieses Motiv nur aus einem Zusammenhange entstehen, der ihn als besonderen bestimmt; der bestimmende Zusammenhang der Melodie liegt aber in dem sinnlichen Ausdrucke der Wortphrase, der wiederum aus dem Sinne dieser Phrase zuerst bestimmt wurde. Betrachten wir genauer, so werden wir ersehen, daß hier dieselbe Bestimmung maßgebend ist, die bereits im Stabreime entfernter liegende Empfindungen unter sich verband.

Der Stabreim verband, wie wir sahen, dem sinnlichen Gehöre bereits Sprachwurzeln von entgegengesetztem Empfindungsausdruck (wie »Lust und Leid«, »Wohl und Weh«), und führte sie so dem Gefühle als gattungsverwandte vor. In bei weitem erhöhtem Maße des Ausdruckes vermag nun die musikalische Modulation solch eine Verbindung dem Gefühle anschaulich zu machen. Nehmen wir z. B. einen stabgereimten Vers von vollkommen gleichem

Empfindungsgehalte an, wie: »Liebe gibt Lust zum Leben«, so würde hier der Musiker, wie in den stabgereimten Wurzeln der Akzente eine gleiche Empfindung sinnlich sich offenbart, auch keine natürliche Veranlassung zum Hinaustreten aus der einmal gewählten Tonart erhalten, sondern er würde die Hebung und Senkung des musikalischen Tones, dem Gefühle vollkommen genügend, in derselben Tonart bestimmen. Setzen wir dagegen einen Vers von gemischter Empfindung, wie: »die Liebe bringt Lust und Leid«, so würde hier, wie der Stabreim zwei entgegengesetzte Empfindungen verbindet, der Musiker auch aus der angeschlagenen, der ersten Empfindung entsprechenden Tonart, in eine andre, der zweiten Empfindung, nach ihrem Verhältnisse zu der in der ersten Tonart bestimmten, entsprechende überzugehen sich veranlaßt fühlen. Das Wort »Lust«, welches als äußerste Steigerung der ersten Empfindung zu der zweiten hinzudrängen scheint, würde in dieser Phrase eine ganz andre Betonung zu erhalten haben, als in jener: »die Liebe gibt Lust zum Leben«; der auf ihm gesungene Ton würde unwillkürlich zu dem bestimmenden Leitton werden, welcher mit Notwendigkeit zu der andren Tonart, in der das »Leid« auszusprechen wäre, hindrängte. In dieser Stellung zu einander würde »Leid und Lust« zu einer Kundgebung einer besonderen Empfindung werden, deren Eigentümlichkeit gerade in dem Punkte läge, wo zwei entgegengesetzte Empfindungen als sich bedingend, und somit als notwendig sich zugehörend, als wirklich verwandt, sich darstellten; und diese Kundgebung ist nur in der Musik nach ihrer Fähigkeit der harmonischen Modulation zu ermöglichen, weil sie vermöge dieser einen bindenden Zwang auf das sinnliche Gefühl ausübt, zu dem keine andre Kunst die Kraft besitzt. – Sehen wir aber zunächst noch, wie die musikalische Modulation mit dem Versinhalte gemeinsam wieder auf die erste Empfindung zurückzuleiten vermag. – Lassen wir dem Verse »die Liebe bringt Lust und Leid« als zweiten folgen: »doch in ihr Weh auch webt sie Wonnen«, so würde »webt« wieder zum Leitton in die erste Tonart werden, wie von hier die zweite Empfindung zur ersten, nun bereicherten, wieder zurückkehrt, – eine Rückkehr, die der Dichter vermöge des Stabreimes an die sinnliche Gefühlswahrnehmung nur als einen Fortschritt der Empfindung des »Weh« in die der »Wonnen«, nicht aber als einen Abschluß der Gattung der Empfindung »Liebe« darstellen konnte, während der Musiker gerade dadurch vollkommen verständlich wird, daß er in die erste Tonart ganz merklich zurückgeht, und die Gattungsempfindung daher mit Bestimmtheit als eine einheitliche bezeichnet, was dem Dichter, der den Wurzelanlaut für den Stabreim wechseln mußte, nicht möglich war. – Allein der Dichter deutete durch den *Sinn* beider Verse die Gattungsempfindung an: er verlangte somit ihre Verwirklichung vor dem Gefühle, und bestimmte den verwirklichenden Musiker für sein Verfahren. Die Rechtfertigung für sein Verfahren, das als ein unbedingtes uns willkürlich und unverständlich erscheinen würde, erhält der Musiker daher aus der Absicht des Dichters, – aus einer Absicht, die dieser eben nur andeuten oder höchstens nur für die Bruchteile seiner Kundgebung (eben im Stabreime) annähernd verwirklichen konnte, deren volle Verwirklichung aber eben nur dem Musiker möglich ist, und zwar durch das Vermögen, die Urverwandtschaft der Töne für eine vollkommen einheitliche Kundgebung ureinheitlicher Empfindungen an das Gefühl zu verwenden.

Wie unermeßlich groß dieses Vermögen ist, davon machen wir uns am leichtesten einen Begriff, wenn wir uns den Sinn der beiden oben angeführten Verse in der Art bestimmter noch dargelegt denken, daß zwischen dem Fortschritte aus der einen Empfindung und der im zweiten Verse schon ausgeführten Rückkehr zu ihr eine längere Folge von Versen die mannigfaltigste Steigerung und Mischung zwischenliegender, teils verstärkender, teils versöhnender Empfindungen, bis zur endlichen Rückkehr zur Hauptempfindung, ausdrückte. Hier würde die musikalische Modulation, um die dichterische Absicht zu verwirklichen, in die verschiedensten Tonarten hinüber und zurück zu leiten haben; alle die berührten Tonarten würden aber in einem genauen verwandtschaftlichen Verhältnisse zu der ursprünglichen Tonart erscheinen, von der aus das besondere Licht, welches sie auf den Ausdruck werfen, wohl bedingt, und die Fähigkeit zu dieser Lichtgebung gewissermaßen selbst erst verliehen wird. Die Haupttonart würde, als Grundton der angeschlagenen Empfindung, in sich die Urverwandtschaft mit allen Tonarten offenbaren, die bestimmte Empfindung somit, vermöge des Ausdrucks, während ihrer Äußerung in einer Höhe und Ausdehnung kundtun, daß nur das ihr Verwandte für die Dauer ihrer Äußerung unser Gefühl bestimmen könnte, unser allgemeines Gefühlsvermögen von dieser Empfindung, vermöge ihrer gesteigerten Ausdehnung einzig erfüllt würde, und somit diese eine Empfindung zur allumfassenden, allmenschlichen, unfehlbar verständlichen erhoben worden wäre.

Ist hiermit die dichterisch-musikalische *Periode* bezeichnet worden, wie sie sich nach einer Haupttonart bestimmt, so können wir vorläufig *das* Kunstwerk als das für den Ausdruck vollendetste bezeichnen, in welchem viele solcher Perioden nach höchster Fülle sich so darstellen, daß sie, zur Verwirklichung einer höchsten dichterischen Absicht, eine aus der andren sich bedingen und zu einer reichen Gesamtkundgebung sich entwickeln, in welcher das Wesen des Menschen nach einer entscheidenden Hauptrichtung hin, d. h. nach einer Richtung hin, die das menschliche Wesen vollkommen in sich zu fassen imstande ist (wie eine Haupttonart alle übrigen Tonarten in sich zu fassen vermag), auf das Sicherste und Begreiflichste dem Gefühle dargestellt wird. Dieses Kunstwerk ist das vollendete Drama, in welchem jene umfassende Richtung des menschlichen Wesens in einer folgerichtigen, sich wohl bedingenden Reihe von Gefühlsmomenten mit solcher Stärke und Überzeugungskraft an das Gefühl sich kundgibt, daß, als notwendige bestimmteste Äußerung des Gefühlsinhaltes der zu einem umfassenden Gesamtmotiv gesteigerten Momente, die *Handlung* aus diesem Reichtume von Bedingungen als letztes unwillkürlich gefordertes, und somit vollkommen verstandenes Moment hervorgeht. –

Ehe wir vom Charakter der dichterisch-musikalisch melodischen Periode aus auf das Drama, wie es aus der gegenseitig sich bedingenden Entwicklung vieler nötiger solcher Perioden zu erwachsen hat, weiter schließen, müssen wir zuvor jedoch genau noch *das* Moment bestimmen, welches auch die einzelne melodische Periode nach ihrem Gefühlsausdrucke aus dem Vermögen der reinen Musik heraus bedingt, und uns das unermeßlich bindende Organ zur Verfügung stellen soll, durch dessen eigentümlichste Hilfe wir das vollendete Drama erst ermöglichen können. Dies Organ wird uns aus der – wie ich sie bereits nannte – vertikalen Ausdehnung der Harmonie, da, wo sie sich aus ihrem Grunde herauf bewegt, erwachsen, wenn wir der Harmonie selbst die Möglichkeit teilnehmendster Mittätigkeit am ganzen Kunstwerke zuwenden.

IV.

Wir haben bis jetzt die Bedingungen für den melodischen Fortschritt aus einer Tonart in die andre als in der dichterischen Absicht, so weit sie bereits selbst ihren Gefühlsinhalt offenbart hatte, liegend nachgewiesen, und bei diesem Nachweis bewiesen, daß der veranlassende *Grund* zur melodischen Bewegung, als ein auch vor dem Gefühle gerechtfertigter, nur aus dieser Absicht entstehen könne. Was diesen, dem Dichter notwendigen Fortschritt einzig *ermöglicht*, liegt natürlich aber nicht im Bereiche der Wortsprache, sondern ganz bestimmt nur in dem der Musik. Dieses eigenste Element der Musik, *die Harmonie*, ist das, was nur insoweit noch von der dichterischen Absicht bedingt wird, als es das andre, weibliche Element ist, in welches sich diese Absicht zu ihrer Verwirklichung, zu ihrer Erlösung ergießt. Denn es ist dies das *gebärende* Element, das die dichterische Absicht nur als zeugenden Samen aufnimmt, um ihn nach den eigensten Bedingungen seines weiblichen Organismus zur fertigen Erscheinung zu gestalten. Dieser Organismus ist ein besondrer, individueller, und zwar eben *kein* zeugender, sondern ein gebärender; er empfing vom Dichter den befruchtenden Samen, die Frucht aber reift und formt er nach seinem eigenen individuellen Vermögen.

Die Melodie, wie sie auf der Oberfläche der Harmonie erscheint, ist für ihren entscheidenden rein musikalischen Ausdruck einzig aus dem von unten her wirkenden Grunde der Harmonie bedingt: wie sie sich selbst als horizontale Reihe kundgibt, hängt sie durch eine senkrechte Kette mit diesem Grunde zusammen. Diese Kette ist der harmonische Akkord, der als eine vertikale Reihe nächst verwandter Töne, aus dem Grundtone nach der Oberfläche zu aufsteigt. Das Mitklingen dieses Akkordes gibt dem Tone der Melodie erst die besondere Bedeutung, nach welcher er zu einem unterschiedenen Momente des Ausdruckes als einzig bezeichnend verwendet wurde. So wie der aus dem Grundtone bestimmte Akkord dem einzelnen Tone der Melodie erst seinen besonderen Ausdruck gibt – indem ein und derselbe Ton auf einem andern ihm verwandten Grundtone eine ganz andre Bedeutung für den Ausdruck erhält –, so bestimmt sich jeder Fortschritt der Melodie aus einer Tonart in die andre ebenfalls nur nach wechselndem Grundtone, der den Leitton der Harmonie, als solchen, aus sich bedingt. Die Gegenwart dieses Grundtones, und des aus ihm bestimmten harmonischen Akkordes, ist vor dem Gefühle, welches die Melodie nach ihrem charakteristischen Ausdruck erfassen soll, unerläßlich. Die Gegenwart der Grundharmonie heißt aber: *Miterklingen* derselben. Das Miterklingen der Harmonie zu der Melodie überzeugt das Gefühl erst vollständig von dem Gefühlsinhalte der Melodie, die ohne dieses Miterklingen dem Gefühle etwas unbestimmt ließe; nur aber bei vollster Bestimmtheit aller Momente des Ausdrucks bestimmt sich auch das Gefühl schnell und unmittelbar zur unwillkürlichen Teilnahme, und volle Bestimmtheit des Ausdrucks heißt aber wiederum nur: *vollständigste Mitteilung all' seiner notwendigen Momente an die Sinne.*

Das Gehör fordert also gebieterisch auch das Miterklingen der Harmonie zur Melodie, weil es erst durch dieses Miterklingen sein sinnliches Empfängnisvermögen vollkommen erfüllt, somit befriedigt erhält, und demnach mit notwendiger Beruhigung dem wohlbedingten Gefühlsausdrucke der Melodie sich zuwenden kann. Das Miterklingen der Harmonie zur Melodie ist daher nicht eine Erschwerung, sondern die einzig ermöglichende Erleichterung für das Verständnis des Gehöres. Nur wenn die Harmonie sich nicht als Melodie zu äußern vermöchte, – also wenn die Melodie weder aus dem Tanzrhythmus noch aus dem Wortverse ihre Rechtfertigung erhielte, sondern ohne diese Rechtfertigung, die sie einzig vor dem Gefühle als wahrnehmbar bedingen kann, sich nur als zufällige Erscheinung auf der Oberfläche der Akkorde willkürlich wechselnder Grundtöne kundgäbe, – nur dann würde das Gefühl, ohne bestimmenden Anhalt, durch die nackte Kundgebung der Harmonie beunruhigt werden, weil sie ihm nur Anregungen, nicht aber die Befriedigung des Angeregten zuführte.

Unsere moderne Musik hat sich gewissermaßen aus der nackten Harmonie entwickelt. Sie hat sich willkürlich nach der unendlichen Fülle von Möglichkeiten bestimmt, die ihr aus dem Wechsel der Grundtöne, und der aus ihnen sich herleitenden Akkorde, sich darboten. So weit sie diesem ihren Ursprunge ganz getreu blieb, hat sie auf das Gefühl auch nur betäubend und verwirrend gewirkt, und ihre buntesten Kundgebungen in diesem Sinne haben nur einer gewissen Musikverstandesschwelgerei unsrer Künstler selbst Genuß geboten, nicht aber dem unmusikverständigen Laien. Der Laie, sobald er nicht Musikverständnis affektierte, hielt sich daher einzig nur an die seichteste Oberfläche der Melodie, wie sie ihm in dem rein sinnlichen* Reize des Gesangsorganes vorgeführt wurde; wogegen er dem absoluten Musiker zurief: »Ich *verstehe* deine Musik nicht, sie ist mir zu gelehrt.« – Hinwieder handelt es sich nun bei der Harmonie, wie sie als rein musikalisch bedingende Grundlage der dichterischen Melodie miterklingen soll, durchaus nicht um ein Verständnis in dem Sinne, nach welchem sie jetzt vom gelehrten Sondermusiker verstanden und vom Laien nicht verstanden wird: auf ihre Wirksamkeit *als* Harmonie hat sich beim Vortrage jener Melodie die Aufmerksamkeit des Gefühles gar nicht zu lenken, sondern wie sie selbst *schweigend* den charakteristischen

---

* Ich erinnere an das »Kastraten-Messerchen«.

Ausdruck der Melodie bedingen würde, durch ihr Schweigen das Verständnis dieses Ausdruckes aber nur unendlich erschweren, ja dem Musikgelehrten, der sie sich hinzuzudenken hätte, es einzig erschließen müßte, – so soll das tönende Miterklingen der Harmonie eine abstrakte und ablenkende Tätigkeit des künstlerischen Musikverstandes eben unerforderlich machen, und den musikalischen Gefühlsinhalt der Melodie als einen unwillkürlich kenntlichen, ohne alle zerstreuende Mühe zu erfassenden, dem Gefühle leicht und schnell begreiflich zuführen.

Wenn somit bisher der Musiker seine Musik, so zu sagen, aus der Harmonie heraus konstruierte, so wird jetzt der Tondichter zu der aus dem Sprachverse bedingten Melodie die andre notwendige, in ihr aber bereits enthaltene, rein musikalische Bedingung, als miterklingende Harmonie, nur wie zu ihrer Kenntlichmachung noch mit hinzufügen. In der Melodie des Dichters ist die Harmonie, nur gleichsam unausgesprochen, schon mitenthalten: sie bedang ganz unbeachtet die ausdrucksvolle Bedeutung der Töne, die der Dichter für die Melodie bestimmte. Diese ausdrucksvolle Bedeutung, die der Dichter unbewußt im Ohre hatte, war bereits die erfüllte Bedingung, die kenntlichste Äußerung der Harmonie; aber diese Äußerung war für ihn nur eine gedachte, noch nicht sinnlich wahrnehmbare. An die Sinne, die unmittelbar empfangenden Organe des Gefühles, teilt er sich jedoch zu seiner Erlösung mit, und ihnen muß er daher die melodische Äußerung der Harmonie mit den Bedingungen dieser Äußerung zuführen, denn ein organisches Kunstwerk ist nur das, was das Bedingende mit dem Bedingten zugleich in sich schließt und zur kenntlichsten Wahrnehmung mitteilt. Die bisherige absolute Musik gab harmonische Bedingungen; der Dichter würde nur das Bedingte in seiner Melodie mitteilen, und daher ebenso unverständlich als jener bleiben, wenn er die harmonischen Bedingungen der aus dem Sprachverse gerechtfertigten Melodie nicht vollständig an das Gehör kundtäte.

Die *Harmonie* konnte aber nur der *Musiker*, nicht der Dichter erfinden. Die Melodie, die wir den Dichter aus dem Sprachverse erfinden sahen, war, als eine harmonisch bedingte, daher eine von ihm mehr *gefundene*, als *erfundene*. Die Bedingungen zu dieser musikalischen Melodie mußten erst vorhanden sein, ehe der Dichter sie als eine wohlbedungene finden konnte. Diese Melodie bedang, ehe sie der Dichter zu seiner Erlösung finden konnte, bereits der Musiker aus seinem eigensten Vermögen: er führt sie dem Dichter als eine harmonisch gerechtfertigte zu, *und nur die Melo-*

die, wie sie aus dem Wesen der modernen Musik ermöglicht wird, ist die den Dichter erlösende, seinen Drang erregende wie befriedigende Melodie.

Dichter und Musiker gleichen hierin zwei Wanderern, die von *einem* Scheidepunkte ausgingen, um von da aus, jeder nach der entgegengesetzten Richtung, rastlos gerade vorwärts zu schreiten. Auf dem entgegengesetzten Punkte der Erde begegnen sie sich wieder; jeder hat zur Hälfte den Planeten umwandert. Sie fragen sich nun aus, und einer teilt dem andren mit, was er gesehen und gefunden hat. Der Dichter erzählt von den Ebenen, Bergen, Tälern, Fluren, Menschen und Tieren, die er auf seiner weiten Wanderung durch das Festland traf. Der Musiker durchschritt die Meere und berichtet von den Wundern des Ozeans, auf dem er oftmals dem Versinken nahe war, dessen Tiefen und ungeheuerliche Gestaltungen ihn mit wollüstigem Grausen erfüllten. Beide, von ihren gegenseitigen Berichten angeregt und unwiderstehlich bestimmt, das andre von dem, was sie selbst sahen, ebenfalls noch kennen zu lernen, um den nur auf die Vorstellung und Einbildung empfangenen Eindruck zur wirklichen Erfahrung zu machen, trennen sich nun nochmals, um jeder seine Wanderschaft um die Erde zu vollenden. Am ersten Ausgangspunkte treffen sie sich dann endlich wieder; der Dichter hat nun auch die Meere durchschwommen, der Musiker die Festländer durchschritten. Nun trennen sie sich nicht mehr, denn Beide *kennen* nun die Erde: was sie früher in ahnungsvollen Träumen sich so und so gestaltet dachten, ist jetzt nach seiner Wirklichkeit ihnen bewußt geworden. Sie sind eins; denn jeder weiß und fühlt, was der andre weiß und fühlt. Der Dichter ist Musiker geworden, der Musiker Dichter: jetzt sind sie *beide* vollkommener künstlerischer Mensch.

Auf dem Punkte ihrer ersten Zusammenkunft, nach der Umwanderung der ersten Erdhälfte, war das Gespräch zwischen Dichter und Musiker *jene Melodie*, die wir jetzt im Auge haben, – die Melodie, deren Äußerung der Dichter aus seinem innersten Verlangen heraus gestaltete, deren Kunstgebung der Musiker aus seinen Erfahrungen heraus aber bedang. Als Beide sich zum neuen Abschiede die Hände drückten, hatte jeder von ihnen das in der Vorstellung, was er selbst noch nicht erfahren hatte, und um dieser überzeugenden Erfahrung willen trennten sie sich eben von neuem. – Betrachten wir den Dichter zunächst, wie er sich der Erfahrungen des Musikers bemächtigt, die er nun selbst erfährt, aber geleitet von dem Rate des Musikers, der die Meere bereits auf kühnem Schiffe durchsegelte, den Weg zum festen Lande fand, und die sicheren Fahrstraßen ihm genau mitgeteilt hat. Auf dieser neuen Wanderung werden wir sehen, daß der Dichter ganz derselbe wird, der der Musiker auf seiner vom Dichter ihm vorgezeichneten Wanderung über die andre Erdhälfte wird, so daß beide Wanderungen nun als eine und dieselbe anzusehen sind.

Wenn der Dichter jetzt sich in die ungeheuren Weiten der Harmonie aufmacht, um in ihnen gleichsam den Beweis für die Wahrheit der vom Musiker ihm »erzählten« Melodie zu gewinnen, so findet er nicht mehr die unwegsamen Tonöden, die der Musiker zunächst auf seiner ersten Wanderung antraf; sondern zu seinem Entzücken trifft er das wunderbar kühne, seltsam neue, unendlich fein und doch riesenhaft fest gefügte Gerüst des Meerschiffes, das jener Meerwanderer sich schuf, und das der Dichter nun beschreitet, um auf ihm sicher die Fahrt durch die Wogen anzutreten. Der Musiker hatte ihn den Griff und die Handhabung des Steuers gelehrt, die Eigenschaft der Segel, und all' das seltsam und sinnig erfundene Nötige zur sicheren Fahrt bei Sturm und Wetter. Am Steuer dieses herrlich die Fluten durchsegelnden Schiffes wird der Dichter, der zuvor mühsam Schritt für Schritt Berg und Tal gemessen, sich mit Wonne der allvermögenden Macht des Menschen bewußt; von seinem hohen Borde aus dünken ihn die noch so mächtig rüttelnden Wogen willige und treue Träger seines edlen Schicksals, dieses Schicksals der dichterischen Absicht. Dieses Schiff ist das gewaltig ermöglichende Werkzeug seines weitesten und mächtigsten Willens; mit brünstig dankender Liebe gedenkt er des Musikers, der es aus schwerer Meeresnot erfand und seinen Händen nun überläßt: – denn dieses Schiff ist der sicher tragende Bewältiger der unendlichen Fluten der Harmonie, *das Orchester*.

Die Harmonie ist an sich nur ein *Gedachtes*: den Sinnen wirklich wahrnehmbar wird sie erst als *Polyphonie*, oder bestimmter noch als *polyphonische Symphonie*.

Die erste und natürliche Symphonie bietet der harmonische Zusammenklang einer gleichartigen polyphonischen Tonmasse. Die natürlichste Tonmasse ist die menschliche Stimme, welche sich nach Geschlecht, Alter und individueller Besonderheit stimmbegabter Menschen in verschiedenartigem Umfange und in mannigfaltiger Klangfarbe zeigt, und durch harmonische Zusammenwirkung dieser Individualitäten zur natürlichsten Offenbarerin der polyphonischen Symphonie wird. Die *christlich-religiöse* Lyrik erfand diese Symphonie: in ihr erschien die Vielmenschlichkeit zu einem Gefühlsausdrucke geeinigt, dessen Gegenstand nicht das individuelle Verlangen als Kundgebung einer Persönlichkeit, sondern das individuelle Verlangen der Persönlichkeit als unendlich verstärkt durch die Kundgebung genau desselben Verlangens von einer ganz gleich bedürftigen Gemeinsamkeit war; und dieses Verlangen war die Sehnsucht nach Auflösung in Gott, der in der Vorstellung personifizierten höchsten Potenz der verlangenden individuellen Persönlichkeit selbst, die zu dieser Steigerung der Potenz einer an sich als nichtig empfundenen Persönlichkeit sich durch das gleiche Verlangen einer Gemeinsamkeit, und durch die innigste harmonische Verschmelzung mit dieser Gemeinsamkeit, gleichsam ermutigte, wie um aus einem gleichgestimmten gemeinsamen Vermögen die Kraft zu ziehen, die der nichtigen einzelnen Persönlichkeit abging. Das Geheimnis dieses Verlangens sollte aber im Verlaufe der Entwicklung der christlichen Menschheit offenbar werden, und zwar als rein individuell persönlicher Inhalt desselben. Als rein individuelle Persönlichkeit hängt der Mensch sein Verlangen aber nicht mehr an Gott, als ein nur Vorgestelltes, sondern er verwirklicht den Gegenstand seines Verlangens zu einem Realen, sinnlich Vorhandenen, dessen Erwerbung und Genuß ihm praktisch zu ermöglichen ist. Mit dem Erlöschen des rein religiösen Geistes des Christentumes verschwand auch eine notwendige Bedeutung des polyphonischen Kirchengesanges, und mit ihr die eigentümliche Form seiner Kundgebung. Der Kontrapunkt, als erste Regung des immer klarer auszusprechenden reinen Individualismus, begann mit scharfen, ätzenden Zähnen das einfach symphonische Vokalgewebe zu zernagen, und machte es immer ersichtlicher zu einem oft nur mühsam noch zu erhaltenden künstlichen Zusammenklang innerlich unübereinstimmender, individueller Kundgebungen. – In der Oper endlich löste sich das Individuum vollständig aus dem Vokalvereine los, um als reine Persönlichkeit ganz ungehindert, allein und selbständig sich kundzugeben. Da, wo sich dramatische Persönlichkeiten zum mehrstimmigen Gesange anließen, geschah dies – im eigentlichen Opernstile – zur sinnlich wirksamen Verstärkung des individuellen Ausdruckes, oder – im wirklich dramatischen Stile – als, durch höchste Kunst vermittelte, gleichzeitige Kundgebung fortgesetzt sich behauptender charakteristischer Individualitäten.

Fassen wir nun das Drama der Zukunft in das Auge, wie wir es uns als Verwirklichung der von uns bestimmten dichterischen Absicht vorzustellen haben, so gewahren wir in ihm nirgends Raum zur Aufstellung von Individualitäten von so untergeordneter Beziehung zum Drama, daß sie zu dem Zwecke polyphonischer

Wahrnehmbarmachung der Harmonie, durch nur musikalisch symphonierende Teilnahme an der Melodie der Hauptperson, verwendet werden könnten. Bei der Gedrängtheit und Verstärkung der Motive, wie der Handlungen, können nur Teilnehmer an der Handlung gedacht werden, die aus ihrer notwendigen individuellen Kundgebung einen jederzeit entscheidenden Einfluß auf dieselbe äußern, – also nur Persönlichkeiten, die wiederum zur musikalischen Kundgebung ihrer Individualität einer mehrstimmigen symphonischen Unterstützung, das ist: *Verdeutlichung* ihrer Melodie, bedürfen, keinesweges aber – außer in nur selten erscheinenden, vollkommen gerechtfertigten und zum höchsten Verständnisse notwendigen Fällen – zur bloß harmonischen Rechtfertigung der Melodie einer anderen Person dienen können. – Selbst der bisher in der Oper verwendete *Chor* wird nach der Bedeutung, die ihm in den noch günstigsten Fällen dort beigelegt ward, in *unsrem* Drama zu verschwinden haben; auch er ist nur von lebendig überzeugender Wirkung im Drama, wenn ihm die bloß massenhafte Kundgebung vollständig benommen wird. Eine Masse kann uns nie interessieren, sondern bloß verblüffen: nur genau unterscheidbare Individualitäten können unsre Teilnahme fesseln. Auch der zahlreicheren Umgebung, da wo sie nötig ist, den Charakter individueller Teilnahme an den Motiven und Handlungen des Dramas beizulegen, ist die notwendige Sorge des Dichters, der überall nach deutlichster Verständlichkeit seiner Anordnungen ringt: Nichts will er verdecken, sondern alles enthüllen. Er will dem Gefühle, an das er sich mitteilt, den ganzen lebendigen Organismus einer menschlichen Handlung erschließen, und erreicht dies nur, wenn er diesen Organismus ihm überall in der wärmsten, selbsttätigsten Kundgebung seiner Teile vorführt. Die menschliche Umgebung einer dramatischen Handlung muß uns so erscheinen, als ob diese besondere Handlung und die in ihr begriffene Person uns nur deshalb über die Umgebung hervorragend sich darstelle, weil sie in ihrem Zusammenhange mit dieser Umgebung uns gerade von der einen, dem Beschauer zugewandten Seite, und unter der Beleuchtung gerade dieses, jetzt so fallenden Lichtes, gezeigt wird. Unser Gefühl muß in dieser Umgebung aber so bestimmt sein, daß wir durch die Annahme nicht verletzt werden können, ganz von derselben Stärke und Teilnahmeerregungsfähigkeit würde eine Handlung und die in ihr begriffene Person sein, die sich uns zeigten, wenn wir den Schauplatz von einer andren Seite her, und von einem andren Lichte beleuchtet, betrachteten. Die Umgebung nämlich muß sich unserem Gefühle so darstellen, daß wir jedem Gliede derselben unter andren, als den nun einmal gerade so bestimmten Umständen, die Fähigkeit zu Motiven und Handlungen beimessen können, die unsre Teilnahme ebenso fesseln würden, als die gegenwärtig unsrer Beachtung zunächst zugewandten. Das, was der Dichter in den Hintergrund stellt, tritt nur dem notwendigen Gesichtsstandpunkte des Zuschauers gegenüber zurück, der eine zu reich gegliederte Handlung nicht übersehen können würde, und dem der Dichter deshalb nur die eine, leicht faßliche Physiognomie des darzustellenden Gegenstandes zukehrt. – Die Umgebung ausschließlich zu einem lyrischen Momente machen, müßte sie im Drama unbedingt herabsetzen, indem dies Verfahren der Lyrik selbst zugleich eine ganz falsche Stellung im Drama zuweisen müßte. Der lyrische Erguß soll im Drama der Zukunft, dem Werke des Dichters, der aus dem Verstande an das Gefühl sich mitteilt, wohlbedingt aus den vor unsren Augen zusammengedrängten Motiven erwachsen, nicht aber von vornherein unmotiviert sich ausbreiten. Der Dichter dieses Dramas will nicht aus dem Gefühle zu dessen Rechtfertigung vorschreiten, sondern das aus dem Verstande gerechtfertige Gefühl selbst geben: diese Rechtfertigung geht vor unsrem Gefühle selbst vor sich, und bestimmt sich aus dem Wollen der Handelnden zum unwillkürlich notwendigen Müssen, d. i. Können; der Moment der Verwirklichung dieses Wollens durch das unwillkürliche Müssen zum Können ist der lyrische Erguß in seiner höchsten Stärke als Ausmündung in die Tat. Das lyrische Moment hat daher aus dem Drama zu wachsen, aus ihm als notwendig erscheinend sich zu bedingen. Die dramatische Umgebung kann somit nicht unbedingt im Gewande der Lyrik erscheinen, wie es in unsrer Oper der Fall war, sondern auch sie hat sich erst zur Lyrik zu steigern, und zwar durch ihre Teilnahme an der Handlung, für welche sie uns nicht als lyrische Masse, sondern als wohlunterschiedene Gliederung selbständiger Individualitäten zu überzeugen hat.

Nicht der sogenannte *Chor* also, noch auch die handelnden Hauptpersonen selbst, sind vom Dichter als musikalisch symphonierender Tonkörper zur Wahrnehmbarmachung der harmonischen Bedingungen der Melodie zu verwenden. In der Blüte des lyrischen Ergusses bei vollkommen bedingtem Anteile aller handelnden Personen und ihrer Umgebung an einem gemeinschaftlichen Gefühlsausdrucke, bietet sich einzig dem Tondichter die polyphonische Vokalmasse dar, der er die Wahrnehmbarmachung der Harmonie übertragen kann: auch hier jedoch wird es die notwendige Aufgabe des Tondichters bleiben, den Anteil der dramatischen Individualitäten an dem Gefühlsergusse nicht als bloße harmonische Unterstützung der Melodie kundzugeben, sondern – gerade auch im harmonischen Zusammenklange – die Individualität des Beteiligten in bestimmter, wiederum melodischer Kundgebung sich kenntlich machen zu lassen; und eben hierin wird sein höchstes, durch den Standpunkt unsrer musikalischen Kunst ihm verliehenes, Vermögen sich zu bewähren haben. Der Standpunkt unsrer selbständig entwickelten musikalischen Kunst führt ihm aber auch das unermeßlich fähige Organ zur Wahrnehmbarmachung der Harmonie zu, das, neben der Befriedigung des reinen Bedürfnisses, zugleich in sich das Vermögen einer Charakterisierung der Melodie besitzt, wie es der symphonierenden Vokalmasse durchaus verwehrt war, und dies Organ ist eben das Orchester.

Das *Orchester* haben wir jetzt nicht nur, wie ich es zuvor bezeichnete, als den Bewältiger der Fluten der Harmonie, sondern als die bewältigte Flut der Harmonie selbst zu betrachten. In ihm ist das für die Melodie bedingende Element der Harmonie, aus einem Momente der bloßen Wahrnehmbarmachung dieser Bedingung, zu einem charakteristisch überaus mittätigen Organe für die Verwirklichung der dichterischen Absicht bewältigt. Die nackte Harmonie wird aus einem, vom Dichter zu Gunsten der Harmonie nur Gedachten, und durch die gleiche Gesangstonmasse, in welcher die Melodie erscheint, im Drama nicht zu Verwirklichenden, im Orchester zu einem ganz Realen und besonders Vermögenden, durch dessen Hilfe dem Dichter das vollendete Drama in Wahrheit erst zu ermöglichen ist.

Das Orchester ist der verwirklichte Gedanke der Harmonie in höchster, lebendigster Beweglichkeit. Es ist die Verdichtung der Glieder des vertikalen Akkordes zur selbständigen Kundgebung ihrer verwandtschaftlichen Neigungen nach einer horizontalen Richtung hin, in welcher sie sich mit freiester Bewegungsfähigkeit ausdehen, – mit einer Bewegungsfähigkeit, die dem Orchester von seinem Schöpfer, dem Tanzrhythmos, verliehen worden ist. –

Zunächst haben wir hier das Wichtige zu beachten, daß das Instrumentalorchester nicht nur in seinem Ausdrucksvermögen, sondern ganz bestimmt auch in seiner *Klangfarbe* ein von der Vokaltonmasse durchaus Unterschiedenes, Andres ist. Das musikalische Instrument ist gewissermaßen ein Echo der menschlichen Stimme von der Beschaffenheit, daß wir in ihm nur noch den, in den musikalischen Ton aufgelösten Vokal, nicht aber mehr den wortbestimmenden Konsonanten vernehmen. In dieser Losgelöstheit vom Worte gleicht der Ton des Instrumentes jenem Urtone der menschlichen Sprache, der sich erst am Konsonanten zum wirklichen Vokale verdichtete, und in seinen Verbindungen – der heutigen Wortsprache gegenüber – zu einer besonderen Sprache wird, die mit der wirklichen menschlichen Sprache nur noch eine Gefühls-, nicht aber Verstandesverwandtschaft hat. Diese vom Worte gänzlich losgelöste, oder der konsonantischen Entwicklung der unsrigen fern gebliebene, reine Tonsprache hat nun an der Individualität der Instrumente, durch welche sie einzig zu sprechen war, wiederum besondere individuelle Eigentümlichkeit gewonnen, die von dem gewissermaßen *konsonierenden* Charakter des Instrumentes ähnlich bestimmt wird, wie die Wortsprache durch die konsonierenden Mitlauter. Man könnte ein musikalisches Instrument in seinem bestimmenden Einflusse auf die Eigentümlichkeit des auf ihm kundzugebenden Tones als den konsonierenden *wurzelhaften Anlaut* bezeichnen, der sich für alle auf ihm zu ermöglichenden Töne als *bindender Stabreim* darstellt. Die Verwandtschaft der Instrumente unter sich würde sich demnach sehr leicht nach der Ähnlichkeit dieses Anlautes bestimmen lassen, je nachdem dieser sich gleichsam als eine weichere oder härtere Aussprache des ihnen ursprünglich gemeinschaftlichen gleichen Konsonanten kundgäbe. In Wahrheit besitzen wir Instrumentfamilien, denen ein ursprünglich gleicher Anlaut zu eigen ist, welcher sich nach dem verschiedenen Charakter der Familienglieder nur auf eine ähnliche Weise abstuft, wie z. B. in der Wortsprache die Konsonanten P, B und W; und wie wir beim W wieder auf die Ähnlichkeit mit dem F stoßen, so dürfte sich leicht die Verwandtschaft der Instrumentfamilien nach einem sehr verzweigten Umfange auffinden lassen, dessen genaue Gliederung, wie die charakteristische Verwendung der Glieder in ihrer Zusammenstellung nach der Ähnlichkeit oder Unterschiedenheit, uns das Orchester nach einem noch bei weitem *individuelleren Sprachvermögen* vorführen müßte, als es selbst jetzt geschieht, wo das Orchester nach seiner sinnvollen Eigentümlichkeit noch lange nicht genug erkannt ist. Diese Erkenntnis kann uns allerdings aber erst dann kommen, wenn wir dem Orchester eine innigere Teilnahme am Drama zuweisen, als es bisher der Fall ist, wo es meist nur zur luxuriösen Zierrat verwendet wird.

Die Besonderheit des Sprachvermögens des Orchesters, die sich aus seiner sinnlichen Eigentümlichkeit ergeben muß, behalten wir uns zu einer schließlichen Betrachtung der Wirksamkeit des Orchesters vor; um mit nötiger Vorbereitung zu dieser Betrachtung zu gelangen, gilt es für jetzt zunächst *eines* festzustellen: *die vollkommene Unterschiedenheit des Orchesters in seiner rein sinnlichen Kundgebung von der ebenfalls rein sinnlichen Kundgebung der Vokaltonmasse*. Das Orchester ist von dieser Vokaltonmasse ebenso unterschieden, wie der soeben bezeichnete Instrumentalkonsonant von dem Sprachkonsonanten, und somit der von beiden bedingte oder entschiedene tönende Laut es ist. Der Konsonant des Instrumentes bestimmt ein- für allemal *jeden* auf dem Instrumente hervorzubringenden Ton, während der Vokalton der Sprache schon allein aus dem wechselnden Anlaute eine immer andre, unendlich mannigfaltige Färbung bekommt, vermöge welcher das Tonorgan der Sprachstimme eben das reichste und vollkommenste, nämlich organisch bedingteste ist, gegen das die erdenklich mannigfaltigste Mischung von Orchestertonfarben ärmlich erscheinen muß, – eine Erfahrung, die allerdings diejenigen nicht machen können, die von unseren modernen Sängern die menschliche Stimme, bei Hinweglassung aller Konsonanten und Beibehaltung nur eines beliebigen Vokales, zur Nachahmung des Orchesterinstrumentes verwendet hören, und demnach diese Stimme wiederum als Instrument behandeln, indem sie z. B. Duette zwischen einem Sopran und einer Klarinette, einem Tenor und einem Waldhorn, zu Gehör bringen.

Wenn wir ganz außer Acht lassen wollten, daß der Sänger, den *wir* meinen, ein künstlerisch Menschen darstellender Mensch ist und die künstlerischen Ergüsse seines Gefühles nach der höchsten Notwendigkeit der Menschwerdung des Gedankens anordnet, so würde schon die rein sinnliche Kundgebung seines Sprachgesangstones in ihrer unendlichen individuellen Mannigfaltigkeit, wie sie aus dem charakteristischen Wechsel der Konsonanten und Vokale hervorgeht, sich nicht nur als ein bei weitem *reicheres* Tonorgan als das Orchesterinstrument, sondern auch als ein von ihm gänzlich *unterschiedenes* darstellen; und diese Unterschiedenheit des sinnlichen Tonorganes bestimmt auch ein für allemal die ganze Stellung, die das Orchester zu dem darstellenden Sänger einzunehmen hat. Das Orchester hat den Ton, dann die Melodie und den charakteristischen Vortrag des Sängers zunächst als einen aus dem inneren Bereiche der musikalischen Harmonie wohlbedingten und gerechtfertigten zur Wahrnehmung zu bringen. Dieses Vermögen gewinnt das Orchester als ein vom Gesangstone und der Melodie des Sängers losgelöstes, freiwillig und um seiner eigenen, als selbständig zu rechtfertigenden Kundgebung willen, teilnehmend sich ihm unterordnender harmonischer Tonkörper, nie aber durch den Versuch wirklicher Mischung mit dem Gesangstone. Wenn wir eine Melodie, von der menschlichen Sprachstimme gesungen, von Instrumenten so begleiten lassen, daß der wesentliche Bestandteil der Harmonie, welcher in den Intervallen der Melodie liegt, aus dem harmonischen Körper der Instrumentalbegleitung fortgelassen bleibt und durch die Melodie der Gesangsstimme gleichsam ergänzt werden soll, so werden wir augenblicklich gewahr, daß die Harmonie eben unvollständig, und die Melodie dadurch eben nicht vollständig harmonisch gerechtfertigt ist, weil unser Gehör die menschliche Stimme, in ihrer großen Unterschiedenheit von der sinnlichen Klangfarbe der Instrumente, unwillkürlich von diesen *getrennt* wahrnimmt, und somit nur zwei verschiedene Momente, eine harmonisch unvollständig gerechtfertigte Melodie, und die lückenhaft harmonische Begleitung, zugeführt erhält. Diese ungemein wichtige, und noch nie konsequent beachtete Wahrnehmung vermag uns über einen großen Teil der Unwirksamkeit unsrer bisherigen Opernmelodik aufzuklären, und über die mannigfachen Irrtümer zu belehren, in die wir über die Bildung der Gesangsmelodie dem Orchester gegenüber verfallen sind: hier ist aber genau der Ort, wo wir uns diese Belehrung zu verschaffen haben.

Die absolute Melodie, wie wir sie bisher in der Oper verwendet haben, und die wir, bei fehlender Bedingung derselben aus einem notwendig zur Melodie sich gestaltenden Wortverse, aus reinem musikalischen Ermessen der uns altbekannten Volkslied- und Tanzmelodie durch Variation nachkonstruierten, war, genau betrachtet, immer eine aus den Instrumenten in die Gesangsstimme übersetzte. Wir haben uns hierbei mit unwillkürlichem Irrtume die menschliche Stimme immer als ein, nur besonders zu berücksichtigendes, Orchesterinstrument gedacht, und als solches sie auch mit der Orchesterbegleitung verwebt. Diese Verwebung geschah bald der Art, wie ich es bereits anführte, nämlich daß die menschliche Stimme als ein wesentliches Bestandteil der Instrumentalharmonie verwendet ward, – bald aber auch auf die Weise, daß die Instrumentalbegleitung die harmonisch ergänzende Melodie zugleich mit vortrug, wodurch allerdings das Orchester zu einem verständlichen Ganzen abgeschlossen wurde, in diesem Abschlusse aber auch zugleich den Charakter der Melodie als einen der Instrumentalmusik ausschließlich eigenen aufdeckte. Durch die nötig befundene vollständige Aufnahme der Melodie in das Orchester bekannte der Musiker, daß diese Melodie eine solche sei, die, nur

von der *ganz gleichen* Tonmasse vollständig harmonisch gerechtfertigt, auch von dieser Masse allein verständlich vorzutragen sei.
Die Gesangsstimme erschien im Vortrage der Melodie auf diesem
harmonisch und melodisch vollständig abgeschlossenen Tonkörper im Grunde durchaus überflüssig und als ein zweiter, entstellender Kopf ihm unnatürlich aufgesetzt. Der Zuhörer empfand dieses
Mißverhältnis ganz unwillkürlich: er verstand die Melodie des
Sängers nicht eher, als bis er sie, frei von den – *dieser* Melodie
hinderlichen – wechselnden Sprachvokalen und Konsonanten –
die ihn beim Erfassen der absoluten Melodie beunruhigten –, nur
noch von Instrumenten vorgetragen zu Gehör bekam. Daß unsre
beliebtesten Opernmelodien erst, wenn sie vom Orchester – wie in
Konzerten und auf Wachtparaden, oder auf einem harmonischen
Instrument vorgetragen – dem Publikum zu Gehör gebracht wurden, von diesem Publikum auch wirklich verstanden, und ihm erst
dann geläufig wurden, wenn sie es ohne Worte nachsingen konnte,
– dieser offenkundige Umstand hätte uns schon längst über die
gänzlich falsche Auffassung der Gesangsmelodie in der Oper aufklären sollen. Diese Melodie war eine Gesangsmelodie nur insofern, als sie der menschlichen Stimme nach ihrer bloßen Instru-
mentaleigenschaft zum Vortrage zugewiesen war, – einer Eigenschaft, in deren Entfaltung sie durch die Konsonanten und Vokale
der Sprachworte empfindlich benachteiligt wurde, und um deret-
willen die Gesangskunst auch folgerichtig eine Entwicklung nahm,
wie wir sie heutzutage bei den modernen Opernsängern auf ihrer
ungeniertesten wortlosen Höhe angelangt sehen.

Am auffallendsten kam dies Mißverhältnis zwischen der Klangfarbe des Orchesters und der menschlichen Stimme aber da zum
Vorschein, wo ernste Tonmeister nach charakteristischer Kundgebung der dramatischen Melodie rangen. Während sie als einziges
Band der rein musikalischen Verständlichkeit ihrer Motive unwillkürlich immer nur noch jene, soeben bezeichnete, Instrumental-
melodie im Gehöre hatten, suchten sie einen besonderen sinnigen
Ausdruck für sie in einer ungemein künstlichen, und von Note zu
Note, von Wort zu Wort reichenden, harmonisch und rhythmisch
akzentuierten Begleitung der Instrumente genau zu bestimmen,
und gelangten so zur Verfertigung von Musikperioden, in denen,
je sorgfältiger die Instrumentalbegleitung mit dem Motive der
menschlichen Stimme verwoben war, diese Stimme vor dem unwillkürlich trennenden Gehöre für sich eine unfaßbare Melodie
kundgab, deren verständliche Bedingungen in einer Begleitung
vorhanden waren, die, wiederum unwillkürlich losgelöst von der

Stimme, an sich dem Gehöre ein unerklärliches Chaos blieb. Der hier zugrunde liegende Fehler war also ein zweifacher. Erstlich: Verkennung des bestimmenden Wesens der dichterischen Gesangsmelodie, die als absolute Melodie von der Instrumentalmusik herbeigezogen wurde; und zweitens: Verkennung der vollständigen Unterschiedenheit der Klangfarbe* der menschlichen Stimme von der der Orchesterinstrumente, mit denen man die menschliche Stimme um rein musikalischer Anforderungen willen vermischte.

Gilt es nun hier, den besonderen Charakter der Gesangsmelodie genau zu bezeichnen, so geschieht dies damit, daß wir sie nicht nur sinnig, sondern auch sinnlich aus dem Wortverse hervorgegangen, und durch ihn bedingt, uns nochmals deutlich vergegenwärtigen. Ihr Ursprung liegt, dem Sinne nach, in dem Wesen der nach Verständnis durch das Gefühl ringenden dichterischen Absicht, – der sinnlichen Erscheinung nach in dem Organe des Verstandes, der Wortsprache. Von diesem bedingenden Ursprunge aus schreitet sie in ihrer Ausbildung bis zur Kundgebung des reinen Gefühlsinhaltes des Verses vermöge der Auflösung der Vokale in den musikalischen Ton bis dahin vor, wo sie mit ihrer rein musikalischen Seite sich dem eigentümlichen Elemente der Musik zuwendet, aus welchem diese Seite einzig die ermöglichende Bedingung für ihre Erscheinung erhält, während sie die andre Seite ihrer Gesamterscheinung unverrückt dem sinnvollen Elemente der Wortsprache zugekehrt läßt, aus welchem sie ursprünglich bedingt war. In dieser Stellung wird die Versmelodie das bindende und verständlichende Band zwischen der Wort- und Tonsprache, als Erzeugte aus der Vermählung der Dichtkunst mit der Musik, als verkörpertes Liebesmoment beider Künste. Zugleich ist sie so aber auch mehr und steht höher, als der Vers der Dichtkunst und die absolute Melodie der Musik, und ihre nach beiden Seiten hin erlösende –

* Der abstrakte Musiker gewahrte auch nicht die vollkommene Vermischungsunfähigkeit der Klangfarben z. B. des Klaviers und der Violine. Ein Hauptbestandteil seiner künstlerischen Lebensfreuden bestand darin, Klaviersonaten mit Violine usw. zu spielen, ohne gewahr zu werden, daß er eine nur gedachte, nicht aber zu wirklichem Gehör gebrachte Musik zutage förderte. So war ihm das Hören über das Sehen vergangen; denn was er hörte, waren eben nur harmonische Abstraktionen, für die sein Gehörsinn einzig noch empfänglich war, während das lebendige Fleisch des musikalischen Ausdruckes ihm gänzlich unwahrnehmbar bleiben mußte.

wie von beiden Seiten her bedingte Erscheinung wird zum Heile beider Künste nur dadurch möglich, daß beide ihre plastische, von den bedingenden Elementen *getragene*, aber wohl *geschiedene*, individuell selbständige Kundgebung als solche nur unterstützen und stets rechtfertigen, nie aber durch überfließende Vermischung mit derselben ihre plastische Individualität verwischen.

Wollen wir uns nun das richtige Verhältnis dieser Melodie zum Orchester deutlich versinnlichen, so können wir dies in folgendem Bilde.

Wir verglichen zuvor das Orchester, als *Bewältiger* der Fluten der Harmonie, mit dem Meerschiffe: es geschah dies in dem Sinne, wie wir »Seefahrt« und »Schiffahrt« als gleichbedeutend setzen. Das Orchester als bewältigte Harmonie, wie wir es dann wiederum nennen mußten, dürfen wir jetzt um eines neuen, selbständigen Gleichnisses* willen, im Gegensatze zu dem Ozean, als den tiefen, dennoch aber bis auf den Grund vom Sonnenlichte erhellten, klaren Gebirgslandsee betrachten, dessen Uferumgebung von jedem Punkte des Sees aus deutlich erkennbar ist. – Aus den Baumstämmen, die dem steinigen, urangeschwemmten Boden der Landhöhen entwuchsen, ward nun der *Nachen* gezimmert, der, durch eiserne Klammern festgebunden, mit Steuer und Ruder wohlversehen, nach Gestalt und Eigenschaft genau in der Absicht gefügt wurde, vom See getragen zu werden, und ihn durchschneiden zu können. Dieser Nachen, auf den Rücken des Sees gesetzt, durch den Schlag der Ruder fortbewegt, und nach der Richtung des Steuers geleitet, ist die *Versmelodie* des dramatischen Sängers, getragen von den klangvollen Wellen des Orchesters. Der Nachen ist ein durchaus andres als der Spiegel des Sees, und doch einzig nur gezimmert und gefügt mit Rücksicht auf das Wasser und in genauer Erwägung seiner Eigenschaften; am Lande ist der Nachen vollkommen unbrauchbar, höchstens nach seiner Zerlegung in gemeine Bretplanken als Nahrung des bürgerlichen Kochherdes nutzbar. Erst auf dem See wird er zu einem wonnig Lebendigen, Getragenen und doch Gehenden, Bewegten, und dennoch immer Ruhenden, das unser Auge, wenn es über den See schweift, immer wieder auf sich zieht, wie die menschlich sich darstellende Absicht des Daseins des wogenden, zuvor uns zwecklos erschienenen Sees. –

---

* Nie kann ein verglichener Gegenstand dem andern vollkommen gleichen, sondern die Ähnlichkeit sich nur nach einer Richtung, nicht nach allen Richtungen hin behaupten; vollkommen gleich sind sich nie die Gegenstände organischer, sondern nur die mechanischer Bildung.

Doch schwebt der Nachen nicht auf der Oberfläche des Wasserspiegels: der See kann ihn nach einer sicheren Richtung nur tragen, wenn er mit dem vollen ihm zugekehrten Teile seines Körpers sich in das Wasser versenkt. Ein dünnes Bretchen, das nur die Oberfläche des Sees berührte, wird von seinen Wellen je nach ihrer Strömung richtungslos da- und dorthin geworfen; während wiederum ein plumper Stein gänzlich in ihn versinken muß. Nicht aber nur mit der vollen ihm zugekehrten Seite seines Körpers versenkt sich der Nachen in den See, sondern auch das Steuer, mit dem seine Richtung bestimmt wird, und das Ruder, welches dieser Richtung die Bewegung gibt, erhalten diese bestimmende und bewegende Kraft nur durch ihre Berührung mit dem Wasser, die den wirkungsvollen Druck der leitenden Hand erst ermöglicht. Das Ruder schneidet mit jeder vorwärts treibenden Bewegung tief in die klingende Wasserfläche ein; aus ihr erhoben, läßt es das an ihm gehaftete Naß in melodischen Tropfen wieder zurückfließen.

Ich habe nicht nötig, dies Gleichnis näher zu deuten, um mich über das Verhältnis in der Berührung der Worttonmelodie der menschlichen Stimme mit dem Orchester verständlich zu machen, denn dies Verhältnis ist vollkommen entsprechend in ihm dargestellt, – was uns noch genauer einleuchten wird, wenn wir die uns bekannte eigentliche Opernmelodie als den fruchtlosen Versuch des Musikers bezeichnen, die Wellen des Sees selbst zum tragbaren Nachen zu verdichten.

Wir haben jetzt nur noch das Orchester als ein selbständiges, an sich von jeder Versmelodie unterschiedenes Element zu betrachten, und seiner Fähigkeit, diese Melodie nicht nur durch Wahrnehmbarmachung der sie – vom rein musikalischen Standpunkte aus – bedingenden Harmonie, sondern auch durch sein eigentümliches, unendlich ausdrucksvolles Sprachvermögen so zu tragen, wie der See den Nachen trug, uns klar zu versichern.

V.

Das *Orchester* besitzt unläugbar ein *Sprachvermögen*, und die Schöpfungen unserer modernen Instrumentalmusik haben uns dies aufgedeckt. Wir haben in den Symphonien Beethovens dies Sprachvermögen zu einer Höhe entwickeln gesehen, von der aus es sich gedrängt fühlte, selbst das auszusprechen, was es seiner Natur nach eben aber nicht aussprechen kann. Jetzt, wo wir in der Wortversmelodie ihm gerade das zugeführt haben, was es nicht ausprechen konnte, und ihm als Träger dieser ihm verwandten Melodie die Wirksamkeit zuwiesen, in der es – vollkommen beruhigt – eben nur das noch aussprechen soll, was es seiner Natur nach einzig aussprechen kann, – haben wir dieses Sprechvermögen des Orchesters deutlich dahin zu bezeichnen, daß es das Vermögen der Kundgebung des *Unaussprechlichen* ist.

Diese Bezeichnung soll nicht etwas nur Gedachtes ausdrücken, sondern etwas ganz Wirkliches, Sinnfälliges.

Wir sahen, daß das Orchester nicht etwa ein Komplex ganz gleichartiger verschwimmender Tonfähigkeiten ist, sondern daß es aus einem – unermeßlich reich zu erweiternden – Vereine von Instrumenten besteht, die als ganz bestimmte Individualitäten den auf ihnen hervorzubringenden Ton ebenfalls zu individueller Kundgebung bestimmen. Eine Tonmasse ohne jede solche individuelle Bestimmtheit ihrer Glieder ist gar nicht vorhanden, und kann höchstens gedacht, nie aber verwirklicht werden. Das, was diese Individualität aber benimmt, ist – wie wir sahen – die besondere Eigentümlichkeit des einzelnen Instrumentes, das gleichsam den Vokal des hervorgebrachten Tones durch seinen konsonierenden Anlaut als einen besonderen, unterschiedenen bedingt. Wie sich nun dieser konsonierende Anlaut nie zu der sinnvollen, vom Verstande des Gefühles aus bedingten Bedeutung des Wortsprachkonsonanten erhebt, noch auch des Wechsels und des somit wechselnden Einflusses auf den Vokal fähig ist, wie dieser, so verdichtet sich die Tonsprache eines Instrumentes unmöglich zu einem Ausdrucke, der nur dem Organe des Verstandes, der Wortsprache, erreichbar ist: sondern sie spricht, als reines Organ des Gefühles, gerade nur das aus, was der Wortsprache an sich unaussprechlich ist, und von unsrem verstandesmenschlichen Standpunkte aus angesehen also schlechthin *das Unaussprechliche*. Daß dieses Unaussprechliche nicht ein *an sich* Unaussprechliches, sondern eben nur dem Organe unsres Verstandes unaussprechlich, somit also nicht ein nur Gedachtes, sondern ein Wirkliches ist, das tun ja eben ganz deutlich die Instrumente des Orchesters kund, von denen jedes für sich, unendlich mannigfaltiger aber im wechselvoll vereinten Wirken mit andern Instrumenten, es klar und verständlich ausspricht*.

Fassen wir nun zunächst das Unaussprechliche in das Auge, was

---

* Diese leichte Erklärung des »Unaussprechlichen« könnte man wohl nicht mit Unrecht auf all' das Religiösphilosophische ausdehnen, was, vom Standpunkte des Sprechenden aus, von diesem für *absolut* unaussprechlich ausgege-

das Orchester mit größter Bestimmtheit auszudrücken vermag, und zwar im Vereine mit einem andren Unaussprechlichen, – *der Gebärde*.

Die Gebärde des Leibes, wie sie sich in der bedeutungsvollen Bewegung der ausdrucksfähigsten Glieder und endlich der Gesichtsmienen als von einer inneren Empfindung bestimmt kundgibt, ist insofern ein vollkommen Unaussprechliches, als die Sprache sie nur zu schildern, zu deuten vermag, während eben nur jene Glieder oder jene Mienen sie wirklich aussprechen konnten. Etwas, was die Wortsprache vollkommen mitteilen kann, also ein vom Verstand an den Verstand mitzuteilender Gegenstand, bedarf der Begleitung oder der Verstärkung durch die Gebärde gar nicht, ja – die unnötige Gebärde könnte die Mitteilung nur stören. Bei einer solchen Mitteilung ist, wie wir früher sahen, das sinnliche Empfängnisorgan des Gehöres aber auch nicht erregt, sondern es dient nur als teilnahmloser Vermittler. Die Mitteilung eines Gegenstandes aber, den die Wortsprache nicht zu völliger Überzeugung an das notwendig auch zu erregende *Gefühl* kundgeben kann, also ein Ausdruck, der sich in den Affekt ergießt, bedarf durchaus der Verstärkung durch eine begleitende Gebärde. Wir sehen also, daß, wo das Gehör zu größerer sinnlicher Teilnahme erregt werden soll, der Mitteilende sich unwillkürlich auch an das Auge zu wenden hat: Ohr und Auge müssen sich einer höher gestimmten Mitteilung gegenseitig versichern, um dem Gefühle sie überzeugend zuzuführen. Die Gebärde sprach in ihrer nötig gewordenen Mitteilung an das Auge nun aber das aus, was die Wortsprache eben nicht mehr auszudrücken vermochte, – konnte sie es, so war die Gebärde überflüssig und störend. Das Auge war durch die Gebärde soweit auf eine Weise erregt, der das entsprechende Gleichgewicht der Mitteilung an das Gehör noch fehlte: dieses Gleichgewicht ist zur Ergänzung des Eindruckes zu einem dem Gefühle vollkommen verständlichen aber nötig. Der in der Erregung zur Melodie gewordene Wortvers löst endlich wohl den Verstandesinhalt der ursprünglichen Sprachmitteilung zu einem Gefühlsinhalte auf; das der Gebärde vollkommen entsprechende Moment der Mitteilung an das Gehör ist in dieser Melodie aber noch nicht enthalten; gerade in ihr, als *erregtestem* Sprachausdrucke, lag erst die *Veranlassung* zur Steigerung der Gebärde als eines verstärkenden Momentes, dessen die Melodie noch *bedurfte*, eben weil

ben wird, und an sich sehr wohl aussprechlich ist, wenn nur das entsprechende Organ dazu verwendet wird.

das ihm – dem verstärkten Momente der Gebärde – vollkommen Entsprechende noch nicht in ihr enthalten sein konnte. Die Versmelodie enthielt somit nur die Bedingung zur Kundgebung der Gebärde; das, was die Gebärde vor dem Gefühle aber so rechtfertigen soll, wie der Sprachvers durch die Melodie, oder die Melodie durch die Harmonie zu rechtfertigen – besser noch zu *verdeutlichen* – war, liegt jedoch außerhalb des Vermögens der Melodie, die aus dem *Sprach*verse hervorging und mit einer wesenhaften, unerläßlich bedingten Seite ihres Körpers eben der Wortsprache zugewandt bleibt, die das Besondere der Gebärde nicht auszusprechen vermag, die Gebärde deshalb zu Hilfe rief, und nun das ihr vollständig Entsprechende dem darnach verlangenden Gehöre eben nicht mitteilen kann. – Das somit in der Worttonsprache Unaussprechliche der Gebärde vermag nun aber die, von dieser Wortsprache gänzlich losgelöste Sprache des Orchesters wiederum so an das Gehör mitzuteilen, wie die Gebärde selbst es an das Auge kundgibt.

Die Fähigkeit hierzu gewann das Orchester aus der Begleitung der sinnlichsten Gebärde, der *Tanzgebärde*, der diese Begleitung eine aus ihrem Wesen bestimmte Notwendigkeit für ihre verständliche Kundgebung war, indem sich die Tanzgebärde wie die Gebärde überhaupt, zur Orchestermelodie etwas so verhält, wie der Wortvers zu der aus ihm bedingten Gesangsmelodie, so daß Gebärde *und* Orchestermelodie erst eben solch' ein Ganzes an sich Verständliches bilden, wie die Worttonmelodie für sich. – Ihren sinnlichen Berührungspunkt, d. h. den Punkt, wo beide – die eine im Raume, die andre in der Zeit, die eine dem Auge, die andre dem Ohre – sich als ganz gleich und gegenseitig aus sich bedingt kundgaben, hatten Tanzgebärde und Orchester im *Rhythmos*, und in diesem Punkte müssen beide, nach jeder Entfernung von ihm, notwendig wieder zurückfallen, um in ihm, der ihre ursprünglichste Verwandtschaft aufdeckt, verständlich zu bleiben oder zu werden. Von diesem Punkte aus erweitert sich aber in gleichem Maße die Gebärde wie das Orchester zu dem, beiden eigentümlichsten Sprachvermögen. Wie die Gebärde in diesem Vermögen ein nur *ihr* Aussprechliches an das Auge kundgibt, so teilt das Orchester das dieser Kundgebung wiederum genau Entsprechende ganz so an das Gehör mit, wie im Ausgangspunkte der Verwandtschaft der musikalische Rhythmos das, in den sinnlich wahrnehmbarsten Momenten der Tanzbewegung dem *Auge* Kundgegebene dem *Gehöre* verdeutlichte. Das Niedertreten des nach der Erhebung wieder gesenkten Fußes war dem Auge ganz dasselbe, was dem Ohre der akzentuierte Taktniederschlag war; und so ist dann auch dem Gehöre die von Instrumenten vorgetragene bewegungsvolle Tonfigur, welche die Taktniederschläge melodisch verbindet, ganz dasselbe, was dem Auge die Bewegung des Fußes oder der sonstigen ausdrucksfähigen Leibesglieder zwischen ihrem, dem Taktniederschlage entsprechenden, Wechsel ist. Je weiter sich nun die Gebärde von ihrer bestimmtesten, zugleich aber auch beschränktesten Grundlage des Tanzes entfernt; je sparsamer sie ihre schärfsten Akzente verteilt, um in den mannigfaltigsten und feinsten Übergängen des Ausdruckes zu einem unendlich fähigen Sprachvermögen zu werden, – desto mannigfaltiger und feiner gestalten sich nun auch die Tonfiguren der Instrumentensprache, die, um das Unaussprechliche der Gebärde überzeugend mitzuteilen, einen melodischen Ausdruck eigentümlichster Art gewinnt, dessen unermeßlich reiche Fähigkeit sich weder nach Inhalt noch Form in der Wortsprache bezeichnen läßt, eben weil dieser Inhalt und diese Form durch die Orchestermelodie sich bereits *vollständig* dem Gehöre kundgibt, und nur noch von dem Auge wiederum empfunden werden kann, und zwar als Inhalt und Form der, jener Melodie entsprechenden, Gebärde.

Daß dieses eigentümliche Sprachvermögen des Orchesters in der Oper bisher sich noch bei weitem nicht zu der Fülle hat entwickeln können, deren es fähig ist, findet seinen Grund eben darin, daß – wie ich dies an seinem Orte bereits erwähnte – bei dem Mangel aller wahrhaft dramatischen Grundlage der Oper das Gebärdenspiel für sie ganz unvermittelt noch aus der Tanzpantomime herübergezogen war. Diese Ballettanzpantomime konnte nur in ganz beschränkten, der möglichsten Verständlichung wegen endlich zu stereotypen Annahmen festgesetzten Bewegungen und Gebärden sich kundgeben, weil sie der Bedingungen gänzlich entbehrte, die ihre größere Mannigfaltigkeit als notwendig bestimmt und erklärt hätten. Diese Bedingungen enthält die Wortsprache, und zwar nicht die zu Hilfe *gezogene*, sondern die, die Gebärde zu Hilfe *ziehende* Wortsprache. Das erhöhte Sprachvermögen, welches das Orchester in Pantomime und Oper daher nicht gewinnen konnte, suchte es sich, wie im instinktiven Wissen von seiner Fähigkeit, in der von der Pantomime losgelösten, absoluten Instrumentalmusik zu erwerben. Wir sahen, daß dieses Streben in seiner höchsten Kraft und Aufrichtigkeit zu dem Verlangen nach Rechtfertigung durch das Wort und die vom Worte bedingte Gebärde führen mußte, und haben jetzt nur noch zu erkennen, wie von der andern Seite her die vollständige Verwirklichung der dichterischen

Absicht nur wiederum in der höchsten, verdeutlichendsten Rechtfertigung der Wortversmelodie durch das vollendete Sprachvermögen des Orchesters, im Vereine mit der Gebärde, zu ermöglichen ist.

Die dichterische Absicht, wie sie sich im Drama verwirklichen will, bedingt den höchsten und mannigfaltigsten Ausdruck der Gebärde, ja sie erfordert ihre Mannigfaltigkeit, Kraft, Feinheit und Beweglichkeit in einem Grade, wie sie nirgends anders, als eben einzig nur im Drama notwendig zum Vorschein kommen können, und für dieses Drama daher von ganz besonderer Eigentümlichkeit zu *erfinden* sind; denn die dramatische Handlung ist mit allen ihren Motiven eine bis zur Wunderbarkeit über das Leben erhobene und gesteigerte. Die Gedrängtheit der Handlungsmomente und ihrer Motive war dem Gefühle nur in einem wiederum gedrängten Ausdrucke verständlich zu machen, der sich aus dem Wortverse bis zur unmittelbar das Gefühl bestimmenden Melodie erhob. Wie dieser Ausdruck sich nun bis zur Melodie steigert, bedarf er notwendig auch einer Steigerung der von ihm bedingten Gebärde über das Maß der gewöhnlichen Redegebärde. Diese Gebärde ist aber, dem Charakter des Dramas gemäß, nicht nur die monologische Gebärde eines einzelnen Individuums, sondern eine, aus der charakteristisch beziehungsvollen Begegnung vieler Individuen zur höchsten Mannigfaltigkeit sich steigernde – so zu sagen: »vielstimmige« Gebärde. Die dramatische Absicht zieht nicht nur die innere Empfindung – an sich – in ihr Bereich, sondern, um ihrer Verwirklichung willen, ganz besonders die Kundgebung dieser Empfindung in der äußeren leiblichen Erscheinung der darstellenden Personen. Die Pantomime begnügte sich für Gestalt, Haltung und Tracht der Darsteller mit typischen Masken: das allvermögende Drama reißt den Darstellern die typische Maske ab – denn es besitzt dazu das rechtfertigende Sprachvermögen –, und zeigt sie als besondere, gerade so und nicht anders sich kundgebende Individualitäten. Die dramatische Absicht bestimmt daher bis in den einzelnsten Zug Gestalt, Miene, Haltung, Bewegung und Tracht des Darstellers, um ihn jeden Augenblick als diese eine, schnell und bestimmt kenntliche, von allen ihr Begegnenden wohl unterschiedene Individualität erscheinen zu lassen. Diese drastische Unterscheidbarkeit der einen Individualität ist aber nur zu ermöglichen, wenn alle ihr begegnenden und auf sie sich beziehenden Individualitäten genau in derselben, sicher bestimmten, drastischen Unterscheidbarkeit sich darstellen. Vergegenwärtigen wir uns nun die Erscheinung solcher scharf abgegrenzten Individualitäten in den unendlich wechselvollen Beziehungen zueinander, aus denen die mannigfaltigen Momente und Motive der Handlung sich entwickeln, und stellen wir sie uns nach dem unendlich erregenden Eindrucke vor, den ihr Anblick auf unser machtvoll gefesseltes Auge hervorbringen muß, so begreifen wir auch das Bedürfnis des Gehöres nach einem, diesem Eindrucke auf das Auge vollkommen entsprechenden, ihm wiederum verständlichen Eindrucke, in welchem der erste ergänzt, gerechtfertigt oder verdeutlicht erscheint, denn: »Durch zweier Zeugen Mund wird (erst) die (volle) Wahrheit kund.«

Das, was das Gehör zu vernehmen verlangt, ist aber genau das Unaussprechliche des vom Auge empfangenen Eindruckes, das, was an sich und in seiner Bewegung die dichterische Absicht durch ihr nächstes Organ, die Wortsprache, nur veranlaßte, nicht aber dem Gehöre überzeugend nun mitteilen kann. Wäre dieser Anblick für das Auge gar nicht vorhanden, so könnte die dichterische Sprache sich berechtigt fühlen, die Schilderung und Beschreibung des Eingebildeten an die Phantasie mitzuteilen; wenn es sich aber dem Auge, wie die höchste dichterische Absicht es verlangte, selbst unmittelbar darbietet, ist die Schilderung der dichterischen Sprache nicht nur vollkommen überflüssig, sondern sie würde auch gänzlich eindruckslos auf das Gehör bleiben. Das ihr Unaussprechliche teilt dem Gehöre nun aber gerade die Sprache des Orchesters mit, und eben aus dem Verlangen des, durch das schwesterliche Auge angeregten Gehöres gewinnt diese Sprache ein neues, unermeßliches, ohne diese Anregung stets aber schlummerndes oder – wenn aus eigenem Drange allein erweckt – unverständlich sich kundgebendes Vermögen.

Das Sprachvermögen des Orchesters lehnt sich auch für die hier bestimmte gesteigerte Aufgabe zunächst noch an seine Verwandtschaft mit dem der Gebärde so an, wie wir sie vom Tanze aus kennen lernten. Es spricht in Tonfiguren, wie sie dem individuellen Charakter besonders entsprechender Instrumente eigentümlich sind, und durch wiederum entsprechende Mischung der charakteristischen Individualitäten des Orchesters zur eigentümlichen Orchestermelodie sich gestalten, das in seiner sinnlichen Erscheinung und durch die Gebärde an das Auge sich Kundgebende *so weit* aus, als zur Deutung dieser Gebärde und Erscheinung auch für das Verständnis des Auges, wie zur entsprechend verständlichen Deutung derselben Erscheinung für das unmittelbar erfassende Gehör, eben kein Drittes, nämlich die vermittelnde Wortsprache, nötig war.

Bestimmen wir uns hierüber genau. – Wir sagen gemeinhin: »Ich lese in deinem Auge«; das heißt: »Mein Auge gewahrt, auf eine nur ihm verständliche Weise, aus dem Blicke deines Auges eine dir innewohnende unwillkürliche Empfindung, die ich wiederum unwillkürlich mitempfinde.« – Erstrecken wir die Empfindungsfähigkeit des Auges nun über die ganze äußere Gestalt des wahrzunehmenden Menschen, auf seine Erscheinung, Haltung und Gebärde, so haben wir zu bestätigen, daß das Auge die Äußerung dieses Menschen untrüglich erfaßt und versteht, sobald er eben *nach vollständiger Unwillkürlichkeit* sich kundgibt, innerlich mit sich vollkommen einig ist, und seine innere Stimmung in höchster Aufrichtigkeit äußert. Die Momente, in denen sich der Mensch so wahrhaft kundgibt, sind aber nur die der vollkommensten Ruhe, oder der höchsten Erregtheit: was zwischen diesen beiden äußersten Punkten liegt, sind die Übergänge, die ganz in dem Grade nur von der aufrichtigen Leidenschaft bestimmt werden, als sie sich ihrer höchsten Erregtheit nähern, oder von dieser Erregtheit sich wieder einer harmonisch versöhnten Ruhe zuwenden. Diese Übergänge bestehen aus einer Mischung willkürlicher, reflektierter Willenstätigkeit, und unbewußter, notwendiger Empfindung: die Bestimmung solcher Übergänge nach der notwendigen Richtung der unwillkürlichen Empfindung hin, und zwar mit unerläßlichem Fortschritte zur Ausmündung in die wahre, vom reflektierenden Verstande nicht mehr bedingte und gehemmte Empfindung, ist der Inhalt der dichterischen Absicht im Drama, und für diesen Inhalt findet der Dichter eben den einzig ermöglichenden Ausdruck in der Wortversmelodie, wie sie als Blüte der Worttonsprache erscheint, die mit der einen Seite dem reflektierenden Verstande, mit der andern Seite aber der unwillkürlichen Empfindung als Organ zugewandt ist. Die Gebärde – verstehen wir hierunter die ganze äußere Kundgebung der menschlichen Erscheinung an das Auge – nimmt an dieser Entwicklung einen nur bedingten Anteil, weil sie nur *eine* Seite hat, und zwar die Empfindungsseite, mit der sie sich dem Auge zuwendet: die Seite, die sie aber dem Auge verbirgt, ist eben diejenige, welche die Worttonsprache dem Verstande zukehrt, und die demnach dem Gefühle ganz unkenntlich bleiben würde, wenn dem Gehöre dadurch, daß die Worttonsprache mit ihren *beiden* Seiten, wiewohl mit der einen schwächer und minder erregend, sich ihm zuwendet, nicht das gesteigerte Vermögen erwachsen könnte, auch diese, dem Auge abgewandte Seite dem Gefühle verständlich zuzuführen.

Die Sprache des Orchesters vermag dies durch das Gehör, indem sie sich durch ebenso innige Anlehnung an die Versmelodie, wie zuvor an die Gebärde, zur Mitteilung selbst des *Gedankens* an das Gefühl steigert, und zwar des Gedankens, den die gegenwärtige Versmelodie – als Kundgebung einer gemischten, noch nicht vollkommen geeinigten Empfindung – nicht aussprechen kann und will, der noch weniger aber von der Gebärde dem Auge mitgeteilt werden kann, weil die Gebärde das Gegenwärtigste ist, und somit von der, in der Versmelodie kundgegebenen unbestimmten Empfindung als eine ebenfalls unbestimmte, oder diese Unbestimmtheit allein ausdrückende, dem Auge somit die wirkliche Empfindung nicht klar verständlichende bedingt wird.

In der Versmelodie verbindet sich nicht nur die Wortsprache mit der Tonsprache, sondern auch das von diesen beiden Organen Ausgedrückte, nämlich das Ungegenwärtige mit dem Gegenwärtigen, der Gedanke mit der Empfindung. Das Gegenwärtige in ihr ist die unwillkürliche Empfindung, wie sie sich notwendig in den Ausdruck der musikalischen Melodie ergießt; das Ungegenwärtige ist der abstrakte Gedanke, wie er in der Wortphrase als reflektiertes, willkürliches Moment festgehalten wird. – Bestimmen wir uns nun näher, was wir unter dem *Gedanken* zu verstehen haben.

Auch hier werden wir schnell zu einer klaren Vorstellung gelangen, wenn wir den Gegenstand vom künstlerischen Standpunkte aus erfassen und seinem sinnlichen Ursprunge auf den Grund gehen.

Etwas, was wir durch irgend ein Mitteilungsorgan oder durch die Gesamtverwendung aller unsrer Mitteilungsorgane *gar* nicht aussprechen *können*, selbst wenn wir es *wollten*, ist ein Unding, – das Nichts. Alles, wofür wir dagegen einen Ausdruck finden, ist auch etwas Wirkliches, und dieses Wirkliche erkennen wir, wenn wir uns den Ausdruck selbst erklären, den wir *unwillkürlich* für die Sache verwenden. Der Ausdruck: *Gedanke*, ist ein sehr leicht erklärlicher, sobald wir auf seine sinnliche Sprachwurzel zurückgehen. Ein »*Gedanke*« ist das im »*Gedenken*« uns »*dünkende*« Bild* eines Wirklichen, aber Ungegenwärtigen. Dieses Ungegenwärtige ist seinem Ursprunge nach ein wirklicher, sinnlich wahrgenommener Gegenstand, der auf uns an einem andern Orte oder zu einer andern Zeit einen bestimmten Eindruck gemacht hat: dieser Ein-

---

* Ähnlich können wir uns »Geist« sehr schön aus der ihm gleichen Wurzel »gießen« deuten: nach einem natürlichen Sinne ist er das von uns sich *»Ausgießende«*, wie der Duft das von der Blume sich Ausbreitende, Ausgießende ist.

druck hat sich unsrer Empfindung bemächtigt, für die wir, um sie mitzuteilen, einen Ausdruck erfinden mußten, der dem Eindrucke des Gegenstandes nach dem allgemein menschlichen Gattungsempfindungsvermögen entsprach. Den Gegenstand konnten wir somit nur nach dem Eindrucke in uns aufnehmen, den er auf unsre Empfindung machte, und dieser von unserm Empfindungsvermögen wiederum bestimmte Eindruck ist das Bild, das uns im *Gedenken* der Gegenstand selbst dünkt. Gedenken und Erinnerung ist somit dasselbe, und in Wahrheit ist der Gedanke das in der Erinnerung wiederkehrende Bild, welches – als Eindruck von einem Gegenstande auf unsre Empfindung – von dieser Empfindung selbst gestaltet, und von der gedenkenden Erinnerung, diesem Zeugnisse von dem dauernden Vermögen der Empfindung und der Kraft des auf sie gemachten Eindruckes, der Empfindung selbst zu lebhafter Erregung, zum Nachempfinden des Eindruckes, wieder vorgeführt wird. Uns hat die Entwicklung des Gedankens zu dem Vermögen bindender Kombination aller selbstgewonnenen oder überlieferten Bilder von, in der Erinnerung bewahrten Eindrükken ungegenwärtig gewordener Objekte, – das Denken, wie es uns in der philosophischen Wissenschaft entgegentritt, – hier nicht zu beschäftigen; denn der Weg des Dichters geht aus der Philosophie heraus zum Kunstwerke, zur *Verwirklichung des Gedenkens* in der Sinnlichkeit. Nur *eines* haben wir noch genau zu bestimmen. Etwas, was nicht zuerst einen Eindruck auf unsre Empfindung gemacht hat, können wir auch nicht denken, und die vorangehende Empfindungserscheinung ist die Bedingung für die Gestaltung des kundzugebenden Gedankens. Auch der Gedanke ist daher von der Empfindung angeregt und muß sich notwendig wieder in die Empfindung ergießen, denn *er ist das Band zwischen einer ungegenwärtigen und einer gegenwärtig nach Kundgebung ringenden Empfindung.*

Die Versmelodie des Dichters verwirklicht nun, gewissermaßen vor unsern Augen, den Gedanken, d. h. die aus dem Gedenken dargestellte ungegenwärtige Empfindung, zu einer gegenwärtigen, wirklich wahrnehmbaren Empfindung. In dem reinen Wortverse enthält sie die aus der Erinnerung geschilderte, gedachte, beschriebene ungegenwärtige, aber *bedingende* Empfindung, in der rein musikalischen Melodie dagegen die *bedingte* neue, gegenwärtige Empfindung, in die sich die gedachte, anregende, ungegenwärtige Empfindung als in ihr Verwandtes, neu Verwirklichtes auflöst. Die in dieser Melodie kundgegebene, vor unsern Augen aus dem Gedanken einer früheren Empfindung wohl entwickelte und gerechtfertigte, sinnlich unmittelbar ergreifende und das teilnehmende Gefühl sicher bestimmende Empfindung ist nun eine Erscheinung, die uns, denen sie mitgeteilt wurde, so gut angehört als dem, der sie uns mitteilte; und wir können sie, wie sie dem Mitteilenden als Gedanke – d. h. Erinnerung – wiederkehrt, ganz ebenso als Gedanken bewahren. – Der Mitteilende, wenn er im Gedenken dieser Empfindungserscheinung sich aus diesem Gedenken wiederum zur Kundgebung einer neuen, abermals gegenwärtigen Empfindung gedrängt fühlt, nimmt dieses Gedenken jetzt nur als geschilderten, dem erinnernden Verstand kurz angedeuteten, ungegenwärtigen Moment so auf, wie er in derselben Versmelodie, in der es zu jener – jetzt der Erinnerung anvertrauten – melodischen Erscheinung sich äußerte, das Gedenken einer früheren, uns ihrer Lebendigkeit nach entrückten Empfindung, als empfindungszeugenden Gedanken kundgab. Wir, die wir die neue Mitteilung empfangen, vermögen aber jene, jetzt nur noch gedachte Empfindung, *in ihrer rein melodischen Kundgebung selbst*, durch das Gehör festzuhalten: sie ist Eigentum der reinen Musik geworden, und, von dem Orchester mit entsprechendem Ausdrucke zur sinnlichen Wahrnehmung gebracht, erscheint sie uns als das *Verwirklichte, Vergegenwärtigte* des vom Mitteilenden soeben nur *Gedachten*. Eine solche Melodie, wie sie als Erguß einer Empfindung uns vom Darsteller mitgeteilt worden ist, verwirklicht uns, wenn sie vom Orchester ausdrucksvoll *da* vorgetragen wird, wo der Darsteller jene Empfindung nur noch in der Erinnerung hegte, den Gedanken dieses Darstellers: ja, selbst da, wo der gegenwärtig sich Mitteilende jener Empfindung sich gar nicht mehr bewußt erscheint, vermag ihr charakteristisches Erklingen im Orchester in uns eine Empfindung anzuregen, die zur Ergänzung eines Zusammenhanges, zur höchsten Verständlichkeit einer Situation durch Deutung von Motiven, die in dieser Situation wohl enthalten sind, in ihren darstellbaren Momenten aber nicht zum hellen Vorschein kommen können, uns zum *Gedanken* wird, an sich aber *mehr* als der Gedanke, nämlich der *vergegenwärtigte Gefühlsinhalt* des Gedankens ist.

Das Vermögen des Musikers, wenn es von der dichterischen Absicht zu ihrer höchsten Verwirklichung verwendet wird, ist hierin durch das Orchester unermeßlich. – Ohne von der dichterischen Absicht bedingt zu werden, hat der absolute Musiker bisher auch bereits sich eingebildet, mit Gedanken und der Kombination von Gedanken zu tun zu haben. Wenn schlechthin musikalische Themen »Gedanken« genannt wurden, so war dies entweder eine gedankenlose Verwendung dieses Wortes, oder eine Kundgebung der Täuschung des Musikers, der ein Thema einen Gedanken nannte, bei dem er sich allerdings etwas gedacht hatte, was aber niemand verstand als höchstens der, dem er das, was er sich gedacht hatte, in nüchternen Worten bezeichnete, und den er dadurch ersuchte, sich dies Gedachte nun auch bei dem Thema zu denken. Die Musik kann nicht denken, sie kann aber Gedanken verwirklichen, d. h. ihren Empfindungsgehalt als einen nicht mehr erinnerten, sondern vergegenwärtigten kundtun: dies kann sie aber nur, wenn ihre eigene Kundgebung von der dichterischen Absicht bedingt ist, und diese wiederum sich nicht als eine nur gedachte, sondern zunächst durch das Organ des Verstandes, die Wortsprache, klar dargelegte offenbart. Ein musikalisches Motiv kann auf das Gefühl einen bestimmten, zu gedankenhafter Tätigkeit sich gestaltenden Eindruck nur dann hervorbringen, wenn die in dem Motive ausgesprochene Empfindung vor unsern Augen von einem bestimmten Individuum an einem bestimmten Gegenstande als ebenfalls bestimmte, d. h. wohlbedingte, kundgegeben ward. Der Wegfall dieser Bedingungen stellt ein musikalisches Motiv dem Gefühle als etwas Unbestimmtes hin, und etwas Unbestimmtes kann in derselben Erscheinung noch so oft wiederkehren, es bleibt uns immer ein eben nur wiederkehrendes Unbestimmtes, das wir aus einer von uns empfundenen Notwendigkeit seiner Erscheinung nicht zu rechtfertigen, und daher mit nichts andrem zu verbinden imstande sind. – Das musikalische Motiv aber, in das – so zu sagen vor unsern Augen – der gedankenhafte Wortvers eines dramatischen Darstellers sich ergoß, ist ein notwendig bedingtes; bei seiner Wiederkehr teilt sich uns eine *bestimmte* Empfindung wahrnehmbar mit, und zwar wiederum als die Empfindung desjenigen, der sich soeben zur Kundgebung einer neuen Empfindung gedrängt fühlt, die aus jener – jetzt von ihm unausgesprochenen, uns aber durch das Orchester sinnlich wahrnehmbar gemachten – sich herleitet. Das Mitklingen jenes Motives verbindet uns daher eine ungegenwärtige bedingende mit der aus ihr bedingten, soeben zu ihrer Kundgebung sich anlassenden Empfindung; und indem wir so unser Gefühl zum erhellten Wahrnehmer des organischen Wachsens einer bestimmten Empfindung aus der andern machen, geben wir unserm Gefühle das Vermögen des Denkens, d. h. hier aber: das über das Denken erhöhte, unwillkürliche Wissen des in der Empfindung verwirklichten Gedankens.

Bevor wir uns zur Darstellung der Ergebnisse wenden, die aus dem bisher angedeuteten Vermögen der Orchestersprache für die Gestaltung des Dramas sich herausstellen, müssen wir, um den Umfang dieses Vermögens vollständig zu ermessen, noch über eine äußerste Fähigkeit desselben uns genau bestimmen. – Die hiermit gemeinte Fähigkeit seines Sprachvermögens gewinnt das Orchester aus einer Vereinigung seiner Fähigkeiten, die ihm nach der einen Seite hin durch seine Anlehnung an die Gebärde, nach der andern durch seine gedenkende Aufnahme der Versmelodie erwuchsen. Wie die Gebärde von ihrem Ursprunge, der sinnlichsten Tanzgebärde, bis zur geistigsten Mimik sich entwickelte; wie die Versmelodie vom bloßen Gedenken einer Empfindung bis zur gegenwärtigen Kundgebung einer Empfindung vorschritt, – so wächst auch das Sprachvermögen des Orchesters, das aus beiden Momenten seine gestaltende Kraft gewann, und an dem Wachsen beider zu ihrem äußersten Vermögen sich ernährte und steigerte, von diesem doppelten Nahrungsquelle aus zu einer besonderen höchsten Fähigkeit, in der wir die beiden geteilten Arme des Orchesterstromes, nachdem er durch einmündende Bäche und Flüsse reichlich geschwängert worden ist, gleichsam sich wieder verbinden und gemeinsam dahinfließen sehen. Da, wo die Gebärde nämlich vollkommen ruht, und die melodische Rede des Darstellers gänzlich schweigt, – also da, wo das Drama aus noch unausgesprochenen inneren Stimmungen heraus sich vorbereitet, vermögen diese bis jetzt noch unausgesprochenen Stimmungen vom Orchester in der Weise ausgesprochen zu werden, daß ihre Kundgebung den, von der dichterischen Absicht als notwendig bedungenen Charakter der *Ahnung* an sich trägt. –

Die Ahnung ist die Kundgebung einer unausgesprochenen, weil – im Sinne unsrer Wortsprache – noch unaussprechlichen Empfindung. Unaussprechlich ist eine Empfindung, die noch nicht bestimmt ist, und unbestimmt ist sie, wenn sie noch nicht durch den ihr entsprechenden *Gegenstand* bestimmt ist. Die Bewegung dieser Empfindung, die Ahnung, ist somit das unwillkürliche Verlangen der Empfindung nach Bestimmung durch einen Gegenstand, den sie aus der Kraft ihres Bedürfnisses wiederum selbst vorausbestimmt, und zwar als einen solchen, der ihr entsprechen muß, und dessen sie deshalb harrt. In seiner Kundgebung als Ahnung möchte ich das Empfindungsvermögen der wohlgestimmten Harfe vergleichen, deren Saiten vom durchstreifenden Windzuge erklingen, und des Spielers harren, der ihnen deutliche Akkorde entgreifen soll.

Eine solche ahnungsvolle Stimmung hat der Dichter uns zu erwecken, *um aus ihrem Verlangen heraus uns selbst zum notwendigen Mitschöpfer des Kunstwerkes zu machen.* Indem er dieses Verlangen uns hervorruft, verschafft er sich in unsrer erregten Empfänglichkeit die bedingende Kraft, welche die Gestaltung der von ihm beabsichtigten Erscheinungen gerade so, wie er sie seiner Absicht gemäß gestalten muß, einzig ihm ermöglichen kann. In der Hervorbringung solcher Stimmungen, wie der Dichter in der unerläßlichen Mithilfe unsrerseits sie uns erwecken muß, hat die absolute Instrumentalsprache sich bisher bereits als allvermögend bewährt; denn gerade die Anregung unbestimmter, ahnungsvoller Empfindungen war ihre eigentümlichste Wirkung, die überall da zur Schwäche werden mußte, wo sie die angeregten Empfindungen auch deutlich bestimmen wollte. Wenden wir diese außerordentliche, einzig ermöglichende Fähigkeit der Instrumentalsprache nun auf die Momente des Dramas an, wo sie vom Dichter nach einer bestimmten Absicht in Wirklichkeit gesetzt werden soll, so hätten wir uns nun darüber zu verständigen, woher diese Sprache die sinnlichen Ausdrucksmomente zu nehmen habe, in denen sie sich der dichterischen Absicht entsprechend kundgeben soll.

Wir sahen bereits, daß unsre absolute Instrumentalmusik die sinnlichen Momente für ihren Ausdruck aus einer, unserm Ohre urvertrauten Tanzrhythmik und der ihr entstammten Weise, oder aus dem Melos des Volksliedes, wie er unserm Gehöre ebenfalls anerzogen ist, entnehmen mußte. Das immerhin durchaus Unbestimmte in diesen Momenten suchte der absolute Instrumentalkomponist dadurch zu einem bestimmten Ausdrucke zu erheben, daß er diese Momente nach Verwandtschaft und Unterschiedenheit, durch wachsende und abnehmende Stärke, wie durch beschleunigte und gehemmte Bewegung des Vortrages, und endlich durch besondre Charakteristik des Ausdruckes vermöge der mannigfaltigen Individualität der Toninstrumente, zu einem der Phantasie dargestellten Bilde fügte, daß er schließlich doch nur wieder durch genaue – außermusikalische – Angabe des geschilderten Gegenstandes erst deutlich zu machen sich gedrängt fühlte. Die sogenannte »Tonmalerei« ist der ersichtliche Ausgang der Entwicklung unsrer absoluten Instrumentalmusik gewesen: in ihr hat diese Kunst ihren Ausdruck, der sich nicht mehr an das Gefühl, sondern an die Phantasie wendet, empfindlich erkältet, und jeder wird diesen Eindruck deutlich wahrnehmen, der auf ein Beethovensches Tonstück eine Mendelssohnsche oder gar eine Berliozsche Orchesterkomposition hört. Dennoch ist nicht zu leugnen, daß dieser Entwicklungsgang ein notwendiger war, und die bestimmte Wendung zur Tonmalerei aus aufrichtigeren Motiven hervorging, als z. B. die Rückkehr zum fugierten Stile Bachs. Namentlich ist aber auch nicht zu verkennen, daß das sinnliche Vermögen der Instrumentalsprache durch die Tonmalerei ungemein gesteigert und bereichert worden ist. – Erkennen wir nun, daß dieses Vermögen nicht nur in das Unermeßliche gesteigert, sondern seinem Ausdrucke zugleich das Erkältende vollständig benommen werden kann, wenn der Tonmaler statt an die Phantasie sich wieder an das Gefühl wenden darf, was ihm dadurch geboten wird, daß der von ihm nur an den Gedanken mitgeteilte Gegenstand seiner Schilderung als ein gegenwärtiger, wirklicher an die Sinne kundgetan wird, und zwar eben nicht als bloßes Hilfsmittel zum Verständnisse seines Tongemäldes, sondern als aus einer höchsten dichterischen Absicht, zu deren Verwirklichung das Tongemälde das Helfende sein soll, bedingt. Der Gegenstand des Tongemäldes konnte nur ein Moment aus dem Naturleben oder aus dem Menschenleben selbst sein. Gerade solche Momente aus dem Natur- oder Menschenleben, zu deren Schilderung sich bisher der Musiker angezogen fühlte, sind es nun aber, deren der Dichter zur Vorbereitung wichtiger dramatischer Entwicklungen bedarf, und deren mächtiger Hilfe der bisherige absolute Schauspieldichter, zum höchsten Nachteile für sein gewolltes Kunstwerk, von vornherein entsagen mußte, weil er jene Momente, je vollständiger sie von der Szene aus dem Auge sich ausdrücken sollten, ohne die ergänzende und gefühlsbestimmende Mitwirkung der Musik für ungerechtfertigt, störend, lähmend, nicht aber helfend und fördernd halten mußte.

Jene vom Dichter notwendig in uns anzuregenden unbestimmten, ahnungsvollen Empfindungen werden immer mit einer Erscheinung in Verbindung zu stehen haben, die sich wiederum an das Auge mitteilt; diese wird ein Moment der Naturumgebung, oder des menschlichen Mittelpunktes dieser Umgebung selbst sein, – jedenfalls ein Moment, dessen Bewegung sich noch nicht aus einer bestimmt kundgegebenen Empfindung bedingt, denn diese kann nur die Wortsprache in dem bereits näher bezeichneten Vereine mit der Gebärde und der Musik aussprechen, – also die Wortsprache, deren bestimmende Kundgebung wir uns hier eben als eine durch das angeregte Verlangen erst hervorzurufende denken. Keine Sprache ist fähig, eine vorbereitende Ruhe so *bewegungsvoll* auszudrücken, als die Instrumentalsprache: diese Ruhe zum bewegungsvollen Verlangen zu steigern, ist ihr eigentümlichstes Vermögen. Was sich uns aus einer Naturszene oder aus einer schweigsamen, gebärdelosen menschlichen Erscheinung an das

Auge darbietet, und von dem Auge aus unsre Empfindung zu ruhiger Betrachtung bestimmt, das vermag die Musik in der Weise der Empfindung zuzuführen, daß sie, von dem Momente der Ruhe ausgehend, diese Empfindung zur Spannung und Erwartung bewegt, und damit eben das Verlangen erweckt, dessen der Dichter zur Kundgebung seiner Absicht als ermöglichende Hilfe unsrerseits bedarf. Dieser Anregung unsres Gefühles nach einem bestimmten Gegenstande hin hat der Dichter sogar nötig, um uns selbst auf eine bestimmende Erscheinung für das Auge vorzubereiten, nämlich – selbst die Erscheinung der Naturszene oder menschlicher Persönlichkeiten uns nicht eher vorzuführen, als bis unsre auf sie erregte Erwartung sie, in der Art, wie sie sich kundgibt, als notwendig, weil der Erwartung entsprechend, bedingt. –

Der Ausdruck der Musik wird, bei der Verwendung dieser äußersten Fähigkeit, so lange ein gänzlich vager und unbestimmender bleiben, als er nicht die soeben bezeichnete dichterische Absicht in sich aufnimmt: diese aber, welche sich auf eine bestimmte zu verwirklichende Erscheinung bezieht, vermag im Voraus dieser Erscheinung die sinnlichen Momente des vorbereitenden Tonstückes so zu entnehmen, daß sie in beziehungsvoller Weise ihr ganz entsprechen, wie die endlich vorgeführte Erscheinung den Erwartungen entspricht, die das vorausverkündende Tonstück in uns erregte. Die wirkliche Erscheinung tritt demnach als erfülltes Verlangen, als gerechtfertigte Ahnung vor uns hin; und rufen wir uns nun zurück, daß der Dichter die Erscheinungen des Dramas als über das gewöhnliche Leben hervorragende, wunderbare dem Gefühle vergegenwärtigen muß, so haben wir auch zu begreifen, daß diese Erscheinungen sich als solche uns nicht kundgeben würden, oder daß sie uns unverständlich und fremdartig vorkommen müßten, wenn ihre endlich nackte Kundgebung nicht aus unsrer vorbereiteten und zu ahnungsvoller Erwartung gespannten Empfindung in der Weise als notwendig bedingt werden könnte, daß wir sie als Erfüllung einer Erwartung geradeswegs fordern. Nur der so vom Dichter erfüllten Tonsprache des Orchesters ist es aber möglich, diese notwendige Erwartung in uns anzuregen, und ohne seine künstlerische Hilfe vermag das wundervolle Drama daher weder entworfen noch ausgeführt zu werden.

VI.

Wir haben nun alle Bänder des Zusammenhanges für den einigen Ausdruck des Dramas erfaßt, und uns jetzt nur noch darüber zu verständigen, *wie* sie unter sich verknüpft werden sollen, um als einige *Form* einem einigen Gehalte zu entsprechen, der nur durch die Möglichkeit dieser einigen Form als ein ebenfalls einiger erst sich zu gestalten vermag. –

Der lebengebende Mittelpunkt des dramatischen Ausdruckes ist die *Versmelodie* des Darstellers: auf sie bezieht sich als *Ahnung* die vorbereitende absolute Orchestermelodie; aus ihr leitet sich als *Erinnerung* der »Gedanke« des Instrumentalmotives her. Die Ahnung ist das sich ausbreitende Licht, das, indem es auf den Gegenstand fällt, die dem Gegenstande eigentümliche, von ihm selbst aus bedingte Farbe zu einer ersichtlichen Wahrheit macht; die Erinnerung ist die gewonnene Farbe selbst, wie sie der Maler dem Gegenstande entnimmt, um sie auf ihm verwandte Gegenstände überzutragen. Die dem Auge sinnfällige, stets gegenwärtige Erscheinung und Bewegung des Verkünders der Versmelodie, des Darstellers, ist die dramatische Gebärde; sie wird dem Gehöre verdeutlicht durch das Orchester, das seine ursprünglichste und notwendigste Wirksamkeit als harmonische Trägerin der Versmelodie selbst abschließt. – An dem Gesamtausdrucke aller Mitteilungen des Darstellers an das Gehör, wie an das Auge, nimmt das *Orchester* somit einen ununterbrochenen, nach jeder Seite hin tragenden und verdeutlichenden Anteil: es ist der bewegungsvolle Mutterschoß der Musik, aus dem das einigende Band des Ausdruckes erwächst. – *Der Chor der griechischen Tragödie* hat seine gefühlsnotwendige Bedeutung für das Drama *im modernen Orchester* allein zurückgelassen, um in ihm, frei von aller Beengung, zu unermeßlich mannigfaltiger Kundgebung sich zu entwickeln; seine reale, individuell menschliche Erscheinung ist dafür aber aus der Orchestra hinauf auf die Bühne versetzt, um den, im griechischen Chore liegenden Keim seiner menschlichen Individualität zu höchster selbständiger Blüte, als unmittelbar handelnder und leidender Teilnehmer des Dramas selbst, zu entfalten.

Betrachten wir nun, wie der Dichter vom Orchester aus, in welchem er vollständig zum Musiker geworden ist, sich zu seiner Absicht, die ihn bis hierher geführt, zurückwendet, und zwar, um sie, durch die nun unermeßlich reich ihm erwachsenden Mittel des Ausdruckes, vollkommen zu verwirklichen.

Die dichterische Absicht verwirklichte sich zunächst in der Versmelodie; den Träger und Verdeutlicher der reinen Melodie lernten wir im harmonischen Orchester erkennen. Es bleibt nun noch genau zu ermessen, wie jene Versmelodie sich zum Drama selbst verhalte, und welche ermöglichende Wirksamkeit bei diesem Verhältnisse das Orchester ausüben könnte.

Wir haben dem Orchester bereits die Fähigkeit abgewonnen, Ahnungen und Erinnerungen zu erwecken; die Ahnung haben wir als Vorbereitung der Erscheinung, welche endlich in Gebärde und Versmelodie sich kundgibt, – die Erinnerung dagegen als Ableitung von ihr gefaßt, und wir müssen nun genau bestimmen, was, der dramatischen Notwendigkeit gemäß, gleichzeitig mit der Ahnung und Erinnerung den Raum des Dramas in der Weise erfüllt, daß Ahnung und Erinnerung zur vollsten Ergänzung seines Verständnisses eben notwendig waren.

Die Momente, in denen das Orchester sich so selbständig aussprechen durfte, müssen jedenfalls solche sein, die das volle Aufgehen des Sprachgedankens in die musikalische Empfindung von seiten der dramatischen Persönlichkeiten noch nicht ermöglichen. Wie wir dem Wachsen der musikalischen Melodie aus dem Sprachverse zusahen, und dieses Wachsen als aus der Natur des Sprachverses bedingt erkannten; wie wir die Rechtfertigung, d. h. das Verständnis der Melodie aus dem bedingenden Sprachverse nicht nur als ein künstlerisch zu Denkendes und Auszuführendes, sondern als ein notwendig vor unserm Gefühle organisch zu Bewerkstelligendes und im Gebärungsprozesse ihm Vorzuführendes begreifen mußten: so haben wir auch die dramatische Situation aus den Bedingungen herauswachsend uns vorzustellen, die sich vor unsern Augen zu der Höhe steigern, auf welcher die Versmelodie als einzig entsprechender Ausdruck eines bestimmt sich kundgebenden Empfindungsmomentes uns notwendig erscheint.

Eine fertige, geschaffene Melodie – so sahen wir – blieb uns unverständlich, weil willkürlich deutbar; eine fertige, geschaffene Situation muß uns ebenso unverständlich bleiben, wie die Natur uns unverständlich blieb, so lange wir sie als etwas Erschaffenes ansahen, wogegen sie uns jetzt verständlich ist, wo wir sie als das Seiende, d. h. das ewig Werdende, erkennen, – als ein Seiendes, dessen Werden in nächsten und weitesten Kreisen uns stets gegenwärtig ist. Dadurch, daß der Dichter sein Kunstwerk uns im steten organischen Werden vorführt, und uns selbst zu organisch mitwirkenden Zeugen dieses Werdens macht, befreit er seine Schöpfung eben von allen Spuren seines Schaffens, vermöge dessen er, ohne die Vertilgung seiner Spuren, uns nur in das gefühllos kalte Staunen versetzen könnte, mit dem uns das Anschauen eines Meisterstückes der Mechanik erfüllt. – Die bildende Kunst kann nur das

Fertige, d. h. das Bewegungslose, hinstellen, und den Beschauenden somit nie zum überzeugten Zeugen des Werdens einer Erscheinung machen. Der absolute Musiker verfiel in seiner weitesten Verirrung in den Fehler, die bildende Kunst hierin nachzuahmen, und das Fertige anstatt des Werdenden zu geben. Das Drama allein ist das, räumlich und zeitlich an unser Auge und unser Gehör so sich mitteilende Kunstwerk, daß wir an seinem Werden selbsttätigen Mitanteil nehmen, und das Gewordene daher als ein Notwendiges, klar Verständliches durch unser Gefühl erfassen.

Der Dichter, der uns nun zu mittätigen, einzig ermöglichenden Zeugen des Werdens seines Kunstwerkes machen will, hat sich wohl zu hüten, auch nur den kleinsten Schritt zu tun, der das Band des organischen Werdens zerreißen, und somit unser unwillkürlich gefesseltes Gefühl durch willkürliche Zumutung verletzen könnte: sein wichtigster Bundesgenosse wäre ihm augenblicklich untreu gemacht. Organisches Werden ist aber nur das Wachsen von unten nach oben, das Hervorgehen aus niederen Organismen zu höheren, die Verbindung bedürftiger Momente zu einem befriedigenden Momente. Wie nun die dichterische Absicht die Momente der Handlung und ihre Motive aus solchen sammelte, die im gewöhnlichen Leben wirklich, nur ihrem Zusammenhange nach unendlich ausgedehnt und unübersehbar weit verzweigt, vorhanden sind; wie sie diese Momente und Motive um einer verständlichen Darstellung willen zusammendrängte und in dieser Zusammendrängung verstärkte: so hat die dichterische Absicht um ihrer *Verwirklichung* willen genau ebenso zu Werke zu gehen, wie sie in der *gedachten* Dichtung jener Momente verfuhr; denn ihre Absicht verwirklicht sich nur dadurch, daß sie unser Gefühl zur Teilhaberin an ihrer gedachten Dichtung macht. – Das Allerfaßlichste ist dem Gefühle unsre Anschauung des gewöhnlichen Lebens, in welchem wir aus Neigung und Bedürfnis gerade so handeln, wie wir es gewohnt sind. Sammelte der Dichter daher aus diesem Leben und der ihm gewohnten Anschauung seine Motive, so hat er auch seine gedichteten Gestalten zunächst uns nach einer Äußerung vorzuführen, die diesem Leben nicht so fremd ist, daß sie von den in ihm Befangenen gar nicht verstanden werden könnte. Er hat sie daher uns zuerst in Lebenslagen zu zeigen, die eine kenntliche Ähnlichkeit mit denen haben, in denen wir uns selbst befunden haben oder doch befunden haben können; auf solcher Grundlage erst kann er stufenweise zur Bildung von Situationen aufsteigen, deren Kraft und Wunderbarkeit uns eben aus dem gewöhnlichen Leben herausversetzen, und den Menschen uns nach der höchsten Fülle seines Vermögens zeigen. Wie diese Situationen durch die Fernhaltung alles zufällig Erscheinenden in der Begegnung stark kundgegebener Individualitäten zu der Höhe wachsen, auf der sie uns über das gewöhnliche menschliche Maß erhoben schienen, – so hat notwendig auch der *Ausdruck* der Handelnden und Leidenden sich aus einem, dem gewöhnlichen Leben noch kenntlichen, nur mit wohlbedingter Steigerung zu einem solchen zu erheben, wie wir ihn in der musikalischen Versmelodie als einen über den gewöhnlichen Ausdruck erhöhten bezeichneten.

Es gilt nun aber den Punkt zu bestimmen, den wir als den niedrigsten für die Situation und den Ausdruck festzusetzen haben, und von dem wir zu jenem Wachsen vorschreiten sollen. Betrachten wir näher, so wird dieser Punkt genau derselbe sein, auf den wir uns stellen müssen, um die Verwirklichung der dichterischen Absicht durch Mitteilung derselben überhaupt zu ermöglichen, und dieser liegt da, wo die dichterische Absicht sich vom gewöhnlichen Leben, aus dem sie hervorging, trennt, um sein gedichtetes Bild ihm vorzuhalten. Auf diesem Punkte stellt sich der Dichter mit dem lauten Bekenntnisse seiner Absicht den im gewöhnlichen Leben Befangenen gegenüber, und ruft sie zur Aufmerksamkeit auf: er kann nicht eher vernommen werden, als bis diese Aufmerksamkeit ihm *willig* zugewandt ist, – bis unsre, durch das gewöhnliche Leben zerstreuten Empfindungen sich zu einer gedrängten erwartungsvollen Empfindung ebenso sammeln, wie der Dichter in seiner Absicht bereits die Momente und Motive der dramatischen Handlung aus diesem selben Leben gesammelt hat. Die willige Erwartung, oder der erwartungsvolle Wille der Zuhörer ist nun das erste ermöglichende Moment für das Kunstwerk, und es bestimmt den Ausdruck, in welchem der Dichter ihm entsprechen muß – nicht nur um verstanden zu werden, sondern um zugleich so verstanden zu werden, wie die Spannung auf etwas Außergewöhnliches es verlangt.

Diese Erwartung hat der Dichter von vornherein für die Kundgebung seiner Absicht zu benutzen, und zwar dadurch, daß er sie – als eine unbestimmte Empfindung – nach der Richtung seiner Absicht hin lenkt, und keine Sprache ist, wie wir sahen, hierzu vermögender, als die unbestimmt bestimmende der reinen Musik, des Orchesters. Das Orchester drückt die erwartungsvolle Empfindung selbst aus, die uns vor der Erscheinung des Kunstwerkes beherrscht; je nach der Richtung hin, wo es der dichterischen Absicht entspricht, leitet und erregt es unsre allgemein gespannte Empfindung zu einer Ahnung, die eine, als notwendig geforderte, bestimmte Erscheinung endlich zu erfüllen hat*. Führt der Dichter nun die erwartete Erscheinung auf der Szene als dramatische Person vor, so würde es das angeregte Gefühl nur verletzen und enttäuschen, wenn diese in einem Sprachausdrucke sich kundgeben sollte, der uns plötzlich wieder die gewöhnlichste Äußerung des Lebens zurückriefe, aus dem wir soeben versetzt waren**. In der Sprache, die unsre Empfindung anregte, soll auch jene Person sich nun kundgeben, und zwar als eine solche, auf die eben unsre Empfindung hingeleitet war. In dieser Tonsprache muß die dramatische Person sprechen, sollen wir sie mit dem angeregten Gefühle verstehen: sie muß in ihr aber zugleich so sprechen, daß sie die in uns angeregte Empfindung zu *bestimmen* vermag, und unsre allgemeinhin angeregte Empfindung bestimmt sich nur dadurch, daß ihr ein fester Punkt gegeben wird, um welchen sie sich als menschliches Mitgefühl sammeln, und an welchem sie zur besonderen Teilnahme an diesem einen, in dieser bestimmten Lebenslage befindlichen, von dieser Umgebung beeinflußten, von diesem Willen beseelten, und in diesem Vorhaben begriffenen Menschen sich verdichten kann. Diese, dem Gefühle notwendigen Bedingungen der Kundgebung einer Individualität können überzeugend nur in der Wortsprache dargelegt werden, in derselben Sprache, die dem gewöhnlichen Leben unwillkürlich verständlich ist, und in welcher wir uns gegenseitig eine Lage und einen Willen mitteilen, denen diejenigen ähnlich sein müssen, welche die dramatische Person uns jetzt darlegt, sobald sie von uns verstanden werden sollen. Wie unsre erregte Stimmung aber bereits forderte, daß diese Wortsprache eine von der Tonsprache, die unsre Empfindung eben erregte, nicht durchaus unterschiedene sein dürfe, sondern mit ihr bereits verschmolzen sein müsse – gleichsam als der Verständlicher, aber zugleich auch Teilhaber der angeregten Empfindung –, so bestimmt sich auch ganz von selbst hierdurch schon der Inhalt des von der dramatischen Person Dargelegten wiederum als ein über

* Daß ich hiermit nicht die heutige Opernouverture meine, habe ich an diesem Ort nur kurzweg zu berühren, jeder Verständige weiß, daß diese Tonstücke – sobald in ihnen überhaupt etwas zu verstehen war – anstatt *vor* dem Drama, *nach* demselben vorgetragen werden müßten, um verstanden zu werden. Die Eitelkeit verführte den Musiker, in der Ouvertüre – und zwar im glücklichsten Falle – die Ahnung schon mit absolut musikalischer Gewißheit über den Gang des Dramas erfüllen zu wollen.
** Die stets noch beibehaltene Zwischenaktsmusik in den Schauspielen ist ein beredtes Zeugnis von der Kunstgedankenlosigkeit unsrer Schauspiel-Dichter und Anordner.

den Inhalt einer gewöhnlichen Lebenslage so erhobener, als der Ausdruck es über den des gewöhnlichen Lebens ist; und der Dichter hat sich nur an das Charakteristische dieses geforderten und gewonnenen Ausdruckes zu halten, – er hat nur darauf bedacht zu sein, diesen Ausdruck mit dem ihn rechtfertigenden Inhalte zu erfüllen, um sich des erhobenen Standpunktes genau bewußt zu werden, auf dem er, vermöge des bloßen Mittels des Ausdruckes, für die Geltendmachung seiner Absicht angelangt ist.

Dieser Standpunkt ist ein bereits so erhöhter, daß der Dichter das Ungewöhnliche und Wunderbare, das ihm zur Verwirklichung seiner Absicht notwendig ist, unmittelbar von hier aus seine Entwicklung nehmen lassen *kann*, weil er es sogar schon *muß*. Das Wunderbare der dramatischen Individualitäten und Situationen entwickelt er ganz in dem Grade, als ihm dazu der Ausdruck zu Gebote steht, nämlich – als die Sprache der Darsteller, nach genauer Berichtigung der Basis der Situation als einer dem menschlichen Leben entnommenen und verständlichen, sich aus der bereits tönenden Wortsprache zu der wirklichen Tonsprache erheben kann, als deren Blüte die Melodie erscheint, wie sie von dem bestimmten, versicherten Gefühle als Kundgebung des rein menschlichen Empfindungsinhaltes der bestimmten und versicherten Individualität und Situation gefordert wird. –

Eine von dieser Basis ausgehende und bis zu solcher Höhe wachsende Situation bildet an sich ein deutlich unterschiedenes Glied des Dramas, das dem Inhalte und der Form nach aus einer Kette solcher organischer Glieder besteht, die sich gegenseitig so bedingen, ergänzen und tragen müssen, wie die organischen Glieder des menschlichen Leibes, der dann ein vollkommener, lebendiger ist, wenn er aus all' den Gliedern, die ihn, durch gegenseitiges Sichbedingen und Ergänzen ausmachen, besteht, keine ihm fehlen, keine ihm aber auch zu viel sind.

Das Drama ist aber ein immer neuer und neu sich gestaltender Leib, der mit dem menschlichen nur das gemein hat, daß er lebendig ist, und sein Leben aus innerem Lebensbedürfnisse heraus bedingt. Dieses Lebensbedürfnis des Dramas ist aber ein verschiedenes, denn es gestaltet sich nicht aus einem immer gleichbleibendem Stoffe, sondern es nimmt diesen Stoff aus den unendlich mannigfaltigen Erscheinungen eines unermeßlich vielfach zusammengesetzten Lebens unterschiedener Menschen in unterschiedenen Umständen, die wiederum nur *ein* Gemeinsames haben, nämlich – daß sie eben Menschen und menschliche Umstände sind. Die nie gleiche Individualität der Menschen und Umstände erhält durch gegenseitige Berührung eine immer neue Physiognomie, die der dichterischen Absicht stets neue Notwendigkeiten für ihre Verwirklichung zuführt. Aus diesen Notwendigkeiten hat sich das Drama, jener wechselnden Individualität entsprechend, immer anders und neu zu gestalten; und nichts zeugte daher mehr für die Unfähigkeit vergangener und gegenwärtiger Kunstperioden zur Gestaltung des wahren Dramas, als daß Dichter und Musiker von vornherein nach Formen suchten und Formen feststellten, die ihnen das Drama insofern erst ermöglichen sollten, als sie in diese Formen einen beliebigen Stoff zur Dramatisierung einzugießen hätten. Keine Form war für die Ermöglichung des wirklichen Dramas aber beängstigender und unfähiger, als die Opernform mit ihrem einfürallemaligen Zuschnitte von, dem Drama ganz abliegenden, Gesangsstücksformen: so viel unsre Opernkomponisten sich mühten und quälten, sie auszudehnen und zu vermannigfachen, das unergiebige, zusammenhanglose Stückwerk konnte – wie wir an seinem Orte dies sahen – nur vollends zu Wust und Unrat sich zerstücken.

Führen wir uns dagegen nun übersichtlich die Form des von uns gemeinten Dramas vor, um sie, bei allem wohlbedungenen und notwendigen, immer neu gestaltenden Wechsel, als eine dem Wesen nach vollkommen, ja einzig einheitliche zu erkennen. Beachten wir aber auch, *was* ihr diese Einheit ermöglicht.

Die *einheitliche künstlerische Form* ist nur als Kundgebung eines einheitlichen Inhaltes denkbar: den einheitlichen Inhalt erkennen wir aber nur daran, daß er sich in einem künstlerischen *Ausdrucke* mitteilt, durch den er sich *vollständig* an das Gefühl kundzugeben vermag. Ein Inhalt, der einen zwiefachen Ausdruck bedingen würde, d. h. einen Ausdruck, durch den der Mitteilende sich abwechselnd an den Verstand und an das Gefühl zu wenden hätte, ein solcher Inhalt könnte ebenfalls nur ein zwiespältiger, uneiniger sein. – Jede künstlerische Absicht ringt ursprünglich nach einheitlicher Gestaltung, denn nur in dem Grade, als sie dieser Gestaltung sich nähert, wird überhaupt eine Kundgebung zu einer künstlerischen: ihre notwendige Spaltung tritt aber genau von da ab ein, wo der zu Gebote gestellte Ausdruck die Absicht nicht mehr vollständig mitzuteilen vermag. Da es der unwillkürliche Wille jeder künstlerischen Absicht ist, sich an das Gefühl mitzuteilen, so kann der spaltende Ausdruck nur ein solcher sein, welcher das Gefühl nicht vollständig zu erregen vermag: das Gefühl vollständig erregen muß aber ein Ausdruck, der diesen seinen Inhalt vollständig mitteilen will. Dem bloßen Wortsprachdichter war diese vollständige Erregung des Gefühles durch sein Ausdrucksorgan unmöglich, und was er daher durch dieses dem Gefühle nicht mitteilen konnte, mußte er, um den Inhalt seiner Absicht vollständig auszusprechen, dem Verstande kundgeben: diesem mußte er das zu denken überlassen, was er von dem Gefühle nicht empfinden lassen konnte, und er konnte endlich auf dem Punkte der Entscheidung seine Tendenz nur als Sentenz, d. h. als nackte, unverwirklichte Absicht, aussprechen, wodurch er den Inhalt seiner Absicht selbst notgedrungen zu einem unkünstlerischen erniedrigen mußte. Erscheint nun das Werk des bloßen Wortsprachdichters als unverwirklichte dichterische Absicht, so ist das Werk des absoluten Musikers dagegen als ein der dichterischen Absicht gänzlich bares zu bezeichnen, da durch den rein musikalischen Ausdruck das Gefühl wohl vollständig angeregt, nicht aber bestimmt werden konnte. Der Dichter mußte des unzureichenden Ausdruckes wegen den Inhalt in einen Gefühls- und einen Verstandesinhalt spalten, und das angeregte Gefühl somit in eben der ruhelosen Unbefriedigtheit lassen, wie er den Verstand in ein unzubefriedigendes Nachsinnen über diese Ruhelosigkeit des Gefühles versetzte. Der Musiker zwang nicht minder den Verstand zur Aufsuchung eines Inhaltes des Ausdruckes, der das Gefühl so vollständig aufregte, ohne gerade in dieser vollsten Aufregung ihm Beruhigung zuzuführen. Der Dichter gab diesen Inhalt als Sentenz, der Musiker – um irgend eine, in Wahrheit unvorhandene, Absicht anzugeben – als Titel der Komposition. Beide hatten sich schließlich aus dem Gefühle an den Verstand zu wenden; der Dichter – um ein unvollständig erregtes Gefühl zu bestimmen, der Musiker – um vor einem zwecklos erregten Gefühle sich zu entschuldigen.

Wollen wir daher den Ausdruck genau bezeichnen, der als ein einiger auch einen einigen Inhalt ermöglichen würde, so bestimmen wir ihn als einen solchen, der eine umfassendste Absicht des dichterischen Verstandes am entsprechendsten dem Gefühle mitzuteilen vermag. Ein solcher Ausdruck ist nun derjenige, *der in jedem seiner Momente die dichterische Absicht in sich schließt, in jedem sie aber auch vor dem Gefühle verbirgt, nämlich – sie verwirklicht*. – Selbst der Worttonsprache wäre dieses vollständige Bergen der dichterischen Absicht nicht möglich, wenn ihr nicht ein zweites, mitertönendes Tonsprachorgan zugegeben werden könnte, welches überall da, wo die Worttonsprache, als unmittelbarste Bergerin der dichterischen Absicht, in ihrem Ausdrucke notwendig so tief sich herabsenken muß, daß sie, um der unzerreißlichen

Verbindung dieser Absicht mit der Stimmung des gewöhnlichen Lebens willen, sie mit einem fast schon durchsichtigen Tonschleier nur noch verdecken kann, das Gleichgewicht des einigen Gefühlsausdruckes vollkommen aufrecht zu erhalten vermag.

Das Orchester ist, wie wir sahen, dieses, die Einheit des Ausdruckes jederzeit ergänzende Sprachorgan, welches da, wo der Worttonsprachausdruck der dramatischen Personen sich, zur deutlicheren Bestimmung der dramatischen Situation, bis zur Darlegung seiner kenntlichsten Verwandtschaft mit dem Ausdrucke des gewöhnlichen Lebens als Verstandesorgan herabsenkt, durch sein Vermögen der musikalischen Kundgebung der Erinnerung oder Ahnung den gesenkten Ausdruck der dramatischen Person der Art ausgleicht, daß das angeregte Gefühl stets in seiner gehobenen Stimmung bleibt, und nie durch gleiches Herabsinken in eine reine Verstandestätigkeit sich zu verwandeln hat. Die gleiche Höhe des Gefühles, von der dieses nie herabsinken, sondern nur noch sich zu steigern hat, bestimmt sich durch die gleiche Höhe des Ausdruckes, und durch diesen die Gleichheit, das ist: Einheit des Inhaltes.

Beachten wir aber wohl, daß die ausgleichenden Ausdrucksmomente des Orchesters *nie aus der Willkür des Musikers*, als etwa bloß künstliche Klangzutat, sondern *nur aus der Absicht des Dichters* zu bestimmen sind. Sprechen diese Momente etwas mit der Situation der dramatischen Personen Unzusammenhängendes, ihnen Überflüssiges, aus, so ist auch die Einheit des Ausdruckes durch Abweichung vom Inhalte gestört. Die bloße absolut musikalische Ausschmückung gesenkter oder vorbereitender Situationen, wie sie in der Oper zur Selbstverherrlichung der Musik in sogenannten »Ritornells«, Zwischenspielen, und selbst auch zur Gesangsbegleitung beliebt wird, hebt die Einheit des Ausdruckes vollständig auf, und wirft die Teilnahme des Gehöres auf die Kundgebung der Musik – nicht mehr als Ausdruck, sondern gewissermaßen als Ausgedrücktes selbst. Auch jene Momente müssen nur durch die dichterische Absicht bedingt sein, und zwar in der Weise, daß sie als Ahnung oder Erinnerung unser Gefühl immer einzig nur auf die dramatische Person und das mit ihr Zusammenhängende oder von ihr Ausgehende hinweisen. Wir dürfen diese ahnungs- oder erinnerungsvollen melodischen Momente nicht anders vernehmen, als daß sie uns eine von uns empfundene Ergänzung der Kundgebung der Person erscheinen, die jetzt vor unsern Augen ihre volle Empfindung noch nicht äußern will oder kann.

Diese melodischen Momente, an sich dazu geeignet, das Gefühl immer auf gleicher Höhe zu erhalten, werden uns durch das Orchester gewissermaßen zu Gefühlswegweisern durch den ganzen vielgewundenen Bau des Dramas. An ihnen werden wir zu steten Mitwissern des tiefsten Geheimnisses der dichterischen Absicht, zu unmittelbaren Teilnehmern an dessen Verwirklichung. Zwischen ihnen, als Ahnung und Erinnerung, steht die Versmelodie als getragene und tragende Individualität, wie sie sich aus einer Gefühlsumgebung, bestehend aus den Momenten der Kundgebung sowohl eigener als einwirkender fremder, bereits empfundener oder noch zu empfindender Gefühlsregungen, heraus bedingt. Diese Momente beziehungsvoller Ergänzung des Gefühlsausdrukkes treten zurück, sobald das mit sich ganz einige handelnde Individuum zum vollsten Ausdrucke der Versmelodie selbst schreitet: dann trägt das Orchester diese nur noch nach seinem verdeutlichenden Vermögen, um, wenn der farbige Ausdruck der Versmelodie sich wieder zur nur tönenden Wortphrase herabsenkt, von neuem durch ahnungsvolle Erinnerungen den allgemeinen Gefühlsausdruck zu ergänzen, und notwendige Übergänge der Empfindung gleichsam aus unsrer eigenen, immer rege erhaltenen Teilnahme zu bedingen.

Diese melodischen Momente, in denen wir uns der Ahnung erinnern, während sie uns die Erinnerung zur Ahnung machen, werden notwendig nur *den wichtigsten Motiven* des Dramas entblüht sein, und die wichtigsten von *ihnen* werden wiederum an Zahl denjenigen Motiven entsprechen, die der Dichter als zusammengedrängte, verstärkte Grundmotive der ebenso verstärkten und zusammengedrängten Handlung zu den *Säulen* seines dramatischen Gebäudes bestimmte, die er grundsätzlich nicht in verwirrender Vielheit, sondern in plastisch zu ordnender, für leichte Übersicht notwendig bedingter geringerer Zahl verwendet. In diesen Grundmotiven, die eben nicht Sentenzen sondern plastische Gefühlsmomente sind, wird die Absicht des Dichters, als eine durch das Gefühlsempfängnis verwirklichte, am verständlichsten; und der Musiker, als Verwirklicher der Absicht des Dichters, hatte diese zu melodischen Momenten verdichteten Motive, *im vollsten Einverständnisse mit der dichterischen Absicht*, daher leicht so zu ordnen, daß in ihrer wohlbedingten wechselseitigen Wiederholung ihm ganz von selbst auch die höchste einheitliche musikalische Form entsteht, – eine Form, wie sie der Musiker bisher willkürlich sich zusammenstellte, die aus der dichterischen Absicht aber erst zu einer notwendigen, wirklich einheitlichen, das ist: *verständlichen*, sich gestalten kann.

In der Oper hatte der Musiker bisher eine einheitliche Form für das ganze Kunstwerk gar nicht auch nur angestrebt: jedes einzelne Gesangsstück war eine ausgefüllte Form für sich, die mit den übrigen Tonstücken der Oper nur ihrer äußeren Struktur nach als ähnlich, keineswegs aber einem formbedingenden Inhalte nach wirklich zusammenhing. Das Zusammenhangslose war so recht eigentlich der Charakter der Opernmusik. Nur das einzelne Tonstück hatte eine in sich zusammenhängende Form, die aus absolut musikalischem Ermessen hergeleitet, durch die Gewohnheit erhalten, und dem Dichter als Zwangsjoch aufgelegt war. Das Zusammenhängende in diesen Formen bestand darin, daß ein von vornherein fertiges Thema mit einem zweiten Mittelthema abwechselte, und nach musikalisch motivierter Willkür sich wiederholte. Wechsel, Wiederholung, Verkürzung und Verlängerung der Themen machten die einzig durch sie bedingte Bewegung des größeren absoluten Instrumentaltonstückes, des Symphoniesatzes, aus, der aus einem, vor dem Gefühle möglichst zu rechtfertigenden Zusammenhange der Themen und ihrer Wiederkehr eine einheitvolle Form zu gewinnen strebte. Die Rechtfertigung dieser Wiederkehr beruhte aber immer nur auf einer gedachten, nie verwirklichten Annahme, und nur die dichterische Absicht kann diese Rechtfertigung wirklich ermöglichen, weil sie diese als eine notwendige Bedingung ihrer Verständlichkeit geradeswegs erfordert.

Die zu genau unterscheidbaren, und ihren Inhalt vollkommen verwirklichenden melodischen Momenten gewordenen Hauptmotive der dramatischen Handlung bilden sich in ihrer beziehungsvollen, stets wohlbedingten – dem Reime ähnlichen – Wiederkehr zu einer einheitlichen künstlerischen Form, die sich nicht nur über engere Teile des Dramas, sondern über das ganze Drama selbst* als ein bindender Zusammenhang erstreckt, in welchem nicht nur diese melodische Momente als gegenseitig sich verständlichend und somit einheitlich erscheinen, sondern auch die in ihnen verkörperten Gefühls- oder Erscheinungsmotive, als stärkste der Handlung und die schwächeren derselben in sich schließend, als sich gegenseitig bedingende, dem Wesen der Gattung nach einheitliche – dem *Gefühle* sich kundgeben. – In diesem Zusammenhange ist die Verwirklichung der vollendeten einheitlichen Form erreicht, und durch diese Form die Kundgebungen eines einheitlichen Inhaltes, somit dieser Inhalt selbst in Wahrheit erst ermöglicht.

* Der einheitliche Zusammenhang der Themen, den bisher der Musiker in der *Ouvertüre* herzustellen sich bemühte, soll im *Drama selbst* gegeben werden.

Fassen wir alles hierauf Bezügliche nochmals zu einem erschöpfenden Ausdrucke zusammen, so bezeichnen wir also die vollendetste einheitliche Kunstform als diejenige, in welcher ein weitester Zusammenhang von Erscheinungen des menschlichen Lebens – als Inhalt – sich in einem so vollkommen verständlichen Ausdrucke an das Gefühl mitteilen kann, daß dieser Inhalt in all' seinen Momenten sich als ein das Gefühl vollkommen erregender und vollkommen befriedigender kundgibt. *Der Inhalt hat also ein im Ausdrucke stets gegenwärtiger, und dieser Ausdruck daher ein den Inhalt nach seinem Umfange stets vergegenwärtigender zu sein; denn das Ungegenwärtige erfaßt nur der Gedanke, nur das Gegenwärtige aber das Gefühl.*

In dieser Einheit des stets vergegenwärtigenden, und den Inhalt nach seinem Zusammenhange umfassenden *Ausdruckes* ist zugleich und einzig entscheidend auch das bisherige Problem der *Einheit des Raumes und der Zeit* gelöst.

Raum und Zeit konnten, als Abstraktionen von der wirklichen leiblichen Eigenschaft der Handlung, nur darum die Aufmerksamkeit unsrer Drama-konstruierenden Dichter fesseln, weil ein einiger, vollkommen verwirklichender Ausdruck des gewollten dichterischen Inhaltes ihnen nicht zu Gebote stand. Raum und Zeit sind gedachte Eigenschaften wirklicher sinnlicher Erscheinungen, die, sobald sie gedacht werden, in Wahrheit die Kraft der Kundgebung bereits verloren haben: der Körper dieser Abstraktionen ist das Wirkliche, Sinnfällige der Handlung, die in einer bestimmten räumlichen Umgebung, und in einer von ihr aus sich bedingenden Andauer der Bewegung sich kundgibt. Die Einheit des Dramas in die Einheit von Raum und Zeit setzen, heißt sich in *Nichts* setzen, denn Raum und Zeit sind an sich Nichts, und werden erst etwas dadurch, daß sie von etwas *Wirklichem*, einer menschlichen Handlung und ihrer natürlichen Umgebung, *verneint* werden. Diese menschliche Handlung muß das an sich Einheitliche, das ist: Zusammenhängende, sein; nach der Möglichkeit, ihren Zusammenhang zu einem überschaulichen zu machen, bedingt sich die Annahme ihrer Zeitdauer, und nach der Möglichkeit einer vollkommen entsprechenden Darstellung der Szene bedingt sich die Ausdehnung im Raume; denn sie will nur eines: sich dem Gefühle verständlich machen. – In dem einigsten Raume und in der gedrängtesten Zeit kann sich nach Belieben eine vollkommen uneinige und zusammenhangslose Handlung ausbreiten, – wie wir dies denn auch in unsern Einheitsstücken zur Genüge sehen. Die Einheit der

Handlung bedingt sich dagegen aus ihrem verständlichen Zusammenhange selbst; nur durch eines kann sie aber diesen verständlich kundgeben, und dieses ist nicht Raum und Zeit, sondern der *Ausdruck*. Haben wir diesen Ausdruck als einheitlichen, d. h. zusammenhängenden und stets den Zusammenhang vergegenwärtigenden, mit dem Vorhergehenden genau ermittelt und als wohlzuermöglichend bezeichnet, so haben wir auch in diesem Ausdrucke das in Zeit und Raum notwendig Getrennte als ein Wiedervereinigtes und, da wo es zum Verständnisse nötig war, stets Vergegenwärtigtes gewonnen; denn seine notwendige Gegenwart liegt nicht im Raume und in der Zeit, sondern in dem *Eindrucke*, der in Raum und Zeit auf uns sich äußert. Die beim Mangel dieses Ausdruckes entstandenen Bedingungen, wie sie sich an Raum und Zeit knüpften, sind durch den Gewinn dieses Ausdruckes somit aufgehoben, Zeit und Raum durch die Wirklichkeit des Dramas vernichtet.

So wird denn das wirkliche Drama durch nichts von außen her mehr beeinflußt, sondern es ist ein *organisch Seiendes und Werdendes*, welches sich aus seinen inneren Bedingungen an der einzigen, es wiederum bedingenden Berührung mit außen, an der Notwendigkeit des Verständnisses seiner Kundgebung – und zwar seiner Kundgebung *als solchen wie es ist und wird* – entwickelt und gestaltet, seine verständliche Gestaltung aber dadurch gewinnt, daß es aus innerstem Bedürfnisse heraus sich den allermöglichenden Ausdruck seines Inhaltes gebiert.

VII.

In der hiermit beendigten Darstellung habe ich Möglichkeiten des Ausdruckes bezeichnet, deren eine dichterische Absicht sich bedienen *kann*, und deren die höchste dichterische Absicht zu ihrer Verwirklichung sich bedienen *muß*. Die Wahrmachung dieser Möglichkeiten des Ausdruckes bedingt sich einzig aus der höchsten dichterischen Absicht: diese kann aber erst gefaßt werden, wenn der Dichter jener Möglichkeiten sich bewußt ist. –

Wer mich hiergegen so verstanden hat, als wäre es mir darum zu tun gewesen, ein willkürlich erdachtes System aufzustellen, nach dem fortan Musiker und Dichter arbeiten sollten, der hat mich nicht verstehen wollen. – Wer ferner aber glauben will, das Neue, was ich etwa sagte, beruhe auf absoluter Annahme und sei nicht identisch mit der Erfahrung und der Natur des entwickelten Gegenstandes, der wird mich nicht verstehen können, auch wenn er es wollte. – Das Neue, das ich etwa sagte, ist nichts andres als das mir bewußt gewordene Unbewußte in der Natur der Sache, das mir als denkendem Künstler bewußt ward, da ich das nach seinem Zusammenhange erfaßte, was von Künstlern bisher nur getrennt gefaßt worden ist. Ich habe somit nichts Neues *er*funden, sondern nur jenen Zusammenhang *ge*funden.

Es bleibt mir nur noch übrig, das *Verhältnis zwischen Dichter und Musiker*, wie es aus der obigen Darstellung hervorgeht, zu bezeichnen. Um dies in Kürze zu tun, beantworten wir uns zunächst die Frage: »Hat sich der Dichter dem Musiker, und der Musiker dem Dichter gegenüber zu *beschränken*?«

Die Freiheit des Individuums hat bisher nur in einer – weisen – Beschränkung nach außen möglich geschienen: Mäßigung seiner Triebe, somit der Kraft seines Vermögens war die erste Anforderung der staatlichen Gemeinsamkeit an den Einzelnen. Die volle Geltendmachung einer Individualität mußte als gleichbedeutend mit der Beeinträchtigung der Individualität andrer angesehen werden, und Selbstbeschränkung der Individualität war dagegen höchste Tugend und Weisheit. – Genau genommen war diese, vom Weisen gepredigte, von Lehrdichtern besungene, vom Staate endlich als Untertanspflicht, von der Religion als Pflicht der Demut geforderte Tugend eine niemals vorhandene, gewollte – aber nicht ausgeübte, gedachte – aber nicht verwirklichte; und so lange eine Tugend gefordert wird, wird sie in Wahrheit auch nicht ausgeübt werden. Die Ausübung dieser Tugend war entweder eine despotisch erzwungene – somit also ohne das Verdienst der Tugend, wie es gedacht wurde; oder sie war eine notwendig freiwillige, unreflektierte, und dann war die ermöglichende Kraft nicht der selbstbeschränkende Wille, sondern – *die Liebe*. – Dieselben Weisen und Gesetzgeber, welche die Ausübung der Selbstbeschränkung durch Reflexion forderten, reflektierten nicht einen Augenblick darüber, daß sie Knechte und Sklaven unter sich hatten, denen sie jede Möglichkeit der Ausübung dieser Tugend abschnitten; und doch waren diese in Wahrheit die Einzigen, welche sich wirklich um eines andern willen beschränkten, weil sie dazu gezwungen waren: unter sich bestand bei jener herrschenden und reflektierenden Aristokratie die Selbstbeschränkung nur in der Klugheit des Egoismus, die ihnen die Absonderung, das Unbekümmertsein um andre anriet, und dieses Gehenlassen andrer, das in äußerlichen, der Hochachtung und Freundschaft abgeborgten Formen sich einen ganz anmutigen Schein zu geben wußte, war ihnen gerade nur dadurch möglich, daß andre Menschen, eben als Knechte und Hörige, ihnen zu Gebote standen, die jene abgesonderte, wohlbegrenzte Selbständigkeit ihren Herren einzig ermöglichten. Wir sehen in der, jeden wahrhaften Menschen empörenden, furchtbaren Entsittlichung unsrer heutigen sozialen Zustände das notwendige Ergebnis der Forderung einer unmöglichen Tugend, die schließlich durch eine barbarische Polizei geltend erhalten wird. Nur das gänzliche Verschwinden dieser Forderung und der Gründe, aus denen sie gestellt wurde, – nur die Aufhebung der unmenschlichen Ungleichheit der Menschen in ihrer Stellung zum Leben, kann den *gedachten* Erfolg der Anforderung der Selbstbeschränkung herbeiführen, und zwar durch die Ermöglichung der *freien Liebe*. Die Liebe aber führt jenen gedachten Erfolg in unermeßlich erhöhtem Maße herbei, denn sie ist eben nicht Selbst*beschränkung*, sondern unendlich mehr, nämlich – *höchste Kraftentwicklung unseres individuellen Vermögens – zugleich mit dem notwendigsten Drange der Selbstaufopferung zugunsten eines geliebten Gegenstandes.* –

Wenden wir nun diese Erkenntnis auf den vorliegenden Fall an, so sehen wir, daß die Selbst*beschränkung* des Dichters wie des Musikers in ihrer höchsten Konsequenz den Tod des Dramas herbeiführen, oder vielmehr seine Belebung gar nicht erst ermöglichen würde. Sobald Dichter und Musiker sich gegenseitig beschränkten, könnten sie nichts andres vorhaben, als jeder seine besondere Fähigkeit für sich glänzen zu lassen, und da der Gegenstand, an dem sie diese Fähigkeiten zum Glänzen brächten, eben das Drama wäre, so würde es diesem natürlich wie dem Kranken zwischen zwei Ärzten gehen, von denen jeder seine Geschicklichkeit nach einer entgegengesetzten Richtung der Wissenschaft hin zeigen wollte: der Kranke würde bei der besten Natur zugrunde gehen müssen. – Beschränken sich Dichter und Musiker nun gegenseitig aber nicht, sondern erregen sie in der Liebe ihr Vermögen zur höchsten Macht, sind sie in der Liebe somit ganz, was sie irgend sein können, *gehen sie* in dem sich dargebrachten Opfer ihrer höchsten Potenz *gegenseitig in sich unter*, – so ist das Drama nach seiner höchsten Fülle geboren. –

Ist die *dichterische Absicht* – als solche – noch vorhanden und merklich, so ist sie im Ausdrucke des Musikers noch nicht untergegangen, d. h. verwirklicht; ist aber der *Ausdruck des Musikers* – als solcher – noch kenntlich, so ist er auch von der dichterischen Absicht noch nicht erfüllt; und erst wenn er in der Verwirklichung dieser Absicht als ein Besonderes, Merkliches untergeht, ist weder

Absicht noch Ausdruck mehr vorhanden, sondern das Wirkliche, was beide *wollten*, ist *gekonnt*, und dieses Wirkliche ist das Drama, bei dessen Vorführung wir weder an Absicht noch Ausdruck mehr erinnert werden sollen, sondern dessen Inhalt als eine, vor unserm Gefühle als notwendig gerechtfertigte menschliche Handlung, uns unwillkürlich erfüllen soll.

Erklären wir dem *Musiker* daher, daß jedes, auch das geringste Moment seines Ausdruckes, *in welchem die dichterische Absicht nicht enthalten*, und welches von ihr zu ihrer Verwirklichung nicht als notwendig bedingt ist, überflüssig, störend, schlecht ist; daß jede seiner Kundgebungen eine ausdruckslose ist, wenn sie unverständlich bleibt, und daß sie verständlich nur dadurch wird, wenn sie die dichterische Absicht in sich schließt; daß er, als Verwirklicher der dichterischen Absicht, aber ein unendlich Höherer ist, als er in seinem willkürlichen Schaffen ohne diese Absicht war, – denn als eine bedingte, befriedigende Kundgebung ist die seinige selbst höher als die der bedingenden bedürftigen Absicht an sich, die wiederum dennoch die höchste, menschliche ist; daß er endlich, als von dieser Absicht in seiner Kundgebung bedingt, zu einer bei weitem reicheren Kundgebung seines Vermögens veranlaßt wird, als er es in seiner einsamen Stellung war, wo er – um möglichster Verständlichkeit wegen – *sich selbst beschränken*, nämlich zu einer Tätigkeit anhalten mußte, die nicht seine eigentümliche als Musiker war, während er gerade jetzt zur unbeschränktesten Entfaltung seines Vermögens notwendig aufgefordert ist, weil er ganz *nur Musiker* sein darf und soll.

Dem *Dichter* erklären wir aber, daß seine Absicht, *wenn sie im Ausdrucke* des von ihm bedingten *Musikers* – so weit sie eine an das Gehör kundzugebende ist – *nicht vollständig verwirklicht werden könnte*, auch keine höchste dichterische Absicht überhaupt ist; daß überall da, wo seine Absicht noch kenntlich ist, er auch noch nicht vollständig gedichtet hat; daß er daher seine Absicht *als eine höchste dichterische* nur darnach bemessen kann, daß sie *im musikalischen Ausdrucke vollkommen* zu verwirklichen ist.

Das Maß des Dichtungswerten bezeichnen wir schließlich daher so: – wenn Voltaire von der Oper sagte: »was zu albern ist, um gesprochen zu werden, das läßt man singen«, so sagen wir von dem vor uns liegenden Drama dagegen: *was nicht wert ist gesungen zu werden, ist auch nicht der Dichtung wert*.

(...)

Wir sahen den Dichter im sehnsüchtigen Drange nach dem vollendeten Gefühlsausdrucke da anlangen, wo er seinen Vers auf dem Spiegel des Meeres der Harmonie als musikalische Melodie abgespiegelt sah: bis zu diesem Meere mußte er dringen, nur der Spiegel dieses Meeres konnte ihm das ersehnte Bild zeigen, und dieses Meer konnte er nicht aus seinem Willen erschaffen, sondern es war das andre seines Wesen, das, mit dem er sich vermählen mußte, das er aber nicht aus sich bestimmen und in das Dasein rufen konnte. – So kann der Künstler nicht das ihm notwendige, ihn erlösende Leben der Zukunft aus seinem Willen bestimmen und in das Dasein rufen; es ist das Andre, ihm Entgegengesetzte, nach dem er sich sehnt, dahin es ihn drängt, was, wenn es sich ihm von einem entgegenstehenden Pole her selbst zuführt, erst für ihn vorhanden ist, seine Erscheinung in sich aufnimmt und ihm erkenntlich wieder zuspiegelt. Das Leben des Meeres der Zukunft kann aber dieses Spiegelbild wiederum nicht aus sich erzeugen: es ist ein Mutterelement, das das Empfangene nur gebären kann. Diesen befruchtenden Samen, der einzig in ihm gedeihen kann, führt ihm nun der Dichter, d. i. der Künstler der Gegenwart, zu: es ist dieser Samen der Inbegriff alles feinsten Lebenssaftes, den die Vergangenheit in ihm sammelte, um als notwendigen befruchtenden Keim ihn der Zukunft zuzuführen, *denn diese Zukunft ist nicht anders denkbar, als aus der Vergangenheit bedingt.* – Die *Melodie* nun, die endlich auf dem Wasserspiegel des harmonischen Meeres der Zukunft sich abspiegelt, ist das hellsehende Auge, mit dem dieses Leben aus der Tiefe seines Meergrundes nach dem heitern Sonnenlichte heraufblickt: der *Vers*, dessen Spiegelbild sie nur ist, ist aber das eigenste Gedicht des Künstlers der Gegenwart, das er nur aus seinem besondersten Vermögen, aus dieser Fülle seiner Sehnsucht erzeugte; *und so, wie dieser Vers, wird das ahnungsvoll bedingende Kunstwerk des sehnsüchtigen Künstlers der Gegenwart sich mit dem Meere des Lebens der Zukunft vermählen.* – In diesem Leben der Zukunft wird dies Kunstwerk das sein, was es heute nur ersehnt, noch nicht aber wirklich sein kann: jenes Leben der Zukunft wird aber ganz das, was es sein kann, nur dadurch sein, daß es dieses Kunstwerk in seinen Schoß aufnimmt.

Der Erzeuger des Kunstwerkes der Zukunft ist niemand anderes als der Künstler der Gegenwart, der das Leben der Zukunft ahnt, und in ihm enthalten zu sein sich sehnt. Wer diese Sehnsucht aus seinem eigensten Vermögen in sich nährt, der lebt schon jetzt in einem besseren Leben; – nur einer aber kann dies: –

der Künstler.

Über Staat und Religion

Ein hochgeliebter junger Freund wünscht von mir zu erfahren, ob und in welcher Art meine Ansichten über *Staat* und *Religion*, seit der Abfassung meiner Kunstschriften in den Jahren 1849 bis 1851, sich geändert haben.

Wie ich vor mehreren Jahren durch die Aufforderung eines mir befreundeten Franzosen veranlaßt wurde, meine Ansichten über Musik und Dichtkunst nochmals zu überdenken und, sie zusammenfassend, übersichtlich darzustellen (was in dem Vorworte zu einer französischen Prosaübersetzung mehrerer meiner Operndichtungen geschah), ebenso dürfte es mir nicht unwillkommen sein, nach jener andern Seite hin meine Gedanken noch einmal zu einem klaren Abschlusse zu sammeln, wenn nicht eben hier, wo eigentlich jeder eine berechtigte Meinung zu haben glaubt, eine bestimmte Äußerung, je älter und erfahrener man wird, immer schwieriger fiele. Hier zeigt es sich eben wieder, was *Schiller* sagt: »ernst ist das Leben, heiter ist die Kunst«. Vielleicht kann man aber von mir sagen, daß ich die Kunst schon besonders ernst genommen habe, und dies mich befähigen dürfte, auch für die Beurteilung des Lebens unschwer die rechte Stimmung zu finden. In Wahrheit glaube ich meinen jungen Freund am besten über mich zurecht zu weisen, wenn ich ihn vor allem darauf aufmerksam mache, wie ernst ich es eben mit der Kunst meinte; denn in diesem Ernste liegt gerade der Grund, der mich einst nötigte, mich auf scheinbar so weit abliegende Gebiete, wie Staat und Religion, zu begeben. Was ich da suchte, war wirklich immer nur meine Kunst, – diese Kunst, die ich so ernst erfaßte, daß ich für sie im Gebiete des Lebens, im Staate, endlich in der Religion, eben eine berechtigende Grundlage aufsuchte und forderte. Daß ich diese im modernen Leben nicht finden konnte, veranlaßte mich, die Gründe hiervon in meiner Weise zu erforschen; ich mußte mir die Tendenz des Staates deutlich zu machen suchen, um aus ihr die Geringschätzung zu erklären, welche ich überall im öffentlichen Leben für mein ernstes Kunstideal antraf.

Gewiß war es aber für meine Untersuchung charakteristisch, daß ich hierbei nie auf das Gebiet der eigentlichen *Politik* herabstieg, namentlich die Zeitpolitik, wie sie mich trotz der Heftigkeit der Zustände nicht wahrhaft berührte, auch von mir gänzlich unberührt blieb. Daß diese oder jene Regierungsform, die Herrschaft dieser oder jener Partei, diese oder jene Veränderung im Mechanismus unsres Staatswesens, meinem Kunstideale irgendwelche wahrhaftige Förderung verschaffen sollte, habe ich nie gemeint; wer meine Kunstschriften wirklich gelesen hat, muß mich daher mit Recht für unpraktisch gehalten haben; wer mir aber die Rolle eines politischen Revolutionärs, mit wirklicher Einreihung in die Listen derselben, zugeteilt hat, wußte offenbar gar nichts von mir, und urteilte nach einem äußeren Scheine der Umstände, der wohl einen Polizeiaktuar, nicht aber einen Staatsmann irreführen sollte. Dennoch liegt in dieser Verwechslung des Charakters meiner Bestrebungen auch mein eigener Irrtum verwickelt: indem ich die Kunst so ungemein ernst erfaßte, nahm ich das Leben zu leicht, und wie sich dies an meinem persönlichen Schicksale rächte, sollten auch meine Ansichten hierüber bald eine andre Stimmung erhalten. Genau genommen war ich dahin gelangt, in meiner Forderung den Schillerschen Satz umzukehren, und verlangte meine ernste Kunst in ein heiteres Leben gestellt zu wissen, wofür mir denn das griechische Leben, wie es unsrer Anschauung vorliegt, als Modell dienen mußte.

Aus allen meinen gedachten Anordnungen für den Eintritt des Kunstwerkes in das öffentliche Leben geht hervor, daß ich diese mir als einen Aufruf zur Sammlung aus der Zerstreuung eines Lebens vorstellte, welches im Grunde nur als eine heitere Beschäftigung, nicht aber als eine ermüdende Arbeitsmühe gedacht werden sollte. Nicht eher nahmen daher die politischen Bewegungen jener Zeit meine Aufmerksamkeit ernster in Anspruch, als bis durch den Übertritt derselben auf das rein soziale Gebiet in mir Ideen angeregt wurden, die, weil sie meiner idealen Forderung Nahrung zu geben schienen, mich, wie ich gestehe, eine Zeitlang ernstlich erfüllten. Meine Richtung ging darauf, mir eine Organisation des gemeinsamen öffentlichen, wie des häuslichen Lebens vorzustellen, welche von selbst zu einer schönen Gestaltung des menschlichen Geschlechtes führen müßte. Die Berechnungen der neueren Sozialisten fesselten demnach meine Teilnahme von da ab, wo sie in Systeme auszugehen schienen, welche zunächst nichts andres als den widerlichen Anblick einer Organisation der Gesellschaft zu gleichmäßig verteilter Arbeit hervorbrachten. Nachdem auch ich zunächst das Entsetzen geteilt, welches dieser Anblick dem ästhetisch Gebildeten erweckt, glaubte ich jedoch bei tieferem Einblikke in den so gebotenen Zustand der Gesellschaft etwas ganz and-res wahrnehmen zu müssen, als was gerade selbst jenen rechnen-den Sozialisten vorgeschwebt hatte. Ich fand nämlich, daß, bei gleicher Verteilung an alle, die eigentliche *Arbeit*, mit ihrer entstel-lenden Mühe und Last, geradeswegs aufgehoben sei, und statt ih-rer nur eine *Beschäftigung* übrig bliebe, welche notwendig von selbst einen künstlerischen Charakter annehmen müßte. Anhalt zur Beurteilung dieses Charakters der an die Stelle der Arbeit ge-tretenen Beschäftigung bot mir, unter anderm, der Ackerbau, wel-chen ich mir, von allen Gliedern der Gemeinde bestellt, einesteils bis zur ergiebigeren Gartenpflege entwickelt, andernteils als, nach Tages- und endlich Jahreszeiten verteilte gemeinsame Verrichtun-gen, welche, genau betrachtet, den Charakter von stärkenden Übungen, in Vergnügungen und Festlichkeiten annahmen, vorzu-stellen vermochte. Indem ich nach allen Richtungen diese Umbil-dung der ständischen und bürgerlichen, einseitigen Tendenzen der Arbeit zu einer allen naheliegenden, universelleren Beschäftigung mir darzustellen suchte, ward ich mir anderseits bewußt, auf nichts unerhört Neues zu sinnen, sondern nur den ähnlichen Problemen nachzugehen, welche ja selbst unsern größten Dichter so freund-lich ernst beschäftigten, wie wir dies in »Wilhelm Meisters Wan-derjahren« antreffen. Auch ich bildete mir daher eine mir möglich dünkende Welt, die, je reiner ich sie mir gestaltete, desto weiter von der Realität der mich umgebenden politischen Zeittendenzen abführte, so daß ich mir sagen konnte, meine Welt werde eben genau da erst eintreten, wo die gegenwärtige aufhörte; oder da, wo Politiker und Sozialisten zu Ende wären, würden *wir* anfangen. Ich will nicht leugnen, daß diese Ansicht sich selbst zur Stimmung er-hob: die politischen Verhältnisse des Beginnes der vergangenen fünfziger Jahre hielten alles in einer Spannung und Bangigkeit, die mir ein gewisses Behagen erwecken konnten, welches dem prakti-schen Politiker wohl mit Recht bedenklich erscheinen mochte.

Wenn ich zurückdenke, glaube ich mich nun davon freisprechen zu dürfen, daß die Ernüchterung aus der bezeichneten, einer gei-stigen Berauschung nicht unähnlichen Stimmung, erst und nur durch die Wendungen, welche die europäische Politik nahm, her-vorgerufen worden sei. Dem Dichter ist es eigen, in der inneren Anschauung des Wesens der Welt reifer zu sein, als in der abstrakt bewußten Erkenntnis: zu eben jener Zeit hatte ich bereits die Dichtung meines »Ringes des Nibelungen« entworfen und endlich ausgeführt. Mit dieser Konzeption hatte ich mir unbewußt in be-treff der menschlichen Dinge die Wahrheit eingestanden. Hier ist alles durch und durch tragisch, und der Wille, der eine Welt nach seinem Wunsche bilden wollte, kann endlich zu nichts Befriedigenderem gelangen, als durch einen würdigen Untergang sich selbst zu brechen. Es war die Zeit, wo ich mich ganz und einzig wieder nur meinen künstlerischen Entwürfen zuwandte, und so, dem Leben aus vollstem Herzen seinen Ernst zuerkennend, dahin mich zurückzog, wo einzig »Heiterkeit« herrschen kann. –

Gewiß wird nun selbst mein junger Freund nicht erwarten, daß ich eine eigentliche Darstellung meiner seitdem gebildeten Ansichten über Politik und Staat gebe: unter allen Umständen würden diese keine praktische Bedeutung haben können, und sie würden in Wahrheit nur meine Scheu, mit Dingen dieser Art fachmäßig mich zu befassen, auszudrücken haben. Es kann ihm somit nur daran liegen, zu erfahren, wie es in dem Kopfe eines zum Künstler organisierten Menschen meiner Art, nach allem, was er empfunden und erfahren, aussehen mag, sobald er zum Nachdenken über ihm so abliegende Gegenstände bewogen wird. Der Meinung, als ob ich hiermit Geringschätzung ausgedrückt haben wollte, würde ich dann aber sofort zu begegnen haben, und alles, was ich nun hervorzubringen hätte, würde eigentlich nur ein Zeugnis dafür sein, daß ich dahin gelangt bin, den großen, ja peinlichen Ernst der Sache vollkommen zu würdigen. Auch der Künstler kann von sich sagen: »mein Reich ist nicht von dieser Welt«, und ich vielleicht mehr als irgend ein jetzt lebender muß dies von mir sagen, eben des Ernstes willen, mit dem ich meine Kunst erfasse. Das Harte ist es nun eben, daß wir mit diesem außerweltlichen Reiche mitten in dieser Welt stehen, die selbst so ernst und sorgenvoll ist, daß ihr flüchtige Zerstreuung einzig angemessen dünkt, während das Bedürfnis nach ernster Erhebung ihr fremd geworden ist. –

Das Leben ist ernst und – war es von je.

Wer hierüber ganz aufgeklärt werden will, betrachte nur, wie zu jeder Zeit und unter immer sich neu gestaltenden, dennoch aber nur sich wiederholenden Formen dieses Leben und diese Welt großen Herzen und weiten Geistern Anlaß zur Aufsuchung der Möglichkeit ihrer Verbesserung ward, und wie gerade die Edelsten, d. h. diejenigen, denen nur am Wohle der andern Menschen lag, und die ihr eigenes Wohl willig dafür aufopferten, stets ohne den mindesten Einfluß auf die dauernde Gestaltung der Dinge blieben. Aus der großen Erfolglosigkeit aller solcher erhabenen Anstrengungen ergibt sich dann deutlich, daß diese Weltverbesserer in einem Grundirrtume befangen waren, und an die Welt selbst Forderungen stellten, die nicht an sie zu stellen sind. Sollte es auch möglich erscheinen, daß vieles zweckmäßiger unter Menschen eingerichtet werden könnte, so wird uns aber aus jenen Erfahrungen ersichtlich, daß die Mittel und Wege, hierzu zu gelangen, nie von dem einzelnen Geiste im voraus richtig erkannt werden, wenigstens nicht in der Weise, daß er sie der Masse der Menschen mit Erfolg wiederum zur Erkenntnis bringen könnte. Bei näherer Prüfung dieser Verhältnisse geraten wir endlich in Erstaunen über die ganz unglaubliche Schwäche und Geringfügigkeit der allgemeinen menschlichen Intelligenz, zuletzt aber in eine beschämende Verwunderung darüber, daß wir hierüber in Erstaunen geraten konnten; denn eine richtige Erkenntnis der Welt hätte uns von Anfang her belehrt, daß das Wesen der Welt eben Blindheit ist, und nicht die Erkenntnis ihre Bewegung veranlaßt, sondern eben ein völlig dunkler Drang, ein blinder Trieb von einzigster Macht und Gewalt, der sich gerade nur so weit Licht und Erkenntnis verschafft, als es zur Stillung des augenblicklich gefühlten drängenden Bedürfnisses not tut. Wir erkennen nun, daß nichts wirklich geschieht, was nicht eben nur aus diesem unfernsichtigen, durchaus nur dem augenblicklich gefühlten Bedürfnisse entsprechenden Willen hervorgeht, und Politiker von praktischem Erfolge somit von jeher nur diejenigen waren, welche genau bloß dem augenblicklichen Bedürfnisse Rechnung trugen, nie aber fern liegende, allgemeine Bedürfnisse in das Auge faßten, welche heute noch nicht empfunden werden, und für welche daher der Masse der Menschen der Sinn in der Weise abgeht, daß auf ihre Mitwirkung zur Erreichung derselben nicht zu rechnen ist.

Persönlichen Erfolg, und großen, wenn auch nicht dauernden Einfluß auf die Gestaltung der äußeren Weltlage, sehen wir außerdem dem gewaltsamen, leidenschaftlichen Individuum zugeteilt, welches, unter geeigneten Umständen, dem Grundwesen des menschlichen Dranges, gleichsam elementarisch es entfesselnd, somit der Habgier und Genußsucht, schnelle Wege zur Befriedigung anweist. Der Furcht vor von dieser Seite her zugefügter Gewaltsamkeit, sowie einiger hieraus gewonnener Grunderkenntnis des menschlichen Wesens, verdanken wir den *Staat*. In ihm drückt sich das Bedürfnis als Notwendigkeit des Übereinkommens des in unzählige, blind begehrende Individuen geteilten, menschlichen Willens zu erträglichem Auskommen mit sich selber aus. Er ist ein Vertrag, durch welchen die einzelnen, vermöge einiger gegenseitiger Beschränkung, sich vor gegenseitiger Gewalt zu schützen suchen. Wie in der Naturreligion den Göttern ein Teil der Feldfrucht oder Jagdbeute zum Opfer gebracht wurde, um dadurch ein Recht auf den Genuß des übrigen sich zugeteilt zu wissen, so opferte im Staate der einzelne so viel von seinem Egoismus, als nötig erschien, um die Befriedigung des großen Restes desselben sich zu sichern. Hierbei geht die Tendenz des einzelnen natürlich dahin, gegen das kleinstmögliche Opfer die größtmögliche Zusicherung zu erhalten: auch diese Tendenz kann er aber nur durch gleichbeteiligte Genossenschaften zur Geltung bringen; und diese verschiedenen Genossenschaften unter sich gleichbeteiligter Individuen bilden die Parteien, von denen den meistbesitzenden an der Unveränderlichkeit des Zustandes, den minder begünstigten an dessen Veränderung liegt. Selbst aber die nach Veränderung strebende Partei wünscht nur in den Zustand zu gelangen, in welchem auch ihr Unveränderlichkeit gefallen dürfte; und der Hauptzweck des Staates wird somit von vornherein von denen festgehalten, deren Vorteile bereits die Unveränderlichkeit entspricht.

Stabilität ist daher die eigentliche Tendenz des Staates: und mit Recht; denn sie entspricht zugleich dem unbewußten Zwecke jedes höheren menschlichen Strebens, über das erste Bedürfnis wirklich hinauszukommen, nämlich: zur freieren Entwicklung der geistigen Anlagen, welche stets gefesselt wird, sobald Hinderungen für die Befriedigung dieses ersten Grundbedürfnisses eintreten. Nach Stabilität, nach Erhaltung der Ruhe strebt naturgemäß demnach alles: versichert kann sie aber nur werden, wenn die Erhaltung des gegenwärtigen Zustandes nicht vorwiegendes Interesse nur *einer* Partei ist. Im wohlverstandenen Interesse aller Parteien, also des Staates, liegt es daher, keiner einzelnen Partei das Interesse seiner Erhaltung einzig zu überlassen. Es muß demnach die Möglichkeit der steten Abhilfe der leidenden Interessen der minder begünstigten Parteien gegeben sein: je mehr hierfür immer nur das nächste Bedürfnis in das Auge gefaßt wird, desto verständlicher wird es selbst sein, und desto leichter und beruhigender kann Befriedigung dafür gewonnen werden. Allgemeine Gesetze, welche für diese Möglichkeit sorgen, zielen somit, indem sie kleine Veränderungen zulassen, ebenfalls nur auf Versicherung der Stabilität, und dasjenige Gesetz, welches, auf die Möglichkeit steter Abhilfe dringender Bedürfnisse berechnet, zugleich die stärkste Versicherung der Stabilität enthält, muß demnach das vollkommenste Staatsgesetz sein.

Die verkörperte Gewähr für dieses Grundgesetz ist der *Monarch*. Es gibt in keinem Staate ein wichtigeres Gesetz, als welches seine Stabilität an die erbliche höchste Gewalt einer besonderen, mit allen übrigen Geschlechtern nicht verbundenen und nicht sich vermischenden, Familie heftet. Es hat noch keine Staatsverfassung gegeben, in welcher, nach dem Untergange solcher Familien und nach Abschaffung der Königsgewalt, nicht durch Umschreibungen und Substituierungen aller Art eine ähnliche Gewalt notwendig, und meistens notdürftig, rekonstruiert worden wäre. Sie ist daher als wesentlichstes Grundgesetz des Staates festgehalten, und wie in ihr die Gewähr für die Stabilität liegt, erreicht in der Person des Königs der Staat zugleich sein eigentliches *Ideal*.

Wie nämlich der König einerseits die Sicherung für den Bestand des Staates gibt, reicht er mit seinem eigenen höchsten Interesse bereits über den Staat hinaus. Er persönlich hat mit den Interessen der Parteien nichts mehr gemein, sondern ihm liegt nur daran, eben zur Sicherung des Ganzen den Widerstreit dieser Interessen ausgeglichen zu wissen. Sein Walten ist daher Gerechtigkeit, und wo diese nicht zu erreichen, Gnade auszuüben. Somit ist er, den Parteiinteressen gegenüber, der Vertreter des rein menschlichen Interesses, und nimmt daher vor dem Auge des im Parteiinteresse befangenen Bürgers eine in Wahrheit fast übermenschliche Stellung ein. Ihm wird demgemäß eine Ehrbezeigung zugewendet, wie sie der höchste Staatsbürger nie auch nur annähernd anzusprechen sich einfallen lassen kann; und hier, auf dieser Spitze des Staates, wo wir sein Ideal erreicht sehen, treffen wir daher auf diejenige Seite der menschlichen Anschauungsweise, welche wir, der Fähigkeit der Erkenntnis des nächsten Bedürfnisses gegenüber, als Wahnvermögen bezeichnen wollen. Alle diejenigen nämlich, deren reines Erkenntnisvermögen entschieden nicht über das auf das nächste Bedürfnis Bezügliche hinausreicht, und diese bilden den überwiegend größten Teil der Menschen überhaupt, würden unfähig sein, die Bedeutung der königlichen Gewalt, deren Ausübung mit ihrem nächsten Bedürfnisse in keiner unmittelbar wahrnehmbaren Beziehung mehr steht, zu erkennen, geschweige denn die Notwendigkeit, für ihre Erhaltung sich zu bemühen, ja dieser sogar die höchsten Opfer, die Opfer des Gutes und des Lebens zu bringen, wenn hier nicht eine, der gemeinen Erkenntnis ganz entgegengesetzte Anschauungsweise zu Hilfe käme. Diese ist der *Wahn*.

Ehe wir uns das Wesen des Wahnes aus seinen wundervollsten Bildungen verständlich zu machen suchen, beachten wir zu seiner Erklärung hier zunächst die ungemein anregende Beleuchtung, welche ein vorzüglich tiefsinniger und scharfblickender Philosoph der letzten Vergangenheit dem an sich so unbegreiflichen Phänomene des tierischen Instinktes zuwendet. – Die erstaunliche

Zweckmäßigkeit in den Verrichtungen der Insekten, von denen uns die Bienen und Ameisen für die gemeine Beobachtung am nächsten liegen, ist bekanntlich nicht in der Weise erklärlich, wie die Zweckmäßigkeit bei ähnlichen gemeinschaftlichen Verrichtungen der Menschen zu begreifen ist; wir können nämlich unmöglich annehmen, daß, wie es bei den Menschen der Fall ist, hier diese Verrichtungen von einer wirklichen, den Individuen inwohnenden Erkenntnis ihrer Zweckmäßigkeit, ja nur ihres Zweckes, geleitet würden. Zur Erklärung des ungemeinen, ja selbst aufopferungsvollen Eifers, sowie der sinnreichen Art, mit welchen solche Tiere z. B. für ihre Eier sorgen, deren Zweck und zukünftige Bestimmung sie unmöglich aus Erfahrung und Beobachtung kennen, schließt unser Philosoph auf einen Wahn, der dem so äußerst dürftigen individuellen Erkenntnisvermögen des Tieres hierbei einen Zweck vorspiegelt, welchen es für die Befriedigung seines eigenen Bedürfnisses hält, während er in Wahrheit nicht dem Individuum, sondern der Gattung angehört. Der Egoismus des Individuums wird mit Recht hierbei als so unbesieglich stark angenommen, daß Verrichtungen, welche nur der Gattung, als den kommenden Geschlechtern, zu Nutzen sind, demnach die Erhaltung der Gattung, und zwar auf Kosten des eben jetzt in Anspruch zu nehmenden, der Vergänglichkeit geweihten Individuums, nimmermehr von diesem mit Mühe und Selbstaufopferung vollzogen werden würden, wenn es nicht zu dem Wahne verleitet würde, hierdurch einem eigenen Zwecke zu dienen; ja, dieser vorgespiegelte eigene Zweck muß dem Individuum wichtiger, die durch seine Erreichung zu gewinnende Befriedigung stärker und vollkommener erscheinen, als der gewöhnliche rein individuelle Zweck der Befriedigung des Hungers usw., weil, wie wir sehen, dieser auf das eifrigste jenem aufgeopfert wird. Als den Erreger und Bildner dieses Wahnes bezeichnet unser Philosoph eben den Geist der Gattung selber, welcher als allmächtiger Lebenswille für das beschränkte Erkenntnisvermögen des Individuums eintritt, da ohne seine Einwirkung das Individuum, in seiner beschränkten egoistischen Selbstsorge seinem eigenen einzelnen Bestehen zuliebe willig die Gattung aufopfern würde.

Sollte es uns gelingen, die Beschaffenheit dieses Wahnes uns irgendwie zu innigem Bewußtsein zu bringen, so wäre hiermit auch der richtige Aufschluß über dieses sonst so unfaßbare Verhältnis des Individuums zur Gattung gewonnen. Vielleicht wird uns dies auf dem Wege erleichtert, welcher uns über den Staat hinaus führt. Für jetzt gibt uns aber die Anwendung des aus der Beobachtung des tierischen Instinktes gewonnenen Ergebnisses auf dasjenige, was gewisse stets gleiche, von nirgends her befohlene, doch immer wieder von selbst entstehende Einrichtungen von höchster Zweckmäßigkeit im menschlichen Staate hervorbringt, eine nächste Möglichkeit der Bezeichnung des Wahnes, als eines allgemein bekannten, selbst an die Hand.

Im politischen Leben äußert dieser Wahn sich nämlich als *Patriotismus*. Als solcher bestimmt er den Bürger, das eigene Wohlergehen, auf dessen möglichst reichliche Sicherung ihm sonst bei allen persönlichen, wie parteilichen Bestrebungen es einzig ankam, ja das Leben selbst zu opfern, um das Bestehen des Staates zu sichern: der Wahn, daß eine gewaltsame Veränderung des Staates ihn ganz persönlich treffen und vernichten müsse, so daß er sie nicht überleben zu können glaubt, beherrscht ihn hierbei in der Weise, daß er das dem Staate drohende Übel, als ein persönlich zu erleidendes, mit ganz demselben, und wohl gar größerem Eifer als dieses abzuwenden bemüht ist, während der Verräter, sowie der grobe Realist, allerdings beweist, daß auch nach dem Eintritte des von jenem gefürchteten Übels, sein persönliches Wohlergehen jetzt so gut wie früher bestehen kann.

Die in der patriotischen Handlung vollzogene tatsächliche Entäußerung des Egoismus ist jedoch immerhin eine bereits so gewaltsame Anstrengung, daß sie unmöglich immer und auf die Dauer anhalten kann; auch ist der Wahn, der dazu treibt, noch so stark mit einer wirklich egoistischen Vorstellung vermischt, daß der Rückfall aus ihm in die nüchterne, rein egoistische Tagesstimmung gemeiniglich auffallend schnell vor sich geht, und diese Stimmung selbst die eigentliche Breite des Lebens auszufüllen fortfährt. Der patriotische Wahn bedarf daher eines dauernden Symboles, an welches er sich selbst bei vorherrschender Alltagsstimmung heftet, um an ihm, im wiedereintretenden Notfalle, sofort wieder seine erregende Kraft zu gewinnen; etwa, wie die Kriegsfahne, der wir zur Schlacht folgten, nun ruhig vom Turme herab über die Stadt hin weht, als schützendes Zeichen des Sammelpunktes für alle bei eintretender neuer Gefahr. Dieses Symbol ist der König; in ihm verehrt daher der Bürger unbewußt den sichtbaren Repräsentanten, ja die leibhaftige Verkörperung des Wahnes selbst, welcher ihn, bereits über die ihm mögliche gemeine Vorstellungsweise vom Wesen der Dinge ihn hinausführend, in der Weise beherrscht und veredelt, daß er sich als Patriot zu zeigen vermag.

Was nun etwa über den Patriotismus, diese für das Bestehen des Staates genügende Form des Wahnes, hinausliegt, wird dem

Staatsbürger als solchem nicht weiter erkennbar, sondern die Erkenntnis hiervon kann eigentlich erst dem Könige oder denen, welche sein persönliches Interesse zu dem ihrigen zu machen vermögen, sich nahe bringen. Erst von der Höhe des Königtumes herab kann die noch dürftige Form erkannt werden, in welche der Wahn sich kleidet, um seinen nächsten Zweck, das Bestehen der Gattung, für jetzt als Staatsgenossenschaft zu erreichen. Wie der Patriotismus den Bürger für die Interessen des Staates hellsehend macht, läßt er ihn noch in Blindheit für das Interesse der Menschheit überhaupt, ja, seine wirksamste Kraft übt er darin aus, daß er diese Blindheit, die im gemeinen Lebensverkehre von Mensch zu Mensch oft schon sich bricht, auf das eifrigste verstärkt. Der Patriot ordnet sich seinem Staate unter, um diesen über alle andern Staaten zu erheben, und so gleichsam durch die Größe und Macht seines Vaterlandes mit reichen Zinsen sein ihm gebrachtes persönliches Opfer vergütet zu wissen. Ungerechtigkeit und Gewaltsamkeit gegen andre Staaten und Völker ist daher von je die wahre Kraftäußerung des Patriotismus gewesen. Zunächst ist hier noch die Sorge für die Selbsterhaltung wirksam, da die Ruhe, somit die Macht des eigenen Staates, nur durch die Machtlosigkeit der andern Staaten versichert werden zu können scheint, nach der von Machiavelli sehr richtig bezeichneten Maxime: »was du nicht willst, daß man dir zufüge, das füge dem andern zu!« Daß die eigene Ruhe somit nur durch Gewalt und Ungerechtigkeit gegen auswärts versichert werden kann, muß natürlich auch die eigene Ruhe stets problematisch erscheinen lassen: namentlich muß hierdurch auch der Gewalt und Ungerechtigkeit im eigenen Staate immer die Türe geöffnet bleiben. Die Beschlüsse und Tätlichkeiten, die uns nach außen als gewaltsam kundgeben, können nie ohne gewaltsame Rückwirkung für uns selbst bleiben. Wenn moderne staatspolitische Optimisten von einem allgemeinen Rechtszustande, in welchem sich die Staaten heutzutage gegenseitig zueinander befänden, sprechen, darf man ihnen nur die Nötigung zur Unterhaltung und steten Steigerung der ungeheuren stehenden Heere vorführen, um sie im Gegenteile von der wirklichen Rechtslosigkeit dieses Zustandes zu überführen. Indem es uns nicht einfällt, zeigen zu wollen, wie dies anders sein könnte, bestätigen wir eben nur, daß wir in beständigem, nur durch Waffenstillstände unterbrochenem Kriege nach außen leben, und daß diesem Zutande der innere Zustand des Staates nicht so wesentlich unähnlich ist, daß er als sein vollkommenes Gegenteil gelten dürfte. Bleibt immer die Grundangelegenheit alles Staatswesens die Versicherung der Stabilität, und ist diese Versicherung daran gebunden, daß keine Partei ein unabweisliches Bedürfnis zu einer Grundveränderung empfindet; ist demnach, um diesem Falle vorzubeugen, es unerläßlich, dem dringenden Bedürfnisse des Augenblickes stets zu rechter Zeit abzuhelfen, und darf zur Erkenntnis dieses Bedürfnisses die gemeine praktische Intelligenz des Bürgers für genügend, ja einzig entsprechend gehalten werden: so haben wir anderseits doch auch ersehen, wie die höchste gemeinsame Tendenz des Staates nur durch einen Wahn kräftig aufrecht erhalten werden konnte; und da wir diesen Wahn, als Patriotismus, nicht für wirklich rein, und dem Zwecke der menschlichen Gattung, als solcher, vollkommen entsprechend, erkennen mußten, so haben wir nun auch in diesem Wahne zugleich den gefährlichen Feind der öffentlichen Ruhe und Gerechtigkeit in das Auge zu fassen.

Derselbe Wahn, der den egoistischen Bürger zu den aufopferungsvollsten Handlungen bestimmt, kann durch Irreleitung ebenso zu den heillosesten Verwirrungen und der Ruhe schädlichsten Handlungen führen.

Der Grund hiervon liegt in der gar nicht gering genug zu schätzenden Schwäche der durchschnittlichen menschlichen Intelligenz, sowie in den so höchst verschiedenen Graden und Abstufungen des Erkenntnisvermögens der Einzelnen, welche zusammengenommen die sogenannte *öffentliche Meinung* zustande bringen. Die wirkliche Achtung vor dieser »öffentlichen Meinung« gründet sich auf der zweifellos sicheren Wahrnehmung dessen, daß niemand richtiger als die Gemeinde selbst ihres wahrhaften nächsten Lebensbedürfnisses inne wird, und die Mittel zur Befriedigung desselben aufzufinden vermag: es wäre bedenklich, wenn hierfür der Mensch mangelhafter organisiert sein sollte, als das Tier. Dennoch werden wir aber oft zu der gegenteiligen Ansicht gedrängt, wenn wir sehen, wie der gewöhnliche Menschenverstand selbst hierfür, d. h. für die richtige Erkenntnis seiner nächsten, gemeinsten Bedürfnisse wenigstens nicht in dem Grade ausreicht, daß es in geselliger Weise und gemeinschaftlich befriedigt werde: wirklich zeigt uns das Vorhandensein von Bettlern, und zuzeiten sogar von Verhungernden, wie schwach es im Grunde um den gemeinsten Menschenverstand stehen müsse. Wir treffen also bereits hier auf eine große Schwierigkeit, die es kosten muß, wirkliche Vernunft in die gemeinsamen Bestimmungen der Menschen zu bringen: mag hiervon wohl der unermeßliche Egoismus jedes einzelnen der Grund sein, der ihn, seine Intelligenz weit überflügelnd, gerade da, wo nur durch Zurückdrängung des Egoismus und Schärfung des Verstandes zur rechten Erkenntnis gelangt werden kann, zu gemeinsamen Beschlüssen bestimmt, so ist eben hier aber die Einwirkung eines falschen Wahnes recht deutlich zu erkennen. Dieser Wahn findet von jeher nur den unersättlichen Egoismus zur Nahrung: diesem wird er aber von außen vorgespiegelt, nämlich durch ebenso egoistische, aber mit einem höheren, wenn auch nicht hohen, Grade von Intelligenz begabte, ehrgeizige Individuen. Diese absichtliche Verwendung und bewußte oder unbewußte Irreleitung des Wahnes kann sich nur der dem Bürger einzig zugänglichen Form desselben, des Patriotismus, in irgendwelcher Entstellung bedienen: er wird sich somit immer als ein gemeinnützliches Streben äußern, und nie hat noch ein Demagog oder Intrigant ein Volk verführt, ohne es auf irgend eine Weise glauben zu machen, es sei in patriotischer Erregung begriffen. Im Patriotismus liegt somit selbst die Handhabe zur Verführung, und die Möglichkeit, die Mittel zu dieser Verführung sich stets offen zu erhalten, liegt in der künstlich gepflegten großen Bedeutung, welche man der »öffentlichen Meinung« zuzuerkennen vorgibt.

Welche Bewandtnis es nun mit dieser »öffentlichen Meinung« hat, dürften diejenigen am besten wissen, welche die Achtung vor ihr stets im Munde führen und geradeswegs als religiöse Forderung aufstellen. Als ihr Organ gibt sich in unsern Zeiten die »Presse« aus: sie würde sich aufrichtig eigentlich deren Schöpferin nennen können, zieht es jedoch vor, ihre anderseits jedem denkenden und ernsten Beobachter offenliegende, sittliche wie intellektuale Schwäche, ihren gänzlichen Mangel an Selbständigkeit und wahrhaftem Urteile, hinter der hohen Mission zu verbergen, welche sie, im Dienste dieser einzig die Menschenwürde repräsentierenden öffentlichen Meinung, sonderbarerweise zu jeder Unwürdigkeit, zu jedem Widerspruche, zum heutigen Verrat an dem, was gestern für heilig erklärt wurde, bestimmt. Da, wie wir sonst sehen, alles Heilige nur in die Welt zu treten scheint, um zu unheiligen Zwecken verwendet zu werden, dürfte uns der offenbare Mißbrauch, der mit der öffentlichen Meinung getrieben wird, vielleicht noch nicht zu dem Schlusse auf deren üble Beschaffenheit an und für sich berechtigen: nur ist ihr wirkliches Vorhandensein schwierig, oder fast gar nicht nachzuweisen, da sie, ihrer subsumierten Natur nach, nicht im einzelnen Individuum als solchem sich manifestieren kann, wie jeder andre edle Wahn es tut, als welchen wir immerhin den Patriotismus bezeichnen, und welcher gerade im einzelnen Individuum seine stärkste und kenntlichste Manifestation kundgibt. Der vermeintliche Vertreter der »öffentlichen Meinung« gibt sich dagegen immer nur als ihren willenlosen Sklaven zu erkennen, und es ist dieser wunderlichen Macht somit nicht anders beizukommen, als – indem man sie macht. Dies geschieht dann in Wahrheit von der »Presse«, und zwar mit dem vollen Eifer des aller Welt verständlichsten Treibens des industriellen Gewerbes. Während jeder Zeitungsschreiber in der Regel nichts andres repräsentiert, als das verkommene Literatentum oder verunglückte reine Geschäftswesen, bilden viele, oder gar alle Zeitungsschreiber zusammen, die ehrfurchtgebietende Macht der »Presse«, die Sublimation des öffentlichen Geistes, der praktischen menschlichen Intelligenz, die unzweifelhafte Garantie des steten Fortschritts der Menschheit. Jeder bedient sich ihrer nach Bedürfnis, und sie selbst deutet die öffentliche Meinung durch ihr praktisches Verhalten darin an, daß sie für Geld und Vorteil jederzeit zu haben ist.

Es ist gewiß nicht so paradox, als es den Anschein hat, zu behaupten, daß mit der Erfindung der Buchdruckerkunst, ganz gewiß aber mit dem Aufkommen des Zeitungswesens, die Menschheit unmerklich von ihrer Befähigung zu gesundem Urteile verloren hat: nachweislich hat schon mit dem Überhandnehmen der schriftlichen Aufzeichnungen das plastische Gedächtnis, die ausgebreitete Befähigung zur poetischen Konzeption und Reproduktion, bedeutend und zunehmend abgenommen. Der gegenteilige Gewinn hieraus für die Entwicklung der menschlichen Fähigkeiten, im allerweitesten Überblicke gefaßt, muß wohl ebenfalls nachzuweisen sein; jedenfalls kommt er uns aber nicht unmittelbar zugute, denn ganze Generationen, zu denen die unsrige recht vollständig gehört, sind, wie man bei genauem Nachdenken erkennen muß, durch den Mißbrauch, welcher mit der gesunden menschlichen Urteilskraft durch die Wirksamkeit namentlich der modernen Tagespresse getrieben wird, und infolgedessen durch die Erschlaffung, in welche, bei dem allgemein menschlichen Bequemlichkeitshange dieses Urteilsvermögen versunken ist, dermaßen degradiert worden, daß die Menschen, gerade im Gegensatze zu dem, was sie sich vorlügen lassen, für die Teilnahme an wirklich großen Ideen immer unfähiger sich ausweisen.

Am schädlichsten für das gemeine Wohl leidet hierunter der einfache Sinn für Gerechtigkeit: es gibt keine Ungerechtigkeit, Einseitigkeit und Engherzigkeit, die nicht in der Kundgebung der »öffentlichen Meinung« ihren Ausdruck fände, und zwar – was das Gehässige der Sache vermehrt – stets mit der Leidenschaftlichkeit, welche, für den Anschein, der Wärme des wahren Patriotismus entlehnt ist, an sich aber stets den eigensüchtigsten Motiven der Menschen entspringt. Wer dies genau erfahren will, hat nur der »öffentlichen Meinung« entgegenzutreten, oder ihr gar zu trotzen: er wird erkennen, daß er hier auf den unzugänglichsten Tyrannen trifft; und niemand wird mehr dazu gedrängt, unter seinem Despotismus zu leiden, als der Monarch, eben weil er der Repräsentant desselben Patriotismus ist, dessen gemeinschädliche Entartung ihm in der »öffentlichen Meinung« mit der Anmaßung, von ganz derselben Gattung zu sein, entgegentritt.

Im eigentlichsten Interesse des Königs, welches in Wahrheit nur das des reinsten Patriotismus sein kann, scheidet sich dessen unwürdige Stellvertreterin, die öffentliche Meinung, als Interesse der egoistischen Gemeinheit der Masse aus, und die Nötigung, ihren Forderungen dennoch nachzugeben, wird zum ersten Quelle des höheren Leidens, welches nur der König eigentlich als wirklich persönliches erfährt. Rechnen wir hierzu, welche Opfer persönlicher Freiheit an sich der Monarch der »Staatsraison« zu bringen hat, und ermessen wir, wie gerade *er* nur in der Stellung ist, über den Patriotismus hinausliegende, rein menschliche Beziehungen, z. B. im Verkehre mit den Häuptern andrer Staaten, zu persönlichen Anliegenheiten zu machen, diese aber dann eben der Staatsrücksicht aufopfern zu müssen, so begreift es sich, wie von jeher Sage und Dichtung die Tragik des menschlichen Daseins gerade am Schicksale der Könige am deutlichsten und häufigsten zur Darstellung brachten. Erst am Lose und Leiden der Könige kann die tragische Bedeutung der Welt ganz und voll zur Erkenntnis gebracht werden. Bis zum Könige hinauf ist für jede Hemmung des menschlichen Willens, so weit dieser sich im Staate präzisiert, eine Befreiung denkbar, weil das Streben des Bürgers nicht über die Befriedigung gewisser, innerhalb des Staates zu beschwichtigender Bedürfnisse hinausgeht. Auch der Feldherr und Staatsmann bleibt noch praktischer Realist; er kann in seinen Unternehmungen unglücklich sein und erliegen, aber der Zufall konnte ihn auch begünstigen, das an und für sich nicht Unmögliche zu erreichen: denn er dient immer nur einem bestimmten, praktischen Zwecke. Der König aber will das Ideal; er will Gerechtigkeit und Menschlichkeit; ja, wollte er sie nicht, wollte er nichts andres, als was der einzelne Bürger oder Parteiführer will, so würde gerade die Forderung, die seine Stellung an ihn macht, und welche ihm nur das ideale Interesse gestattet, indem sie ihn zum Verräter an der von ihm repräsentierten Idee macht, ihn in die Leiden versetzen, welche von je den tragischen Dichter zu ihrer Darstellung der Richtigkeit des menschlichen Lebens und Trachtens überhaupt begeisterten. Wahre Gerechtigkeit und Menschlichkeit sind eben unzuverwirklichende Ideale: in der Stellung sein, nach ihnen streben, ja zu ihrer Verwirklichung eine unabweisliche Forderung erkennen zu müssen, heißt zum Unglücke bestimmt sein. Was das durchaus edle, wahrhaft königliche Individuum hierdurch unmittelbar empfindet, bleibt aber auch dem für die Erkenntnis seiner tragischen Aufgabe unberufenen, nur durch natürliche Fügung auf den Thron gelangten Individuum in irgendwelcher, nur dem Königtum bestimmten, ungemeinen Art zu erfahren beschieden: der gemeine Kopf, das unedle Herz, welches in niederer Sphäre in vollen staatsbürgerlichen Ehren, mit sich und seiner Umgebung in gründlicher Übereinstimmung, sehr wohl bestehen konnte, verfällt auf der durch unvermeidliche Schickung ihm beschiedenen Höhe einer weithin reichenden und dauernden, an sich oft durchaus unbilligen, daher fast tragisch zu nennenden, Verachtung. Schon daß das für den Thron bestimmte Individuum keine Wahl hat, seinen rein menschlichen Neigungen keine Berechtigung zuerkennen darf, und eine große Stellung ausfüllen muß, zu der nur große Naturanlage befähigen kann, teilt ihm von vornherein ein übermenschliches Geschick zu, dem der Schwachbefähigte bis zur persönlichen Nichtigkeit erliegen muß. Der Hochbefähigte aber ist berufen, die wahre Tragik des Lebens in seiner erhabenen Stellung ganz und tief zu erfahren. Bei leidenschaftlicher, ehrgeiziger Auffassung des patriotischen Ideals wird er zum Heerführer und Eroberer, und unterwirft sich als solcher dem Lose des Gewaltsamen, der Treulosigkeit des Glückes: bei edelmütig menschlicher, mitleidvoller Tendenz der Naturanlage ist aber *er* berufen, tiefer und schmerzlicher, als alle andere, das Unzulängliche alles Strebens nach wirklicher, vollkommener Gerechtigkeit zu erkennen.

Ihm ist es daher beschieden, inniger und tiefer, als dem Staatsbürger, als solchem, es möglich ist, zu empfinden, wie der Menschheit ein unendlich tieferes und umfassenderes Bedürfnis innewohnt, als welches durch den Staat und dessen Ideal zu befriedigen ist. Wie daher der Patriotismus den Staatsbürger zu der höchsten ihm erreichbaren Höhe erhob, vermag nur die *Religion* ihn zur eigentlichen Menschenwürde zu führen.

Die *Religion* ist ihrem Wesen nach grundverschieden vom Staate. Genau in dem Grade erst ist eine reine, höchste Religion in die Welt getreten, als sie gänzlich vom Staate sich ausschied, und in sich diesen vollständig aufhob. Staat und Religion vollkommen vereinigt treffen wir nur da an, wo beide noch auf den rohesten

Stufen ihrer Bildung und Bedeutung stehen. Die primitive Naturreligion dient einzig den Zwecken, für welche im ausgebildeten Staate der Patriotismus eintritt: mit der vollkommen entwickelten patriotischen Tugend hat daher auch überall die alte Naturreligion für den Staat ihre Bedeutung verloren. So lange sie aber in Blüte ist, begreifen die Menschen unter ihren Göttern ihr höchstes praktisches Staatsinteresse: der Stammgott ist der Repräsentant der Zusammengehörigkeit der Stammesgenossen: die übrigen Naturgötter werden zu Penaten, Schützern des Hauses, der Stadt, der Felder und Herden. Erst da, wo diese Religionen im vollkommen ausgebildeten Staate vor der nun entwickelten patriotischen Pflicht erblaßten und zur unwesentlichen Zeremonienpflege herabsinken, erst da, wo das »Fatum« sich als politische Notwendigkeit darstellte, konnte die wirkliche Religion in die Welt treten. Ihre Grundlage ist das Gefühl der Unseligkeit des menschlichen Daseins, die tiefe Unbefriedigung des rein menschlichen Bedürfnisses durch den Staat. Ihr innerster Kern ist Verneinung der Welt, d. h. Erkenntnis der Welt als eines nur auf einer Täuschung beruhenden, flüchtigen und traumartigen Zustandes, sowie erstrebte Erlösung aus ihr, vorbereitet durch Entsagung, erreicht durch den Glauben.

In der wahren Religion findet somit eine vollständige Umkehr aller der Bestrebungen statt, welche den Staat gründeten und organisierten: was hier nicht zu erreichen war, gibt das menschliche Gemüt auf diesem Wege zu erlangen auf, um auf einem gänzlich entgegengesetzten sich dessen zu versichern. Der religiösen Vorstellung geht die Wahrheit auf, es müsse eine andre Welt geben, als diese, weil in ihr der unerlöschliche Glückseligkeitstrieb nicht zu stillen ist, dieser Trieb somit eine andre Welt zu seiner Erlösung fordert. Welches ist nun diese andre Welt? So weit die intellektualen Vorstellungsfähigkeiten des menschlichen Verstandes reichen, und in ihrer praktischen Anwendung als Vernunft sich geltend machen; ist durchaus keine Vorstellung zu gewinnen, welche nicht genau immer nur wieder diese selbe Welt des Bedürfnisses und des Wechsels erkennen ließe: da diese der Quell unsrer Unseligkeit ist, muß daher jene andre Welt der Erlösung von dieser Welt genau so verschieden sein, als diejenige Erkenntnisart, durch welche wir sie erkennen sollen, verschieden von derjenigen sein muß, welcher einzig diese täuschende leidenvolle Welt sich darstellt.

Wir sahen, daß im Patriotismus bereits des einzelnen, durchaus nur vom persönlichen Interesse bestimmten Individuums, ein Wahn sich bemächtigt, welcher die Gefahr des Staates ihm als unendlich gesteigerte persönliche Gefahr erscheinen läßt, für deren Abwendung er sich dann mit ebenso gesteigertem Eifer aufopfert. Wo es nun aber gilt, dem im Grunde einzig sich entscheidenden persönlichen Egoismus die ganze Welt, den vollständigen Zusammenhang all' der Verhältnisse, in welchem ihm bisher einzig Befriedigung zu erlangen möglich schien, als nichtig empfinden zu lassen, seinen Eifer auf freiwilliges Entsagen und Leiden zu richten, um ihn von dieser Welt unabhängig zu machen, muß diese wunderwirkende Vorstellung, die wir, der gemeinen praktischen Vorstellungsweise gegenüber, nur als Wahn auffassen können, einen so erhabenen, mit allem übrigen durchaus unvergleichlichen Quell haben, daß der notwendige Schluß auf ihn aus dieser übernatürlichen Wirkung uns in Wahrheit als einzige Möglichkeit einer Vorstellung von ihm selbst gestattet sein kann. –

Wer die Erkenntnis des Wesens des christlichen Glaubens damit für abgetan hält, daß er diesen für eine versuchte Befriedigung des maßlosesten Egoismus erklärt, vermöge welcher etwa der Kontrahent gegen Entsagung und freiwilliges Leiden in diesem verhältnismäßig kurzen und flüchtigen Leben die ewige, nie endende Seligkeit gewänne, der würde hiermit genau nur die Vorstellungsart bezeichnen, welche allerdings dem unerschütterten menschlichen Egoismus einzig zugänglich ist, durchaus aber nicht die wahnverklärte Vorstellung, welche demjenigen zu eigen ist, der freiwilliges Entsagen und Leiden wirklich ausübt. Durch freiwilliges Leiden und Entsagen ist dagegen praktisch der Egoismus bereits aufgehoben, und wer sie erwählt, möge er damit was immer erreichen wollen, ist hierdurch in Wahrheit bereits der in Raum und Zeit befangenen Vorstellung enthoben; denn er kann unmöglich mehr ein in Zeit und Raum, seien diese auch als ewig und unermeßlich vorgestellt, liegendes Glück suchen. Das, was ihm die übermenschliche Kraft gibt, freiwillig zu leiden, muß bereits selbst von ihm als ein, jedem andern unerkennbares, tiefinneres, gar nicht anders als durch äußere Leiden der Welt mitteilbares, Glück empfunden werden: es muß das unermeßlich erhabene Wonnegefühl der Weltüberwindung sein, gegen welche das eitle Behagen des Welteroberers geradezu kindisch nichtig erscheint.

Aus diesem, über alles erhabenen, Erfolge haben wir auf die Natur des göttlichen Wahnes selbst zu schließen; und um ihn uns irgendwie vorzustellen, haben wir daher genau auf das zu achten, wie er sich dem religiösen Weltüberwinder darstellt, indem wir uns eben nur diese Vorstellung rein zu wiederholen und zu vergegenwärtigen suchen, keineswegs aber so, wie wir ihn uns für unsre, von der des Religiösen gänzlich verschiedene Vorstellungsart etwa zurecht zu legen für gut halten möchten. –

Wie die höchste Kraft der Religion sich im *Glauben* kundgibt, liegt ihre wesentliche Bedeutung in ihrem *Dogma*. Nicht durch ihre praktische Bedeutung für den Staat, also durch ihr Moralgesetz, ist die Religion wichtig; denn die Grundzüge jeder Moral finden sich in jeder, auch der unvollkommensten Religion: sondern durch ihren unermeßlichen Wert für das Individuum bekundet die christliche Religion ihre erhabene Bedeutung, und zwar durch ihr Dogma. Das Wundervolle und ganz Unvergleichliche des religiösen Dogmas besteht darin, daß das, was auf dem Wege des Nachdenkens durch die richtigste philosophische Erkenntnis nur in negativer Form gefaßt werden kann, in ihm sich in positiver Form darstellt; d. h. wenn der Philosoph bis zur Darstellung der Irrigkeit und Ungeeignetheit derjenigen natürlichen Vorstellungsart gelangt, vermöge welcher uns die Welt, wie sie sich uns gemeinhin darstellt, als eine unzweifelhafte Realität erscheint; so stellt das religiöse Dogma die andre, bisher unerkannte Welt dar, und zwar mit solch' unfehlbarer Sicherheit und Bestimmtheit, daß der Religiöse, dem sie aufgegangen ist, hierüber in die unerschütterlichste, tiefbeseligendste Ruhe gerät. Wir müssen annehmen, daß der gemeinen menschlichen Erkenntnis diese in ihrer Wirkung so unsäglich beglückende, nur nach der Kategorie des Wahnes zu fassende Vorstellung, oder besser unmittelbare Wahrnehmung des Religiösen, wie ihrem Gehalte, so auch ihrer Gestalt nach, durchaus fremd und unvorstellbar bleibt. Was dagegen aus ihr und über sie, zu ihrer Mitteilung an den Profanen, an das Volk, kundgegeben wird, kann nichts andres als eine Art von Allegorie sein, nämlich gewissermaßen eine Übertragung des Unaussprechlichen, nie Wahrgenommenen und aus unmittelbarer Anschauung Verständlichen, in die Sprache des gemeinen Lebens und der einzig ihm möglichen, an sich irrigen Erkenntnis. In dieser heiligen Allegorie wird versucht, der weltlichen Vorstellung das Geheimnis der göttlichen Offenbarung zuzuführen: sie kann sich zu dem vom Religiösen unmittelbar Angeschauten nur dem ähnlich verhalten, wie sich der am Tage erzählte Traum zu dem wirklichen Traume der Nacht verhält: diese Erzählung wird nämlich gerade für das Allerwesentlichste des Mitzuteilenden schon so stark mit den Eindrücken des gewöhnlichen Tageslebens behaftet, und durch sie entstellt sein, daß sie weder den Erzähler wirklich befriedigt – da er fühlt, es sei gerade das Wichtigste eigentlich ganz anders gewesen –, noch auch den Zuhörer mit der Sicherheit der Erfahrung von etwas vollkommen Begreiflichem und an sich Verständlichem erfüllt. Ist somit schon die uns selbst von dem tief erregenden Traume übrig bleibende Vorstellung eigentlich nur eine allegorische Übertragung, deren wesentliche Unübereinstimmung mit dem Originale uns als beängstigendes Bewußtsein verbleibt, und kann daher die vom Zuhörer empfangene Kenntnis nur eine im Grunde wesentlich entstellte Vorstellung von jenem Originale sein, so bleibt doch immerhin diese Mitteilung, wie sie ähnlich auch von der wirklich empfangenen göttlichen Offenbarung nicht anders zu erlangen ist, der einzige Weg zur Kundgebung dieser Empfängnis an den Laien: auf ihm bildet sich das Dogma, und dieses ist das der Welt einzig Erkenntliche der Offenbarung, welches sie daher auf Autorität anzunehmen hat, um an dem, was sie nicht selbst sah, mindestens durch Glauben teilhaftig zu werden. Daher wird dem Volke am allereindringlichsten eben der Glaube empfohlen: der Religiöse, durch eigene Anschauung des Heiles teilhaftig Gewordene, fühlt und weiß, daß der Laie, dem die Anschauung selbst noch fremd blieb, nur den Weg des Glaubens zur Erkenntnis des Göttlichen vor sich hat, und dieser muß, soll er erfolgreich sein, in dem Maße innig, unbedingt und zweifellos sein, als das Dogma in sich all' das Unbegreifliche, und der gemeinen Erkenntnis widerspruchvoll Dünkende enthält, welches durch die unvergleichliche Schwierigkeit seiner Abfassung bedingt war.

Die eigentliche Entstellung des durch göttliche Offenbarung erschauten Grundwesens der Religion, somit des wahrhaften, an sich der gemeinen Erkenntnis unmitteilbaren Grundwesens derselben, ist daher wohl durch die erwähnte Schwierigkeit der Abfassung des Dogmas im ersten Grunde selbst bedingt; sie wird an sich aber erst merklich und wirklich von da ab, wo die Natur des Dogmas nach der Form der gemeinen kausalen Erkenntnis in Untersuchung gezogen wird. Zu dem hieraus sich herleitenden Verderbnis der Religion selbst, deren Allerheiligstes eben das unbezweifelbare, durch innigen Glauben beseligende Dogma ist, führt die unausweichliche Forderung, es gegen die Angriffe der gemeinen menschlichen Erkenntnis zu verteidigen, dieser es zu erklären und faßlich zu machen. Diese Forderung wird in dem Grade drängender, als die Religion, die ihren ursprünglichen Quell nur im tiefsten Abgrunde des weltflüchtigen Gemütes hatte, wiederum in ein Verhältnis zum Staate tritt. Der die Jahrhunderte der Entwicklung der christlichen Religion zur Kirche und ihrer völligen Umbildung zum Staatsinstitute durchlaufende, in den mannigfachsten Formen immer wiederkehrende Streit über die Richtigkeit und Vernunft-

310

mäßigkeit des religiösen Dogmas und seiner Punkte, bietet uns die schmerzlich widerliche Belehrung der Krankheitsgeschichte eines Wahnsinnigen. Zwei absolut inkongruente, ihrer ganzen Natur nach vollständig verschiedene Anschauungs- und Erkenntnisarten, durchkreuzen sich in diesem Streite, ohne je inne werden zu lassen, daß sie eben grundverschieden seien; wobei man jedoch den wirklich religiösen Verteidigern des Dogmas mit Recht zuerkennen muß, daß sie grundsätzlich vom Bewußtsein der verschiedenartigen Erkenntnisweise, die ihnen im Gegensatze zu der weltlichen zu eigen, ausgingen; während das schreckliche Unrecht, zu welchem sie endlich gedrängt wurden, darin bestand, daß sie, da eben mit menschlicher Vernunft nichts auszurichten war, zum leidenschaftlichen Eifer und zur unmenschlichsten Anwendung der Gewalt sich hinreißen ließen, somit praktisch zum vollsten Gegensatze der Religiosität ausarteten. Die trostlos materialistische, industriell nüchterne, gänzlich entgöttlichte Gestaltung der modernen Welt verdankt sich dagegen dem entgegengesetzten Eifer des gemeinen praktischen Verstandes, das religiöse Dogma sich nach den Kausalgesetzen des Zusammenhanges der Phänomene des natürlichen und bürgerlichen Lebens zu erklären, und was dieser Erklärungsweise widerstrebt, als vernunftloses Hirngespinst zu verwerfen. Nachdem die Kirche in ihrem Eifer zu den Waffen der staatsrechtlichen Exekution gegriffen, somit selbst zur politischen Macht sich gestaltet hatte, mußte, da zu solcher Macht jedenfalls im religiösen Dogma keine rechtliche Begründung lag, der Widerspruch, in den sie mit sich selbst geraten war, zur wirklich rechtlichen Waffe in der Hand ihrer Gegner werden; und wir sehen sie heutzutage, welcher andre Anschein auch noch mühsam gewahrt werden möge, zum staatlichen Institute erniedrigt, zum Zwecke des staatlichen Gemeinwesens verwendet, womit sie sich als nützlich, nicht aber mehr als göttlich erweist. –

Hätte hiermit aber auch die Religion aufgehört?

Gewiß nicht! Sie lebt nur da, wo sie ihren ursprünglichen Quell und einzig richtigen Sitz hat, im tiefsten, heiligsten Innern des Individuums, da, wohin nie ein Streit der Rationalisten und Supranaturalisten, noch des Klerus und des Staates gelangte; denn, dieses eben ist das Wesen der wahren Religion, daß sie, dem täuschenden Tagesscheine der Welt ab, in der Nacht des tiefsten Innern des menschlichen Gemütes als andres, von der Weltsonne gänzlich verschiedenes, nur aus dieser Tiefe aber wahrnehmbares Licht leuchtet. –

Es ist nicht anders! Die tiefste Erkenntnis läßt uns begreifen, daß im eigenen inneren Grunde des Gemütes, nicht aber aus der nur von außen uns vorgestellten Welt, die wahre Beruhigung uns kommen kann: unsre Wahrnehmungsorgane für die äußere Welt sind nur zur Auffindung der Mittel der Befriedigung für das Bedürfnis des dieser Welt gegenüber eben sich so vereinzelt und bedürftig vorkommenden Individuums bestimmt; unmöglich können wir mit denselben Organen den Grund der Einheit aller Wesen erkennen, sondern dies gestattet sich uns einzig durch das neue Erkenntnisvermögen, welches uns plötzlich wie durch Gnade erweckt wird, sobald die Eitelkeit der Welt sich uns selbst auf irgendwelchem Wege zum innigen Bewußtsein bringt. Der wahrhaft Religiöse weiß daher auch, daß er der Welt nicht eigentlich auf theoretischem Wege, oder gar durch Disputation und Kontroverse, seine innere, tief beseligende Anschauung mitteilen, und sie von der Wahrhaftigkeit derselben überzeugen kann: er kann dies nur auf praktischem Wege durch das *Beispiel*, durch die Tat der Entsagung, der Aufopferung, durch unerschütterliche Sanftmut, durch die erhabene Heiterkeit des Ernstes, der sich über all' sein Tun verbreitet. Der Heilige, der Märtyrer, ist daher der wahre Vermittler des Heiles; an ihm erkennt das Volk auf die ihm einzig begreifliche Weise, von welchem Inhalte die Anschauung sein müsse, deren es selbst nur durch Glauben, noch nicht aber durch eigene, unmittelbare Erkenntnis teilhaftig werden kann. Es liegt daher ein tiefer und wahrhaftiger Sinn darin, daß das Volk nur durch seine innig geliebten Heiligen sich an Gott wendet, und es spricht nicht für die vermeintliche wahre Aufklärung unsres Zeitalters, daß z. B. jeder englische Krämer, sobald er seinen Sonntagsrock angezogen und das rechte Buch mit sich genommen hat, der Meinung ist, jetzt in unmittelbaren persönlichen Verkehr mit Gott zu treten. Ein richtiges Verständnis desjenigen Wahnes, in welchem sich ersichtlich eine höhere Welt der gemeinen menschlichen Vorstellungsweise dadurch mitteilt, daß er ihn eine innige Unterworfenheit unter diese empfinden läßt, ist dagegen einzig imstande, zur Erkenntnis der tiefsten Anliegen der Menschheit zu führen; wobei allerdings festzuhalten ist, daß zu jener Unterwerfung wir nur durch das bezeichnete Beispiel wahrer Heiligkeit veranlaßt werden dürfen, nicht aber von einem herrschwütigen Klerus durch eitle Berufung auf das bloße Dogma dazu aufgefordert werden können. –

Die bezeichnete Eigenschaft der wahrhaften Religiosität, welche sich, aus dem angegebenen tiefen Grunde, nicht durch Disput, sondern einzig durch das tätige Beispiel kundgibt, wird, wenn sie dem Könige innewohnt, zur einzigen, dem Staate wie der Religion vorteilhaften Offenbarung, durch welche diese mit jenem in Beziehung tritt. Wie ich zuvor nachwies, ist niemand mehr als *er* durch seine hohe, fast übermenschliche Stellung dazu gedrängt, das Leben nach seinem tiefsten Ernste zu erfassen, und – wenn er diese seiner Stellung einzig würdige Einsicht gewinnt – ist niemand des erhabenen Trostes und der Stärkung, wie nur die wahre Religion sie gewährt, bedürftiger, als er. Was keine Klugheit des Politikers erreicht, wird ihm, so ausgerüstet und befähigt, einzig dann möglich werden: aus jener Welt in diese blickend, wird der traurige Ernst, mit welchem ihn der Anblick der dort herrschenden Leidenschaften erfüllt, ihn zur Ausübung strenger Gerechtigkeit befähigen; die innige Erkenntnis dessen, daß alle diese Leidenschaften aber nur aus dem einen großen Leiden der unerlösten Menschheit selbst entspringen, wird ihn hingegen mitleidend zur Gnade stimmen. *Unbeugsame Gerechtigkeit, stets bereite Gnade – hier ist das Mysterium des königlichen Ideales!* Dem Staate zugewandt, ihm zum Heile gereichend, entsteht die Möglichkeit der Erreichung dieses Ideales aber nicht aus der Tendenz des Staates, sondern aus der Religion: und hier wäre daher der glücklichste Vereinigungspunkt, in welchem Staat und Religion, wie in den ahnungsvollen Uranfängen beider, wiederum zusammenfielen. – –

Wir haben hier dem Könige eine so ungemeine, wiederholt als fast übermenschlich bezeichnete Stellung zugesprochen, daß die Frage nahe tritt, wie die stets gleiche Behauptung derselben dem menschlichen Individuum, auf dessen natürliche Befähigung wiederum immer nur die Möglichkeit hierzu berechnet ist, durchführbar sein soll, ohne zu erliegen. Wirklich herrscht so großer Zweifel an der Möglichkeit der Erreichung des königlichen Ideales, daß von vornherein in der Ausbildung der Staatsverfassungen hiergegen Bedacht genommen wird. Auch wir könnten uns die Befähigung eines Monarchen zur Erfüllung seiner höchsten Aufgabe nur unter ähnlichen Bedingungen vorstellen, wie wir sie beim Aufsuchen der Möglichkeit des Bestehens und Wirkens alles Ungemeinen und Außerordentlichen in dieser gemeinen Welt uns begreiflich zu machen veranlaßt sind. Jeder wahrhaft große Geist, wie ihn die stets überwuchernde Masse der menschlichen Generationskraft doch nur so ungeheuer selten hervorbringt, setzt uns bei näherer sympathischer Betrachtung in Erstaunen darüber, wie es ihm möglich ward, in dieser Welt längere Zeit, nämlich so lange, als er das ihm Genügende zu leisten hatte, auszuhalten.

Der große, wahrhaft edle Geist unterscheidet sich von der gemeinen Alltagsorganisation namentlich dadurch, daß jeder, oft der anscheinend geringste Anlaß des Lebens und Weltverkehrs imstande ist, sich ihm schnell im weitesten Zusammenhange mit den wesentlichsten Grundphänomenen alles Daseins, somit das Leben und die Welt selbst in ihrer wirklichen, schrecklich ernsten Bedeutung zu zeigen: der naive gemeine Mensch, der für gewöhnlich nur das äußerlichste, für das augenblickliche Bedürfnis praktisch Verwendbare solcher Anlässe wahrnimmt, gerät, wenn dann einmal durch eine ungewöhnliche Fügung dieser schreckliche Ernst sich ihm plötzlich offenbart, in eine solche Bestürzung, daß der Selbstmord sehr häufig die Folge hiervon ist. Der ungewöhnliche, große Mensch befindet sich gewissermaßen täglich in der Lage, in welcher der gewöhnliche sofort am Leben verzweifelt. Gewiß schützt gegen diesen Erfolg den von mir gemeinten großen, wahrhaft religiösen Menschen eben der zur Norm aller Anschauung gewordene erhabene Ernst seiner innigen Urerkenntnis vom Wesen der Welt; er ist jeden Augenblick auf das furchtbare Phänomen gefaßt: auch ist er mit der Sanftmut und Geduld gewaffnet, welche ihn nie in leidenschaftliche Aufwallung über die etwa überraschende Erscheinung des Übels geraten lassen.

Dennoch müßte in ihm die Sehnsucht, dieser Welt gänzlich den Rücken zu wenden, notwendig und unabweislich zwingend anwachsen, wenn es nicht auch für ihn, wie für den in steter Sorge dahinlebenden gemeinen Menschen, eine gewisse Zerstreuung, eine periodische völlige Abwendung von dem, sonst ihm stets gegenwärtigen Ernste der Welt gäbe. Was für den gemeinen Menschen Unterhaltung und Vergnügen ist, muß für ihn, nur eben in der ihm entsprechenden edlen Form, ebenfalls vorhanden sein; und was ihm diese Abwendung, diese edle Täuschung, möglich macht, muß wiederum ein Werk jenes Menschen erlösenden Wahnes sein, der überall da seine Wunder verrichtet, wo die normale Anschauungsweise des Individuums sich nicht weiter zu helfen weiß. Dieser Wahn muß in diesem Falle aber vollkommen aufrichtig sein; er muß sich von vornherein als Täuschung bekennen, um von demjenigen willig aufgenommen zu werden, der wirklich nach zerstreuender Täuschung, in dem von mir gemeinten großen und ernsten Sinne, verlangt. Das vorgeführte Wahngebilde darf nie Veranlassung geben, den Ernst des Lebens durch einen möglichen Streit über seine Wirklichkeit und beweisbare Tatsächlichkeit anzuregen oder zurückzurufen, wie dies das religiöse Dogma tut: sondern seine eigenste Kraft muß es gerade dadurch ausüben, daß es den bewußten Wahn an die Stelle der Realität setzt. Dies leistet die *Kunst*; und sie zeige ich daher beim Abschiede meinem hochgeliebten Freunde als den freundlichen Lebensheiland, der zwar nicht wirklich und völlig aus dem Leben hinausführt, dafür aber innerhalb des Lebens über dieses erhebt und es selbst uns als ein Spiel erscheinen läßt, das, wenn es selbst zwar auch ernst und schrecklich erscheint, uns hier doch wiederum nur als ein Wahngebilde gezeigt wird, welches uns als solches tröstet und der gemeinen Wahrhaftigkeit der Not entrückt. Das Werk der edelsten Kunst wird von ihm gern zugelassen werden, um, an die Stelle des Ernstes des Lebens tretend, ihm die Wirklichkeit wohltätig in den Wahn aufzulösen, in welchem sie selbst, diese ernste Wirklichkeit, uns endlich wiederum nur als Wahn erscheint: und im entrücktesten Hinblicke auf dieses wundervolle Wahnspiel wird ihm endlich das unaussprechliche Traumbild der heiligsten Offenbarung, urverwandt sinnvoll, deutlich und hell wiederkehren, – dasselbe göttliche Traumbild, das, im Disput der Kirchen und Sekten ihm immer unkenntlicher geworden, als endlich fast unverständliches Dogma ihn nur noch ängstigen konnte. Die Nichtigkeit der Welt, hier ist sie offen, harmlos, wie unter Lächeln zugestanden: denn, daß wir uns willig täuschen wollten, führte uns dahin, ohne alle Täuschung die Wirklichkeit der Welt zu erkennen. –

So ward es mir denn möglich, auch von diesem ernsten Ausgange in die wichtigsten Gebiete des Lebensernstes, ohne mich zu verlieren und ohne zu heucheln, zu meiner geliebten Kunst zurückzukehren. Wird mein Freund mich teilnahmvoll verstehen, wenn ich bekenne, auf diesem Wege erst das volle Bewußtsein ihrer Heiterkeit wiedergewonnen zu haben?

Was ist deutsch?

Es hat mich oft bemüht, mir darüber recht klar zu werden, was eigentlich unter dem Begriffe »deutsch« zu fassen und zu verstehen sei.

Dem Patrioten ist es sehr geläufig, den Namen seines Volkes mit unbedingter Verehrung anzuführen; je mächtiger ein Volk ist, desto weniger scheint es jedoch darauf zu geben, seinen Namen mit dieser Ehrfurcht sich selbst zu nennen. Es kommt im öffentlichen Leben Englands und Frankreichs bei weitem seltener vor, daß man von »englischen« und »französischen Tugenden« spreche; wogegen die Deutschen sich fortwährend auf »deutsche Tiefe«, »deutschen Ernst«, »deutsche Treue« u. dgl. m. zu berufen pflegen. Leider ist es in sehr vielen Fällen offenbar geworden, daß diese Berufung nicht vollständig begründet war; wir würden aber dennoch wohl unrecht tun anzunehmen, daß es sich hier um gänzlich nur eingebildete Qualitäten handele, wenn auch Mißbrauch mit der Berufung auf dieselben getrieben wird. Am besten ist es, wir untersuchen die Bedeutung dieser Eigentümlichkeit der Deutschen auf geschichtlichem Wege.

Das Wort »deutsch« bezeichnet nach dem Ergebnis der neuesten und gründlichsten Forschungen nicht einen bestimmten Volksnamen: es gibt kein Volk in der Geschichte, welches sich den ursprünglichen Namen »Deutsche« beilegen könnte. Jakob Grimm hat dagegen nachgewiesen, daß »diutisk« oder »deutsch« nichts anderes bezeichnet als das, was uns, den in uns verständlicher Sprache Redenden, heimisch ist. Es ward frühzeitig dem »wälsch« entgegen gesetzt, worunter die germanischen Stämme das den gälisch-keltischen Stämmen Eigene begriffen. Das Wort »deutsch« findet sich in dem Zeitwort »deuten« wieder: »deutsch« ist demnach, was uns *deutlich* ist, somit das Vertraute, uns Gewohnte, von den Vätern Ererbte, unsrem Boden Entsprossene. Auffallend ist nun, daß nur die Völker, welche diesseits des Rheines und der Alpen verblieben, sich mit dem Namen »*Deutsche*« zu bezeichnen begannen, als Goten, Vandalen, Franken und Longobarden ihre Reiche im übrigen Europa gegründet hatten. Während der Name der Franken sich auf das ganze große eroberte gallische Land ausdehnte, die diesseits des Rheines zurückgebliebenen Stämme aber sich als Sachsen, Bayern, Schwaben und Ostfranken konsolidierten, kommt zum ersten Male bei Gelegenheit der Teilung des Reiches Karls des Großen der Name »Deutschland« zum Vorschein, und zwar eben als Kollektivname für sämtliche diesseits des Rheines zurückgebliebenen Stämme. Es sind damit also diejenigen Völker bezeichnet, welche, in ihren Ursitzen verbleibend, ihre Urmuttersprache fortredeten, während die in den ehemaligen romanischen Ländern herrschenden Stämme die Muttersprache aufgaben. An der Sprache und der Urheimat haftet daher der Begriff *»deutsch«,* und es trat die Zeit an, wo diese »Deutschen« des Vorteils der Treue gegen ihre Heimat und ihre Sprache sich bewußt werden konnten; denn aus dem Schoße dieser Heimat ging Jahrhunderte hindurch die unversiegliche Erneuerung und Erfrischung der bald in Verfall geratenden ausländischen Stämme hervor. Aussterbende und abgeschwächte Dynastien ersetzen sich aus den ursprünglichen Heimatsgeschlechtern. Für die verdorbenen Merovinger traten die ostfränkischen Karolinger ein, den entarteten Karolingern nahmen endlich Sachsen und Schwaben die Herrschaft der deutschen Lande ab; und als die ganze Macht des romanisierten Frankenreiches in die Gewalt der reindeutschen Stämme überging, kam die seltene, aber bedeutungsvolle Bezeichnung »römisches Reich deutscher Nation« auf. Aus dieser uns verbliebenen glorreichen Erinnerung konnte uns endlich der Stolz erwachsen, mit welchem wir auf unsre Vergangenheit zurückzusehen genötigt waren, um uns über die Verkommenheit der Zustände der Gegenwart zu trösten. Kein großes Kulturvolk ist in die Lage gekommen, sich einen phantastischen Ruhm aufzubauen, wie die Deutschen. Welchen Vorteil uns die Nötigung zu solchem phantastischen Aufbau aus der Vergangenheit bringen möchte, kann uns vielleicht klar werden, wenn wir zuvor die Nachteile derselben uns vorurteilsfrei deutlich zu machen suchen.

Diese Nachteile finden sich zu allernächst unleugbar auf dem Gebiete der Politik. Eigentümlicherweise tritt uns aus geschichtlicher Erinnerung die Herrlichkeit des deutschen Namens gerade aus derjenigen Periode entgegen, welche dem deutschen Wesen verderblich war, nämlich der Periode der Macht der Deutschen über außerdeutsche Völker. Der König der Deutschen hatte sich die Bestätigung dieser Macht aus Rom zu holen; der römische Kaiser gehörte nicht eigentlich den Deutschen an. Die Römerzüge waren den Deutschen verhaßt und konnten ihnen höchstens als Raubzüge beliebt gemacht werden, bei denen es ihnen auf möglichst schnelle Rückkehr in die Heimat ankam. Verdrossen folgten sie dem römischen Kaiser nach Italien, sehr bereitwillig dagegen ihren deutschen Fürsten in die Heimat zurück. Auf diesem Verhältnisse begründete sich die stete Ohnmacht der sogenannten deutschen Herrlichkeit. Der Begriff dieser Herrlichkeit war ein undeutscher. Was die eigentlichen »Deutschen« von den Franken, Goten, Longobarden usw. unterscheidet, ist, daß diese im fremden Lande sich gefielen, dort niederließen und mit dem fremden Volke bis zum Vergessen ihrer Sprache und Sitte sich vermischten. Der eigentliche Deutsche, weil er sich im Auslande nicht heimisch fühlte, drückte dagegen als stets Fremder auf das ausländische Volk, und auffallenderweise erlebten wir es bis auf den heutigen Tag, daß die Deutschen in Italien und in den slavischen Ländern als Bedrücker und Fremde verhaßt sind, während wir die beschämende Wahrheit nicht abweisen können, daß deutsche Volksteile unter fremdem Szepter, sobald sie in bezug auf Sprache und Sitte nicht gewaltsam behandelt werden, willig ausdauern, wie wir dies am Elsaß vor uns haben. – Mit dem Verfalle der äußeren politischen Macht, d. h. mit der aufgegebenen Bedeutsamkeit des römischen Kaisertumes, worin wir gegenwärtig den Untergang der deutschen Herrlichkeit beklagen, beginnt dagegen erst die rechte Entwicklung des wahrhaften deutschen Wesens. Wenn auch im unleugbaren Zusammenhange mit der Entwicklung sämtlicher europäischer Nationen, verarbeiten sich doch deren Einflüsse, namentlich die Italiens, im heimischen Deutschland auf so eigentümliche Weise, daß nun, im letzten Jahrhundert des Mittelalters, sogar die deutsche Tracht in Europa vorbildlich wird, während zur Zeit der sogenannten deutschen Herrlichkeit auch die Großen des deutschen Reiches sich römisch-byzantinisch kleideten. In den deutschen Niederlanden wetteiferte deutsche Kunst und Industrie mit der italienischen in deren glorreichster Blüte. Nach dem gänzlichen Verfalle des deutschen Wesens, nach dem fast gänzlichen Erlöschen der deutschen Nation infolge der unbeschreiblichen Verheerungen des dreißigjährigen Krieges, war es diese innerlichst heimische Welt, aus welcher der deutsche Geist wiedergeboren ward. Deutsche Dichtkunst, deutsche Musik, deutsche Philosophie sind heutzutage hochgeachtet von allen Völkern der Welt: in der Sehnsucht nach »deutscher Herrlichkeit« kann sich der Deutsche aber gewöhnlich noch nichts anderes träumen als etwas der Wiederherstellung des römischen Kaiserreiches Ähnliches, wobei selbst dem gutmütigsten Deutschen ein unverkennbares Herrschergelüst und Verlangen nach Obergewalt über andere

Völker ankommt. Er vergißt, wie nachteilig der römische Staatsgedanke bereits auf das Gedeihen der deutschen Völker gewirkt hatte.

Um über die, diesem Gedeihen einzig förderliche, wahrhaft deutsch zu nennende Politik sich klar zu werden, muß man sich vor allem eben die wirkliche Bedeutung und Eigentümlichkeit desjenigen deutschen Wesens, welches wir selbst in der Geschichte einzig mächtig hervortretend fanden, zum richtigen Verständnisse bringen. Um demnach den Boden der Geschichte noch festzuhalten, betrachten wir hierzu etwas näher eine der wichtigsten Epochen des deutschen Volkes, die ungemein aufgeregte Krisis seiner Entwicklung, welche es zur Zeit der sogenannten Reformation zu bestehen hatte.

Die christliche Religion gehört keinem nationalen Volksstamme eigens an: das christliche Dogma wendet sich an die reinmenschliche Natur. Nur in so weit dieser allen Menschen gemeinsame Inhalt von ihm rein aufgefaßt wird, kann ein Volk in Wahrheit sich christlich nennen. Immerhin kann ein Volk aber nur dasjenige vollkommen sich aneignen, was ihm mit seiner angeborenen Empfindung zu erfassen möglich wird, und zwar in der Weise zu erfassen, daß es sich in dem Neuen vollkommen heimisch selbst wiederfindet. Auf dem Gebiete der Ästhetik und des kritisch-philosophischen Urteils läßt es sich fast zur Ersichtlichkeit nachweisen, daß es dem deutschen Geiste bestimmt war, das Fremde, ursprünglich ihm Fernliegende, in höchster objektiver Reinheit der Anschauung zu erfassen und sich anzueignen. Man kann ohne Übertreibung behaupten, daß die Antike nach ihrer jetzt allgemeinen Weltbedeutung unbekannt geblieben sein würde, wenn der deutsche Geist sie nicht erkannt und erklärt hätte. Der Italiener eignete sich von der Antike an, was er nachahmen und nachbilden konnte; der Franzose eignete sich wieder von dieser Nachbildung an, was seinem nationalen Sinne für Eleganz der Form schmeicheln durfte: erst der Deutsche erkannte sie in ihrer reinmenschlichen Originalität und der Nützlichkeit gänzlich abgewandten, dafür aber der Wiedergebung des Reinmenschlichen einzig förderlichen Bedeutung. Durch das innigste Verständnis der Antike ist der deutsche Geist zu der Fähigkeit gelangt, das Reinmenschliche selbst wiederum in ursprünglicher Freiheit nachzubilden, nämlich, nicht durch die Anwendung einer antiken Form einen bestimmten Stoff darzustellen, sondern durch eine Anwendung der antiken Auffassung der Welt die notwendige neue Form zu bilden. Um dies deutlich zu erkennen, halte man Goethes »Iphigenia« zu der des Euripides.

Man kann behaupten, daß der Begriff der Antike erst seit der Mitte des vorigen Jahrhunderts besteht, nämlich seit Winckelmann und Lessing.

Daß nun der Deutsche das christliche Dogma in eben so vorzüglicher Klarheit und Reinheit erkannt und, wie die Antike zum ästhetischen Dogma, zum einzig gültigen Religionsbekenntnis erhoben haben würde, kann nicht nachgewiesen werden. Vielleicht wäre er, auf uns unbekannten und unvorstellbaren Entwicklungswegen, hierzu gelangt, und Anlagen zeigen, daß gerade der deutsche Geist dazu berufen gewesen zu sein scheint. Jedenfalls erkennen wir deutlicher, was ihn an der Lösung dieser Aufgabe verhindert hat, da wir erkennen, was ihm die gleiche Lösung auf dem Gebiete der Ästhetik ermöglichte. Hier nämlich war er eben durch nichts verhindert: die Ästhetik wurde nicht vom Staate beaufsichtigt und zu Staatszwecken verwendet. Mit der Religion war dies anders: diese war Staatsinteresse geworden, und dieses Staatsinteresse erhielt seine Bedeutung und Richtung nicht aus dem deutschen, sondern ganz bestimmt aus dem undeutschen, romanischen Geiste. Das unermeßliche Unglück Deutschlands war, daß um jene Zeit, als der deutsche Geist für seine Aufgabe auf jenem erhabenen Gebiete heranreifte, das richtige Staatsinteresse der deutschen Völker dem Verständnisse eines Fürsten zugemutet blieb, welcher dem deutschen Geiste völlig fremd, zum vollgültigsten Repräsentanten des undeutschen, romanischen Staatsgedankens berufen war: Karl V., König von Spanien und Neapel, erblicher Erzherzog von Österreich, erwählter römischer Kaiser und Oberherr des deutschen Reiches, mit dem Gedanken der Aneignung der Weltherrschaft, die ihm zugefallen wäre, wenn er Frankreich wirklich hätte bezwingen können, hegte für Deutschland kein anderes Interesse, als dasjenige, es seinem Reiche als fest gekittete Monarchie, wie es Spanien war, einzuverleiben. An seinem Wirken zeigte sich zuerst das große Ungeschick, welches in späterer Zeit fast alle deutschen Fürsten zum Unverständnis des deutschen Geistes verurteilte; gegen ihn stemmten sich jedoch die meisten der damaligen Reichsfürsten, deren Interesse glücklicherweise diesmal mit dem des deutschen Volksgeistes zusammen fiel. Es ist nicht zu ermessen, in welcher Weise auch die wirkliche religiöse Frage zur Ehre des deutschen Geistes gelöst worden sein würde, wenn Deutschland damals ein vollblutig patriotisches Oberhaupt, wie den luxemburgischen Heinrich VII., zum Kaiser gehabt hätte. Jedenfalls ging die ursprüngliche reformatorische Bewegung Deutschlands nicht auf Trennung von der katholischen Kirche aus;

320

im Gegenteile galt sie der Neubegründung und Befestigung des allgemeinen Kirchenverbandes durch Abschaffung der entstellenden und das religiöse Gefühl der Deutschen beleidigenden Mißbräuche der römischen Kurie. Welches Gute und Weltbedeutungsvolle hier in das Leben hätte treten können, läßt sich, wie gesagt, kaum nur annähernd ermessen, während wir dagegen nur die Ergebnisse des unseligen Widerstreites des deutschen Geistes mit dem undeutschen Geiste des deutschen Reichsoberhauptes vor uns haben. Seitdem – Religionsspaltung: ein großes Unglück! Nur eine allgemeine Religion ist in Wahrheit Religion: verschiedene, politisch festgesetzte und staatskontraktlich neben oder untereinander gestellte Bekenntnisse derselben bekennen in Wahrheit nur, daß die Religion in ihrer Auflösung begriffen ist. In diesem Widerstreite ist das deutsche Volk seinem gänzlichen Untergange nahe gebracht worden, ja, es hat diesen, durch den Ausgang des dreißigjährigen Krieges fast vollständig erlebt. Waren bis hierher die deutschen Fürsten meistens mit dem deutschen Geiste gemeinsam gegangen, so habe ich schon bezeichnet, wie seitdem leider auch noch die Fürsten fast gänzlich diesen Geist zu verstehen verlernten. Den Erfolg davon ersehen wir an unsrem heutigen öffentlichen Staatsleben: das eigentlich deutsche Wesen zieht sich immer mehr von diesem zurück; teils wendet es sich seiner Neigung zum Phlegma, teils der zur Phantasterei zu; und die fürstlichen Rechte Preußens und Österreichs haben sich allmählich daran zu gewöhnen, ihren Völkern gegenüber, da der Junker und selbst der Jurist nicht mehr recht weiter kommt, sich durch – Juden vertreten zu sehen.

In dieser sonderbaren Erscheinung des Eindringens eines allerfremdartigsten Elementes in das deutsche Wesen liegt mehr, als es beim ersten Anblick dünken mag. Nur in so weit wollen wir hier jenes andere Wesen aber in Betrachtung ziehen, als wir in der Zusammenstellung mit ihm uns klar darüber werden dürfen, was wir unter dem von ihm ausgebeuteten »deutschen« Wesen zu verstehen haben. – Der Jude scheint den Völkern des neueren Europas überall zeigen zu sollen, wo es einen Vorteil gab, welchen jene unerkannt und unausgenutzt ließen. Der Pole und Ungar verstand nicht den Wert, welchen eine volkstümliche Entwicklung der Gewerbetätigkeit und des Handels für das eigene Volk haben würde: der Jude zeigte es, indem er sich den verkannten Vorteil aneignete. Sämtliche europäische Völker ließen die unermeßlichen Vorteile unerkannt, welche eine dem bürgerlichen Unternehmungsgeiste der neueren Zeit entsprechende Ordnung des Verhältnisses der

Arbeit zum Kapital für die allgemeine Nationalökonomie haben mußte: die Juden bemächtigten sich dieser Vorteile, und am verhinderten und verkommenden Nationalwohlstande nährt der jüdische Bankier seinen enormen Vermögensstand. Liebenswürdig und schön ist der Fehler des Deutschen, welcher die Innigkeit und Reinheit seiner Anschauungen und Empfindungen zu keinem eigentlichen Vorteil, namentlich für sein öffentliches und Staatsleben auszubeuten wußte: daß auch hier ein Vorteil auszunutzen übrig blieb, konnte nur derjenigen Geistesrichtung erkenntlich sein, welche im tiefsten Grunde das deutsche Wesen mißverstand. Die deutschen Fürsten lieferten den Mißverstand, die Juden beuteten ihn aus. Seit der Neugeburt der deutschen Dichtkunst und Musik brauchte es nur, nach Friedrich d. Gr. und dessen Vorgange, zur Marotte des Fürsten zu werden, diese zu ignorieren oder, nach der französischen Schablone bemessen, unrichtig und ungerecht zu beurteilen, und demgemäß dem durch sie offenbarten Geiste keinen Einfluß zu gewähren, um dafür dem Geiste der fremden Spekulation ein Feld zu eröffnen, auf welchem er Vorteil zu ziehen gewahrte. Es ist, als ob sich der Jude verwunderte, warum hier so viel Geist und Genie zu nichts anderem diente, als Erfolglosigkeit und Armut einzubringen. Er konnte es nicht begreifen, daß, wenn der Franzose für die Glorie, der Italiener für den Denaro arbeitete, der Deutsche dies »pour le roi de Prusse« tat. Der Jude korrigierte dieses Ungeschick der Deutschen, indem er die deutsche Geistesarbeit in seine Hand nahm; und so sehen wir heute ein widerwärtiges Zerrbild des deutschen Geistes dem deutschen Volke als sein vermeintliches Spiegelbild vorgehalten. Es ist zu fürchten, daß das Volk mit der Zeit sich wirklich selbst in diesem Spiegelbild zu ersehen glaubt: dann wäre eine der schönsten Anlagen des menschlichen Geschlechtes vielleicht für immer ertötet.

Wie es vor solchem schmachvollen Untergange zu bewahren sei, haben wir aufzusuchen, und wir wollen uns deshalb hier vor allem recht deutlich das Charakteristische des eigentlich »deutschen« Wesens klar machen. –

Führen wir uns den äußerlichen Vorgang der geschichtlichen Dokumentation des deutschen Wesens in Kürze noch einmal deutlich vor. »Deutsche« Völker heißen diejenigen germanischen Stämme, welche auf heimischem Boden ihre Sprache und Sitte sich bewahrten. Selbst aus dem lieblichen Italien verlangt der Deutsche nach seiner Heimat zurück. Er verläßt deshalb den römischen Kaiser und hängt desto inniger und treuer an seinem heimischen Fürsten. In rauhen Wäldern, im langen Winter, am wärmenden Herdfeuer seines hoch in die Lüfte ragenden Burggemaches pflegte er lange Zeit Urvätererinnerungen, bildet seine heimischen Göttermythen in unerschöpflich mannigfaltige Sagen um. Er wehrt dem zu ihm dringenden Einflusse des Auslandes nicht; er liebt zu wandern und zu schauen; voll der fremden Eindrücke drängt es ihn aber, diese wiederzugeben; er kehrt deshalb in die Heimat zurück, weil er weiß, daß er nur hier *verstanden* wird: hier am heimischen Herde erzählt er, was er draußen sah und erlebte. Romanische, wälische, französische Sagen und Bücher übersetzt er sich, und während Romanen, Wälsche und Franzosen nichts von ihm wissen, sucht er eifrig sich Kenntnis von ihnen zu verschaffen. Er will aber nicht nur das Fremde, als solches, als rein Fremdes, anstarren, sondern er will es »deutsch« verstehen. Er dichtet das fremde Gedicht deutsch nach, um seines Inhaltes innig bewußt zu werden. Er opfert hierbei von dem Fremden das Zufällige, Äußerliche, ihm Unverständliche, und gleicht diesen Verlust dadurch aus, daß er von seinem eigenen zufälligen, äußerlichen Wesen so viel darein gibt, als nötig ist, den fremden Gegenstand klar und unentstellt zu sehen. Mit diesen natürlichen Bestrebungen nähert er sich in seiner Darstellung der fremdartigen Abenteuer der Anschauung der reinmenschlichen Motive derselben. So wird von Deutschen »Parsifal« und »Tristan« wiedergedichtet; während die Originale heute zu Kuriosen von nur literargeschichtlicher Bedeutung geworden sind, erkennen wir in den deutschen Nachdichtungen poetische Werke von unvergänglichem Werte. – In demselben Geiste trägt der Deutsche bürgerliche Einrichtungen des Auslandes auf die Heimat über. Im Schutze der Burg erweitert sich die Stadt der Bürger; die blühende Stadt reißt aber die Burg nicht nieder: die »freie Stadt« huldigt dem Fürsten: der gewerbtätige Bürger schmückt das Schloß des Stammherrn. Der Deutsche ist konservativ: sein Reichtum gestaltet sich aus dem Eigenen aller Zeiten; er spart und weiß alles Alte zu verwenden. Ihm liegt am Erhalten mehr als am Gewinnen: das gewonnene Neue hat ihm nur dann Wert, wenn es zum Schmucke des Alten dient. Er begehrt nichts von außen; aber er will im Innern unbehindert sein. Er erobert nicht, aber er läßt sich auch nicht angreifen. – Mit der Religion nimmt er es ernst: die Sittenverderbnis der römischen Kurie und ihr demoralisierender Einfluß auf den Klerus verdrießt ihn tief. Unter Religionsfreiheit versteht er nichts anderes, als das Recht, mit dem Heiligsten es ernst und redlich meinen zu dürfen. Hier wird er empfindlich und disputiert mit der unklaren Leidenschaftlichkeit des aufgestachelten Freundes der Ruhe und Bequemlichkeit. Die Politik mischt sich hinein: Deutschland soll eine spanische Monarchie, das freie Reich unterdrückt, seine Fürsten sollen zu bloßen vornehmen Höflingen gemacht werden. Kein Volk hat sich gegen Eingriffe in seine innere Freiheit, sein eigenes Wesen, gewehrt wie die Deutschen: mit nichts ist die Hartnäckigkeit zu vergleichen, mit welcher der Deutsche seinen völligen Ruin der Fügsamkeit unter ihm fremde Zumutungen vorzog. Dies ist wichtig. Der Ausgang des dreißigjährigen Krieges vernichtete das deutsche Volk: daß ein deutsches Volk wieder erstehen konnte, verdankt es aber doch einzig eben diesem Ausgange. Das Volk war vernichtet, aber der deutsche Geist hatte bestanden. Es ist das Wesen des Geistes, den man in einzelnen hochbegabten Menschen »Genie« nennt, sich auf den weltlichen Vorteil nicht zu verstehen. Was bei anderen Völkern endlich zur Übereinkunft, zur praktischen Sicherung des Vorteiles durch Fügsamkeit führte, das konnte den Deutschen nicht bestimmen: zur Zeit als Richelieu die Franzosen die Gesetze des politischen Vorteiles anzunehmen zwang, vollzog das deutsche Volk seinen Untergang; aber, was den Gesetzen dieses Vorteils sich nie unterziehen konnte, lebte fort und gebar sein Volk von Neuem: der deutsche Geist.

Ein Volk, welches numerisch auf den zehnten Teil seines früheren Bestandes herabgebracht war, konnte, seiner Bedeutung nach, nur noch in der Erinnerung Einzelner bestehen. Selbst diese Erinnerung mußte von den ahnungsvollsten Geistern erst wieder aufgesucht und anfänglich mühsam genährt werden. Es ist ein wundervoller Zug des deutschen Geistes, daß, nachdem er in seiner früheren Entwicklungsperiode die von außen kommenden Einflüsse sich innerlichst angeeignet hatte, er nun, da der Vorteil des äußerlichen politischen Machtlebens ihm gänzlich entschwunden war, aus seinem eigensten innerlichen Schatze sich neu gebar. – Die Erinnerung ward ihm recht eigentlich zur Er-Innerung; denn aus seinem tiefsten Innern schöpfte er, um sich der nun übermäßig gewordenen äußeren Einflüsse zu erwehren. Nicht seiner äußerlichen Existenz galt es, denn diese war dem Namen nach durch das Bestehen der deutschen Fürsten gesichert; bestand ja sogar der Name des römisch-deutschen Kaisertitels fort! Sondern, sein wahrhaftigstes Wesen, wovon die meisten dieser Fürsten nichts mehr wußten, galt es zu erhalten und zu neuer Kraft zu erheben. In der französischen Livree und Uniform, mit Perücke und Zopf, und lächerlich nachgeahmter französischer Galanterie ausgestattet, trat ihm der dürftige Rest seines Volkes entgegen, mit einer Sprache, die selbst der mit französischen Floskeln sich schmückende

Bürger im Begriffe stand, nur noch dem Bauer zu überlassen. – Doch wo die eigene Gestalt, die eigene Sache selbst sich verlor, blieb dem deutschen Geiste eine letzte, ungeahnte Zuflucht, sein innigstes Inneres sich deutlich auszusprechen. Von den Italienern hatte der Deutsche sich auch die Musik angeeignet. Will man die wunderbare Eigentümlichkeit, Kraft und Bedeutung des deutschen Geistes in einem unvergleichlich beredten Bilde erfassen, so blicke man scharf und sinnvoll auf die sonst fast unerklärlich rätselhafte Erscheinung des musikalischen Wundermannes *Sebastian Bach*. Er ist die Geschichte des innerlichsten Lebens des deutschen Geistes während des grauenvollen Jahrhunderts der gänzlichen Erloschenheit des deutschen Volkes. Da seht diesen Kopf, in der wahnsinnigen französischen Allongenperücke versteckt, diesen Meister – als elenden Kantor und Organisten zwischen kleinen thüringischen Ortschaften, die man kaum dem Namen nach kennt, mit nahrungslosen Anstellungen sich hinschleppend, so unbeachtet bleibend, daß es eines ganzen Jahrhunderts wiederum bedurfte, um seine Werke der Vergessenheit zu entziehen; selbst in der Musik eine Kunstform vorfindend, welche äußerlich das ganze Abbild seiner Zeit war, trocken, steif, pedantisch, wie Perücke und Zopf in Noten dargestellt: und nun sehe man, welche Welt der unbegreiflich große Sebastian aus diesen Elementen aufbaute! Auf diese Schöpfung weise ich nur hin; denn es ist unmöglich, ihren Reichtum, ihre Erhabenheit und alles in sich fassende Bedeutung durch irgend einen Vergleich zu bezeichnen. Wollen wir uns jetzt aber die überraschende Wiedergeburt des deutschen Geistes auch auf dem Felde der poetischen und philosophischen Literatur erklären, so können wir dies deutlich nur, wenn wir an Bach begreifen lernen, was der deutsche Geist in Wahrheit ist, wo er weilte, und wie er rastlos sich neu gestaltete, während er gänzlich aus der Welt entschwunden schien. Von diesem Manne ist neuerlich eine Biographie erschienen, über welche die »Allgemeine Zeitung« berichtete. Ich kann mich nicht entwehren, aus diesem Berichte folgende Stellen anzuführen: »Mit Mühe und seltener Willenskraft ringt er sich aus Armut und Not zu höchster Kunsthöhe empor, streut mit vollen Händen eine fast unübersehbare Fülle der herrlichsten Meisterwerke seiner Zeit hin, die ihn nicht begreifen und schätzen kann, und stirbt bedrückt von schweren Sorgen einsam und vergessen, seine Familie in Armut und Entbehrung zurücklassend – das Grab des Sangesreichen schließt sich über dem müden Heimgegangenen ohne Sang und Klang, weil die Not des Hauses eine Ausgabe für den Grabgesang nicht zuläßt. Sollte eine

Ursache, warum unsre Tonsetzer so selten Biographen finden, teilweise wohl auch in dem Umstande zu suchen sein, weil ihr Ende gewöhnlich ein so trauriges, erschütterndes ist?« – – Und während sich dies mit dem großen Bach, dem einzigen Horte und Neugebärer des deutschen Geistes, begab, wimmelten die großen und kleinen Höfe der deutschen Fürsten von italienischen Opernkomponisten und Virtuosen, die man mit ungeheuren Opfern dazu erkaufte, dem verachteten Deutschland den Abfall einer Kunst zu Besten zu geben, welcher heutzutage nicht die mindeste Beachtung mehr geschenkt werden kann.

Doch Bachs Geist, der deutsche Geist, trat aus dem Mysterium der wunderbarsten Musik, seiner Neugeburtsstätte, hervor. Als Goethes »Götz« erschien, jubelte es auf: »das ist deutsch!« Und der sich erkennende Deutsche verstand es nun auch, sich und der Welt zu zeigen, was Shakespeare sei, den sein eigenes Volk nicht verstand; er entdeckte der Welt, was die Antike sei, er zeigte dem menschlichen Geiste, was die Natur und die Welt sei. Diese Taten vollbrachte der deutsche Geist aus sich, aus seinem innersten Verlangen, sich seiner bewußt zu werden. Und dieses Bewußtsein sagte ihm, was er zum ersten Male der Welt verkünden konnte, *daß das Schöne und Edle nicht um des Vorteils, ja selbst nicht um des Ruhmes und der Anerkennung willen in die Welt tritt:* und alles, was im Sinne dieser Lehre gewirkt wird, ist »*deutsch*«, und deshalb ist der Deutsche groß; *und nur, was in diesem Sinne gewirkt wird, kann zur Größe Deutschlands führen.*

Zur Pflege des deutschen Geistes, zur Größe des deutschen Volkes kann daher nichts führen, als sein wahrhaftes Verständnis von seiten der Regierenden. Das deutsche Volk hat seine Wiedergeburt, die Entwicklung seiner höchsten Fähigkeiten, durch seinen konservativen Sinn, sein inniges Haften an sich, seiner Eigentümlichkeit erreicht: es hat für das Bestehen seiner Fürsten sich dereinst verblutet. Es ist jetzt an diesen, dem deutschen Volke zu zeigen, daß sie zu ihm gehören; und da, wo der deutsche Geist die Tat der Wiedergeburt des Volkes vollbrachte, da ist das Bereich, auf welchem zunächst auch die Fürsten sich dem Volke neu vertraut zu machen haben. Es ist die höchste Zeit, daß die Fürsten sich zu dieser Wiedertaufe wenden: die Gefahr, in welcher die ganze deutsche Öffentlichkeit steht, habe ich angedeutet. Wehe uns und der Welt, wenn diesmal das Volk gerettet wäre, aber der deutsche Geist aus der Welt schwände! –

Wie wäre ein Zustand denkbar, in welchem das deutsche *Volk* bestünde, der deutsche *Geist* aber verweht sei? Das schwer Denkbare haben wir näher vor uns, als wir glauben. Als ich das Wesen, die Wirksamkeit des deutschen Geistes bezeichnete, faßte ich die glückliche Entwicklung der bedeutendsten Anlagen des deutschen Volkes in das Auge. Die Geburtsstätte des deutschen Geistes ist aber auch der Grund der Fehler des deutschen Volkes. Die Fähigkeit, sich innerlich zu versenken, und vom Innersten aus klar und sinnvoll die Welt zu betrachten, setzt überhaupt den Hang zur Beschaulichkeit voraus, welcher im minder begabten Individuum leicht zur Lust an der Untätigkeit, zum reinen Phlegma wird. Was uns bei glücklichster Befähigung dem allerhöchst begabten alten Indusvolke als am verwandtesten hinstellt, kann der Masse des Volkes aber den Charakter der gewöhnlichen orientalischen Trägheit geben; ja selbst die nahe liegende Entwicklung zur höchsten Befähigung kann uns zum Fluche werden, indem sie uns zur phantastischen Selbstgenügsamkeit verleitet. Daß aus dem Schoße des deutschen Volkes Goethe und Schiller, Mozart und Beethoven erstanden, verführt die große Zahl der mittelmäßig Begabten gar zu leicht, diese großen Geister als von Rechts wegen zu sich gehörig zu betrachten, und der Masse des Volkes mit demagogischem Behagen vorzureden, sie selbst sei Goethe und Schiller, Mozart und Beethoven. Nichts schmeichelt dem Hange zur Bequemlichkeit und Trägheit mehr, als sich eine hohe Meinung von sich beigebracht zu wissen, die Meinung, als sei man ganz von selbst etwas Großes, und habe sich, um es zu werden, gar keine Mühe erst zu geben. Diese Neigung ist grunddeutsch, und kein Volk bedarf es daher mehr, aufgestachelt und in die Nötigung zur Selbsthilfe, zur Selbsttätigkeit versetzt zu werden, als das deutsche. Hiervon geschah nun seitens der deutschen Fürsten und Regierungen gerade das Gegenteil. Es mußte der Jude Börne sein, der zuerst den Ton zur Aufstachelung der Trägheit des Deutschen anschlug, und hierdurch, wenn auch in diesem Sinne gewiß absichtslos, das große Mißverständnis der Deutschen in ihrem eigenen Betreff bis zur traurigsten Verwirrung steigerte. Das Mißverständnis, welches zu seiner Zeit den österreichischen Staatskanzler, Fürsten Metternich, bei der Leitung der deutschen Kabinettspolitik bestimmte, die Bestrebungen der deutschen »Burschenschaft« für identisch mit denen des ehemaligen Pariser Jakobinerklubs zu halten, und demgemäß gegen jene zu verfahren, war höchst ergiebig zur Ausnützung von seiten des außerhalb stehenden, nur seinen Vorteil suchenden Spekulanten. Verstand dieser es recht, so konnte er sich diesmal mitten in das deutsche Volks- und Staatswesen hinein schwingen, um es auszubeuten und endlich nicht etwas zu beherrschen, sondern es geradesweges sich anzueignen.

Nach allen Vorgängen war es nun endlich doch auch in Deutschland schwer geworden zu regieren. Hatten die Regierungen es sich zur Maxime gemacht, die deutschen Völker nur nach dem Maße der französischen Zustände zu beurteilen, so fanden sich auch diejenigen Unternehmer ein, welche vom Standpunkte des unterdrückten deutschen Volksgeistes aus nach französischer Maxime zu den Regierungen hinaufblickten. Der *Demagoge* war nun wirklich da; aber welch klägliche Aftergeburt! Jede neue Pariser Revolution ward nun in Deutschland alsbald auch in Szene gesetzt: war ja doch jede neue Pariser Spektakeloper sofort auf den Berliner und Wiener Hoftheatern zum Vorbilde für ganz Deutschland in Szene gesetzt worden. Ich stehe nicht an, die seitdem vorgekommenen Revolutionen in Deutschland als ganz undeutsch zu bezeichnen. Die »Demokratie« ist in Deutschland ein durchaus übersetztes Wesen. Sie existiert nur in der »Presse«, und was diese deutsche Presse ist, darüber muß man sich eben klar werden. Das Widerwärtige ist nun aber, daß dem verkannten und verletzten deutschen Volksgeiste diese übersetzte französisch-jüdisch-deutsche Demokratie wirklich Anhalt, Vorwand und eine täuschende Umkleidung entnehmen könnte. Um Anhang im Volke zu haben, gebärdete sich die »Demokratie« *deutsch* und »Deutschtum«, »deutscher Geist«, »deutsche Redlichkeit«, »deutsche Freiheit«, »deutsche Sittlichkeit« wurden nun Schlagwörter, die niemanden mehr anwidern konnten, als den, der wirkliche deutsche Bildung in sich hatte, und nun mit Trauer der sonderbaren Komödie zusehen mußte, wie Agitatoren aus einem nichtdeutschen Volksstamme für ihn plädierten, ohne den Verteidigten auch nur zu Worte kommen zu lassen. Die erstaunliche Erfolglosigkeit der so lärmenden Bewegung von 1848 erklärt sich leicht aus diesem seltsamen Umstande, daß der eigentliche wahrhafte Deutsche sich und seinen Namen so plötzlich von einer Menschenart vertreten fand, die ihm ganz fremd war. Während Goethe und Schiller den deutschen Geist über die Welt ergossen, ohne vom »deutschen« Geiste auch nur zu reden, erfüllen diese demokratischen Spekulanten alle deutschen Buch- und Bilderläden, alle sogenannten »Volks-« d. h. Aktien-Theater, mit groben, gänzlich schalen und nichtigen Bildungen, auf welchen immer die anpreisende Empfehlung »deutsch« und wieder »deutsch«, zur Verlockung für die gutmütige Menge aufgeklext ist. Und wirklich sind wir so weit, das deutsche Volk damit bald gänzlich zum Narren gemacht zu sehen: die Volksanlage zu Trägheit und Phlegma wird zur phantastischen Selbstgefallsucht verführt; bereits spielt das deutsche Volk zum großen Teil in der beschämenden Komödie selbst mit, und nicht ohne Grauen kann der sinnende deutsche Geist jenen törigen Festversammlungen mit ihren theatralischen Aufzügen, albernen Festreden und trostlos schalen Liedern sich zuwenden, mit denen man dem deutschen Volke weismachen will, es sei etwas ganz besonderes, und brauche gar nicht erst etwas werden zu wollen. –

Tagebuchaufzeichnung

Die widerwärtigen Vorfälle in den Straßen Münchens am Schlusse des diesjährigen Oktoberfestes mußten mir jetzt mehr zu denken geben, als sonst es der Fall war. Ich fühlte mich wie persönlich davon berührt, da ich schnell die Aufgabe des königlichen Freundes erkannte, nach Kräften zur Verhütung so übler Auftritte in Zukunft beizutragen. Wunderbarer Weise hat auch mein Nachdenken hierüber mich wieder auf die Betrachtung der Grundfehler aller deutschen politischen Zustände geführt, welche ich kürzlich nach anderen Seiten hin zu berühren hatte.

Als Grund jener garstigen Auftritte erkenne ich die mißtrauische und feindselige Stimmung des niederen Volkes gegen die Vertreter der gesetzlichen Ordnung. Mir ist versichert worden, daß bei einer Verhaftung, selbst einer Diebin, das niedere Volk sofort und unwillkürlich Partei gegen den verhaftenden Gensdarme nimmt, und gewöhnlich Lust zeigt, den Verhafteten zu befreien. Eine solche Verirrung des öffentlichen Instinktes gibt viel nachzudenken. Wie ist es möglich, daß das Volk diejenigen, welche zu seinem Schutze, ja zu seiner Bequemlichkeit unmittelbar dienstlich sind, als seine Feinde betrachtet, und gelegentlich wütend verfolgt? Sehen wir zunächst, welches die Folgen dieser Verkehrtheit sind, um zu erkennen, wie wichtig es ist, das Übel bei der Wurzel anzugreifen. Die erste Folge jener verkehrten Parteinahme des Volkes ist die, wiederum irrtümliche, Ansicht der Behörden, daß das Volk sich wirklich auf die Seite der Diebe und Übeltäter stelle: die Entrüstung hierüber scheint so gerecht, daß man die gewaltsamsten Maßregeln dagegen für notwendig erachten kann, da es ja wirklich den Anschein hat, als habe die bürgerliche Gesellschaft sich vollkommen umgekehrt, und die gefährlichste Anarchie sei im vollen Anzuge. Die bewaffnete Macht schreitet ein: den verderblichsten Zufällen und Mißverständnissen ist das Feld eröffnet: der Verwirrung gegenüber bleibt nichts übrig, als um jeden Preis nur eben die Verwirrung zu beenden: die blinde Gewalt trifft den Unschuldigen wie den Schuldigen. Es gibt Verwundete und Tote. Somit scheint es wohl gar, daß die Gefahr groß, der Angriff auf die Gesellschaft ein ernstlicher, die veranlassende Mißstimmung im Volk daher eine bedeutende war? Welches Feld zur Ausbeutung der Intriganten, zur leichten Verwirrung des Unverständigen! Und wovon lebt die tägliche politische Presse, als von der Ausbeutung solcher Verwirrungen? Was wird nun dagegen getan werden? Wird man zu verschärfter Repression greifen? Die wirklichen oder mutmaßlichen Parteien strenger überwachen? Kurz, den ganzen Weg der Entfremdung zwischen Volk und Regierung immer weiter beschreiten? Wohin würde man endlich gelangen? Und doch, scheint nicht alles notwendig sich ergeben zu müssen? Notwendig – aus dem einen ersten Mißverständnisse, daß das Volk wirklich Partei für Übeltäter und Diebe nähme. Daß dies aber doch nur ein Mißverständnis sein kann, liegt am Tage. Würde nicht das Volk vielmehr selbst gegen Diebe und Übeltäter einschreiten, sobald dies nicht von den Sicherheitsbehörden geschähe? Das Verkehrte des Volkes besteht also darin, daß es sich gegen die Aktion dieser Sicherheitsbehörden wendet. Der einschreitende Gensdarme, der Anblick einer gewaltsamen Verhaftung scheint ihm zuwider: es ist, als ob es sein Selbständigkeitsgefühl hierdurch verletzt fühle. Der Gensdarme dünkt ihm der Feind seiner Freiheit. Will man nicht trostlos niedrig vom Volke denken, so muß man eine solche Erklärung seiner sonderbaren Verirrung zu Hilfe nehmen. – Wie wäre dieser Verirrung, die zu so sehr bedenklichen Folgen führen kann, gründlich beizukommen? Sollen wir es wie geistlose Ärzte machen, welche die Krankheit bei ihren Symptomen zu bekämpfen suchen? Man kann alles nur für zufällig erklären. Gewiß ist, daß das Volk selbst aus sehr unterschiedlichen Elementen besteht. Unter 60 000 versammelten Gliedern der unteren und untersten Volksklassen finden sich leicht einige hundert Individuen, welche wirklich dem Diebe und Übeltäter nicht ganz unverwandt sind, denen Roheit und Händelsucht täglich zu eigen ist, welche daher schon häufig mit den Sicherheitsbehörden in Konflikt geraten sind, und welche die Beamten derselben wirklich als ihre Feinde betrachten. Hiergegen muß man die Achseln zucken und weiß sich nicht anders zu helfen, als bei vorkommenden Vergehungen diese üble Menschengattung durch Strafen zu schrecken. Daß die Widersetzlichkeit solcher Menschen so leicht allgemeinen Anklang und Unterstützung beim übrigen Volke findet, kann man ferner zum Teil sich daraus erklären, daß zugestandener Maßen die eignen Diener der Sicherheitsbehörden nicht unfehlbar ausgewählt und bestellt werden können: Geduld und ruhiges Benehmen kann manchem leicht ausgehen; Heftigkeit und Roheit in der Ausübung seiner Funktionen kann gereizt und gesteigert werden; selbst ein berauschter Gensdarme kann hier und da vorkommen und die Achtung vor der Sicherheitsbehörde wesentlich kompromittieren.

Nun würde man zu verbessern, abzuwenden, zu überwachen suchen, soweit dies in menschlichen Kräften steht: dennoch aber würde man der eigentlichen Krankheit nicht beigekommen sein. Denn es muß feststehen, daß eine vollkommen naturgemäße und richtige Institution zur Bewachung der öffentlichen Sicherheit nicht an zufälligen und unvermeidlichen Schwächen sofort bis zur völligen Nichtigkeit erkranken könnte.

Den Hauptquell des Leidens finde ich dagegen in der großen Unbildung der niederen Volksklassen, und den Grund hierfür wiederum in der ihm allmählich verlorengegangenen wahren, natürlichen Selbständigkeit. Den geschichtlichen Ausgangspunkt dieser Verkommung erkenne ich in dem Zustande, in welchen das Volk durch den dreißigjährigen Krieg geraten ist; von ihm war nichts übriggeblieben als eine Art von leibeigener Dienerschaft der Besitzer von großen, aber leeren Grundstücken. Seine natürlichen Sitten und Gewohnheiten hatte das Volk fast gänzlich verloren; seine alte Gemeindeselbständigkeit hatte keinen Sinn mehr, da kaum noch Gemeinden existierten. Ist nun das Volk wieder numerisch vollzählig geworden, so erkennt es sich jedoch nicht wieder: Militär und Polizei sind an die Stelle der alten nationalen Heer- und Wehr-Einrichtungen getreten; es wird in allem und jedem bevormundet und scheint dessen nun auch wirklich und unstreitig zu bedürfen. Es fragt sich aber jetzt, wie weit wir mit dem jetzigen Bevormundungssystem kommen, und ob es nicht an der Zeit wäre, dem Volke selbst wieder eine ernstere Teilnahme an seinen nötigsten Interessen, namentlich denen der Ruhe und Ordnung, zu verschaffen? Das freie Tier im Walde weiß sich ganz von selbst vortrefflich zu erhalten und zu schützen; für das der Freiheit entwöhnte Haustier hat der Mensch die Fürsorge übernommen: schrecklich, wenn diese Fürsorge nicht ausreicht oder das rechte versäumt; das Haustier kann sich nicht mehr selbst helfen; es verbrennt im Stalle, in welchem es angebunden ist. In dem Falle der Verantwortung des Menschen gegen das Haustier befindet sich jetzt die Regierung gegen das unwissende Volk. Die kürzlich hier gefallenen Opfer eines wahnsinnigen Straßenaufruhrs gleichen den bei der Überschwemmung eines Bauerngutes im Stall ertrunkenen Tieren. – Wäre ich König, so würde ich daher meinem Minister des Inneren den Auftrag erteilen, Vorschläge zu Einrichtungen auszuarbeiten, welche dem Volke ein richtiges Verständnis der zu seinem Schutze bestehenden gesetzlichen Maßregeln erleichterten. Vielleicht würde der Minister dann dahin kommen, einzusehen, daß hier mehr zu tun ist, als es den Anschein hat.

Deutsche Kunst und deutsche Politik

I.

In seinen vortrefflichen »Untersuchungen über das europäische Gleichgewicht« schließt *Constantin Frantz* seine Darstellung des in der Napoleonischen Propaganda ausgesprochenen Einflusses der französischen Politik auf das europäische Staatensystem mit folgendem Satze ab:

»Es ist aber eben nichts andres als die Macht der französischen Zivilisation, worauf diese Propaganda beruht, und ohne welche sie selbst ganz machtlos sein würde. Sich der Herrschaft dieser materialistischen Zivilisation zu entziehen ist darum der einzig wirksame Damm gegen diese Propaganda. Und dies gerade ist Deutschlands Beruf, weil von allen Kontinentalländern nur Deutschland die erforderlichen Anlagen und Kräfte des Geistes und Gemütes besitzt, um eine edlere Bildung zur Geltung zu bringen, gegen welche die französische Zivilisation keine Macht mehr haben wird. Das wäre die rechte deutsche Propaganda und ein sehr wesentlicher Beitrag zur Wiederherstellung des europäischen Gleichgewichtes.«

Wir stellen diesen Ausspruch eines der umfassendsten und originellsten politischen Denker und Schriftsteller, auf welchen die deutsche Nation stolz zu sein hätte, wenn sie nur erst ihn zu beachten verstünde, an die Spitze einer Reihe von Untersuchungen, zu welchen das wohl nicht uninteressante Problem des Verhältnisses der Kunst zur Politik im allgemeinen, der deutschen Kunstbestrebungen zu dem Streben der Deutschen nach einer höheren politischen Bedeutung im besonderen, uns anregt. Dieses besondere Verhältnis läßt sich auf den ersten Blick als so eigentümlicher Art erkennen, daß es lohnend erscheint, von ihm aus auf jenes allgemeinere Verhältnis prüfend und vergleichend weiter zu schließen, – lohnend für die Hebung eines edlen Selbstvertrauens der Deutschen, weil eben die universale Bedeutung schon dieses besonderen Verhältnisses, wie mit ihr den Bestrebungen der andern Nationen zugleich versöhnend entgegengetreten wird, den vorzüglichen Beruf zu dieser Versöhnung sehr erkenntlich der Anlage und Entwicklung des deutschen Geistes zuspricht.

Daß Kunst und Wissenschaft ihren ganz eigenen, vom politischen Leben eines Volkes durchaus abseits liegenden Weg der Entwicklung, der Blüte und des Verfalles gingen, hat diejenigen bedünken müssen, welche vorzüglich die Wiedergeburt der neueren Kunst unter den politischen Verhältnissen der Ausgangsperiode des Mittelalters in Betracht zogen, und einen fördernden Zusammenhang des Verfalles der römischen Kirche, der Herrschaft der dynastischen Intrige in den italienischen Staaten, sowie des Druckes der geistlichen Inquisition in Spanien, mit der unerhörten Kunstblüte Italiens und Spaniens in der gleichen Zeit unmöglich anerkennen zu dürfen glaubten. Daß das heutige Frankreich an der Spitze der europäischen Zivilisation steht, und dabei gerade die tiefste Verkommenheit an wahrhaft geistiger Produktivität aufdeckt, erscheint als neuer Widerspruch: hier, wo Glanz, Macht und anerkannte Herrschaft über alle nur erdenklichen Formen des öffentlichen Lebens fast aller Länder und Völker unleugbar vorliegen, verzweifelt der beste Geist des sich selbst so vorzüglich geistreich dünkenden Volkes an der Möglichkeit, aus den Irrwegen des entwürdigendsten Materialismus zu irgendwelcher Anschauung des Schönen sich aufzuschwingen. Soll dort den nie verschwindenden Klagen über die Beschränkung der politischen Freiheit der Nation recht gegeben werden (und man schmeichelt sich damit, hierin einzig den Grund auch der Verderbnis des öffentlichen Kunstgeistes zu erkennen), so dürften diese Klagen nicht ohne Grund mit dem Hinweis auf jene Perioden der italienischen und spanischen Kunstblüte bekämpft werden, wo äußerer Glanz und entscheidender Einfluß auf die Zivilisation Europas mit sogenannter politischer Unfreiheit, nicht unähnlich wie jetzt in Frankreich, Hand in Hand gingen. Daß die Franzosen zu keiner Zeit ihres Glanzes eine der italienischen nur entfernt gleichkommende Kunst oder eine an die spanische hinanreichende poetische Literatur hervorbringen konnten, muß einen besonderen Grund haben. Vielleicht erklärt er sich aus einem Vergleiche Deutschlands mit Frankreich zu einer Zeit des größten Glanzes des letzteren und des tiefsten Verfalles des ersteren. Dort Louis XIV., hier ein deutscher Philosoph, welcher in dem glänzenden Despoten Frankreichs den berufenen Herrn der Welt erblicken zu müssen glaubte: unleugbar ein Ausdruck des tiefsten Elends der deutschen Nation! Damals stellten Louis XIV. und seine Höflinge auch für das, was als schön gelten sollte, die Gesetze auf, über welche im tiefsten Grunde der Anschauung der Dinge die Franzosen noch unter Napoleon III. nicht hinausgekommen sind; von hier an das Vergessen der eigenen Geschichte, die Ausrottung der eigenen Keime einer nationalen Dichtkunst, die Verderbnis der aus Italien und Spanien eingeführten Kunst und Poesie, die Umformung der Schönheit in die Eleganz, der Anmut in den Anstand. Unmöglich ist es für uns zu erkennen, was die wahrhaften Anlagen des französischen Volkes aus sich hätten erzeugen können; es hat sich, wenigstens in dem, was als seine »Zivilisation« gilt, so gänzlich dieser Anlagen selbst entäußert, daß wir nicht mehr darauf zu schließen vermögen, wie es sich ohne diese Umformung ausnehmen würde. Und solches geschah diesem Volke, als es sich auf einer hohen Stufe seines Glanzes und seiner Macht befand, in seinem Fürsten selbstvergessen sich widerspiegelte; es geschah mit so bestimmter Energie, diese seine zivilisierte Form drückte sich allen europäischen Völkern so eindringlich auf, daß man noch heute mit dem Blick in die Befreiung von diesem Joche in das Chaos zu sehen glaubt, in welchem mit Recht der Franzose sich auch als völliger Barbar angelangt sieht, sobald er aus der Sphäre seiner Zivilisation sich hinausschwingt.

Ermißt man das wahrhaft Freiheitsmörderische dieses Einflusses, welcher das eigentümlichste deutsche Herrschergenie der neueren Zeit, Friedrich den Großen, wiederum so gänzlich beherrschte, daß er mit geradeswegs leidenschaftlicher Verachtung auf deutsches Wesen herabblickte, so müssen wir gestehen, daß eine Erlösung aus diesem ersichtlichen Verkommnis der europäischen Menschheit an Wichtigkeit nicht ungleich der Tat der Zertrümmerung des römischen Weltreiches mit seiner nivellierenden, endlich ertötenden Zivilisation erachtet werden könnte. Wie dort eine völlige Regeneration des europäischen Völkerblutes nötig war, dürfte hier eine Wiedergeburt des Völkergeistes erforderlich sein, und wirklich scheint es derselben Nation, von welcher einst jene Regeneration ausging, vorbehalten zu sein, auch diese Wiedergeburt zu vollbringen; denn so ersichtlich nachweisbar, wie kaum ein andres Datum der Geschichte, ist die eigene Wiedergeburt des deutschen Volkes aus dem deutschen Geiste hervorgegangen, im vollen Gegensatze zu der übrigen »Renaissance« der neueren Kulturvölker Europas, von denen wenigstens an dem französischen Volke ebenso ersichtlich statt einer Wiedergeburt eine unerhört und unvergleichlich willkürliche bloße Umformung auf rein mechanischem Wege von oben nachzuweisen ist.

Eben zu der Zeit, in welcher der genialste deutscher Herrscher nur mit Abscheu über den Dunstkreis jener französischen Zivilisation hinwegzublicken vermochte, ging diese in der Geschichte beispiellose Wiedergeburt des deutschen Volkes aus dem Geiste vor sich. Von ihr singt *Schiller*:

> »Kein Augustisch Alter blühte,
> Keines Medicäers Güte
>   Lächelte der deutschen Kunst;
> Sie ward nicht gepflegt vom Ruhme,
> Sie entfaltete die Blume
>   Nicht am Strahl der Fürstengunst.«

Wollen wir diesen so sprechenden Reimen des großen Dichters in schlichter Prosa noch beifügen, daß bei der Wiedergeburt der deutschen Kunst von einer Zeit die Rede ist, wo anderseits ohne seine Fürstenhäuser das deutsche Volk kaum noch zu erkennen war, daß nach der unerhörten Zertrümmerung aller bürgerlichen Kultur in Deutschland durch den dreißigjährigen Krieg alle Macht, ja selbst alle Fähigkeit der Bewegung in irgendwelcher Lebenssphäre einzig in der fürstlichen Gewalt lag, und daß diese fürstlichen Höfe, in welchen einzig die Macht, ja die Existenz der deutschen Nation sich aussprach, mit fast skrupulöser Gewissenhaftigkeit sich als dürftige Nachbildungen des französischen Königshofes gebärdeten, so erhalten wir einen allerdings zu ernstem Nachdenken herausfordernden Kommentar der Schillerschen Strophe. Sollte uns bei diesem Nachsinnen ein stolzes Wohlgefühl von der unversiegbaren Kraft des deutschen Geistes entstehen, und würden wir, von diesem Gefühle geleitet, uns zu der Annahme ermutigen können, daß im Grunde genommen schon jetzt, trotz des fast noch ungebrochenen Einflusses der französischen Zivilisation auf den öffentlichen Geist der europäischen Völker, ihr dieser deutsche Geist als gleichmächtig gerüsteter Nebenbuhler gegenüberstünde, so möchten wir, um diesen Gegensatz auch seiner politischen Bedeutung nach zu bezeichnen, in Kürze den Satz aufstellen: *die französische Zivilisation sei ohne das Volk, die deutsche Kunst ohne die Fürsten entstanden; die erstere könne zu keiner gemütlichen Tiefe gelangen, weil sie das Volk nur überkleide, nicht aber ihm in das Herz dringe; der zweiten gebräche es dagegen an Macht und adeliger Vollendung, weil sie die Höfe der Fürsten noch nicht erreichen und die Herzen der Herrscher dem deutschen Geiste noch nicht erschließen konnte.* Das Fortbestehen der Herrschaft der französischen Zivilisation fiele daher mit dem Fortbestehen einer wahrhaftigen Entfremdung zwischen dem Geiste des deutschen Volkes und dem Geiste seiner Fürsten zusammen; es wäre demnach der Triumph der französischen, seit Richelieu auf die europäische Hegemonie zielenden Politik, diese Entfremdung aufrecht zu erhalten und zu vervollständigen: wie dieser die religiösen Streitigkeiten und die Machtantagonismen zwischen Fürsten und Reich zur Begründung der französischen Oberherrschaft benützte, so würde es, unter den veränderten Zeitumständen, die fortgesetzte Sorge begabter französischer Gewalthaber sein müssen, den verführerischen Einfluß der französischen Zivilisation, wenn nicht zur Unterjochung der europäischen Völker, doch zur offenbaren Unterordnung des Geistes der deutschen Höfe unter ihre Macht anzuwenden. Vollständig gelang dieses Unterjochungsmittel im vorigen Jahrhunderte, wo wir mit Erröten sehen, daß deutsche Fürsten mit zugesandten französischen Tänzerinnen und italienischen Sängern in nicht viel ehrenderer Weise gefangen und dem deutschen Volke entfremdet wurden, wie noch heute wilde Negerfürsten durch Glasperlen und klingende Schellen betört werden. Wie mit dem Volke zu verfahren wäre, welchem seine gleichgültig gewordenen Fürsten endlich ganz entführt wurden, ersehen wir aus einem Briefe des großen Napoleon an dessen Bruder, den er zum König von Holland bestellt: diesem machte jener Vorwürfe, dem Nationalgeiste seines Landes zu viel nachzugeben, wogegen er ihm, hätte er das Land besser französiert, noch ein Stück des nördlichen Deutschlands zu seinem Königreiche hinzugegeben haben würde, »puisque c'eût été un noyau de peuple, qui eût dépaysé davantage l'esprit allemand, ce qui est le premier but de ma politique«, wie es in dem betreffenden Briefe heißt. – Hier stehen sie sich nackt gegenüber, dieser »esprit allemand« und die französische Zivilisation: zwischen ihnen die deutschen Fürsten, von denen jene edle Schillersche Strophe singt. –

Offenbar lohnt sich nun die Betrachtung des näheren Verhältnisses dieses deutschen Geistes zu den Fürsten des deutschen Volkes: wohl dürfte sie zu einer ernsten Forderung führen. Denn notwendig werden wir an den Punkt geleitet werden, wo es im Kampfe zwischen französischer Zivilisation und deutschem Geiste sich um die Frage des Bestehens der deutschen Fürsten handelt. Sind die deutschen Fürsten nicht die treuen Träger des deutschen Geistes; helfen sie, bewußt oder unbewußt, der französischen Zivilisation zum Siege über den von ihnen selbst noch so traurig verkannten und unbeachteten deutschen Geist, so sind ihre Tage gezählt, der Schlag komme von dort oder hier. Eine ernste, weltgeschichtlich entscheidende Frage tritt somit an uns heran: sollten wir irren, wenn wir, von unserm Ausgangspunkte, der deutschen Kunst, sie

betrachtend, ihr eine so große und ernste Bedeutung geben, so
möge ein näheres Eingehen auf dieselbe uns zur deutlichen Aufklärung verhelfen.

II.

Es ist erhebend und hoch ermutigend für uns, zu sehen, daß der
deutsche Geist, als er sich mit der zweiten Hälfte des vergangenen
Jahrhunderts aus seiner tiefsten Verkommenheit erhob, nicht
einer neuen Geburt, sondern wirklich nur einer Wiedergeburt bedurfte: er konnte über zwei verlorene Jahrhunderte hinüber demselben Geiste die Hand reichen, der damals in weiter Verzweigung
über das heilige römische Reich deutscher Nation seine kräftig
treibenden Keime verbreitete, und von dessen Wirken auch auf
die plastische Gestaltung der Zivilisation Europas wir nicht gering
zu denken haben, wenn wir uns erinnern, daß die schöne, so mannigfaltig individuelle, phantasiereiche deutsche Kleidertracht damals von allen Völkern Europas aufgenommen war. Betrachtet
zwei Porträts: hier Dürer, dort Leibniz: welches Grauen vor der
unseligen Zeit unsres Verfalles weckt uns der vergleichende Anblick! Heil den herrlichen Geistern, die zuerst dieses Grauen emp-
fanden und den Blick über die Jahrhunderte hinüber aussandten,
um sich selbst wieder erkennen zu dürfen! Da fand es sich denn,
daß es nicht Schlaffheit gewesen war, was das deutsche Volk in sein
Elend versenkt hatte: es hatte seinen dreißigjährigen Krieg um
seine Geistesfreiheit gekämpft; die war gewonnen, und ermattete
der Leib in Blut und Wunden, der Geist blieb frei, selbst unter der
französischen Allongeperücke. Heil euch, *Winckelmann* und *Lessing*, die ihr noch über die Jahrhunderte der eigenen deutschen
Herrlichkeit hinweg den urverwandten göttlichen Hellenen fandet
und erkannt, das reine Ideal menschlicher Schönheit dem vom
Puderstaub umflorten Blicke der französisch zivilisierten Menschheit erschlosset! Heil dir, *Goethe*, der du die Helena dem Faust,
das griechische Ideal dem deutschen Geiste vermählen konntest!
Heil dir, *Schiller*, der du dem wiedergeborenen Geiste die Gestalt
des »deutschen Jünglings« gabest, der sich mit Verachtung dem
Stolze Britanniens, der Pariser Sinnenverlockung gegenüberstellt!
Wer war dieser »deutsche Jüngling«? Hat man je von einem französischen, einem englischen »Jünglinge« gehört? Und wie untrüglich deutlich und greifbar faßlich verstehen wir doch sogleich diesen »deutschen Jüngling«! Diesen Jüngling, der in *Mozarts* keu-

scher Melodie den italienischen Kastraten beschämte, in *Beethovens* Symphonie männlichen Mut zu kühner, welterlösender Tat gewann! Und dieser Jüngling war es, der sich endlich auf das Schlachtfeld stürzte, um, da seine Fürsten alles, Reich, Land, Ehre verloren, dem Volke seine Freiheit, den Fürsten selbst ihre verwirkten Throne wieder zu erobern. Und wie ward diesem »Jünglinge« gelohnt? Es gibt in der Geschichte keinen schwärzeren Undank, als den Verrat der deutschen Fürsten an dem Geiste ihres Volkes, und mancher guten, edlen und aufopfernden Tat ihrerseits wird es bedürfen, um diesen Verrat zu sühnen. Wir hoffen auf diese Taten, und deshalb sei die Sünde kräftig nachgewiesen.

Wie war es möglich, daß die Fürsten der unvergleichlich glorreichen Wiedergeburt des deutschen Geistes mit gänzlicher Unbeachtung zusehen, und auch nicht die mindeste Wirkung auf ihre Ansicht vom Charakter ihres Volkes davon empfangen mochten? Womit diese unglaubliche Blindheit sich erklären, die selbst nicht einmal die Zwecke ihrer dynastischen Politik aus diesem unendlich regen Geiste nützlich zu fördern verstand? – Der Grund der Verderbnis des deutschen Herzens gerade in diesen höchsten Regionen der deutschen Nation liegt wohl tief und weit ab, vielleicht zum Teil selbst in der universalen Anlage des deutschen Wesens. Das Deutsche Reich war nicht ein eng nationaler Staat, und himmelweit verschieden von *dem*, was heutzutage im Sinne eines solchen dem Verlangen der getrennten und zertretenen schwächeren Nationalvölker vorschwebt. Deutsche Kaisersöhne mußten vier europäische Sprachen erlernen, um einem gerechten Verkehr mit den Gliedern des Reiches gewachsen zu sein. Die Geschicke ganz Europas faßten sich in den Sorgen der Politik des deutschen Kaiserhofes zusammen; und nie, selbst im tiefsten Verfalle des Reiches, änderte diese Bestimmung sich gänzlich. Nur daß endlich der Kaiserhof in Wien, bei seiner Schwäche dem Reiche gegenüber, mehr vom spanischen und römischen Interesse geleitet wurde, als auf dieses seinen Einfluß ausübte, so daß in der verhängnisvollsten Zeit das Reich einem Gasthofe glich, in welchem nicht mehr der Wirt, sondern die Gäste die Rechnung machten. Geriet der Wiener Hof so fast gänzlich in das spanisch-römische Geleise, so herrschte dagegen an dem einzig endlich machtvoll ihm gegenübertretenden Berliner Hofe die Tendenz der französischen Zivilisation, nachdem sie die geringeren Fürstenhöfe, an ihrer Spitze den sächsischen, vollkommen in ihr Geleise gezogen hatte. Diese Höfe verstanden unter Kunstpflege im Grunde nichts andres mehr, als Herbeischaffung eines französischen Balletts oder einer italienischen Oper, und dabei ist es, genau genommen, verblieben bis auf den heutigen Tag. Gott weiß, wo und wie Goethe und Schiller verkommen wären, wenn der erstere nicht, mit Vermögen geboren, einen kleinen deutschen Fürsten, das Weimarische Wunder, zum persönlichen Freunde gewonnen, und schließlich in dieser Stellung auch für Schiller einigermaßen hätte sorgen können! Vermutlich wäre ihnen das Los Lessings, Mozarts und so vieler Edlen nicht erspart gewesen. Allein der »deutsche Jüngling«, von dem wir reden, war nicht der Mann, der »Fürstengunst« im Sinne eines Racine und Lully zu bedürfen: er war berufen, »der Regeln Zwang« abzuwerfen, und wie dort, so hier im Völkerleben dem Zwange befreiend entgegenzutreten. Diesen Beruf erkannte denn auch ein geistvoller Staatsmann zur Zeit der höchsten Not, und als alle regelrecht geschulten Söldnerheere der Monarchen dem, nun nicht mehr als wohlgekräuselter Zivilisator, sondern als zermalmender Kriegsherr eingedrungenen Führer der französischen Macht gänzlich erlegen, die deutschen Fürsten nicht mehr der französischen Zivilisation, sondern auch ihrem politischen Despotismus unterworfen waren, da war es der »deutsche Jüngling«, der nun zu Hilfe gerufen wurde, um mit den Waffen in der Hand zu zeigen, welcher Art dieser deutsche Geist sei, der in ihm wiedergeboren. Er zeigte der Welt seinen Adel. Zum Klang von Leier und Schwert schlug er seine Schlachten. Staunend mußte sich der gallische Cäsar fragen, warum er jetzt die Kosaken und Kroaten, die kaiserlichen und königlichen Gardisten nicht mehr zu schlagen vermöchte? Vielleicht ist auf Europas Thronen sein Neffe der einzige, welcher mit wahrer Besonnenheit die Frage zu beantworten weiß: er kennt und fürchtet den »deutschen Jüngling«. Erkennt ihr ihn nun auch, denn ihr dürft ihn *lieben*.

Worin bestand nun dieser große Undank, mit welchem die Fürsten den rettenden Taten des deutschen Geistes lohnten? Den französischen Gewaltherrn waren sie los; aber die französische Zivilisation setzten sie wieder auf den Thron, um nach wie vor sich einzig von ihr gängeln zu lassen. Nur die Enkel jenes Louis XIV. hatten wieder in Macht gesetzt werden sollen; und wirklich sieht es aus, als ob des weiteren es nur darauf angekommen wäre, in Ruhe wieder Ballett und Oper sich vorführen zu lassen. Nur eines fügten sie diesen Wiedererrungenschaften hinzu: die Furcht vor dem deutschen Geiste. Der »Jüngling«, der sie errettete, mußte es entgelten, daß er seine ungeahnte Macht gezeigt. Ein traurigeres Mißverständnis, als dieses von nun ab durch ein volles halbes Jahrhundert sich hinziehende zwischen Volk und Fürsten in Deutschland, hat die Geschichte schwerlich aufzuweisen; und doch ist dieses Mißverständnis das einzige, was noch eine notdürftige Entschuldigung für den ausgeübten Undank abgeben kann. War früher der deutsche Geist eben nur aus Trägheit und Geschmacksverderbnis unbeachtet geblieben, so verwechselte man ihn nun, als seine Kraft sich auf den Schlachtfeldern kennen gelernt hatte, mit dem Geiste der bekämpften französischen Revolution, – da doch nun einmal alles nur im französischen Lichte und Geschmacke betrachtet werden mußte. Der deutsche Jüngling, welcher den Soldatenrock ablegte und, statt zum französischen Frack, nun zum altdeutschen Rocke griff, galt bald als Jakobiner, der sich auf deutschen Universitäten nichts Geringerem als dem Studium des universellen Königsmordes hingäbe. Oder sollte der Kern des Mißverständnisses hiermit zu grob gefaßt sein? Desto schlimmer, wenn wir annehmen dürften, daß der Geist der deutschen Wiedergeburt wirklich richtig erfaßt, und gerade gegen ihn mit Absicht feindlich verfahren worden wäre. Mit tiefer Trauer muß man bekennen, daß Irrtum und Erkenntnis sich hierin nicht allzu weit abzustehen scheinen, wonach für die Erklärung der beklagenswerten Folgen eines absichtlich gepflegten Mißverständnisses nur die niedrigsten Beweggründe einer trägen und gemeinen Genußsucht angeführt werden könnten. Denn wie gebärdete sich nun der aus dem Kriege heimkehrende »deutsche Jüngling«? Allerdings trieb es ihn, den deutschen Geist zu tätiger Wirksamkeit in das Leben zu führen; nicht aber die Einmischung in die eigentliche Politik war sein Ziel, sondern die Erneuung und Kräftigung der persönlichen und gesellschaftlichen Sittlichkeit. Deutlich spricht sich dies in der Gründung der »Burschenschaft« aus. Den jungen Kämpfern der Völkerschlachten stand es wohl an, der wüsten Rauflust und Schlägerwirtschaft der deutschen Studenten mit Strenge entgegenzutreten, der Völlerei und Trinksucht zu wehren; dagegen harte Leibesübung mit sorgsamer Gesetzmäßigkeit auszubilden, das Fluchen und Schwören abzuschaffen, und wahre herzliche Frömmigkeit durch das edle Gebot der Keuschheit zu krönen. Mit den hierdurch bekämpften Lastern behaftet, traf den entarteten Söldner des dreißigjährigen Krieges die französische Zivilisation an; mit ihrer Hilfe jene Roheit gleißend zu übertünchen, schien den Fürsten für alle Zeiten genügend. Dagegen trachtete nun die Jugend selbst das einst von Tacitus dem »deutschen Jüngling« gespendete Lob zu verdienen. Welches Volk hat einen ähnlichen Vorgang in seiner Kulturgeschichte aufzuweisen?

Wahrlich, eine durchaus unvergleichliche Erscheinung. Hier

war nichts von der finsteren, despotischen Askese, welche zuzeiten bei romanischen Völkern spurlos vorübergehende Wirkungen ausübte: denn diese Jugend war – wunderbar zu sagen! – fromm, ohne kirchlich gesinnt zu sein. Es ist, als ob Schillers Geist, die zartesten und edelsten seiner idealen Gestalten, hier auf einem altheimischen Boden Blut und Leben gewinnen wollten. Zu welcher gesellschaftlichen und staatlichen Bildung es hätte führen müssen, wenn die Fürsten diesen Geist der Jugend ihres Volkes verstanden, und ihn wohlmeinend zu großen Zwecken angeleitet hätten, ist gewiß nicht hoch genug anzuschlagen und schön genug vorzustellen. Die Verirrungen des Unberatenen wurden bald zu seinem Verderben benützt. Verspottung und Verfolgung säumten nicht, seine Blüte im Keime zu ersticken. Das alte Landsmannschaftswesen mit allen seinen, die Jugend zerrüttenden Lastern ward zuerst zur Bekämpfung und Verhöhnung der Burschenschaft neu belebt und gefördert, bis endlich, als die gewiß nicht absichtslos gesteigerten Verirrungen einen düster leidenschaftlichen Charakter annahmen, es den peinlichen Gerichten übergeben werden durfte, diesem deutschen »Demagogen«-Bunde ein gewaltsames Ende zu machen. – Einzig eine Heeresorganisation behielt Preußen bei, welche der Zeit des deutschen Aufschwunges entstammt war: mit diesem letzten Reste des sonst überall ausgerotteten deutschen Geistes gewann die Krone Preußen, zum Erstaunen der ganzen Welt, nach einem halben Jahrhunderte die Schlacht bei Königgrätz. So groß war der Schreck vor diesem Heere in allen europäischen Kriegsräten, daß selbst den als mächtigst angesehenen französischen Kriegsherrn das sorgende Verlangen ankommen mußte, so etwas, wie diese »Landwehr«, seiner mit Recht so berühmten Armee einzubilden. Wir sahen vor kurzem, wie das ganze französische Volk gegen diese Gedanken sich sträubte. Dies hat also die französische Zivilisation nicht zustande gebracht, was dem mit Füßen getretenen deutschen Geiste so schnell und dauernd gelang: ein wahrhaftes Volksheer zu bilden. Sie greift zum Ersatz hierfür zu neuen Gewehrerfindungen, Hinterladern und Infanteriekanonen. Wie wird Preußen dem entgegnen? Ebenfalls durch Vervollkommnung der Gewehre, oder – durch die Benutzung der Erkenntnis seiner wahren, für jetzt von keinem europäischen Volke ihm abzulernenden Machtmittel? – Ein großer Wendepunkt ist seit dieser merkwürdigen Schlacht, an deren Vorabend das fünfzigste Jahresfest der Gründung der deutschen Burschenschaft gefeiert wurde, eingetreten, und eine unermeßlich wichtige Entscheidung steht bevor: fast hat es den Anschein, als erkenne der Kaiser der

Franzosen diese Wichtigkeit tiefer, als sie die Regierungen der deutschen Fürsten erfassen. Ein Wort des Siegers von Königgrätz, und eine neue Kraft steht in der Geschichte, gegen welche die französische Zivilisation für immer erbleicht.

Betrachten wir näher an den Folgen jenes von uns so bezeichneten Verrates am deutschen Geiste, was seitdem in einem vollen halben Jahrhunderte aus den Keimen seiner damals so berauschend hoffnungsvollen Blüte geworden ist; in welcher Weise deutsche Wissenschaft und Kunst, die einst die schönsten Erscheinungen des Völkerlebens hervorgerufen hatten, auf die Entwicklung der edlen Anlagen dieses Volkes gewirkt haben, seitdem sie als Feinde der Ruhe, wenigstens der Bequemlichkeit der deutschen Throne aufgefaßt und danach behandelt wurden. Vielleicht führt uns diese Betrachtung zu der deutlicheren Erkenntnis der begangenen Sünden, die wir dann milde nur als Fehler aufzufassen uns bemühen werden, für welche wir nur auf Verbesserung, nicht auf Sühne zu bestehen hätten, wenn wir schließlich auf eine wahrhaft erlösende, innige Verbindung der deutschen Fürsten mit ihren Völkern, auf ihre Durchdringung vom wahrhaften deutschen Geiste mahnend hinweisen.

III.

Nimmt man an, daß Zeiten eines großen politischen Aufschwunges dazu gehören, um die geistigen Anlagen eines Volkes zu hoher Blüte zu treiben, so hat man nun zu fragen, wie es kommt, daß nach den deutschen Befreiungskriegen im Gegenteil ein erschreckend schneller Verfall der bis dahin sich steigernden Blüte offenkundig eintritt. Zwei Einsichten lassen sich hieraus gewinnen, nämlich sowohl in die Abhängigkeit, wie in die Unabhängigkeit des Kunstgenius eines Volkes von dem Stadium seines politischen Lebens. Gewiß muß auch die Geburt eines großen Kunstgenies in irgend einem Zusammenhange mit dem Geiste seiner Zeit und seines Volkes stehen; wenn wir in der Auffindung der geheimen Bänder dieses Zusammenhanges aber nicht durchaus willkürlich verfahren wollen, tun wir gewiß nicht Unrecht, der Natur ihr Geheimnis hier zu überlassen und zu bekennen, große Genies werden nach Gesetzen geboren, die wir nicht zu erfassen vermögen. Daß uns kein Genie, wie sie die Mitte des vorigen Jahrhunderts in so reicher Mannigfaltigkeit hervorbrachte, im Beginne dieses Jahrhunderts geboren wurde, hat gewiß nicht eigentlich mit dem politischen Leben der Nation etwas zu tun, daß hingegen die hohe Stufe geistiger Empfänglichkeit, auf welche uns das Kunstgenie der deutschen Wiedergeburt erhoben, so schnell wieder herabsank, daß das Volk sein reiches Erbe immer ungenützter sich entwenden ließ, dies ist allerdings aus dem Geiste der Reaktion gegen den Aufschwung der Freiheitskriege zu erklären. Daß der Schoß deutscher Mütter um jene Zeit uns keine größeren Dichter als Houwald, Müllner usw. geboren hatte, mag dem unerforschlichen Naturgeheimnis angehören; daß diese geringeren Talente die freien Geleise der großen deutschen Ahnen verließen, um in trübseligen Nachahmungen unverstandener romanischer Vorbilder sich bis zu kindischer Abgeschmacktheit zu verirren, und daß diese Verirrungen wirkliche Beachtung finden konnten, läßt aber mit Sicherheit auf einen trübseligen Geist, auf eine Stimmung großer Niedergeschlagenheit im Leben der Nation schließen. Immerhin lag in dieser sich begegnenden trübseligen Stimmung noch ein Zug von geistiger Freiheit: man möchte sagen, der abgespannte deutsche Geist half sich auf seine Weise. Das wahre Elend beginnt hingegen erst da, wo ihm auf andre Weise geholfen werden sollte.

Unleugbar war die entscheidendste Wirkung des Geistes der deutschen Wiedergeburt schließlich durch die dramatische Dichtung vom Theater aus auf die Nation ausgeübt worden. Wer (wie dies heutzutage gern von impotenten Literaten geschieht) dem Theater die allerentscheidendste Wichtigkeit für den Einfluß des Kunstgeistes auf den sittlichen Geist einer Nation absprechen oder auch geringschätzen will, beweist, daß er gänzlich außerhalb dieses wahren Wechselverkehrs steht, und verdient weder in Literatur noch Kunst beachtet zu werden. Für das Theater hatte Lessing den Kampf gegen die französische Herrschaft begonnen, und für das Theater hatte ihn der große Schiller zum schönsten Siege geführt. Alles Trachten unsrer großen Dichter ging darauf, ihren Dichtungen durch das Theater erst wahres, überzeugendes Leben zu geben, und alle dazwischenliegende Literatur war im wahrsten Sinne nur der Ausdruck dieses Trachtens. Ohne eine technische Ausbildung des Theaters vorzufinden, die nur irgendwie der hohen Tendenz der deutschen Wiedergeburt vorgearbeitet oder gar entsprochen hätte, waren unsre großen Dichter genötigt, dieser Ausbildung des Theaters achtlos vorauszueilen, und ihr Vermächtnis war uns mit der Bedingung übergeben, es wirklich uns erst anzueignen. Wurde uns nun auch kein Genie wie Goethe und Schiller mehr geboren, so war es jetzt eben die Aufgabe des wiedergeborenen deutschen Volksgeistes, durch die rechte Pflege ihrer Werke sich eine lange Blüte zu bereiten, der notwendig auch wieder die Natur durch Hervorbringung neuer schöpferischer Genies gefolgt wäre: Italien und Spanien haben diese Wechselwirkung erlebt. Nichts andres hätte es hierzu bedurft, als die Theater in den Stand zu setzen, die Taten der Lessingschen Kämpfe und der Schillerschen Siege würdig zu feiern. – Wie aber dem jugendlich idealen Gebaren der Burschenschaft die verderbliche Tendenz der alten Landsmannschaften entgegengestellt wurde, so bemächtigte man sich mit einem Instinkte, welcher der großen Unbeholfenheit des Regierten gegenüber nur dem Regierenden zu eigen sein kann, eben dieses Theaters, um den wunderbaren Schauplatz der edelsten Befreiungstaten des deutschen Geistes dem Einflusse eben dieses Geistes zu entziehen. Wie bereitet ein geschickter Feldherr die Niederlage des Feindes? Er schneidet ihm das Terrain, die Zufuhr der Lebensmittel ab. Der große Napoleon »depaysierte« den deutschen Geist. Den Erben Goethes und Schillers nahm man das Theater. Hier Oper, dort Ballett: Rossini, Spontini, die Dioskuren Wiens und Berlins, die das Siebengestirn der deutschen Restauration nach sich zogen. Aber auch hier sollte der deutsche Genius sich Bahn brechen wollen; verstummte der Vers, so erklang die Weise. Der frische Atem der noch im edlen Aufschwunge bebenden jugendlichen deutschen Brust hauchte aus des herrlichen Webers Melodien; ein neues wundervolles Leben war dem deutschen Gemüte gewonnen; jubelnd empfing das Volk seinen »Freischütz«, und schien nun von neuem in die französisch restaurierten Prachtsäle der intendanzverwalteten Hoftheater, auch da siegend und erfrischend, eindringen zu wollen. Wir kennen die langsamen Qualen, unter welchen der so edel volkstümliche deutsche Meister sein Verbrechen der Lützowschen Jägermelodie büßte, und todmüde dahinsiechte.

Die berechnendste Grausamkeit hätte nicht sinnvoller verfahren können, als es geschah, um den deutschen Kunstgeist zu demoralisieren und zu töten; aber nicht minder grauenhaft ist die Annahme, daß vielleicht auch nur reiner Stumpfsinn und triviale Genußsucht der Machthaber diese Verwüstung anrichteten. Der Erfolg hiervon stellt sich jetzt nach einem halben Jahrhunderte ersichtlich genug in dem allgemeinen Zustande des Geisteslebens des deutschen Volkes heraus: es wäre eine Aufgabe, ihn genau zu zeichnen und seine seltsam verzweigten Phasen darzustellen. Nach mancher Seite hin gedenken wir später hierzu Beiträge zu liefern. Für jetzt genüge es zu unserm Zwecke, die über den deutschen Geist neu gewonnene Macht einer Zivilisation nachzuweisen, welche seitdem selbst eine so unerhört demoralisierende Entwicklung genommen, daß edle Geister von jenseits des Rheines her sehnsüchtig den Erlösung suchenden Blick zu uns herüberwerfen. Aus dem, was diese mit Staunen dann erblicken, möge uns am besten erhellen, wie es bei uns steht.

Der von seiner eigenen Zivilisation angeekelte Franzose hat das Buch der Staël über Deutschland, den Bericht B. Constants über das deutsche Theater gelesen, er studiert Goethe und Schiller, hört Beethovens Musik, und glaubt nun unmöglich sich zu täuschen, wenn er durch wirkliche und genaue Kenntnisnahme des deutschen Lebens sich Trost und Hoffnung auch für die Zukunft seines Volkes zu gewinnen sucht. »Die Deutschen sind ein Volk hochsinniger Träumer und tiefsinniger Denker.« Frau von Staël fand den Einfluß der Kantischen Philosophie auf Schillers Geist, auf die Entwicklung aller deutschen Wissenschaft vor: was hat dagegen der heutige Franzose bei uns zu finden? Es erkennt nur noch die merkwürdigen Folgen eines in Berlin seinerzeit gehegten und, auf den Ruhm des Namens der deutschen Philosophie hin, zu völliger Weltberühmtheit gebrachten philosophischen Systems, welchem es gelang, die Köpfe der Deutschen dermaßen zu dem bloßen Erfassen des Problems der Philosophie unfähig zu machen, daß seitdem gar keine Philosophie zu haben für die eigentliche rechte Philosophie gilt. Den Geist aller Wissenschaften findet er durch solchen Einfluß dahin umgestimmt, daß auf den Gebieten, wo der Ernst des Deutschen sich sprichwörtlich gemacht hatte, Oberflächlichkeit, Effekthascherei, wahre Unredlichkeit nicht mehr in der Diskussion von Problemen, sondern, unter Verleumdungen und Intrigen aller Art, in der persönlichen Zänkerei fast einzig den Stoff zur Ernährung des Büchermarktes hergibt, welcher an sich dem Buchhandel zur einfachen Börsenspekulation geworden ist. Glücklicherweise aber findet er, daß das deutsche Publikum, ganz wie das französische, eigentlich gar keine Bücher mehr liest, und seine Bildung fast lediglich nur noch aus den Journalen sich gewinnt. Er gewahrt mit Trauer, daß es hierin selbst im schlechten Sinne nicht einmal deutsch hergeht, wie doch eigentlich noch bei den Zänkereien der Universitätsprofessoren; denn hier gewahrt er endlich selbst nur einen Sprachjargon ausgebildet, der mit dem Deutschen die Ähnlichkeit immer mehr verliert. Er bemerkt in allen diesen Kundgebungen der Publizität namentlich auch den deutlichen Hang, aus allem den Deutschen so hoch ehrenden Zusammenhange mit seiner Geschichte herauszutreten, und ein gewisses europäisches Niveau des gemeinsten Tagesinteresses »anzu-

bahnen«, auf welchem die Unkenntnis und Unbildung des Journalisten ihr behagliches, dem Volke so zutraulich schmeichelndes Bekenntnis der Unnützheit gründlicher Bildung mit Freimut an den
Tag legen kann. – Der immer noch im deutschen Volke angetroffe-
ne Hang zum Lesen und Schreiben dünkt unter solchen Umständen dem Franzosen nicht von sonderlichem Werte; ihm erscheint
eher der Mutterwitz und natürliche Verstand des Volkes dadurch
bedroht. Hat ihn nämlich in Frankreich der praktische Materialismus der Geistesbildung des Volkes abgestoßen, so begreift er nun
nicht, warum dieses Übel unter der Pflege der geistlosesten Resul-
tate einer dünkelhaft seichten Naturwissenschaft von seiten der
journalistischen Propaganda dem Volke noch theoretisch beigebracht werden soll, da auf diesem Wege auch noch die annehmli-
chen Ergebnisse der naiven Praktik unergiebig gemacht werden.

Nun wendet unser Gast sich der deutschen Kunst zu und bemerkt zunächst, daß unter diesem Namen der Deutsche nur die
Malerei und Bildhauerei, etwa auch noch die Architektur versteht; er kennt aus jener Zeit der deutschen Wiedergeburt die
schönen, edlen Ansätze zur Ausbildung auch dieser Seite des deutschen Kunstgeistes: doch gewahrt er nun, daß, was damals z. B.
von dem edlen P. Cornelius im wahrhaften großen Ernste gemeint
war, jetzt nur noch ein spaßhafter Vorwand ist, wobei es auf den
Effekt losgeht, ganz wie bei der Philosophie und Wissenschaft;
was aber den Effekt betrifft, so weiß unser Franzose, daß man den
bei ihm durchaus unübertrefflich gut versteht. – Jetzt zur poetischen Literatur. Er glaubt wieder Journale zu lesen. Doch nein!
wären das nicht Bücher, und noch dazu Bücher von neun innig
zusammenhängenden Bänden? Hier muß deutscher Geist sein;
sind auch die meisten dieser Bücher nur Übersetzungen, so muß
doch hier endlich zutage treten, was der Deutsche außer A. Dumas und E. Sue noch ist? Wirklich, er ist außerdem noch etwas:
Ausbeuter des Ruhmes und Namens deutscher Herrlichkeit! Alles strotzt von patriotischen Versicherungen und »deutsch«,
»deutsch«, so tönt die Glocke laut über die kosmopolitische Synagoge der »Jetztzeit« hin. Es ist so leicht, dieses »deutsch«! Es
lernt sich ganz von selbst, und keine böse Akademie paßt uns auf,
noch ist man der steten Schikane des französischen Schriftstellers
ausgesetzt, welcher bei einem einzigen übel gebrauchten Sprachausdruck sofort mit dem Geschrei sämtlicher Kollegen zurückgewiesen wird, er verstehe nicht französisch zu schreiben. – Nun aber
zum Theater! Dort, im täglichen, unmittelbaren Verkehre des Publikums mit den Geistern seiner Nation, muß zuversichtlich der

Geist des sinnigen, in seiner Sittlichkeit so selbstbewußt sich bewegenden deutschen Volkes sich ausdrücken, von dem ein B. Constant den Franzosen versichert hatte, daß er der französischen Regeln nicht bedürfe, weil der Innigkeit und Reinheit seines Wesens das Schickliche ganz von selbst eingeboren sei. Wir wollen hoffen, daß unser Gast im Theater nicht zunächst auf unsern Schiller und Goethe treffe, denn er würde dann unmöglich begreifen können, warum wir kürzlich dem ersteren auf den Plätzen unsrer Städte überall Statuen errichtet haben, oder vermuten müssen, es sei dies geschehen, um den guten, braven Mann für seine unleugbaren Verdienste auf eine recht anständige Weise nun ein- für allemal abgetan zu haben. Vor allem würde ihm bei der Begegnung unsrer großen Dichter auf der Bühne das seltsam gedehnte Zeitmaß in der Rezitation der Verse auffallen, für das er einen stilistischen Grund aufsuchen zu müssen glaubte, bis er gewahr würde, daß diese Dehnung nur aus der Schwierigkeit, dem Souffleur zu folgen, für den Schauspieler entstehe; denn dieser mimische Künstler hat offenbar nicht die Zeit, seine Verse wirklich zu memorieren. Und der Grund hierfür erklärt sich auch bald; denn derselbe Schauspieler ist dazu angestellt, im Laufe des Jahres ziemlich alle Produkte der theatralischen Literatur aller Zeiten und aller Völker, aller Genres und aller Stile, gleichmäßig der merkwürdigsten Versammlung, welche man überhaupt finden kann, dem abonnierten Publikum des deutschen Theaters, vorzuführen. Bei dieser unerhörten Ausdehnung der Aufgabe des deutschen Mimen kann natürlich nicht in Betracht kommen, *wie* er diese Aufgabe löst; darüber ist auch Kritik und Publikum vollständig hinweg. Der Schauspieler ist daher genötigt, sein Gefallen auf einem andern Gebiete seiner Leistungen zu begründen: immer führt die »Jetztzeit« ihm etwas zu, wobei er sich in seinem eigenen, »selbstverständlichen« Elemente befindet; und hier hilft wieder, wie in der Literatur, der eigentümliche moderne Verkehr des neuesten deutschen Geistes mit der französischen Zivilisation aus. Wie dort A. Dumas überdeutscht wurde, wird hier die Pariser Theaterkarikatur »lokalisiert«, und wie sich etwa das neue »Lokal« zu Paris verhält, so nimmt sich diese Hauptnahrung des deutschen Theaterrepertoires dann auch auf unsrer Bühne aus. Eine sonderbare Unbeholfenheit des Deutschen kommt dann nun gar noch dazu, hierbei Verwirrungen hervorzubringen, welche unserm französischem Gaste den Gedanken erwecken müssen, der Deutsche überbiete in der Frivolität noch weit den Pariser: was in Paris wirklich ganz abseits der guten Gesellschaft in kleineren Winkeltheatern vorgeht, das sieht er, noch dazu mit roher Tölpelhaftigkeit reproduziert, in den glänzenden Hoftheatern dem bevorzugten Teile der Gesellschaft ohne alle Skrupel, nackt und treuherzig, als neueste Zote vorgeführt; auch wird dies in der Ordnung gefunden. Neulich erlebten wir, daß Mlle. Rigolboche, ein nur durch Paris begreifliches Wesen, die Tänze, welche sie dort auf besonderes Engagement der bekannten Ballunternehmer zur Belebung der von den Durchreisenden aufgesuchten verrufensten Unterhaltungen ausführte, nach wirklich groß gedruckter Ankündigung als Pariser »Cancan-Tänzerin« auf einem Berliner Theater zu tanzen berufen, und hierzu von einem hochgestellten Herrn der preußischen Aristokratie, welcher der Kunstwelt fördernde Aufmerksamkeit zu widmen gewohnt war, ehrenvoll im Wagen abgeholt wurde. Diesmal bekamen wir hierfür etwas in der französischen Presse ab: denn mit Recht entsetzte sich das französische Gefühl darüber, wie sich die französische Zivilisation ohne den französischen *Anstand* ausnähme. Wirklich haben wir zu finden, daß das einfache Anstandsgefühl derjenigen Völker, welche sonst der deutsche Geist beeinflußte, es ist, was diese jetzt gänzlich von uns abgewendet und der vollen Hingebung an die französische Zivilisation zugeführt hat: die Schweden, Dänen, Holländer, unsre nationalverwandten Nachbarn, die einst im innigsten Geistesverkehre mit uns standen, beziehen jetzt ihren Bedarf an Kunst und Geist direkt aus Paris, da sie sehr richtig wenigstens die echte Ware der gefälschten vorziehen.

Was aber wird unser französischer Gast empfinden, wenn er an diesem Schauspiele der deutschen Zivilisation sich geweidet? Gewiß eine verzweiflungsvolle heimatliche Sehnsucht wenigstens nach dem französischen Anstande zurück, und in ihr ist, wohlerwogen, ein sehr wirksames neues Machtmittel der französischen Herrschaft gewonnen, gegen welches wir uns schwer zu wehren verstehen dürften. Wollen wir es dennoch versuchen, so prüfen wir des weiteren sorgsam, und ohne jede eitle Selbstüberhebung, die uns etwa noch verbleibenden Hilfsmittel hierzu.

IV.

Dem geistvollen Franzosen, welchen wir die gegenwärtige Physiognomie des geistigen Lebens in Deutschland in Augenschein nehmen sahen, dürften wir doch schließlich zum Troste sagen, daß sein Blick nur den äußeren Dunstkreis des wahren deutschen Geistesleben berührte. Dies war die Sphäre, in welcher man dem deutschen Geiste erlaubte, den Schein von Macht und öffentlicher Wirksamkeit zu erstreben: sobald er ganz von diesem Streben abstand, konnte die Verderbnis natürlich auch über ihn keine Macht gewinnen. Es wird, wie betrübend, so doch auch lohnend sein, ihn in seiner Heimat aufzusuchen, dort, wo er einst, unter der steifen Perücke eines S. Bach, unter der gepuderten Frisur eines Lessing, den Wunderbau des Tempels seiner Herrlichkeit entwarf. Es spricht nicht gegen die Fähigkeit des deutschen Geistes, sondern nur gegen den Verstand der deutschen Politik, wenn dort in der Tiefe der so universal angelegten deutschen Individualität als Quell eigener Tüchtigkeit ein Reichtum sich erhält, der dem öffentlichen Leben keine Zinsen zu tragen vermag. Wiederholt haben wir in den vergangenen Dezennien die seltsame Erfahrung gemacht, daß die deutsche Öffentlichkeit auf Geister ersten Ranges im deutschen Volke erst durch die Entdeckungen der Ausländer hingewiesen worden ist. Dies ist ein schöner, tiefbedeutsamer Zug, wie beschämend er auch für die deutsche Politik sein mag: versenken wir uns in seine Betrachtung, so gewinnen wir in ihm eine ernstliche Mahnung an die deutsche Politik, ihre Schuldigkeit zu tun, weil von ihr dann für die europäischen Gesamtvölker das Heil zu erwarten steht, welches keines von diesem aus seinem eigenen Geiste zu begründen vermag. Genau betrachtet war seit der Regeneration des europäischen Völkerblutes der Deutsche der Schöpfer und Erfinder, der Romane der Bildner und Ausbeuter: der wahre Quell fortwährender Erneuerung blieb das deutsche Wesen. In diesem Sinne sprach die Auflösung des »heiligen römischen Reiches deutscher Nation« nicht anders als ein Überwiegen der vorherrschend gewordenen praktisch realistischen Tendenz der europäischen Bildung aus; ist diese nun am Abgrunde des geistlosesten Materialismus angelangt, so wenden sich mit sehr richtigem Naturtriebe die Völker zum Quell ihrer Erneuerung zurück, und merkwürdigerweise treffen sie da das deutsche Reich selbst in einem fast unerklärlich aufgehaltenen Verfall, dennoch aber nicht in seinem vollen Untergange, sondern in dem sehr erkenntlichen inneren Streben nach seiner edelsten Wiedergeburt an.

Überlassen wir es der praktischen Beurteilung dieser zuletzt angedeuteten Bestrebungen, die Grundzüge einer wahren deutschen Politik festzustellen, und begnügen wir uns hier, unserm Zwecke gemäß, damit, abseits des durch offiziellen Mißverstand verwahrlosten öffentlichen Geisteslebens der Deutschen, den in anarchischer Selbstüberlassenheit ihrer eigentümlichen Fortbildung nachhängenden Anlagen des deutschen Geistes unsre Beachtung zuzuwenden, um auf den geeigneten Punkt zu treffen, welcher beide Richtungen des öffentlichen Lebens zu einer dem endlichen Hervortreten jenes verborgenen Reichtums günstigen Vereinigung führen könnte.

Suchen wir daher, um leichter zu dem angedeuteten Punkte zu gelangen, die Kundgebungen des deutschen Geistes jetzt da auf, wo sie erkenntlich die Öffentlichkeit noch berühren, so treffen wir eben auch hier auf unverwerfliche Zeugnisse von der Zähigkeit der deutschen Natur, das einmal Erfaßte nicht wieder aufzugeben. Der eigentliche föderative Geist des Deutschen hat sich nie vollständig verleugnet: er hat selbst in den Zeiten des tiefsten politischen Verfalles durch die zähe Aufrechterhaltung seiner fürstlichen Dynastien, gegenüber der zentralisierenden Tendenz des habsburgischen Kaisertums, die Unmöglichkeit der eigentlichen Monarchie in Deutschland für alle Zeiten dargetan. Seit dem Aufschwunge des Volksgeistes in den Freiheitskriegen ist diese alte föderative Neigung in jeder Form auch wieder in das Leben getreten; da, wo sie sich am lebensfähigsten zeigte, in den Verbindungen der hocherregten deutschen Jugend, wurde sie zuerst, als der monarchistischen Bequemlichkeit feindselig angesehen, gewaltsam unterdrückt; dennoch war es nicht zu wehren, daß sie sich nun auf alle Gebiete des geistigen und praktischen sozialen Interesses übertrug. Zu bedauerlichem Nachdenken fordert es nur eben wieder auf, wenn wir erkennen und zugestehen müssen, daß der wundersamen Regsamkeit des deutschen Vereinswesens es nie gelingen wollte, einen wirklichen Einfluß auf die Gestaltung des öffentlichen Geistes zu gewinnen. In Wahrheit sehen wir, daß auf jedem Gebiete der Wissenschaft, der Kunst, der gemeinnützigen sozialen Interessen, der Organisation des deutschen Wesens ungefähr dieselbe Ohnmacht anhaftet, wie z. B. unsern auf Volksbewaffnung zielenden Turnvereinen gegenüber den stehenden Heeren, oder auch wie unsern, dem französischen und englischen Vorbilde nachgeahmten Deputiertenkammern gegenüber den Regierungen. Mit Trauer erkennt daher der deutsche Geist, daß auch in diesen ihm eigentlich schmeichelnden Kundgebungen er sich in Wahrheit nicht ausdrückt, sondern wird gewahr, daß er kläglich dabei nur mit sich selbst spielt. Was endlich diese, an sich so ermutigende, Erscheinung des deutschen Vereinswesens völlig widerwärtig machen muß, ist, daß derselbe nur auf äußeren Effekt und Profit zielende Geist, den wir zuvor als den herrschenden in unsrer ganzen offiziellen Kunstöffentlichkeit erkannten, auch dieser Kundgebungen des deutschen Wesens sich bemächtigen mußte: wo alles über seine wahre Ohnmacht endlich, um doch auch etwas zu treiben, sich so gern belügt, und der unfruchtbarsten Wirksamkeit, wenn man nur recht zahlreich beisammen ist, mit williger Akklamation die herrlichste Produktivität andekretiert, da sind bald auch Aktien hierauf unter die Leute zu bringen; und der wahre Erbe und Verwerter der europäischen Zivilisation stellt sich, wie überall so auch hier, gar bald selbst mit einer Börsenspekulation auf »Deutschtum« und »deutsche Gediegenheit« ein.

Daß nie Vereinigungen von noch so viel gescheiten Köpfen ein Genie oder ein wahres Kunstwerk der Welt bringen können, liegt allem wohl klar am Tage: daß sie, bei dem gegenwärtigen Stande des öffentlichen Geisteslebens in Deutschland, aber auch nicht einmal dazu fähig sind, die Werke des Genies, welche natürlich ganz außerhalb ihrer Sphäre sich erzeugen, der Nation kenntlich vorzuführen, das beweisen sie ersichtlich daran, daß die Kunststätten, in welchen die Werke der großen Meister der deutschen Wiedergeburt dem Volke bildend darzustellen wären, gänzlich ihrem Einflusse entzogen und der Pflege der Verderbnis des deutschen Kunstgeschmackes überlassen bleiben. Hier, nach der Seite der Kunst, wie dort nach der Seite der Politik hin, zeigt es sich unwiderleglich, wie wenig der deutsche Geist von all' diesem, anderseits doch so grunddeutschen Vereinswesen zu erwarten hat.

Gerade an ihm aber ist auch wiederum am deutlichsten nachzuweisen, wie mit einem einzigen richtigen Schritte aus der Region der Macht herab das fruchtbarste, alles fördernde Verhältnis zu begründen wäre. Wir beziehen uns für diesen Nachweis nochmals auf die schon berührten Turnvereine, denen wir nur noch die nicht minder zahlreich gepflegten Schützenvereine beifügen wollen: dem Verlangen nach Hebung des Volksgeistes entsprungen, dient ihre jetzige Wirksamkeit, nach der idealen Seite hin, vielmehr nur zur Einschläferung dieses Volksgeistes, dem hier bei einem bequemen Spiele, sobald nur noch über dem Festschmaus der jährlichen Stiftungsfeier die Rede in feurigen Schwung kommt, geschmeichelt wird, er sei in dieser Gestalt wirklich etwas, und das Heil des Vaterlandes hinge geradeswegs von ihm ab; dagegen nun, nach der praktischen Seite hin, dienen sie den Wortrednern unsres stehenden Heerwesens ebenso zum unumstößlichen Beleg dafür, daß unmöglich auf der Grundlage der Volksbewaffnung eine schlagfertige Armee herzustellen sei. Hier hat nun bereits das preußische Beispiel gezeigt, wie die vorliegenden Widersprüche fast vollständig ausgeglichen werden können: nach der praktischen Seite, der Erreichung wirklicher Schlagfertigkeit eines ganzen Volkes, darf die Aufgabe durch die preußische Heeresorganisation als vollständig gelöst betrachtet werden; nichts fehlt, als auch nach der idealen Seite hin dem bewaffneten Volke noch das adelnde Gefühl von dem Werte seiner Bewaffnung und Kampftüchtigkeit zu geben. Immerhin charakteristisch ist es, daß der letzte große Sieg des preußischen Heeres von dessen Kriegsherrn andern, neueren Einrichtungen, im Sinne der Zurückführung der Armee auf die reinen Prinzipe der stehenden Heere, zugeschrieben wurde, während ganz Europa die Landwehrverfassung als den zu den nachdenklichsten Untersuchungen herausfordernden Grund jener Erfolge in das Auge faßte. Darin, daß gewiß auch dem, an sich wohl nicht ganz unbefangenen Urteile des preußischen Monarchen eine sehr richtige Erfahrung von den Bedürfnissen der Organisation eines Heeres zugrunde liegt, läßt sich unschwer erkennen, in welchem Verhältnisse alles Volksvereinswesen zu den von den Regierungen ausgehenden Organisationen stehen sollte, um nach unsrer Meinung das nach allen Seiten hin Zweckmäßige zutage zu fördern, und zugleich zum wahren allgemeinen Heile zu führen. Daß nämlich ein jederzeit tüchtiges Heer eines besonders geübten Kernes, wie ihn nur die neuere Armeedisziplin ausbilden kann, bedarf, ist ebenso unleugbar, als es widersinnig sein würde, alle waffenfähige Bevölkerung eines Landes zum vollständig ausgebildeten Fachmilitär erziehen zu wollen, – eine Vorstellung, vor welcher bekanntlich die Franzosen neuerdings so heftig zurückschreckten. Dagegen hat dem deutschen Vereinswesen, in jedem von diesem Wesen berührten Zweige des öffentlichen Lebens, die Regierung nur eben das entgegenzubringen, was etwa in der preußischen Heeresverfassung der Volksbewaffnung entgegengebracht wird, der zweckmäßige Ernst der Organisation und das Beispiel der Ausdauer und Tapferkeit des wirklichen Berufssoldaten, um dem Dilettantismus der mit den Waffen nur spielenden männlichen Bevölkerung zum allgemeinen Heile die kräftigende Hand zu reichen.

Wir fragen nun, welchen unerhörten, wirklich unermeßlichen Reichtum der belebendsten Organisationen das deutsche Staatswesen in sich schließen müßte, wenn, nach geeigneter Analogie mit dem angezogenen Beispiele der preußischen Heeresorganisation, alle die mannigfachen, der wahren Kultur und Zivilisation zugewandten Neigungen, wie sie sich in dem deutschen Vereinswesen kundgeben, in die einzig sie fördernde Machtsphäre, in welcher die Regierungen sich jetzt bureaukratisch abgeschlossen halten, hineingezogen würden?

Da wir die Politik hier nur insoweit zu berühren gedachten, als sie unsrer Ansicht nach mit dem deutschen Kunstgeiste in Beziehung steht, überlassen wir es andern Untersuchungen, uns über die politische Entwicklung des deutschen Geistes, im Verein der von uns ersehnten Durchdringung desselben mit dem Geiste der deutschen Fürsten, eingehenderen Aufschluß zu geben. Wenn wir uns dagegen vorbehalten, in betreff der auf die Kunst bezüglichen, sowohl individuellen wie gesellschaftlichen Anlagen des deutschen Geistes, mit Festhaltung des soeben von uns dargelegten Grundgedankens, uns weiter mitzuteilen, so sei es uns gestattet, für alle ferneren Untersuchungen auf diesem Gebiete das gewonnene Ergebnis dieser vorangehenden Darstellung ungefähr in folgendem Satze festzustellen.

Universal, wie die Bestimmung des deutschen Volkes seit seinem Eintritte in die Geschichte sich zu erkennen gibt, sind die Anlagen des deutschen Geistes auch für die Kunst, das Beispiel der Betätigung dieser Universalität hat die in der zweiten Hälfte des vorigen Jahrhunderts erlebte Wiedergeburt des deutschen Geistes auf den wichtigsten Gebieten der Kunst gezeigt: das Beispiel der Aneignung dieser Wiedergeburt zu dem Zwecke der Veredelung des öffentlichen Geisteslebens des deutschen Volkes, sowie zu dem Zwecke der Begründung einer selbst über unsre Grenzen heilsam hinausreichenden neuen, wirklich deutschen Zivilisation, muß von denen gegeben werden, in deren Händen die politischen Geschicke des deutschen Volkes liegen: Nichts bedarf es hierzu, als daß den deutschen Fürsten aus ihrer Mitte hierfür selbst dieses rechte *Beispiel* gegeben werde.

(...)

Zum Schluß der hiermit beendigten Untersuchungen sei uns ein kurzer, aber weiter Umblick gestattet.

Als Preußen den Umsturz der Bundesverfassung in das Werk setzte, sprach es von seinem *deutschen Beruf*. Da Bayern sich zusammenfaßt, die ihm gewordene neue Stellung rühmlich zu verwerten, heben seine Staatsmänner nicht minder die ihm obliegende Aufgabe eines deutschen Berufes hervor. Welcher kann dieser sein? Gewiß, nach dem Sinne seiner Lenker, aus ihm einen deutschen Musterstaat zu bilden, zu welchem es, dem gleichzeitigen Drängen seiner inneren sozialen Bedürfnisse gemäß, wie seiner nach außen begrenzten, aber auch durch die Weltlage gewährleisteten Machtstellung entsprechend, ebenso genötigt wie befähigt ist. Welcher Geist kann einzig zur Bildung dieses deutschen, als Vorbild hinzustellenden Musterstaates dienen? – Als die Krone Preußen drei alte deutsche Fürstenhäuser aus ihren Stammsitzen verwies, berief sie sich auf den Nützlichkeitsgrund: sie deckte hierdurch mit höchster, fast erstaunlicher Energie den innersten Geist des preußischen Staatswesens, der von uns bereits charakterisierten Schöpfung Friedrichs des Großen, auf. Zu welchem Ziele würde es Bayern führen, wenn es in seiner fortschreitenden Staatsorganisation gänzlich nur die Tendenz des preußischen Staatswesens verfolgte? Notwendig, daß beide eines Tages auf dem gleichen Punkte sich begegnen und aufeinander treffen würden: der stärkere Nützlichkeitsgrund würde dann zu entscheiden haben, und wohin müßte dann die Entscheidung fallen? Wäre es demnach nicht ein allerhöchster Nützlichkeitszweck des bayrischen Staatswesens, bei allen seinen Organisationen lebhaft im Auge zu behalten, daß über allem Nützlichkeitszweck eben noch ein Ideal gelegen sei, und daß Bayern, nur so weit es an dieses reiche, neben Preußen einen deutschen Beruf erfüllen kann? Hat die Krone Preußen vom oben herab zu wachen, daß sie nie und nirgends das Nützlichkeitsgesetz aus dem Auge verliere, und muß sie selbst die Gnade nach den Erfordernissen dieses Gesetzes stimmen, hätte dann nicht Bayern seine Nützlichkeitszwecke von unten auf in dem Maße zu verfolgen, daß das erfüllte Nützlichkeitsgesetz der Krone das freieste Walten der Gnade vor allem sicherte? Auch Preußen muß und wird erkennen, daß der deutsche Geist es war, der in seinem Aufschwunge gegen die französische Herrschaft ihm einst die Kraft gab, welche es jetzt einzig nach den Gesetzen des Nützlichkeitszweckes verwendet: und hier wird dann der rechte Punkt sein, auf welchem – zum Heile aller – eine glückliche Leitung des bayrischen Staatswesens mit jenem sich begegnen kann. Aber nur dieser Punkt: es gibt keinen segenvollen andern. Und dieses ist der *deutsche Geist*, von dem sich es leicht reden und in nichtssagenden Phrasen sich ergehen läßt, der aber unsrer Einsicht, unserm Gefühle kenntlich nur erst noch in dem idealen Aufschwunge der großen Schöpfer der deutschen Wiedergeburt des vorigen Jahrhunderts nachweisbar ist. Diesem Geiste im deutschen Staatswesen die voll entsprechende Grundlage zu geben, so daß er frei und selbstbewußt aller Welt sich kundgeben kann, heißt aber so viel als selbst die beste und einzig dauerhafte Staatsverfassung gründen.

Über die Benennung »Musikdrama«

Wir lesen jetzt öfter von einem »Musikdrama«, erfahren auch, daß z. B. in Berlin es sich darum handelt, diesem Musikdrama auf dem Wege der Vereinstätigkeit förderlich zu werden, ohne uns recht vorstellen zu können, was hiermit gemeint sei. Zwar habe ich Grund anzunehmen, daß mit dieser Bezeichnung zuerst meinen neueren dramatischen Arbeiten die Ehre einer ausnehmenden Klassifizierung zugedacht worden sei; je weniger ich mich aber geneigt finden konnte, diese mir anzueignen, desto mehr gewahre ich dagegen anderseits die Neigung, mit dem Namen »Musikdrama« ein neues Kunstgenre zu bestimmen, welches, sehr vermutlich auch ohne meinen Vorgang, als einfach der Stimmung und den Anforderungen der Zeit und ihren Tendenzen entsprechend, sich notwendig herausbilden mußte, und nun für jeden, etwa als bequemes Nest zum Ausbrüten seiner musikalischen Eier, bereit liege.

Ich kann mich der schmeichelnden Ansicht einer so angenehmen Lage der Dinge nicht hingeben, und dies um so weniger, als ich nicht weiß, was ich unter dem Namen »Musikdrama« begreifen soll. Wenn wir mit Sinn und Verstand, dem Geiste unsrer Sprache gemäß, zwei Substantive zu einem Worte verbinden, so bezeichnen wir mit dem vorangestellten jedesmal in irgendwelcher Weise den Zweck des nachfolgenden, so daß »Zukunftsmusik«, obwohl eine Erfindung zu meiner Verhöhnung, dennoch als: Musik für die Zukunft*, einen Sinn hatte. In gleicher Weise erklärt, würde aber »Musikdrama«, als: Drama zum Zweck der Musik, gar keinen Sinn haben, wenn nicht damit geradeswegs das altgewohnte Opernlibretto bezeichnet wäre, welches allerdings recht eigentlich ein für die Musik hergerichtetes Drama war. Dies meint man jedoch gewiß nicht: nur ist uns durch das beständige Lesen der Elaborate unsrer Zeitungsschreiber und sonstiger schöngeistiger Literaten das Bewußtsein eines richtigen Sprachgebrauches so sehr abhanden gekommen, daß wir den von jenen erfundenen unsin-

---

* Nämlich: für eine Zeit, wo man sie ohne Verhunzung zur Aufführung bringen würde.

nigsten Wortbildungen nach Belieben einen Sinn unterlegen zu dürfen glauben, wie wir denn diesmal hier mit »Musikdrama« gerade das Gegenteil des mit dem Worte gegebenen Sinnes bezeichnen wollen.

Betrachten wir den Fall nun aber näher, so ersehen wir, daß die Verhunzung der Sprache diesmal in der so beliebt gewordenen Umwandlung eines vorangehenden Adjektives in ein vorangeheftetes Substantiv besteht: anfänglich sagte man nämlich »musikalisches Drama«. Vielleicht war es aber nicht nur jener soeben bezüchtigte üble Geist der Sprache, welcher die Verkürzung dieses musikalischen Dramas zu einem »Musikdrama« vornahm, sondern auch ein dunkles Gefühl davon, daß ein Drama unmöglich musikalisch sein könnte, etwa wie ein Instrument, oder gar (was selten genug vorkommt), eine Sängerin »musikalisch« ist. Ein »musikalisches Drama« wäre, streng genommen, ein Drama gewesen, welches entweder selbst Musik macht, oder auch zum Musikmachen tauglich ist, oder gar Musik versteht, etwa wie unsre musikalischen Rezensenten. Da dies nicht passen wollte, verbarg sich der unklare Sinn besser hinter einem völlig unsinnigen Worte: denn mit »Musikdrama« war etwas gesagt, was kein Mensch noch gehört hatte, und gegen dessen Mißdeutung man dadurch gesichert erschien, daß man annahm, bei einem so ernstlich zusammengestellten Worte werde doch niemand etwa an die Analogie mit »Musikdosen« u. dgl. denken.

Der ernstlich gemeinte Sinn der Bezeichnung war dagegen wohl: ein in Musik gesetztes wirkliches Drama. Die geistige Betonung des Wortes fiele somit auf das *Drama*, welches man sich vom bisherigen Opernlibretto verschieden dachte, und zwar namentlich darin verschieden, daß in ihm eine dramatische Handlung nicht eben nur für die Bedürfnisse der herkömmlichen Opernmusik hergerichtet, sondern im Gegenteil die musikalische Konstruktion durch die charakteristischen Bedürfnisse eines wirklichen Dramas bestimmt werden sollte. War nun das »Drama« hierbei die Hauptsache, so hätte dieses wohl gar der »Musik« vorangestellt werden müssen, da diese durch jenes näher bestimmt wurde, und, etwa wie »Tanzmusik« oder »Tafelmusik«, hätten wir nun »Dramamusik« sagen müssen. Auf diesen Unsinn glaubte man nun wiederum nicht verfallen zu dürfen; denn, man mochte es drehen und wenden, wie man wollte, die »Musik« blieb immer das eigentliche Störende für die Benennung, obwohl jeder doch wiederum dunkel fühlte, daß sie trotz allem Anscheine die Hauptsache sei, und dies nur noch mehr, wenn ihr durch das ihr zugesellte wirkliche Drama die allerreichste Entwicklung und Kundgebung ihrer Fähigkeiten zugemutet ward.

Das Mißliche für die Aufstellung einer Benennung des gemeinten Kunstwerkes war demnach jedenfalls die Annahme einer Nötigung zur Bezeichnung zweier disparater Elemente, der Musik und des Dramas, aus deren Verschmelzung man das neue Ganze hergestellt sehen zu müssen vermeinte. Das Schwierigste hierbei ist jedenfalls, die »Musik« in eine richtige Stellung zum »Drama« zu bringen, da sie, wie wir dieses soeben ersehen mußten, mit diesem in keine ebenbürtige Verbindung zu bringen ist, und uns entweder viel mehr, oder viel weniger als das Drama gelten muß. Der Grund hiervon liegt wohl darin, daß unter dem Namen der Musik eine *Kunst*, ja ursprünglich sogar der Inbegriff aller Kunst überhaupt, unter dem des Drama aber recht eigentlich eine *Tat* der Kunst verstanden wird. Wenn wir Worte aneinander fügen und verbinden, zeigt es sich an der leichten Verständlichkeit des zusammengesetzten neuen Wortes sehr deutlich, ob wir die einzelnen Teile desselben für sich genommen noch recht verstehen, oder sie nur nach einer konventionellen Annahme noch verwenden. Nun heißt »Drama« ursprünglich *Tat* oder *Handlung*: als solche, auf der Bühne dargestellt, bildete sie anfänglich einen Teil der Tragödie, d. h. des Opferchorgesanges, dessen ganze Breite das Drama endlich einnahm und so zur Hauptsache ward. Mit seinem Namen bezeichnete man nun für alle Zeiten eine auf einer Schaubühne dargestellte Handlung, wobei das Wichtigste war, daß dieser Darstellung zugeschaut werden konnte, weshalb der Raum, in welchem man sich hierzu versammelte, das »Theatron«, der Schauraum hieß. Unser »Schauspiel« ist daher eine sehr verständige Benennung dessen, was die Griechen noch naiver mit »Drama« bezeichneten; denn hiermit ist noch bestimmter die charakteristische Ausbildung eines anfänglichen Teiles zum schließlichen Hauptgegenstande ausgedrückt. Zu diesem »Schauspiele« verhält sich nun die Musik in einer durchaus fehlerhaften Stellung, wenn sie jetzt nur als ein Teil jenes Ganzen gedacht wird; als solcher ist sie durchaus überflüssig und störend, weshalb sie auch vom strengen Schauspiele endlich gänzlich ausgeschieden worden ist. Hiergegen ist sie in Wahrheit »der Teil, der anfangs alles war«, und ihre alte Würde als Mutterschoß auch des Dramas wieder einzunehmen, dazu fühlt sie eben jetzt sich berufen. In dieser Würde hat sie sich aber weder vor, noch hinter das Drama zu stellen: sie ist nicht sein Nebenbuhler, sondern seine Mutter. Sie tönt, und was sie tönt, möget ihr dort auf der Bühne erschauen; dazu versammelte sie euch: denn was sie ist, das könnt ihr stets nur ahnen; und deshalb eröffnet sie euren Blicken sich durch das szenische Gleichnis, wie die Mutter den Kindern die Mysterien der Religion durch die Erzählung der Legende vorführt.

Die ungeheueren Werke ihres Aischylos nannten die Athener nicht Dramen, sondern sie ließen ihnen den heiligen Namen ihrer Herkunft: »Tragödien«, Opfergesänge zur Feier des begeisternden Gottes. Wie glücklich waren sie, keinen Namen hierfür zu ersinnen zu haben! Sie hatten das unerhörteste Kunstwerk, und – ließen es namenlos. Aber es kamen die großen Kritiker, die gewaltigen Rezensenten; nun wurden Begriffe gefunden, und wo diese endlich ausgingen, kamen die absoluten Worte daran. Ein hübsches Verzeichnis davon gibt uns der gute Polonius im »Hamlet« zum besten. Die Italiener brachten ein »Dramma per musica« zustande, welches, nur mit verständigerer Wortfassung, ungefähr unser »Musikdrama« ausdrückt; offenbar fand man aber diesen Ausdruck nicht befriedigend, und das wunderliche Wesen, welches hier unter der Zucht der Gesangsvirtuosen gedieh, mußte einen gerade so nichtssagenden Namen erhalten, als es das Genre selbst war. »Opera«, Plural von »Opus«, hieß diese neue Gattung von »Werken«, aus welchen die Italiener Weibchen, die Franzosen aber Männchen machten, wodurch die neue Gattung sich als generis utriusque herauszustellen schien. Ich glaube, man kann keine zutreffendere Kritik der »Oper« geben, als wenn der Entstehung dieses Namens derselbe richtige Takt zugesprochen wird, wie derjenigen des Namens der »Tragödie«; hier wie dort waltete keine Vernunft, sondern ein tiefer Instinkt bezeichnete dort etwas namenlos Unsinniges, hier etwas unnennbar Tiefsinniges.

Ich rate nun meinen Herren Fachkonkurrenten, für ihre der Bühne des heutigen Theaters gewidmeten musikalischen Arbeiten recht wohlbedächtig die Benennung »Oper« beizubehalten: dies läßt sie da, wo sie sind, gibt ihnen kein falsches Ansehen, überhebt sie jeder Rivalität mit ihrem Textdichter, und, haben sie gute Einfälle für eine Arie, ein Duett, oder gar einen Trinkchor, so werden sie gefallen und Anerkennenswertes leisten, ohne sich über die Gebühr anzustrengen, um am Ende gar noch ihre hübschen Einfälle zu verderben. Zu jeder Zeit hat es, wie Pantomimiker, so auch Zitherspieler, Flötenbläser, und endlich Cantores, welche dazu sangen, gegeben: sind diese hie und da einmal berufen worden, etwas aus ihrer Art und Gewohnheit Hinausschlagendes zu leisten, so geschah dies durch sehr einzeln stehende Wesen, auf welche man, ihrer unvergleichlichen Seltenheit wegen, über Jahrhunderte und Jahrtausende hinweg mit dem Finger der Geschichte weist; nie aber ist daraus ein *Genre* entstanden, in welchem, sobald man nur den rechten Namen dafür gefunden, das Außerordentliche für jeden Zutappenden zum gemeinen Gebrauche dagelegen hätte. In dem vorliegenden Falle wüßte ich aber selbst mit dem besten Willen nicht, welchen Namen ich dem Kinde geben sollte, welches aus meinen Arbeiten einen guten Teil der Mitwelt ziemlich befremdet anlächelt. Herrn *W. A. Riehl* vergeht, wie er irgendwo versicherte, bei meinen Opern Hören und Sehen, während er bei einigen hört, bei anderen sieht; wie soll man nun ein solches unhör- und unsichtbares Ding nennen? Fast wäre ich geneigt gewesen, mich auf die Sichtbarkeit desselben einzig zu berufen, und somit an das »Schauspiel« mich zu halten, da ich meine Dramen gern als *ersichtlich gewordene Taten der Musik* bezeichnet hätte. Das wäre denn nun ein recht kunstphilosophischer Titel gewesen, und hätte gut in die Register der zukünftigen Poloniusse unsrer kunstsinnigen Höfe gepaßt, von welchen man annehmen darf, daß sie, nach den Erfolgen ihrer Soldaten, nächstens auch das Theater im entsprechenden deutschen Sinne vorwärts führen lassen werden. Allein, trotz allem dargebotenen Schauspiele, wovon viele behaupten, daß es in das Monströse ginge, würde bei mir am Ende doch noch zu wenig zu sehen sein; wie mir denn z. B. vorgeworfen worden ist, daß ich im zweiten Akte des »Tristan« versäumt hätte, ein glänzendes Ballfest vor sich gehen zu lassen, während welches sich das unselige Liebespaar zur rechten Zeit in irgend ein Boskett verloren hätte, wo dann ihre Entdeckung einen gehörig skandalösen Eindruck und alles dazu sonst noch Passende veranlaßt haben würde: statt dessen geht nun in diesem Akte fast gar nichts wie Musik vor sich, welche leider wieder so sehr Musik zu sein scheint, daß Leuten von der Organisation des Herrn *W. A. Riehl* darüber das Hören vergeht, was um so schlimmer ist, da ich dabei fast gar nichts zu sehen biete.

So mußte ich denn, da man sie, namentlich ihrer großen Unähnlichkeit mit »Don Juan« wegen, auch nicht als »Opern« passieren lassen wollte, verdrießlicherweise mich entschließen, meine armen Arbeiten den Theatern ohne alle Benennung ihres Genres zu übergeben; und bei diesem Auskunftsmittel gedenke ich zu verbleiben, so lange ich eben mit unsren Theatern zu tun habe, welche mit Recht nichts anderes als Opern kennen, und, man gebe ihnen ein noch so korrektes »Musikdrama«, doch wieder eine »Oper« daraus machen. Um aus der hieraus entstehenden Verwirrung für einmal kräftig herauszukommen, geriet ich, wie bekannt, auf den

Gedanken des *Bühnenfestspieles*, welches ich nun mit Hilfe meiner Freunde in Bayreuth zustande zu bringen hoffe. Die Benennung hiervon ist mir durch den Charakter meiner Unternehmung eingegeben worden, da ich *Gesangfeste, Turnfeste* usw. kannte, und mir nun recht wohl auch ein Theaterfest vorstellen durfte, bei welchem bekanntlich die Bühne mit den Vorgängen auf ihr, welche wir sehr sinnig als ein *Spiel* aufzufassen haben, die ersichtlichste Hauptsache ist. Wer nun diesem Bühnenfestspiele einmal beigewohnt haben wird, behält dann vielleicht auch eine Erinnerung daran, und hierbei fällt ihm wohl ebenfalls ein Name für dasjenige ein, was ich jetzt als namenlose künstlerische Tat meinen Freunden darzubieten beabsichtige.

Religion und Kunst

> Ich finde in der christlichen Religion virtualiter
> die Anlage zu dem Höchsten und Edelsten, und
> die verschiedenen Erscheinungen derselben im
> Leben scheinen mir bloß deswegen so widrig und
> abgeschmackt, weil sie verfehlte Darstellungen
> dieses Höchsten sind.
>
> Schiller, an Goethe

I.

Man könnte sagen, daß da, wo die Religion künstlich wird, der
Kunst es vorbehalten sei, den Kern der Religion zu retten, indem
sie die mythischen Symbole, welche die erstere im eigentlichen
Sinne als wahr geglaubt wissen will, ihrem sinnbildlichen Werte
nach erfaßt, um durch ideale Darstellung derselben die in ihnen
verborgene tiefe Wahrheit erkennen zu lassen. Während dem Priester alles daran liegt, die religiösen Allegorien für tatsächliche
Wahrheiten angesehen zu wissen, kommt es dagegen dem Künstler hierauf ganz und gar nicht an, da er offen und frei sein Werk als
seine Erfindung ausgiebt. Die Religion lebt aber nur noch künstlich, wann sie zu immer weiterem Ausbau ihrer dogmatischen
Symbole sich genötigt findet, und somit das Eine, Wahre und Göttliche in ihr durch wachsende Anhäufung von, dem Glauben emp-
fohlenen, Unglaublichkeiten verdeckt. Im Gefühle hiervon suchte
sie daher von je die Mithilfe der Kunst, welche so lange zu ihrer
eigenen höheren Entfaltung unfähig blieb, als sie jene vorgebliche
reale Wahrhaftigkeit des Symboles durch Hervorbringung fetisch-
artiger Götzenbilder für die sinnliche Anbetung vorführen sollte,
dagegen nun die Kunst erst dann ihre wahre Aufgabe erfüllte, als
sie durch ideale Darstellung des allegorischen Bildes zur Erfassung
des inneren Kernes desselben, der unaussprechlich göttlichen
Wahrheit, hinleitete.

Um hierin klar zu sehen, würde der Entstehung von Religionen mit großer Sorgsamkeit nachzugehen sein. Gewiß müßten uns diese um so göttlicher erscheinen, als ihr innerster Kern einfacher befunden werden kann. Die tiefste Grundlage jeder wahren Religion sehen wir nun in der Erkenntnis der Hinfälligkeit der Welt, und der hieraus entnommenen Anweisung zur Befreiung von derselben ausgesprochen. Uns muß nun einleuchten, daß es zu jeder Zeit einer übermenschlichen Anstrengung bedurfte, diese Erkenntnis dem in vollster Natürlichkeit befangenen Menschen, dem Volke, zu erschließen, und daß somit das erfolgreichste Werk des Religionsgründers in der Erfindung der mythischen Allegorien bestand, durch welche das Volk auf dem Wege des Glaubens zur tatsächlichen Befolgung der aus jener Grunderkenntnis fließenden Lehre hingeleitet werden konnte. In dieser Beziehung haben wir es als eine erhabene Eigentümlichkeit der christlichen Religion zu betrachten, daß die tiefste Wahrheit durch sie mit ausdrücklicher Bestimmtheit den »Armen am Geiste« zum Troste und zur Heilsanleitung erschlossen werden sollte; wogegen die Lehre der Brahmanen ausschließlich den »Erkennenden« nur angehörte, weshalb die »Reichen am Geiste« die in der Natürlichkeit haftende Menge als von der Möglichkeit der Erkenntnis ausgeschlossene und nur durch zahllose Wiedergeburten zur Einsicht in die Nichtigkeit der Welt gelangende, ansahen. Daß es einen kürzeren Weg zur Heilsgewinnung gäbe, zeigte dem armen Volke der erleuchtetste Wiedergeborene selbst: nicht aber das erhabene Beispiel der Entsagung und unstörbarsten Sanftmut, welches *Buddha* gab, genügte allein seinen brünstigen Nachfolgern; sondern die letzte große Lehre der Einheit alles Lebenden durfte seinen Jüngern wiederum nur durch eine mythische Erklärung der Welt zugänglich werden, deren überaus sinniger Reichtum und allegorische Umfaßlichkeit immer nur der Grundlage der von staunenswürdigster Geistesfülle und Geistesbildung getragenen brahmanischen Lehre entnommen ward. Hier war es denn auch, wo im Verlaufe der Zeiten und im Fortschritte der Umbildungen nie die eigentliche Kunst zur erklärenden Darstellung der Mythen und Allegorien heranzuziehen war; wogegen die Philosophie dieses Amt übernahm, um, mit deren von feinster Geistesbildung geleiteten Ausarbeitung, den religiösen Dogmen zur Seite zu gehen.

Anders verhielt es sich mit der christlichen Religion. Ihr Gründer war nicht weise, sondern göttlich; seine Lehre war die Tat des freiwilligen Leidens: an ihn glauben, hieß: ihm nacheifern, und Erlösung hoffen, hieß: mit ihm Vereinigung suchen. Den »Armen am Geiste« war keine metaphysische Erklärung der Welt nötig; die

Erkenntnis ihres Leidens lag der Empfindung offen, und nur diese nicht verschlossen zu halten war göttliche Forderung an den Gläubigen. Wir müssen nun annehmen, daß, wäre der Glaube an Jesus den »Armen« allein zu eigen verblieben, das christliche Dogma als die einfachste Religion auf uns gekommen sein würde; dem »Reichen« war sie aber zu einfach, und die unvergleichlichen Verwirrungen des Sektengeistes in den ersten drei Jahrhunderten des Bestehens des Christentums belehren uns über das rastlose Ringen des Geistesreichen, den Glauben des Geistesarmen durch Umstimmung und Verdrehung der Begriffsnötigungen sich anzueignen. Die Kirche entschied sich gegen alle philosophische Ausdeutung der, in der Anwendung von ihr auf blinde Gefühlsergebung berechneten, Glaubenslehre; nur was dieser durch ihre Herkunft eine übermenschliche Würde geben sollte, nahm sie schließlich aus den Ergebnissen der Streitigkeiten der Sekten auf, um hieraus allmählich den ungemein komplizierten Mythenapparat anzusammeln, für welchen sie fortan den unbedingten Glauben, als an etwas durchaus tatsächlich Wahrhaftiges, mit unerbittlicher Strenge forderte.

In der Beurteilung des Wunderglaubens dürften wir am besten geleitet werden, wenn wir die geforderte Umwandlung des natürlichen Menschen, welcher zuvor die Welt und ihre Erscheinungen für das Allerrealste ansah, in Betracht ziehen; denn jetzt soll er die Welt als nur augenscheinlich und nichtig erkennen, das eigentliche Wahre aber außer ihr suchen. Bezeichnen wir nun als Wunder einen Vorgang, durch welchen die Gesetze der Natur aufgehoben werden, und erkennen wir bei reiflicher Überlegung, daß diese Gesetze in unsrem eigenen Anschauungsvermögen begründet und unlösbar an unsre Gehirnfunktionen gebunden sind, so muß uns der Glaube an Wunder als ein fast notwendiges Ergebnis der gegen alle Natur sich erklärenden Umkehr des Willens zum Leben begreiflich werden. Das größte Wunder ist für den natürlichen Menschen jedenfalls diese Umkehr des Willens, in welcher die Aufhebung der Gesetze der Natur selbst enthalten ist; das, was diese Umkehr bewirkt hat, muß notwendig weit über die Natur erhaben und von übermenschlicher Gewalt sein, da die Vereinigung mit ihm als das einzig Ersehnte und zu Erstrebende gilt. Dieses andere nannte *Jesus* seinen Armen das »Reich Gottes«, im Gegensatze zu dem »Reiche der Welt«; der die Mühseligen und Belasteten, Leidenden und Verfolgten, Duldsamen und Sanftmütigen, Feindesfreundlichen und Alliebenden zu sich berief, war ihr »himmlischer Vater«, als dessen »Sohn« er zu ihnen, »seinen Brüdern«, gesandt war.

Wir sehen hier der Wunder allergrößtes und nennen es »Offenba-

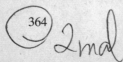
364
2mal

rung«. Wie es möglich ward, hieraus eine Staatsreligion für römische Kaiser- und Ketzerhenker zu machen, werden wir im späteren Verlaufe unsrer Abhandlung näher in Betrachtung zu nehmen haben, während für jetzt nur die fast notwendig scheinende Bildung derjenigen Mythen uns beschäftigen soll, deren endlich übermäßiges Anwachsen durch Künstlichkeit das kirchliche Dogma entwürdigte, der Kunst selbst jedoch neue Ideale zuführte.

Was wir im allgemeinen unter künstlerischer Wirksamkeit verstehen, dürften wir mit Ausbilden des Bildlichen bezeichnen; dies würde heißen: die Kunst erfaßt das Bildliche des Begriffes, in welchem dieser sich äußerlich der Phantasie darstellt, und erhebt, durch Ausbildung des zuvor nur allegorisch angewendeten Gleichnisses zum vollendeten, den Begriff gänzlich in sich fassenden Bilde, diesen über sich selbst hinaus zu einer Offenbarung. Sehr treffend sagt unser großer Philosoph von der idealen Gestalt der griechischen Statue: in ihr zeige der Künstler der Natur gleichsam, was sie gewollt, aber nicht vollständig gekonnt habe; womit demnach das künstlerische Ideal über die Natur hinausginge. Von dem Götterglauben der Griechen ließe sich sagen, daß er, der künstlerischen Anlage des Hellenen zu Liebe, immer an den Anthropomorphismus gebunden sich erhalten habe. Ihre Götter waren wohlbenannte Gestalten von deutlichster Individualität; der Name derselben bezeichnete Gattungsbegriffe, ganz so wie die Namen der farbig erscheinenden Gegenstände die verschiedenen Farben selbst bezeichneten, für welche die Griechen keine abstrakten Namen gleich den unsrigen verwendeten: Götter hießen sie nur, um ihre Natur als eine göttliche zu bezeichnen; das Göttliche selbst aber nannten sie: *der Gott;* »ό δεός«. Nie ist es den Griechen beigekommen, »den Gott« sich als Person zu denken, und künstlerisch ihm eine Gestalt zu geben wie ihren benannten Göttern; er blieb ein ihren Philosophen zur Definition überlassener Begriff, um dessen deutliche Feststellung der hellenische Geist sich vergeblich bemühte, – bis von wunderbar begeisterten armen Leuten die unglaubliche Kunde ausging, der »Sohn Gottes« habe, für die Erlösung der Welt aus ihren Banden des Truges und der Sünde, sich am Kreuze geopfert. – Wir haben es hier nicht mit den erstaunlich mannigfaltigen Anstrengungen der spekulierenden menschlichen Vernunft zu tun, welche sich die Natur dieses auf Erden wandelnden und schmachvoll leidenden Sohnes *des* Gottes zu erklären suchte: war das größte Wunder der, infolge jener Erscheinung eingetretenen, Umkehr des Willens zum Leben, welche alle Gläubigen an sich erfahren hatten, offenbar geworden, so war das andere

Wunder der Göttlichkeit des Heilsverkünders in jenem bereits mit inbegriffen. Hiermit war dann auch die Gestalt des Göttlichen in anthropomorphistischer Weise von selbst gegeben: es war der zu qualvollem Leiden am Kreuze ausgespannte Leib des höchsten Inbegriffes aller mitleidvollen Liebe selbst. Ein unwiderstehlich zu wiederum höchstem Mitleiden, zur Anbetung des Leidens und zur Nachahmung durch Brechung alles selbstsüchtigen Willens hinreißendes – Symbol? – nein: Bild, wirkliches Abbild. In ihm und seiner Wirkung auf das menschliche Gemüt liegt der ganze Zauber, durch welchen die Kirche sich zunächst die griechisch-römische Welt zu eigen machte. Was ihr dagegen zum Verderb ausschlagen mußte, und endlich zu dem immer stärker sich aussprechenden »Atheismus« unserer Zeiten führen konnte, war der durch Herrscherwut eingegebene Gedanke der Zurückführung dieses Göttlichen am Kreuze auf den jüdischen »Schöpfer des Himmels und der Erde«, mit welchem, als einem zornigen und strafenden Gotte, endlich mehr durchzusetzen schien, als mit dem sich selbst opfernden alliebenden Heiland der Armen. Jener Gott wurde durch die Kunst gerichtet: der Jehova im feurigen Busche, selbst auch der weißbärtige ehrwürdige Greis, welcher etwa als Vater segnend auf seinen Sohn aus den Wolken herabblickte, wollte, auch von meisterhaftester Künstlerhand dargestellt, der gläubigen Seele nicht viel sagen; während der leidende Gott am Kreuze, das »Haupt voll Blut und Wunden«, selbst in der rohesten künstlerischen Wiedergebung, noch jeder Zeit uns mit schwärmerischer Regung erfüllt.

Wie von einem künstlerischen Bedürfnisse gedrängt, verfiel der Glaube, gleichsam den Jehova als »Vater« auf sich beruhen lassend, auf das notwendige Wunder der Geburt des Heilands durch eine *Mutter*, welche, da sie selbst nicht Göttin war, dadurch göttlich ward, daß sie gegen alle Natur den Sohn als reine Jungfrau, ohne menschliche Empfängnis, gebar. Ein als Wunderannahme sich aussprechender, unendlich tiefer Gedanke. Wohl begegnen wir im Verlaufe der christlichen Geschichte wiederholt dem Phänomen der Befähigung zum Wunderwirken durch reine Jungfräulichkeit, davon eine metaphysische Erklärung mit einer physiologischen, sich gegenseitig stützend, sehr wohl zusammentrifft, und dies zwar im Sinne der causa finalis mit der causa efficiens; das Wunder der Mutterschaft ohne natürliche Empfängnis bleibt aber nur durch das höchste Wunder, die Geburt des Gottes selbst, ergründlich: denn in diesem offenbart sich die Verneinung der Welt als ein um der Erlösung willen vorbildlich geopfertes Leben. Da der Heiland selbst als durchaus sündenlos, ja unfähig zu sündigen erkannt ist, mußte in ihm schon vor seiner Geburt der Wille vollständig gebrochen sein, so daß er nicht mehr leiden, sondern nur noch mitleiden konnte; und die Wurzel hiervon war notwendig in seiner Geburt zu erkennen, welche nicht vom Willen zum Leben, sondern vom Willen zur Erlösung eingegeben sein mußte. Was nur der schwärmerischen Erleuchtung als durchaus notwendig aufgehen durfte, war als geforderter Glaubenspunkt den grellsten Mißdeutungen von seiten der realistischen Volksanschauung ausgesetzt: die »unbefleckte Empfängnis« Marias ließ sich sagen, aber nicht denken und noch weniger vorstellen. Die Kirche, welche im Mittelalter ihre Glaubenssätze durch ihre Magd, die scholastische Philosophie, beweisen ließ, suchte endlich auch die Mittel für eine sinnliche Vorstellung derselben aufzufinden: über dem Portale der Kirche des h. Kilian in Würzburg sehen wir auf einem Steinbilde den lieben Gott aus einer Wolke herab dem Leibe Marias, vermöge eines Blasrohres, den Embryo des Heilandes einflößen. Es genüge dieses eine Beispiel für unsäglich viele gleiche! Auf den hieraus einleuchtenden Verfall der religiösen Dogmen in das Künstliche, welches wir als widerwärtig bezeichnen mußten, bezogen wir uns sogleich anfänglich: dagegen gerade an diesem wichtigen Beispiele das erlösende Eintreten der Wirksamkeit der idealisierenden wahren Kunst am deutlichsten nachgewiesen werden möge, wenn wir auf Darstellungen göttlicher Künstler, wie die *Raphaels* in der sogenannten »Sixtinischen Madonna« hindeuten. Noch einigermaßen im kirchlichen Sinne realistisch wurde von großen Bildnern die wunderbare Empfängnis Marias in der Darstellung der Verkündigung derselben durch den der Jungfrau erscheinenden Engel aufgefaßt, wenngleich hier bereits die jeder Sinnlichkeit abgewandte geistige Schönheit der Gestalten uns in das göttliche Mysterium ahnungsvoll blicken ließ. Jenes Bild Raphaels zeigt uns nun aber die Vollendung des ausgeführten göttlichen Wunders in der jungfräulichen Mutter, mit dem geborenen Sohne selbst verklärt sich erhebend: hier wirkt auf uns eine Schönheit, welche die so hoch begabte antike Welt noch nicht selbst nur ahnen konnte; denn hier ist es nicht die Strenge der Keuschheit, welche eine Artemis unnahbar erscheinen lassen mochte, sondern die jeder Möglichkeit des Wissens der Unkeuschheit enthobene göttliche Liebe, welche aus innerster Verneinung der Welt die Bejahung der Erlösung geboren. Und dies unaussprechliche Wunder sehen wir mit unsren eigenen Augen, deutlich hold erkennbar und klar erfaßlich, der edelsten Erfahrung unsres eigenen Daseins innig verwandt, und doch über alle Denkbarkeit der wirklichen Erfahrung hoch erhaben; so daß, wenn die griechische Bildgestalt der Natur das von dieser unerreichte Ideal vorhielt, jetzt der Bildner das durch Begriffe unfaßbar und somit unbezeichenbare Geheimnis des religiösen Dogmas in unverschleierter Offenbarung, nicht mehr der grübelnden Vernunft, sondern der entzückten Anschauung zuführte.

Doch noch ein anderes Dogma mußte sich der Phantasie des Bildners darbieten, und zwar dasjenige, an welchem der Kirche endlich mehr gelegen schien, als an dem der Erlösung durch die Liebe. Der Weltüberwinder war zum Weltrichter berufen. Der göttliche Knabe hatte vom Arme der jungfräulichen Mutter herab den ungeheuren Blick auf die Welt geworfen, mit welchem er sie durch jeden, das Begehren erweckenden Schein hindurch, in ihrem wahren Wesen, als todesflüchtig, todverfallen erkannte. Vor dem Walten des Erlösers durfte diese Welt der Sucht und des Hasses nicht bestehen; dem belasteten Armen, den er zur Befreiung durch Leiden und Mitleiden zu sich in das Reich Gottes berief, mußte er den Untergang dieser Welt in ihrem eigenen Sündenpfuhle, auf der Wagschale der Gerechtigkeit liegend, zeigen. Von den sonnenumstrahlten lieblichen Bergeshöhen, auf denen er der Menge das Heil zu verkünden liebte, deutete der immer nur sinnbildlich und durch Gleichnisse seinen »Armen« Verständliche, auf das grauenhafte todesöde Tal »Gehenna« hinab, wohin am Tage des Gerichtes Geiz und Mord, um verzweiflungsvoll sich anzugrinsen, verwiesen sein würden. Tartaros, Infernum, Hela, alle die Straförter der Bösen und Feigen nach ihrem Tode, fanden sich im »Gehenna« wieder und mit der »Hölle« zu schrecken ist bis auf den heutigen Tag das eigentliche Machtmittel der Kirche über die Seelen geblieben, denen das »Himmelreich« immer ferner sich entrückte. Das letzte Gericht: eine hier trostreiche, dort entsetzliche Verheißung! Es gibt nichts fürchterlich Häßliches und grausenhaft Anekelndes, was im Dienste der Kirche nicht mit anwidernder Künstlichkeit verwendet wurde, um der erschreckten Einbildungskraft eine Vorstellung von dem Orte der ewigen Verdammnis zu bieten, wofür die mythischen Bilder aller, mit dem Glauben an Höllenstrafen behafteter Religionen, mit vollendeter Verzerrung zusammengestellt waren. Wie aus Erbarmen um das Entsetzliche selbst fühlte sich ein übermenschlich erhabener Künstler auch zur Darstellung dieses Schreckensbildes bestimmt: der Ausführung des christlichen Gedankens schien auch dieses Gemälde des jüngsten Gerichtes nicht fehlen zu sollen. Zeigte uns Raphael den geborenen Gott nach seiner Herkunft aus dem Schoße erhabenster Liebe, so stellt uns nun *Michel Angelos* ungeheures Bildwerk den seine furchtbare Arbeit vollbringenden Gott dar, vom Reiche der zum seligen Leben Berufenen abwehrend und zurückstoßend, was der Welt des ewig sterbenden Todes angehört: doch – ihm zur Seite die Mutter, der er entwuchs, die mit ihm und um ihn göttlichste Leiden litt und nun den der Erlösung unteilhaftig Gebliebenen den ewigen Blick trauernden Mitleidens nachsendet. Dort der Quell, hier der angeschwollene Strom des Göttlichen. –

Obgleich es mit den vorliegenden Untersuchungen nicht auf eine Darstellung der geschichtlichen Entwicklung der Kunst aus der religiösen Vorstellung, sondern nur auf die Bezeichnung der Affinitäten beider abgesehen ist, dürfte dennoch jener geschichtliche Verlauf mit der Beachtung des Umstandes zu berühren sein, daß es fast einzig die bildende Kunst und vorzüglich die der Malerei war, welche die ursprünglich eben bildlich sich gebenden religiösen Dogmen in wiederum bildlicher Darstellung zu idealer Anschauung vorführen konnte. Hiergegen war die *Poesie* durch die bildliche Geartetheit der religiösen Dogmen selbst in der Weise bestimmt, daß sie in dem kanonisch festgestellten Begriffe, als einer, reale Wahrheit und Glaubhaftigkeit in Anspruch nehmenden, Form haften bleiben mußte. Waren diese Dogmen selbst bildliche Begriffe, so durfte auch das größte dichterische Genie, welches doch eben nur durch bildliche Begriffe darstellt, hieran nichts modeln oder deuten, ohne in Irrgläubigkeit zu verfallen, wie es allen den philosophisch dichterischen Geistern widerfuhr, welche in den ersten Jahrhunderten der Kirche der Beschuldigung der Ketzerei verfielen. Vielleicht war die dem *Dante* innewohnende dichterische Kraft die größte, welche je einem Sterblichen verliehen sein kann; in seinem ungeheuren Gedichte zeigt uns seine dichterische Erfindung aber doch immer nur da, wo er die anschauliche Welt von der Berührung mit dem Dogma fern halten kann, wahrhaft gestaltende Kraft, während er die dogmatischen Begriffe stets nur nach der kirchlichen Anforderung realer Glaubhaftigkeit zu behandeln vermag; daher diese auch hier in der von uns so bezeichneten krassen Künstlichkeit der Darstellung verbleiben, wodurch sie uns gerade aus dem Munde des großen Dichters, abschreckend, ja absurd entgegen treten.

In betreff der bildenden Kunst bleibt es nun auffällig, daß ihre ideal schaffende Kraft in dem Maße abgenommen hat, als sie von ihrer Berührung mit der Religion sich entfernte. Zwischen jenen erhabensten kunst-religiösen Offenbarungen der göttlichen Herkunft des Erlösers und der schließlichen Werkvollbringung des

Weltenrichters, war das schmerzlichste aller Bilder, das des am Kreuze leidenden Heilandes, ebenfalls zur höchsten Vollendung gelangt, und dieses blieb nun der Grundtypus für die mannigfachen Darstellungen der Glaubensmärtyrer und Heiligen, mit schrecklichstem Leiden durch Entrückungswonne verklärt, als Hauptgegenstand. Hier lenkte die Darstellung der leiblichen Qualen, wie die der Werkzeuge und der Ausführenden derselben, die Bildner bereits auf die gemeine reale Welt, wo dann die Vorbilder menschlicher Bosheit und Grausamkeit sich von selbst in unabweislicher Zudringlichkeit aus ihrer Umgebung ihnen darboten. Das »Charakteristische« durfte den Künstler endlich als durch seine Mannigfaltigkeit lohnend anziehen: das vollendete »Porträt« selbst des gemeinsten Verbrechers, wie er unter den weltlichen und kirchlichen Fürsten jener merkwürdigen Zeit anzutreffen war, wurde zur fruchtbringendsten Aufgabe des Malers, welcher anderseits seine Motive zur Darstellung des Schönen früh genug dem sinnlichen Frauenreize seiner üppigen Umgebung zu entnehmen sich bestimmt fühlte. In das letzte Abendrot des künstlerisch idealisierten christlichen Dogmas hatte unmittelbar das Morgenrot des wiederauflebenden griechischen Kunstideales hineingeschienen: was jetzt der antiken Welt zu entnehmen war, konnte aber nicht mehr jene Einheit der griechischen Kunst mit der antiken Religion sein, durch welche die erstere einzig aufgeblüht und zu ihrer Vollendung gelangt war: hierüber belehre uns der Blick auf eine antike Statue der Venus, verglichen mit einem italienischen Gemälde der Frauen, die ebenfalls für Venus ausgegeben wurden, um über den Unterschied von religiösem Ideal und weltlicher Realität sich zu verständigen. Der griechischen Kunst konnte eben nur Formensinn abgelernt, nicht idealer Gehalt entnommen werden: diesem Formensinne konnte wiederum das christliche Ideal nicht mehr anschaulich bleiben, wogegen nur die reale Welt als einzig von ihm erfaßlich scheinen mußte. Wie diese reale Welt sich endlich gestaltete, und welche Vorwürfe sie der bildenden Kunst einzig zuführen konnte, wollen wir jetzt unsrer Betrachtung noch entziehen, und zunächst dagegen nur feststellen, daß diejenige Kunst, welche in ihren Affinitäten mit der Religion ihre höchste Leistung zu erreichen bestimmt war, aus dieser Durchdringung gänzlich ausgeschieden, wie nicht zu leugnen steht, in gänzlichen Verfall geraten ist.

Um jene Affinität noch einmal auf das Innigste zu berühren, lenken wir dagegen jetzt noch einen Blick auf die *Tonkunst*.

Konnte es der Malerei gelingen, den idealen Gehalt des in allegorischen Begriffen gegebenen Dogmas dadurch zu veranschaulichen, daß sie die allegorische Figur, ohne ihre im eigentlichen Sinne geforderte Glaubwürdigkeit als zweifelhaft vorauszusetzen zu müssen, selbst zum Gegenstand ihrer idealisierenden Darstellung verwendete, so mußte, wie wir dies zu ersehen genötigt waren, die Dichtkunst ihre ähnlich bildende Kraft an den Dogmen der christlichen Religion ungeübt lassen, weil sie, durch Begriffe darstellend, die begriffliche Form des Dogmas, als im eigentlichen Sinne wahr, unangetastet erhalten mußte. Einzig konnte daher der lyrische Ausdruck entzückungsvoller Anbetung der Dichtkunst nahe gelegt sein, und diese mußte, da der Begriff hier nur im kanonisch festgesetzten Wortstile behandelt werden durfte, notwendig in den des Begriffes unbedürftigen, rein musikalischen Ausdruck sich ergießen. Erst durch die Tonkunst ward die christliche Lyrik daher zu einer wirklichen Kunst: die kirchliche Musik ward auf die Worte des dogmatischen Begriffes gesungen; in ihrer Wirkung löste sie aber diese Worte, wie die durch sie fixierten Begriffe, bis zum Verschwinden ihrer Wahrnehmbarkeit auf, so daß sie hierdurch den reinen Gefühlsgehalt derselben fast einzig der entzückten Empfindung mitteilte. Streng genommen ist die Musik die einzige dem christlichen Glauben ganz entsprechende Kunst, wie die einzige Musik, welche wir, zum mindesten jetzt, als jeder anderen ebenbürtige Kunst kennen, lediglich ein Produkt des Christentums ist. Zu ihrer Ausbildung als schöne Kunst trug die wiederauflebende antike Kunst, deren Wirkung als Tonkunst uns fast unvorstellbar geblieben ist, einzig nichts bei: weshalb wir sie auch als die jüngste, und unendlicher Entwicklung und Wirksamkeit fähigste Kunst bezeichnen. Ihrer bisherigen Ausbildung nachzugehen, oder ihrer zukünftigen Entwicklung vorzugreifen, kann hier nicht unsre Absicht sein, da wir sie für jetzt nur nach ihrer Affinität zur Religion in Betracht zu ziehen haben. In diesem Sinne ist nun, nach der vorangegangenen Erörterung über die Nötigung der poetischen Lyrik zur Auflösung des wörtlichen Begriffes in das Tongebilde, anzuerkennen, daß die Musik das eigenste Wesen der christlichen Religion mit unvergleichlicher Bestimmtheit offenbart, weshalb wir sie sinnbildlich in dasselbe Verhältnis zur Religion setzen möchten, in welchem wir den Gottesknaben zur jungfräulichen Mutter auf jenem Raphaelischen Gemälde uns darstellten: denn, als reine Form eines gänzlich vom Begriffe losgelösten göttlichen Gehaltes, darf sie uns als eine welterlösende Geburt des göttlichen Dogmas von der Nichtigkeit der Erscheinungswelt selbst gelten. Auch die idealste Gestalt des Malers bleibt in betreff des Dogmas durch den Begriff bedingt, und jene erhabene jungfräuliche Gottesmutter hebt uns bei ihrer Beschauung nur über den, der Vernunft widerspenstigen, Begriff des Wunders hinweg, indem sie uns gleichsam das letztere als möglich erscheinen läßt. Hier heißt es: »das bedeutet«. Die Musik aber sagt uns: »das ist«, – weil sie jeden Zwiespalt zwischen Begriff und Empfindung aufhebt, und dies zwar durch die der Erscheinungswelt gänzlich abgewendete, dagegen unser Gemüt wie durch Gnade einnehmende, mit nichts Realem vergleichliche Tongestalt.

Es mußte, bei dieser ihrer erhabenen Eigenheit, der Musik vorbehalten bleiben, von dem begrifflichen Worte sich endlich ganz loszulösen: die echteste Musik vollzog diese Loslösung auch in dem Verhältnisse, in welchem das religiöse Dogma zum eitlen Spiele jesuitischer Kasuistik oder rationalistischer Rabulistik wurde. Die gänzliche Verweltlichung der Kirche zog auch die Verweltlichung der Tonkunst nach sich: dort, wo beide noch vereinigt wirken, wie z. B. im heutigen Italien, ist auch in den Schaustellungen der einen wie in der Begleitung der anderen kein Unterschied von jedem sonstigen Paradevorgange zu bemerken. Nur ihre endliche volle Trennung von der verfallenden Kirche vermochte der Tonkunst das edelste Erbe des christlichen Gedankens in seiner außerweltlichen neugestaltenden Reinheit zu erhalten; und die Affinitäten einer Beethovenschen Symphonie zu einer reinsten, der christlichen Offenbarung zu entblühenden Religion, ahnungsvoll nachzuweisen, soll unsre Aufgabe für den Fortgang dieser begonnenen Darstellung sein.

Um zu solcher Möglichkeit zu gelangen, haben wir jedoch zunächst den mühsamen Weg zu beschreiten, auf welchem uns der Grund des Verfalles selbst der erhabensten Religionen, und mit diesem auch der Grund des Versinkens aller Kulturen, die von jenen hervorgerufen, vor allem auch der Künste, die von ihnen befruchtet waren, erklärlich zu machen sein dürfte. Nur dieser aber, so Schreckhaftes er uns auch für das erste entgegenführen muß, kann der rechte Weg zur Aufsuchung des Gestades einer neuen Hoffnung für das menschliche Geschlecht sein.

II.

Wenn wir derjenigen Phase der Entwicklung des menschlichen Geschlechtes nachgehen, welche wir, als auf sichere Überlieferung gegründet, die geschichtliche nennen, so ist es leichter zu begreifen, daß die im Verlaufe dieser Geschichte sich offenbarenden Religionen so bald sich ihrem inneren Verfalle zuneigten, als daß sie einen so langen äußeren Bestand hatten. Die beiden erhabensten Religionen, Brahmanismus mit dem aus ihm sich loslösenden Buddhaismus, und Christentum, lehren Abwendung von der Welt und ihren Leidenschaften, womit sie dem Strome der Weltbewegung sich geradeswegs entgegenstemmen, ohne in Wahrheit ihn aufhalten zu können. Ihr äußerer Fortbestand scheint somit nur dadurch erklärlich, daß einerseits sie die Kenntnis der Sünde in die Welt brachten, und anderseits auf die Benützung dieser Kenntnis, neben dem in der Geschichte sich entwickelnden Systeme der Herrschaft über die Leiber, eine Herrschaft über die Geister sich begründete, welche sofort die Reinheit der religiösen Erkenntnis, ganz im Sinne des allgemeinen Verfalles des menschlichen Geschlechtes, bis zur Unkenntlichkeit entstellte.

Diese Lehre von der Sündhaftigkeit der Menschen, deren Erkenntnis den Ausgang jener beiden erhabenen Religionen bildet, ist den sogenannten »freien Geistern« unverständlich geblieben, da diese weder den bestehenden Kirchen das Recht der Sündenzuerkenntnis, noch ebenso wenig dem Staate die Befugnisse gewisser Handlungen für Verbrechen zu erklären, zugestehen zu dürfen glaubten. Mögen beide Rechte für bedenklich angesehen werden, so dürfte es nicht minder für ungerecht gelten, jenes Bedenken auch gegen den Kern der Religion selbst zu wenden, da im allgemeinen wohl zugestanden werden muß, daß nicht die Religionen selbst an ihrem Verfalle schuld sind, sondern vielmehr der Verfall des geschichtlich unsrer Beurteilung vorliegenden Menschengeschlechtes jenen mit nach sich gezogen hat; denn diesen sehen wir seinerseits mit solch bestimmter Naturnotwendigkeit vor sich gehen, daß er selbst jede Bemühung, ihm entgegenzutreten, mit sich fortreißen mußte.

Und gerade an jener so übel ausgebeuteten Lehre von der Sündhaftigkeit ist dieser schreckliche Vorgang am deutlichsten nachzuweisen, wofür wir sofort auf den richtigen Punkt zu treffen glauben, wenn wir die brahmanische Lehre von der Sündhaftigkeit der Tötung des Lebendigen und der Verspeisung der Leichen gemordeter Tiere in Betracht ziehen.

Bei näherem Eingehen auf den Sinn dieser Lehre und der durch sie begründeten Abmahnung, dürften wir sofort auf die Wurzel aller wahrhaft religiösen Überzeugung treffen, womit wir zugleich den tiefsten Gehalt aller Erkenntnis der Welt, nach ihrem Wesen wie nach ihrer Erscheinung, erfassen würden. Denn jene Lehre entsprang erst der vorangehenden Erkenntnis der Einheit alles Lebenden, und der Täuschung unsrer sinnlichen Anschauung, welche uns diese Einheit als eine unfaßbar mannigfaltige Vielheit und gänzliche Verschiedenheit vorstellte. Jene Lehre war somit das Ergebnis einer tiefsten metaphysischen Erkenntnis, und wenn der Brahmane uns die mannigfaltigsten Erscheinungen der lebenden Welt mit dem Bedeuten: »das bist du!« vorführte, so war uns hiermit das Bewußtsein davon erweckt, daß wir durch die Aufopferung eines unsrer Nebengeschöpfe uns selbst zerfleischten und verschlängen. Daß das Tier nur durch den Grad seiner intellektualen Begabung vom Menschen verschieden war, daß das, was aller intellektualen Ausrüstung vorausgeht, begehrt und leidet, in jenem aber ganz derselbe Willen zum Leben sei wie im vernunftbegabtesten Menschen, und daß dieser eine Wille es ist, welcher in dieser Welt der wechselnden Formen und vergehenden Erscheinungen sich Beruhigung und Befreiung erstrebt, so wie endlich, daß diese Beschwichtigung des ungestümen Verlangens nur durch gewissenhafteste Übung der Sanftmut und des Mitleidens für alles Lebende zu gewinnen war, – dies ist dem Brahmanen und Buddhisten bis auf den heutigen Tag unzerstörbares religiöses Bewußtsein geblieben. Wir erfahren, daß um die Mitte des vorigen Jahrhunderts englische Spekulanten die ganze Reisernte Indiens aufgekauft hatten, und dadurch eine Hungersnot im Lande herbeiführten, welche drei Millionen der Eingeborenen dahinraffte: keiner dieser Verhungernden war zu bewegen gewesen, seine Haustiere zu schlachten und zu verspeisen; erst nach ihren Herren verhungerten auch diese. Ein mächtiges Zeugnis für die Echtheit eines religiösen Glaubens, mit welchem die Bekenner desselben allerdings auch aus der *»Geschichte«* ausgeschieden sind.

Gehen wir dagegen den Erfolgen des geschichtlich sich dokumentierenden Menschengeschlechtes jetzt etwas näher nach, so können wir nicht umhin, die jammervolle Gebrechlichkeit desselben uns nur aus einem Wahne zu erklären, in welchem etwa das reißende Tier befangen sein muß, wenn es sich, endlich selbst nicht mehr vom Hunger dazu getrieben, sondern aus bloßer Freude an seiner wütenden Kraft, auf Beute stürzt. Wenn die Physiologen noch darüber uneinig sind, ob der Mensch von der Natur ausschließlich auf Fruchtnahrung oder auch auf Fleischatzung angewiesen sei, so zeigt uns die Geschichte, von ihrem ersten Aufdämmern an, den Menschen bereits als in stetem Fortschritt sich ausbildendes Raubtier. Dieser erobert die Länder, unterjocht die fruchtgenährten Geschlechter, gründet durch Unterjochung anderer Unterjocher große Reiche, bildet Staaten und richtet Zivilisationen ein, um seinen Raub in Ruhe zu genießen.

So ungenügend alle unsre wissenschaftliche Kenntnis in betreff der ersten Ausgangspunkte dieser geschichtlichen Entwickelung ist, dürfen wir doch die Annahme festhalten, daß die Geburt und der früheste Aufenthalt der menschlichen Gattungen in warme und von reicher Vegetation bedeckte Länder zu setzen sei; schwieriger scheint es zu entscheiden, welche gewaltsame Veränderungen einen großen Teil des wohl bereits stark angewachsenen menschlichen Geschlechtes aus seinen natürlichen Geburtsstätten rauheren und unwirtbareren Regionen zutrieb. Die Urbewohner der jetzigen indischen Halbinsel glauben wir beim ersten Dämmern der Geschichte in den kälteren Tälern der Hochgebirge des Himalaya, durch Viehzucht und Ackerbau sich ernährend, wiederfinden zu dürfen, von wo aus sie unter der Anleitung einer, den Bedürfnissen des Hirtenlebens entsprechenden, sanften Religion in die tieferen Täler der Indusländer zurückwandern, um wiederum von hier aus ihre Urheimat, die Länder des Ganges, gleichsam von neuem in Besitz zu nehmen. Groß und tief müssen die Eindrücke dieser Einwanderung und Wiederkehr auf den Geist der nun so erfahrenen Geschlechter gewesen sein: den Bedürfnissen des Lebens kam eine üppig hervorbringende Natur mit williger Darbietung entgegen; Beschauung und ernste Betrachtung durften die nun sorglos sich Nährenden zu tiefem Nachsinnen über eine Welt hinleiten, in welcher sie jetzt Bedrängnis, Sorge, Nötigung zu harter Arbeit, ja zu Streit und Kampf um Besitz kennen gelernt hatten. Dem jetzt sich als wiedergeboren empfindenden Brahmanen durfte der Krieger als Beschützer der äußeren Ruhe notwendig und deshalb bemitleidenswert erscheinen; der Jäger ward ihm aber entsetzlich, und der Schlächter des befreundeten Haustieres ganz undenklich. Diesem Volke entwuchsen keine Eberhauer aus dem Zahngebisse und doch blieb es mutiger als irgend ein Volk der Erde, denn es ertrug von seinen späteren Peinigern jede Qual und Todesart standhaft für die Reinheit seines milden Glaubens, von welchem nie ein Brahmane oder Buddhist, etwa aus Furcht oder für Gewinn, wie dieses von Bekennern jeder anderen Religion geschah, sich abwendig machen ließ.

In den gleichen Tälern der Indusländer glauben wir aber auch die Scheidung vor sich gehen zu sehen, durch welche verwandte Geschlechter von den südwärts in das alte Geburtsland zurückziehenden sich trennten, um westwärts in die weiten Länder Vorderasiens vorzudringen, wo wir sie im Verlaufe der Zeit, als Eroberer und Gründer mächtiger Reiche, mit immer größerer Bestimmtheit Monumente der Geschichte errichten sehen. Diese Völker hatten die Wüsten durchwandert, welche die äußersten asiatischen Vorländer vom Induslande trennen; das vom Hunger gequälte Raubtier hatte sie hier gelehrt, nicht mehr der Milch, sondern auch des Fleisches ihrer Herden als Nahrung sich zu bedienen, bis alsbald nur Blut den Mut des Eroberers zu nähren fähig schien. Schon hatten aber die rauhen Steppen des über den indischen Gebirgsländern nordwärts hinaus sich erstreckenden Asiens, wohin einst die Flucht vor ungeheuren Naturvorgängen die Urbewohner milder Regionen getrieben, das menschliche Raubtier groß gezogen. Von dorther entströmten zu allen früheren und späteren Zeiten die Fluten der Zerstörung und Vernichtung jedes Ansatzes zum Wiedergewinn sanfterer Menschlichkeit, wie sie uns schon die Ursagen der iranischen Stämme in der Meldung von den steten Kämpfen mit jenen turanischen Steppenvölkern bezeichnen. Angriff und Abwehr, Not und Kampf, Sieg und Unterliegen, Herrschaft und Knechtschaft, alles mit Blut besiegelt, nichts anderes zeigt uns fortan die Geschichte der menschlichen Geschlechter; als Folge des Sieges des Stärkeren alsbald eintretende Erschlaffung durch eine, von der Knechtschaft der Unterjochten getragene Kultur; worauf dann Ausrottung der Entarteten durch neue rohere Kräfte von noch ungesättigter Blutgier. Denn immer tiefer verfallend, scheinen Blut und Leichen die einzig würdige Nahrung für den Welteroberer zu werden: das Mahl des Thyestes wäre bei den Indern unmöglich gewesen: mit solchen entsetzlichen Bildern konnte jedoch die menschliche Einbildungskraft spielen, seitdem ihr Tier- und Menschenmord geläufig geworden war. Und sollte die Phantasie der zivilisierten modernen Menschen mit Abscheu von solchen Bildern sich abwenden dürfen, wenn sie sich an den Anblick eines Pariser Schlachthauses in seiner frühen Morgenbeschäftigung, vielleicht auch eines kriegerischen Schlachtfeldes am Abende eines glorreichen Sieges, gewöhnt hat? Gewiß dürften wir es bisher nur darin weiter als mit jenen Thyesteischen Speisemählern gebracht haben, daß uns eine herzlose Täuschung darüber möglich geworden ist, was unsren ältesten Ahnen noch in seiner Schrecklichkeit offenlag. Noch jene Völker, welche als Eroberer nach Vorderasien vorgedrungen waren, vermochten ihr Erstaunen über das Verderben, in das sie geraten, durch Ausbildung so ernster religiöser Begriffe kund zu geben, wie sie der parsischen Religion des Zoroaster zugrunde liegen. Das Gute und das Böse: Licht und Nacht, Ormuzd und Ahriman, Kämpfen und Wirken,

Schaffen und Zerstören: – Söhne des Lichtes traget Scheu vor der Nacht, versöhnet das Böse und wirket das Gute! – Noch gewahren wir hier einen dem alten Indusvolke verwandten Geist, doch in Sünde verstrickt, im Zweifel über den Ausgang des nie voll sich entscheidenden Kampfes.

Aber auch einen anderen Ausgang suchte der, unter Qual und Leiden seiner Sündhaftigkeit sich bewußt werdende, verirrte Wille des menschlichen Geschlechtes aus dem, seinen natürlichen Adel entwürdigenden Verderben: hoch begabten Stämmen, denen das *Gute* so schwer fiel, ward das *Schöne* so leicht. In voller Bejahung des Willens zum Leben begriffen, wich der griechische Geist der Erkenntnis der schrecklichen Seite dieses Lebens zwar nicht aus, aber selbst diese Erkenntnis ward ihm nur zum Quelle künstlerischer Anschauung: er sah mit vollster Wahrhaftigkeit das Furchtbare; diese Wahrhaftigkeit selbst ward ihm aber zum Triebe einer Darstellung, welche eben durch ihre Wahrhaftigkeit schön ward. So sehen wir in dem Wirken des griechischen Geistes gleichsam einem Spiele zu, einem Wechsel zwischen Gestalten und Erkennen, wobei die Freude am Gestalten den Schrecken des Erkennens zu bemeistern sucht. Hierbei sich genügend, der Erscheinung froh, weil er die Wahrhaftigkeit der Erkenntnis in sie gebannt hat, frägt er nicht dem Zwecke des Daseins nach, und läßt den Kampf des Guten und Bösen, ähnlich der parsischen Lehre, unentschieden, da er für ein schönes Leben den Tod willig annimmt, nur darnach bestrebt, auch diesen schön zu gestalten.

Wir nannten dies in einem erhabenen Sinne ein Spiel, nämlich ein Spiel des Intellektes in seiner Freilassung vom Willen, dem er jetzt nur zur eigenen Selbstbeschauung dient, – somit das Spiel des Überreichen an Geist. Aber das Bedenkliche der Beschaffenheit der Welt ist, daß alle Stufen der Entwicklung der Willensäußerungen, vom Walten der Urelemente durch alle niederen Organisationen hindurch bis zum reichsten menschlichen Intellekt, in Raum und Zeit zugleich neben einander bestehen, und demnach die höchste Organisation immer nur auf der Grundlage selbst der rohesten Willensmanifestationen sich als vorhanden und wirkend erkennen kann. Auch die Blüte des griechischen Geistes war an die Bedingungen desselben komplizierten Daseins gebunden, welche einen nach unabänderlichen Gesetzen sich dahin bewegenden Erdball mit all seinen, nach abwärts gesehen, immer roher und unerbittlicher sich darstellenden Lebensgeburten zur Grundlage hat. So konnte sie als ein schöner Traum der Menschheit lange die Welt mit einem täuschenden Dufte erfüllen, an dem sich zu laben

377

aber nur den von der Not des Willens befreiten Geistern vergönnt war; und was konnte diesen endlich solcher Genuß anders als ein herzloses Gaukelspiel sein, wenn wir ersehen müssen, daß Blut und Mord ungebändigt und stets neu entbunden, die menschlichen Geschlechter durchrasen, die Gewalt einzig herrscht, und Geistesbefreiung nur durch Knechtung der Welt zu erkaufen möglich erscheint? Aber ein herzloses Gaukelspiel, wie wir es nannten, mußte das Befassen mit Kunst und der Genuß der durch sie aufgesuchten Befreiung von der Willensnot nur noch sein, sobald in der Kunst nichts mehr zu erfinden war: das Ideal zu erreichen war die Sache des einzelnen Genies gewesen: was dem Wirken des Genies nachlebt, ist nur das Spiel der erlangten Geschicklichkeit, und so sehen wir denn die griechische Kunst, ohne den griechischen Genius, das große römische Reich durchleben, ohne eine Träne des Armen zu trocknen, ohne dem vertrockneten Herzen des Reichen eine Zähre entlocken zu können. Vermöchte uns aus weiter Ferne ein langer Sonnenschein zu täuschen, den wir über dem Reiche der Antoninen friedvoll ausgebreitet sehen, so würden wir einen, immerhin noch kurzen, Triumph des künstlerisch philosophischen Geistes über die rohe Bewegung der rastlos sich zerstörenden Willenskräfte der Geschichte einzeichnen dürfen. Doch würde uns auch hierbei nur ein Anschein beirren, welcher uns Erschlaffung für Beruhigung ansehen ließe. Für töricht mußte es dagegen erkannt werden, durch noch so sorgsame Vorkehrungen der Gewalt die Gewalt aufhalten zu können. Auch jener Weltfrieden beruhte nur auf dem Rechte des Stärkeren, und nie hatte das menschliche Geschlecht, seitdem es zuerst dem Hunger nach blutiger Beute verfallen, aufgehört durch jenes Recht sich einzig zu Besitz und Genuß für befugt zu halten. Dem kunstschöpferischen Griechen galt es, nicht minder als dem rohesten Barbaren, für das einzige weltgestaltende Gesetz: es gibt keine Blutschuld, die nicht auch dieses schön gestaltende Volk in zerfleischendem Hasse auf seinen Nächsten auf sich lud; bis dann der Stärkere auch ihm wieder nahe kam, dieser Stärkere abermals dem Gewaltsameren unterlag, und so Jahrhunderte auf Jahrhunderte, stets neue rohere Kräfte in das Spiel führend, uns heute endlich zu unsrem Schutze hinter alljährlich sich vergrößernde Riesenkanonen und Panzermauern geworfen haben.

Von je ist es, mitten unter dem Rasen der Raub- und Blutgier, weisen Männern zum Bewußtsein gekommen, daß das menschliche Geschlecht an einer Krankheit leide, welche es notwendig in stets zunehmender Degeneration erhalte. Manche aus der Beurteilung des natürlichen Menschen gewonnene Anzeigen, sowie sagenhafte aufdämmernde Erinnerungen, ließen sie die natürliche Art dieses Menschen, und seinen jetzigen Zustand demnach als eine Entartung erkennen. Ein Mysterium hüllte Pythagoras ein, den Lehrer der Pflanzennahrung; kein Weiser sann nach ihm über das Wesen der Welt nach, ohne auf seine Lehre zurückzukommen. Stille Genossenschaften gründeten sich, welche verborgen vor der Welt und ihrem Wüten die Befolgung dieser Lehre als ein religiöses Reinigungsmittel von Sünde und Elend ausübten. Unter den Ärmsten und von der Welt Abgelegensten erschien der Heiland, den Weg der Erlösung nicht mehr durch Lehren, sondern durch das Beispiel zu weisen: sein eigenes Blut und Fleisch gab er, als letztes höchstes Sühnungsopfer für alles sündhaft vergossene Blut und geschlachtete Fleisch dahin, und reichte dafür seinen Jüngern Wein und Brot zum täglichen Mahle: – »solches allein genießet zu meinem Angedenken.« Dieses das einzige Heilamt des christlichen Glaubens: mit seiner Pflege ist alle Lehre des Erlösers ausgeübt. Wie mit angstvoller Gewissensqual verfolgt diese Lehre die christliche Kirche, ohne daß diese sie je in ihrer Reinheit zur Befolgung bringen könnte, trotzdem sie, sehr ernstlich erwogen, den allgemein faßlichsten Kern des Christentums bilden sollte. Sie wurde zu einer symbolischen Aktion, vom Priester ausgeübt, umgewandelt, während ihr eigentlicher Sinn sich nur in den zeitweilig verordneten Fasten ausspricht, ihre strenge Befolgung aber nur gewissen religiösen Orden, mehr im Sinne einer Demut fördernden Entsagung, als dem eines leiblichen wie geistigen Heilmittels, auferlegt blieb.

Vielleicht ist schon die eine Unmöglichkeit, die unausgesetzte Befolgung dieser Verordnung des Erlösers durch vollständige Enthaltung von tierischer Nahrung bei allen Bekennern durchzuführen, als der wesentliche Grund des so frühen Verfalles der christlichen Religion als christliche Kirche anzusehen. Diese Unmöglichkeit anerkennen müssen, heißt aber so viel, als den unaufhaltsamen Verfall des menschlichen Geschlechtes selbst bekennen. Berufen, den auf Raub und Gewalt begründeten Staat aufzuheben, mußte der Kirche, dem Geiste der Geschichte entsprechend, die Erlangung der Herrschaft über Reich und Staaten als erfolgreichstes Mittel erscheinen. Hierzu, um verfallende Geschlechter sich zu unterwerfen, bedurfte sie der Hilfe des Schreckens, und der eigentümliche Umstand, daß das Christentum als aus dem Judentum hervorgegangen angesehen werden konnte, führte zur Aneignung der nötig dünkenden Schreckmittel. Hier hatte der Stammgott eines kleinen Volkes den Seinigen, sobald sie streng die Gesetze hielten, durch deren genaueste Befolgung sie gegen alle übrigen Völker der Erde sich abgeschlossen erhalten sollten, die einstige Beherrschung der ganzen Welt, mit allem was darin lebt und webt, verhießen. In Erwiderung dieser Sonderstellung von allen Völkern gleich gehaßt und verachtet, ohne eigene Produktivität, nur durch Ausbeutung des allgemeinen Verfalles sein Dasein fristend, wäre dieses Volk sehr wahrscheinlich im Verlaufe gewaltsamer Umwälzungen ebenso verschwunden, wie die größten und edelsten Geschlechter völlig erloschen sind; namentlich schien der Islam dazu berufen, das Werk der gänzlichen Auslöschung des Judentums auszuführen, da er sich des Judengottes als Schöpfers des Himmels und der Erde selbst bemächtigte, um ihn mit Feuer und Schwert zum alleinigen Gott alles Atmenden zu erheben. Die Teilnahme an dieser Weltherrschaft ihres Jehova glaubten, so scheint es, die Juden verscherzen zu können, da sie anderseits Teilnahme an einer Ausbildung der christlichen Religion gewonnen hatten, welche ihnen diese, mit allen ihren Erfolgen für Herrschaft, Kultur und Zivilisation, im Verlaufe der Zeiten in die Hände zu liefern sehr wohl geeignet war. Denn der erstaunliche Ausgangspunkt hierfür war geschichtlich gegeben: – in einem Winkel des Winkellandes Judäa war Jesus von Nazareth geboren. Anstatt in solcher unvergleichlich niedrigen Herkunft ein Zeugnis dafür zu erblicken, daß unter den herrschenden und hochgebildeten Völkern der damaligen Geschichtsepoche keine Stätte für die Geburt des Erlösers der *Armen* zu finden war, sondern gerade dieses, einzig durch die Verachtung selbst der Juden ausgezeichnete Galiläa, eben vermöge seiner tiefest erscheinenden Erniedrigung, zur Wiege des neuen Glaubens berufen sein konnte, – dünkte es den ersten Gläubigen, armen, dem jüdischen Gesetze stumpf unterworfenen Hirten und Landbauern, unerläßlich, die Abkunft ihres Heilandes aus dem Königsstamme Davids nachweisen zu können, wie zur Entschuldigung für sein kühnes Vorgehen gegen das ganze jüdische Gesetz. Bleibt es mehr als zweifelhaft, ob Jesus selbst von jüdischem Stamme gewesen sei, da die Bewohner von Galiläa eben ihrer unechten Herkunft wegen von den Juden verachtet waren, so mögen wir dies, wie alles die geschichtliche Erscheinung des Erlösers Betreffende, hier gern dem Historiker überlassen, der seinerseits ja wiederum erklärt, mit einem »sündenlosen Jesus nichts anfangen zu können«. Uns wird es dagegen genügen, den Verderb der christlichen Religion von der Herbeiziehung des Judentums zur Ausbildung ihrer Dogmen herzuleiten. Wie wir dies bereits

zuvor berührten, gewann gerade hieraus aber die Kirche ihre Befähigung zu Macht und Herrschaft; denn wo wir christliche Heere,
selbst unter dem Zeichen des Kreuzes, zu Raub und Blutvergießen
ausziehen sahen, war nicht der Alldulder anzurufen, sondern *Mo-
ses*, *Josua*, *Gideon*, und wie die Vorkämpfer Jehovas für die israeli-
tischen Stämme hießen, waren dann die Namen, deren Anrufung
es zur Befeuerung des Schlachtenmutes bedurfte; wovon denn die
Geschichte Englands aus den Zeiten der Puritanerkriege ein deutliches, die ganze alttestamentliche Entwicklung der englischen
Kirche beleuchtendes Beispiel aufweist. Wie ohne diese Herein-
ziehung des altjüdischen Geistes und seine Gleichstellung mit dem
des rein christlichen Evangeliums, wäre es auch bis auf den heutigen Tag noch möglich, kirchliche Ansprüche an die »zivilisierte
Welt« zu erheben, deren Völker, wie zur gegenseitigen Ausrottung
bis an die Zähne bewaffnet, ihren Friedenswohlstand vergeuden,
um beim ersten Zeichen des Kriegsherrn methodisch zerfleischend
über sich herzufallen? Offenbar ist es nicht Jesus Christus, der Erlöser, den unsre Herren Feldprediger vor dem Beginne der
Schlacht den um sie versammelten Bataillonen zum Vorbild empfehlen; sondern, nennen sie ihn, so werden sie wohl meinen: Jehova, Jahve, oder einen der Elohim, der alle Götter außer sich haßte,
und sie deshalb von seinem treuen Volke unterjocht wissen wollte.

Gehen wir nun unsrer so sehr gepriesenen Zivilisation auf den
Grund, so finden wir, daß sie eigentlich für den nie voll erblühen-
den Geist der christlichen Religion eintreten soll, welche einzig zur
gleißnerischen Heiligung eines Kompromisses zwischen Rohheit
und Feigheit benutzt erscheint. Als ein charakteristischer Ausgangspunkt dieser Zivilisation ist es zu betrachten, daß die Kirche
die von ihr zum Tode verurteilten Andersgläubigen der weltlichen
Gewalt mit der Empfehlung übergab, bei der Vollziehung des Urteils kein Blut zu vergießen, demnach aber gegen die Verbrennung
durch Feuer nichts einzuwenden hatte. Es ist erwiesen, daß auf
diese unblutige Weise die kräftigsten und edelsten Geister der Völker ausgerottet worden sind, die nun, um diese verwaist, in die
Zucht zivilisatorischer Gewalten genommen wurden, welche, ihrerseits dem Vorgange der Kirche nachahmend, die, nach neueren
Philosophen, *abstrakt* treffende Flinten- und Kanonenkugel dem
konkret Blutwunden schlagenden Schwerte und Spieße substitu-
ierten. War uns der Anblick des den Göttern geopferten Stiers ein
Greuel geworden, so wird nun in sauberen, von Wasser durchspül-
ten Schlachthäusern ein tägliches Blutbad der Beachtung aller derer entzogen, die beim Mittagsmahle sich die bis zur Unkenntlich-

keit hergerichteten Leichenteile ermordeter Haustiere wohlschmecken lassen sollen. Begründen sich alle unsre Staaten auf Eroberung und Unterjochung vorgefundener Landesinsassen, und nahm der letzte Eroberer für sich und die Seinigen den Grund und Boden des Landes in leibeigenen Besitz – wovon England noch jetzt ein wohlerhaltenes Beispiel darbietet –, so gab Erschlaffung und Verfall der herrschenden Geschlechter doch auch das Mittel zu einer allmählichen Verwischung des barbarischen Anscheines solcher ungleichen Besitzesverteilung: das Geld, für welches endlich Grund und Boden den verschuldeten Eigentümern abgekauft werden konnte, gab dem Käufer dasselbe Recht wie dem einstigen Eroberer, und über den Besitz der Welt verständigt sich jetzt der Jude mit dem Junker, während der Jurist mit dem Jesuiten über das Recht im allgemeinen ein Abkommen zu treffen sucht. Leider hat dieser friedliche Anschein das Schlimme, daß keiner dem anderen traut, da das Recht der Gewalt einzig im Gewissen aller lebendig ist, und jeder Verkehr der Völker unter sich nur durch Politiker geleitet zu werden für möglich gehalten wird, welche wachsam die von Machiavell aufgezeichnete Lehre befolgen: »was du nicht willst, das er dir tu', das füge deinem Nächsten zu«. So müssen wir es auch diesem staatserhaltenden Gedanken für entsprechend ansehen, daß unsre leiblich ihn darstellenden höchsten Herren, wenn es für bedeutende Manifestationen sich im fürstlichen Schmuck zu zeigen gilt, hierfür die Militäruniform anlegen, so übel und würdelos sie, endlich einzig für praktische Zwecke hergerichtet, die Gestalten kleiden möge, welche für alle Zeiten im höchsten Richtergewande gewiß edler und würdiger sich ausnehmen dürften.

Ersehen wir hieran, daß unsrer so komplizierten Zivilisation selbst nur die Verhüllung unsrer durchaus unchristlichen Herkunft nicht gelingen will, und kann unmöglich das Evangelium, auf das wir trotzdem in zartester Jugend bereits vereidigt werden, zu ihrer Erklärung, geschweige denn zu ihrer Rechtfertigung herbeigezogen werden, so hätten wir in unsrem Zustande sehr wohl einen Triumph der Feinde des christlichen Glaubens zu erkennen.

Wer hierüber sich klargemacht hat, muß auch leicht einsehen, warum in gleicher Weise auf dem der Zivilisation abliegenden Gebiete der Geisteskultur ein immer tieferer Verfall sich kund gibt: die Gewalt kann zivilisieren, die Kultur muß dagegen aus dem Boden des Friedens sprossen, wie sie schon ihren Namen von der Pflege des eigentlichen Bodengrundes her führt. Aus diesem Boden, der einzig dem tätig schaffenden Volke gehört, erwuchsen zu jeder Zeit auch einzig Kenntnisse, Wissenschaften und Künste, genährt durch jeweilig dem Volksgeiste entsprechende Religionen. Zu diesen Wissenschaften und Künsten des Friedens tritt nun die rohe Gewalt des Eroberers und sagt ihnen: was von euch zum Kriegshandwerk taugt – mag gedeihen, was nicht – mag verkommen. So sehen wir, daß das Gesetz Muhameds zu dem eigentlichen Grundgesetze aller unserer Zivilisationen geworden ist, und unsren Wissenschaften und Künsten sieht man es an, wie sie unter ihm gedeihen. Es stehe nur irgendwo ein guter Kopf auf, der es zugleich von Herzen redlich meint; die Wissenschaften und Künste der Zivilisation wissen ihm bald die Wege zu weisen. Hier wird gefragt: bist du einer herzlosen und schlechten Zivilisation nützlich oder nicht? Von den sogenannten Naturwissenschaften, namentlich der Physik und Chemie, ist den Kriegsbehörden weisgemacht worden, daß in ihnen noch ungemein viel zerstörende Kräfte und Stoffe aufzufinden möglich wäre, wenn auch leider das Mittel gegen Frost und Hagelschlag sobald noch nicht herbeizuschaffen sei. Diese werden besonders begünstigt; auch fördern die entehrenden Krankheiten unsrer Kultur alle die menschenschänderischen Ausgeburten der spekulativen Tiervivisektion in unsren physiologischen Operatorien, zu deren Schutz Staat und Reich sich sogar auf den »wissenschaftlichen Standpunkt« stellen. Den Ruin, den in eine mögliche gesunde Entwicklung einer christlichen Volkskultur die lateinische Wiedergeburt der griechischen Künste hineingetragen hat, verarbeitet Jahr um Jahr eine dumpf vor sich dahin stümpernde Philologie, den Hütern des antiken Gesetzes des Rechtes des Stärkeren gefallsüchtig zuschmunzelnd. Alle Künste aber werden herbeigezogen und gepflegt, sobald sie zur Abwendung vom Gewahrwerden des Elendes, in dem wir uns etwa begriffen fühlen könnten, dienlich erscheinen. Zerstreuung, Zerstreuung! Nur keine Sammlung, als höchstens Geldsammlungen für Feuer- und Wasserbeschädigte, für welche die Kriegskassen kein Geld haben.

Und für diese Welt wird immerfort gemalt und musiziert. In den Galerien wird Raphael fort und fort bewundert und erklärt, und seine »Sixtina« bleibt den Kunstkennern ein größtes Meisterstück. In Konzertsälen wird aber auch Beethoven gehört; und fragen wir uns nun, was unsrem Publikum wohl eine Pastoralsymphonie sagen möge, so bringt uns diese Frage, tief und ernstlich erwogen, auf Gedanken, wie sie dem Verfasser dieses Aufsatzes sich immer unabweisbarer aufdrängten, und welche er nun seinen geneigten Lesern faßlich mitzuteilen versuchen will, vorausgesetzt, daß die

Annahme eines tiefen Verfalles, in welchen der geschichtliche Mensch geraten, nicht bereits vom Weiterbeschreiten des eingeschlagenen Weges sie abgeschreckt hat.

III.

Die Annahme einer Entartung des menschlichen Geschlechtes dürfte, so sehr sie derjenigen eines steten Fortschrittes zuwider erscheint, ernstlich erwogen, dennoch die einzige sein, welche uns einer begründeten Hoffnung zuführen könnte. Die sogenannte pessimistische Weltansicht müßte uns hierbei nur unter der Voraussetzung als berechtigt erscheinen, daß sie sich auf die Beurteilung des geschichtlichen Menschen begründe; sie würde jedoch bedeutend modifiziert werden müssen, wenn der vorgeschichtliche Mensch uns soweit bekannt würde, daß wir aus seiner richtig wahrgenommenen Naturanlage auf eine später eingetretene Entartung schließen könnten, welche nicht unbedingt in jener Naturanlage begründet lag. Dürfen wir nämlich die Annahme bestätigt finden, daß die Entartung durch übermächtige *äußere* Einflüsse verursacht worden sei, gegen welche sich der, solchen Einflüssen gegenüber noch unerfahrene, vorgeschichtliche Mensch nicht zu wehren vermochte, so müßte uns die bisher bekannt gewordene Geschichte des menschlichen Geschlechtes als die leidenvolle Periode der Ausbildung seines Bewußtseins für die Anwendung der auf diesem Wege erworbenen Kenntnisse zur Abwehr jener verderblichen Einflüsse gelten können.

So unbestimmt, und oft in kürzester Zeit sich widersprechend, auch die Ergebnisse unsrer wissenschaftlichen Forschung sich herausstellen und häufig uns mehr beirren als aufklären, scheint doch eine Annahme unsrer Geologen als unwidersprechlich sich zu behaupten, nämlich diese, daß das zuletzt dem Schoße der animalischen Bevölkerung der Erde entwachsene menschliche Geschlecht, welchem wir noch jetzt angehören, wenigstens zu einem großen Teile, eine gewaltsame Umgestaltung der Oberfläche unsres Planeten erlebt hat. Hiervon überzeugend spricht zu uns ein sorgfältiger Überblick der Gestalt unserer Erdkugel: dieser zeigt uns, daß in irgend einer Epoche ihrer letzten Ausbildung große Teile der verbundenen Festländer versanken, andere emporstiegen, während unermeßliche Wasserfluten vom Südpole her endlich nur an den, gleich Eisbrechern gegen sie sich vorstreckenden, spitzen Ausläufern der sich behauptenden Festländer der nördlichen Halbkugel, sich stauten und verliefen, nachdem sie alles Überlebende in furchtbarer Flucht vor sich hergetrieben hatten. Die Zeugnisse für die Richtigkeit einer solchen Flucht des animalischen Lebens aus den Tropenkreisen bis in die rauhesten nordischen Zonen, wie sie unsre Geologen infolge von Ausgrabungen, z. B. von Elephantenskeletten in Sibirien, liefern, sind allbekannt. Wichtig für unsre Untersuchung ist es dagegen, sich eine Vorstellung von den Veränderungen zu verschaffen, welche durch solche gewaltsame Dislokationen der Erdbewohner bei den, bisher im Mutterschoße ihrer Urgeburtsländer groß gezogenen, tierischen und menschlichen Geschlechtern notwendig eingetreten sein müssen. Sehr gewiß muß das Hervortreten ungeheurer Wüsten, wie der afrikanischen Sahara, die Anwohner der vorherigen, von üppigen Uferländern umgebenen Binnenseen in eine Hungersnot geworfen haben, von deren Schrecklichkeit wir uns einen Begriff machen können, wenn uns von den wütenden Leiden Schiffbrüchiger berichtet wird, durch welche vollkommen zivilisierte Bürger unsrer heutigen Staaten zum Menschenfraße hingetrieben wurden. In den feuchten Uferumgebungen der Kanadischen Seen leben jetzt noch den Panthern und Tigern verwandte tierische Geschlechter als Fruchtesser, während an jenen Wüstenrändern der geschichtliche Tiger und Löwe zum blutgierigsten reißenden Tiere sich ausbildete. Daß ursprünglich der Hunger allein es gewesen sein muß, welcher den Menschen zum Tiermord und zur Ernährung durch Fleisch und Blut angetrieben hat, nicht aber diese Nötigung bloß durch Versetzung in kältere Klimaten eingetreten sei, wie diejenigen wissen wollen, welche tierische Nahrung in nördlichen Gegenden als Pflicht der Selbsterhaltung vorgeschrieben glauben, beweist die offenliegende Tatsache, daß große Völker, welchen reichliche Fruchtnahrung zu Gebote steht, selbst in rauheren Klimaten durch fast ausschließlich vegetabilische Nahrung nichts von ihrer Kraft und Ausdauer einbüßen, wie dies an den, zugleich zu vorzüglich hohem Lebensalter gelangenden, russischen Bauern zu ersehen ist; von den Japanesen, welche nur Fruchtnahrung kennen, wird außerdem der tapferste Kriegsmut bei schärfstem Verstande gerühmt. Es sind demnach ganz abnorme Fälle anzunehmen, durch welche z. B. bei den, nordasiatischen Steppen zugetriebenen malayischen Stämmen, der Hunger auch den Blutdurst erzeugte, von welchem die Geschichte uns lehrt, daß er nie zu stillen ist und dem Menschen zwar nicht Mut, aber das Rasen zerstörender Wut eingibt. Man kann es nicht anders erfinden, als daß, wie das reißende Tier sich zum König der Wälder aufwarf, nicht minder das menschliche Raubtier sich zum Beherrscher der friedlichen Welt gemacht hat: ein Erfolg der vorangehenden Erdrevolutionen, der den vorgeschichtlichen Menschen ebenso überrascht hat, wie er auf jene unvorbereitet war. Wie nun aber auch das Raubtier nicht gedeiht, sehen wir auch den herrschenden Raubmenschen verkommen. In der Folge naturwidriger Nahrung siecht er in Krankheiten, welche nur an ihm sich zeigen, dahin und erreicht nie mehr weder sein natürliches Lebensalter noch einen sanften Tod, sondern wird von, nur ihm bekannten Leiden und Nöten, leiblicher wie seelischer Art, durch ein nichtiges Leben zu einem stets erschreckenden Abbruch desselben dahin gequält*.

Wenn wir anfänglich den Erfolgen dieses menschlichen Raubtieres, wie sie uns die Weltgeschichte aufweist, im weitesten Überblicke nachgingen, so möge es uns nun dienlich erscheinen, wiederum näher auf die diesen Erfolgen entgegenwirkenden Versuche zur Wiederauffindung des »verlorenen Paradieses« einzugehen, denen wir im Verlaufe der Geschichte mit anscheinlich immer zunehmender Ohnmacht, und endlich fast unzuverspürender Wirkung, begegnen.

Unter den zuletzt gemeinten Versuchen treffen wir in unsrer Zeit die Vereine der sogenannten *Vegetarianer* an: gerade aus diesen, welche den Kernpunkt der Regenerationsfrage des menschlichen Geschlechtes unmittelbar in das Auge gefaßt zu haben scheinen, vernimmt man von einzelnen vorzüglichen Mitgliedern die Klage darüber, daß ihre Genossen die Enthaltung von Fleischnahrung zumeist nur aus persönlichen diätetischen Rücksichten ausüben, keineswegs aber damit den großen regeneratorischen Gedanken verbinden, auf welchen es, wollten die Vereine Macht gewinnen, einzig anzukommen hätte. Ihnen zunächst stehen, mit bereits einigermaßen ausgedehnterer praktischer Wirksamkeit, die *Vereine zum Schutze der Tiere*: von diesen, welche ebenfalls nur

* Der Verfasser verweist hier ausdrücklich auf das Buch: »Thalysia, oder das Heil der Menschheit«, von *A. Gleizès*, aus dem Französischen vortrefflich übersetzt und bearbeitet von Robert Springer. (Berlin 1873. Verlag von Otto Janke.) Ohne genaue Kenntnisnahme von den in diesem Buche niedergelegten Ergebnissen sorgfältigster Forschungen, welche das ganze Leben eines der liebenswertesten und tiefsinnigsten Franzosen eingenommen zu haben scheinen, dürfte es schwer werden, für die hieraus geschöpften und mit dem vorliegenden Versuche angedeuteten Folgerungen auf die Möglichkeit einer Regeneration des menschlichen Geschlechtes, bei dem Leser eine zustimmende Aufmerksamkeit zu gewinnen.

durch Vorhaltung von Zwecken der Nützlichkeit die Teilnahme des Volkes für sich zu gewinnen suchen, dürften wahrhaft ersprießliche Erfolge wohl erst dann zu erwarten sein, wenn sie das Mitleid mit den Tieren bis zu einer verständnisvollen Durchdringung der tieferen Tendenz des Vegetarianismus ausbildeten, wonach dann eine, auf solche gegenseitige Durchdringung begründete, Verbindung beider Vereine eine bereits nicht zu unterschätzende Macht bilden dürfte. Nicht minder würde eine von den genannten beiden Vereinen geleitete und ausgeführte Veredlung der bisher einzig an den Tag getretenen Tendenz der sogenannten *Mäßigkeitsvereine* zu wichtigen Erfolgen führen können. Die Pest der Trunksucht, welche sich über alle Leibeigenen unsrer modernen Kriegszivilisation als letzte Vertilgerin aufgeworfen hat, liefert dem Staate durch Steuererträge aller Art Zuflüsse, welchen dieser zu entsagen noch nirgends Neigung gezeigt hat; wogegen die wider sie gerichteten Vereine nur den praktischen Zweck wohlfeilerer Assekuranz für Seeschiffe, ihre Ladungen und sonstige, der Bewachung durch nüchterne Diener zu übergebende Etablissements im Sinne haben. Mit Verachtung und Hohn blickt unsre Zivilisation auf die Wirksamkeit der genannten drei, in ihrer Zersplitterung durchaus unwirksamen Vereinigungen hin: zu solcher Geringschätzung darf sich aber bereits Erstaunen als über wahnwitzige Anmaßung, gesellen, wenn unsren großen Kriegsherren die Apostel der Friedensverbindungen mit untertänigen Gesuchen gegen den Krieg sich vorstellen. Hiervon erlebten wir noch in neuester Zeit ein Beispiel und haben uns der Antwort unseres berühmten »Schlachtendenkers« zu entsinnen, worin als ein, wohl noch ein paar Jahrhunderte andauerndes, Hindernis des Friedens der Mangel an Religiosität bei den Völkern bezeichnet wurde. Was hier unter Religiosität und Religion im allgemeinen verstanden sein mochte, ist allerdings nicht leicht sich klar zu machen; namentlich dürfte es schwer fallen, die Irreligiosität gerade der Völker und Nationen, als solcher, sich als Feindin des Aufhörens der Kriege zu denken. Es muß hierunter von unsrem Generalfeldmarschall wohl etwas anderes verstanden gewesen sein, und ein Hinblick auf die bisherigen Kundgebungen gewisser internationaler Friedensverbindungen dürfte erklären, warum man auf die dort ausgeübte Religiosität nicht viel gibt.

Die Fürsorge religiöser Belehrung ist hiergegen neuester Zeit wirklich versuchsweise den großen Arbeitervereinigungen zugewendet worden, deren Berechtigung wohlwollenden Freunden der Humanität nicht unbeachtet bleiben durfte, deren wirkliche oder vermeintliche Übergriffe in die Gebiete der zu Recht bestehenden Staatsgesellschaften den Hütern derselben aber durchaus ungestattbar erscheinen mußten. Jede, selbst die anscheinend gerechteste Anforderung, welche der sogenannte *Sozialismus* an die durch unsre Zivilisation ausgebildete Gesellschaft erheben möchte, stellt, genau erwogen, die Berechtigung dieser Gesellschaft sofort in Frage. In Rücksicht hierauf, und weil es untunlich erscheinen muß, die gesetzliche Anerkennung der gesetzlichen Auflösung des gesetzlich Bestehenden in Antrag zu bringen, können die Postulate der Sozialisten nicht anders als in einer Unklarheit sich zu erkennen geben, welche zu falschen Rechnungen führt, deren Fehler durch die ausgezeichneten Rechner unsrer Zivilisation sofort nachgewiesen werden. Dennoch könnte man, und dies zwar aus starken inneren Gründen, selbst den heutigen Sozialismus als sehr beachtenswert von seiten unsrer staatlichen Gesellschaft ansehen, sobald er mit den drei zuvor in Betracht genommenen Verbindungen der Vegetarianer, der Tierschützer und der Mäßigkeitspfleger, in eine wahrhaftige und innige Vereinigung träte. Stünde von den, durch unsre Zivilisation nur auf korrekte Geltendmachung des berechnendsten Egoismus angewiesenen Menschen zu erwarten, daß die zuletzt in das Auge gefaßte Vereinigung, mit vollkommenem Verständnis der Tendenz jeder der genannten, in ihrem Unzusammenhange machtlosen Verbindungen, unter ihnen einen vollen Bestand gewinnen könnte, so wäre auch die Hoffnung des Wiedergewinnes einer wahrhaften Religion nicht minder berechtigt. Was bisher den Begründern aller jener Vereinigungen nur aus Berechnungen der Klugheit aufgegangen zu sein schien, fußt, ihnen selbst zum Teil wohl unbewußt, auf einer Wurzel, welche wir ohne Scheu die eines religiösen Bewußtseins nennen wollen: selbst dem Grollen des Arbeiters, der alles Nützliche schafft, um davon selber den verhältnismäßig geringsten Nutzen zu ziehen, liegt eine Erkenntnis der tiefen Unsittlichkeit unsrer Zivilisation zum Grunde, welcher von den Verfechtern der letzteren nur mit, in Wahrheit, lästerlichen Sophismen entgegnet werden kann; denn gesetzt, der leicht zu führende Beweis dafür, daß Reichtum an sich nicht glücklich macht, könnte vollkommen zutreffend geliefert werden, so würde doch nur dem Herzlosesten ein Widerspruch dagegen ankommen dürfen, daß Armut elend macht. Unsre alttestamentarische christliche Kirche beruft sich hierbei zur Erklärung der mißlichen Beschaffenheit aller menschlichen Dinge auf den Sündenfall der ersten Menschen, welcher – höchst merkwürdigerweise – nach der jüdischen Tradition keineswegs von

388

einem verbotenen Genusse von Tierfleisch, sondern dem einer Baumfrucht sich herleitet, womit in einer nicht minder auffälligen Verbindung steht, daß der Judengott das fette Lammopfer Abels schmackhafter fand als das Feldfruchtopfer Kains. Wir sehen aus solchen bedenklichen Äußerungen des Charakters des jüdischen Stammgottes eine Religion hervorgehen, gegen deren unmittelbare Verwendung zur Regeneration des Menschengeschlechtes ein tief überzeugter Vegetarianer unsrer Tage bedeutende Einwendungen zu machen haben dürfte. Nehmen wir hinwider an, daß, in seinem angelegentlichen Vernehmen mit dem Vegetarianer, dem Tierschutzvereinler die wahre Bedeutung des ihn bestimmenden Mitleides notwendig aufgehen müsse, und beide dann den im Branntwein verkommenen Paria unsrer Zivilisation mit der Verkündigung einer Neubelebung durch Enthaltung von jenem gegen die Verzweiflung eingenommenen Gifte, sich zuwendeten, so dürften aus dieser hiermit gedachten Vereinigung Erfolge zu gewinnen sein, wie sie vorbildlich die in gewissen amerikanischen Gefängnissen angestellten Versuche aufgezeigt haben, durch welche die boshaftesten Verbrecher vermöge einer weislich geleiteten Pflanzendiät zu den sanftesten und rechtschaffensten Menschen umgewandelt wurden. Wessen Gedenken würden die Gemeinden dieses Vereines wohl feiern, wenn sie nach der Arbeit des Tages sich zum Mahle versammelten, um an Brot und Wein sich zu erlaben? –

Führen wir uns hiermit ein Phantasiebild vor, welches uns verwirklicht zu denken durch keine vernünftige Annahme, außer der des absoluten Pessimismus, uns verwehrt dünken darf, so kann es vielleicht als nicht minder ersprießlich gelten, auf die weitergehende Wirksamkeit des gedachten Vereines zu schließen, da wir hierbei von der einen, alle Regeneration bestimmenden Grundlage einer religiösen Überzeugung davon ausgehen, daß die Entartung des menschlichen Geschlechtes durch seinen Abfall von seiner natürlichen Nahrung bewirkt worden sei. Die durch besonnene Nachforschung zu erlangende Kenntnis davon, daß nur ein Teil – man nimmt an nur ein Drittel – des menschlichen Geschlechtes in diesen Abfall verstrickt worden ist, dürfte uns an dem Beispiel des unleugbaren physischen Gedeihens der größeren Hälfte desselben, welche bei der natürlichen Nahrung verblieben ist, sehr füglich über die Wege belehren, die wir zum Zwecke der Regeneration der entarteten, obwohl herrschenden Hälfte einzuschlagen hätten. Ist die Annahme, daß in nordischen Klimaten die Fleischnahrung unerläßlich sei, begründet, was hielte uns davon ab, eine vernunftgemäß angeleitete Völkerwanderung in solche Länder unseres Erdballes auszuführen, welche, wie dies von der einzigen südamerikanischen Halbinsel behauptet worden ist, vermöge ihrer überwuchernden Produktivität die heutige Bevölkerung aller Weltteile zu ernähren im Stande sind? Die an Fruchtbarkeit überreichen Länder Südafrikas überlassen unsre Staatslenker der Politik des englischen Handelsinteresses, während sie mit den kräftigsten ihrer Untertanen, sobald sie vor dem drohenden Hungertode fliehen, nichts anderes anzufangen wissen, als sie, im besten Falle ungehindert, jedenfalls aber ungeleitet und der Ausbeutung für fremde Rechnung übergeben, davonziehen zu lassen. Da dieses nun so steht, würden die von uns gedachten Vereine, zur Durchführung ihrer Tendenzen, ihre Sorgsamkeit und Tätigkeit, vielleicht nicht ohne Glück, der Auswanderung zuzuwenden haben; und den neuesten Erfahrungen nach erscheint es nicht unmöglich, daß bald diese, wie behauptet wird, der Fleischnahrung durchaus bedürftigen nordischen Länder den Sauhetzern und Wildjägern, ohne alle weiter belästigende und nach Brot verlangende untere Bevölkerung, zur alleinigen Verfügung zurückgelassen blieben, wo diese dann als Vertilger der auf den verödeten Landstrichen etwa überhandnehmenden reißenden Tiere sich recht gut ausnehmen würden. Uns aber dürfte daraus kein moralischer Nachteil erwachsen, daß wir, etwa nach Christus' Worten: »gebet dem Kaiser, was des Kaisers, und Gott, was Gott ist«, den Jägern ihre Jagdreviere lassen, unsre Äcker aber für uns bauen: die von unsrem Schweiße gemästeten, schnappenden und schmatzenden Geldsäkke unsrer Zivilisation aber, möchten sie ihr Zetergeschrei erheben, würden wir etwa wie die Schweine auf den Rücken legen, welche dann durch den überraschenden Anblick des Himmels, den sie nie gesehen, sofort zu staunendem Schweigen gebracht werden.

Bei der gewiß nicht verzagten Ausmalung des uns vorschwebenden Phantasiebildes eines Regenerationsversuches des menschlichen Geschlechtes, haben wir für jetzt aller der Einwendungen nicht zu achten, welche uns von den Freunden unsrer Zivilisation gemacht werden könnten. Nach dieser Seite hin beruht unsre Annahme ergebnisvollster Möglichkeiten auf den durch redliche wissenschaftliche Forschungen gewonnenen Erkenntnissen, deren klare Einsicht uns durch die aufopfernde Tätigkeit edler Menschen – unter denen wir zuvor eines der Vortrefflichsten gedachten – erleichtert worden ist. Während wir hierauf alle jene denkbaren Einsprüche verweisen, haben wir uns selbst sehr gründlich nur noch in der einen Voraussetzung zu bestärken, daß nämlich aller echte Antrieb, und alle vollständig ermöglichende Kraft zur Ausführung der großen Regeneration nur aus dem tiefen Boden einer wahrhaften Religion erwachsen könne. Nachdem unsre übersichtliche Darstellung uns stark beleuchtenden Andeutungen in diesem betreff bereits wiederholt nahe geführt hat, müssen wir uns jetzt diesem Hauptstücke unsrer Untersuchung vorzüglich zuwenden, da wir von ihm aus auch erst den, vorsätzlich uns zunächst bestimmenden Ausblick auf die Kunst mit der verlangten Sicherheit zu richten vermögen werden.

Wir gingen von der Annahme einer Verderbnis des vorgeschichtlichen Menschen aus; unter diesem wollen wir keineswegs den Urmenschen verstehen, von dem wir vernünftigerweise keine Kenntnis haben können, vielmehr die Geschlechter, von denen wir zwar keine Taten, wohl aber Werke kennen. Diese Werke sind alle Erfindungen der Kultur, welche der geschichtliche Mensch für seine zivilisatorischen Zwecke nur benützt und verquemlicht, keineswegs erneuert oder vermehrt hat; vor allem der Sprache, welche vom Sanskrit bis auf die neuesten europäischen Sprachamalgame eine zunehmende Degeneration aufdeckt. Wer bei diesem Überblicke die, in unsrem heutigen Verfalle uns erstaunlich dünken müssenden Anlagen des menschlichen Geschlechts genau erwägt, wird zu der Annahme gelangen dürfen, daß der ungeheure Drang, welcher, von Zerstörung zu Neubildung hin, alle Möglichkeiten seiner Befriedigung durchstrebend, als sein Werk diese Welt uns hinstellt, mit der Hervorbringung dieses Menschen an seinem Ziele angelangt war, da in ihm er seiner sich als *Wille* selbstbewußt ward, als welcher er nun, sich und sein Wesen erkennend, über sich selbst entscheiden konnte. Den zur Herbeiführung seiner letzten Erlösung notwendigen Schrecken über sich selbst zu empfinden, wurde dieser Mensch durch eben jene ihm ermöglichte Erkenntnis, nämlich durch das Sich-Wiedererkennen in allen Erscheinungen des gleichen Willens, befähigt, und die Anleitung zur Ausbildung dieser Befähigung gab ihm das, nur ihm in dem hierzu nötigen Grade empfindbare, Leiden. Stellen wir uns unter dem Göttlichen unwillkürlich eine Sphäre der Unmöglichkeit des Leidens vor, so beruht diese Vorstellung immer nur auf dem Wunsche einer Möglichkeit, für welche wir in Wahrheit keinen positiven, sondern nur einen negativen Ausdruck finden können. So lange wir dagegen das Werk des Willens, der wir selbst sind, zu vollziehen haben, sind wir in Wahrheit auf den Geist der Verneinung angewiesen, nämlich der Verneinung des eigenen Willens selbst, welcher, als blind und nur begehrend, sich deutlich wahrnehmbar nur in dem

Unwillen gegen das kundgibt, was ihm als Hindernis oder Unbefriedigung widerwärtig ist. Da er aber doch selbst wiederum allein nur dieses sich Entgegenstrebende ist, so drückt sein Wüten nichts anderes als seine Selbstverneinung aus, und hierüber zur Selbstbesinnung zu gelangen darf endlich nur das dem Leiden entkeimende Mitleiden ermöglichen, welches dann als Aufhebung des Willens die Negation einer Negation ausdrückt, die wir nach den Regeln der Logik als Affirmation verstehen.

Suchen wir nun hier, unter der Anleitung des großen Gedankens unsres Philosophen, das unerläßlich uns vorgelegte metaphysische Problem der Bestimmung des menschlichen Geschlechtes mit einiger Deutlichkeit uns nahe zu bringen, so hätten wir das, was wir als den Verfall des durch seine Handlungen geschichtlich uns bekannt gewordenen Geschlechtes bezeichneten, als die strenge Schule des Leidens anzuerkennen, welche der Wille in seiner Blindheit sich selbst auferlegte, um sehend zu werden, – etwa in dem Sinne der Macht, »die stets das Böse will und stets das Gute schafft«. Nach den Kenntnissen, welche wir von der allmählichen Bildung unsres Erdballes erlangt haben, hatte dieser auf seiner Oberfläche bereits einmal menschenähnliche Geschlechter hervorgebracht, die er dann durch eine neue Umwälzung aus seinem Innern wieder untergehen ließ; von dem hierauf neu zum Leben geförderten jetzigen menschlichen Geschlechte wissen wir, daß es, mindestens zu einem großen Teile, aus seinen Urgeburtsstätten durch eine, die Erdoberfläche bedeutend umgestaltende, für jetzt letzte Revolution vertrieben worden ist. Zu einem paradiesischen Behagen an sich selbst zu gelangen, kann daher unmöglich die letzte Lösung des Rätsels dieses gewaltsamen Triebes sein, welcher in allen seinen Bildungen als furchtbar und erschreckend unsrem Bewußtsein gegenwärtig bleibt. Stets werden alle die bereits erkannten Möglichkeiten der Zerstörung und Vernichtung, durch die er sein eigentliches Wesen kundgibt, vor uns liegen; unsre eigene Herkunft aus dem Lebenskeimen, die wir in grauenhafter Gestaltung die Meerestiefen immer wieder hervorbringen sehen, wird unsrem entsetzten Bewußtsein nie sich verbergen können. Und dieses zur Fähigkeit der Beschauung und Erkenntnis, somit zur Beruhigung des ungestümen Willensdranges gebildete Menschengeschlecht, bleibt es selber sich nicht stets noch auf allen den niedrigen Stufen beharrend gegenwärtig, auf welchen ungenügende Ansätze zur Erreichung höherer Stufen, durch wilde eigene Willenshindernisse gehemmt, zum Abscheu oder Mitleiden für uns, unabänderlich sich erhielten? Durfte dieser Um- und Ausblick selbst die im Schoße einer mütterlich sorgsamen Natur mild gepflegten und zu Sanftmut erzogenen, edelsten Geschlechter der Menschen mit Trauer und Bangigkeit erfüllen, welches Leiden mußte sich ihrer bemächtigen, als sie ihrem eigenen Verfalle, ihrer Entartung bis zu den tiefsten Vorgeburten ihres Geschlechtes hinab, mit nur duldend möglicher Abwehr zuzusehen genötigt waren? Die Geschichte dieses Abfalles, wie wir sie in weitesten Umrissen uns vorführten, dürfte, wenn wir sie als die Schule des Leidens des Menschengeschlechtes betrachten, die durch sie gewonnene Lehre uns darin erkennen lassen, daß wir einen, aus dem blinden Walten des weltgestaltenden Willens herrührenden, der Erreichung seines unbewußt angestrebten Zieles verderblichen, Schaden mit Bewußtsein wieder zu verbessern, gleichsam das vom Sturm umgeworfene Haus wieder aufzurichten und gegen neue Zerstörung zu sichern, angeleitet worden seien. Daß alle unsre Maschinen hierfür nichts ausrichten, dürfte den gegenwärtigen Geschlechtern bald einleuchten, da die Natur zu meistern nur denen gelingen kann, die sie verstehen und im Einverständnis mit ihr sich einzurichten wissen, wie dies zunächst eben durch eine vernunftgemäßere Verteilung der Bevölkerung der Erde über deren Oberfläche geschehen würde; wogegen unsere stumpfsinnige Zivilisation mit ihren kleinlichen mechanischen und chemischen Hilfsmitteln, sowie mit der Aufopferung der besten Menschenkräfte für die Herstellung derselben, immer nur in einem fast kindisch erscheinenden Kampfe gegen die Unmöglichkeit sich gefällt. Hiergegen würden wir, selbst bei der Annahme bedeutender Erschütterungen unsrer irdischen Wohnstätten, für alle Zukunft gegen die Möglichkeit des Rückfalles des menschlichen Geschlechtes von der erreichten Stufe höherer sittlicher Ausbildung gesichert sein, wenn unsre durch die Geschichte dieses Verfalles gewonnene Erfahrung ein religiöses Bewußtsein in uns begründet und befestigt hat, – dem jener drei Millionen Hindus ähnlich, deren wir vorangehends gedachten.

Und würde eine gegen jeden Rückfall in die Untertänigkeit unter die Gewalt des blind wütenden Willens uns bewahrende Religion erst neu zu stiften sein? Feierten wir denn nicht schon in unsrem täglichen Mahle den Erlöser? Bedürften wir des ungeheuren allegorischen Ausschmuckes, mit welchem bisher noch alle Religionen, und namentlich auch die so tiefsinnige brahmanische, bis zur Fratzenhaftigkeit entstellt wurden? Haben doch wir das Leben nach seiner Wirklichkeit in unsrer Geschichte vor uns, die jede Lehre durch ein wahrhaftiges Beispiel uns bezeichnet. Verstehen wir sie recht, diese Geschichte, und zwar im Geiste und in der

Wahrheit, nicht nach dem Worte und der Lüge unsrer Universitätshistoriker, welche nur Aktionen kennen, dem weitesten Eroberer ihr Lied singen, von dem Leiden der Menschheit aber nichts wissen wollen. Erkennen wir, mit dem Erlöser im Herzen, daß nicht ihre Handlungen, sondern ihre Leiden die Menschen der Vergangenheit uns nahe bringen und unsres Gedenkens würdig machen, daß nur dem unterliegenden, nicht dem siegenden Helden unsre Heilnahme zugehört. Möge der aus einer Regeneration des menschlichen Geschlechtes hervorgehende Zustand, durch die Kraft eines beruhigten Gewissens, sich noch so friedsam gestalten, stets und immer wird uns in der umgebenden Natur, in der Gewaltsamkeit der Urelemente, in den unabänderlich unter und neben uns sich geltend machenden niederen Willensmanifestationen in Meer und Wüste, ja in dem Insekte, dem Wurme, den wir unachtsam zertreten, die ungeheure Tragik dieses Weltendaseins zur Empfindung kommen, und täglich werden wir den Blick auf den Erlöser am Kreuze als letzte erhabene Zuflucht zu richten haben.

Wohl uns, wenn wir uns dann den Sinn für den Vermittler des zerschmetternd Erhabenen mit dem Bewußtsein eines reinen Lebenstriebes offen erhalten dürfen, und durch den *künstlerischen Dichter* der Welttragik uns in eine versöhnende Empfindung dieses Menschenlebens beruhigend hinüberleiten lassen können. Dieser dichterische Priester, der einzige, der nie log, war in den wichtigsten Perioden ihrer schrecklichen Verirrungen der Menschheit als vermittelnder Freund stets zugesellt: er wird uns auch in jenes wiedergeborene Leben hinüberbegleiten, um uns in idealer Wahrheit jedes »Gleichnis« alles Vergänglichen vorzuführen, wenn die reale Lüge des Historikers längst unter dem Aktenstaube unsrer Zivilisation begraben liegt. Eben jener allegorischen Zutaten, durch welche der edelste Kern der Religion bisher so weit entstellt wurde, daß, da die geforderte reale Glaubhaftigkeit derselben endlich geleugnet werden mußte, dieser Kern selbst angenagt werden konnte, jenes theatralischen Gaukelwerkes, durch das wir noch heute das so leicht zu täuschende phantasievolle arme Volk, namentlich südlicher Länder, von wahrer Religiosität ab zu frivolem Spiele mit dem Göttlichen angeleitet sehen, – dieser so übel bewährten Beihilfen zur Aufrechterhaltung religiöser Kulte, werden wir nicht mehr bedürfen. Wir zeigten zuerst, wie nur das größte Genie der Kunst durch Umbildung in das Ideale den ursprünglichen erhabenen Sinn auch jener Allegorien uns retten konnte; wie jedoch dieselbe Kunst, von der Erfüllung dieser idealen Aufgabe gleichsam gesättigt, den realen Erscheinungen des Lebens sich zuwendend, eben von der tiefen Schlechtigkeit dieser Realität zu ihrem eigenen Verfalle hingezogen wurde. Nun aber haben wir eine neue Realität vor uns, ein, mit tiefem religiösem Bewußtsein von dem Grunde seines Verfalles aus diesem sich aufrichtendes und neu sich artendes Geschlecht, mit dem wahrhaftigen Buche einer wahrhaftigen Geschichte zur Hand, aus dem es jetzt ohne Selbstbelügung seine Belehrung über sich schöpft. Was einst den entartenden Athenern ihre großen Tragiker in erhaben gestalteten Beispielen vorführten, ohne über den rasend um sich greifenden Verfall ihres Volkes Macht zu gewinnen; was Shakespeare einer in eitler Täuschung sich für die Wiedergeburt der Künste und des freien Geistes haltenden, in herzloser Verblendung einem unempfundenen Schönen nachstrebenden Welt, zur bitteren Enttäuschung über ihren wahren, durchaus nichtigen Wert, als einer Welt der Gewalt und des Schreckens, im Spiegel seiner wunderbaren dramatischen Improvisationen vorhielt, ohne von seiner Zeit auch nur beachtet zu werden, – diese *Werke* der Leidenden sollen uns nun geleiten und angehören, während die Taten der Handelnden der Geschichte nur durch jene uns noch vorhanden sein werden. So dürfte die Zeit der Erlösung der großen Kassandra der Weltgeschichte erschienen sein, der Erlösung von dem Fluche, für ihre Weissagungen keinen Glauben zu finden. Zu uns werden alle diese dichterischen Weisen geredet haben, und zu uns werden sie von neuem sprechen.

Herzlosen, wie gedankenlosen Geistern ist es bisher geläufig gewesen, den Zustand des menschlichen Geschlechtes, sobald es von dem gemeinen Leiden eines sündhaften Lebens befreit wäre, als von träger Gleichgiltigkeit erfüllt sich vorzustellen, – wobei zugleich zu beachten ist, daß diese nur die Befreiung von der niedrigsten Willensnot als das Leben mannigfaltig gestaltend im Sinne haben, während, wie wir dies vorangehend soeben berührten, die Wirksamkeit großer Geister, Dichter und Seher stumpf von ihnen abgewiesen ward. Hiergegen erkannten wir das uns notwendige Leben der Zukunft von jenen Leiden und Sorgen einzig durch einen bewußten Trieb befreit, dem das furchtbare Welträtsel stets gegenwärtig ist. Was als einfachstes und rührendstes religiöses Symbol uns zu gemeinsamer Betätigung unsres Glaubens vereinigt, was uns aus den tragischen Belehrungen großer Geister immer neu lebendig zu mitleidsvoller Erhebung anleitet, ist die in mannigfachsten Formen uns einnehmende Erkenntnis der Erlösungsbedürftigkeit. Dieser Erlösung selbst glauben wir in der geweihten Stunde, wann alle Erscheinungsformen der Welt uns wie im ahnungsvollen Traume zerfließen, vorempfindend bereits teilhaftig zu werden: uns beängstigt dann nicht mehr die Vorstellung jenes gähnenden Abgrundes, der grausenhaft gestalteten Ungeheuer der Tiefe, aller der süchtigen Ausgeburten des sich selbst zerfleischenden Willens, wie sie uns der Tag! – ach! die Geschichte der Menschheit vorführte: rein und friedensehnsüchtig ertönt uns dann nur die Klage der Natur, furchtlos, hoffnungsvoll, allbeschwichtigend, welterlösend. Die in der Klage geeinigte Seele der Menschheit, durch diese Klage sich ihres hohen Amtes der Erlösung der ganzen mit-leidenden Natur bewußt werdend, entschwebt da dem Abgrunde der Erscheinungen, und, losgelöst von jener grauenhaften Ursächlichkeit alles Entstehens und Vergehens, fühlt sich der rastlose Wille in sich selbst gebunden, von sich selbst befreit.

Im neu bekehrten Schweden hörten die Kinder eines Pfarrers am Stromufer einen Nixen zur Harfe singen: »singe nur immer«, riefen sie ihm zu, »du kannst doch nicht selig werden«. Traurig senkte der Nix Harfe und Haupt: die Kinder hörten ihn weinen, und meldeten das ihrem Vater daheim. Dieser belehrt sie und sendet sie mit guter Botschaft dem Nixen zurück. »Nicker, sei nicht mehr traurig«, rufen sie ihm nun zu: »der Vater läßt dir sagen, du könntest doch noch selig werden«. Da hörten sie die ganze Nacht hindurch vom Flusse her es ertönen und singen, daß nichts holderes je zu vernehmen war. – Nun hieß uns der Erlöser selbst unser Sehnen, Glauben und Hoffen zu tönen und zu singen. Ihr edelstes Erbe hinterließ uns die christliche Kirche als alles klagende, alles sagende, tönende Seele der christlichen Religion. Den Tempelmauern entschwebt, durfte die heilige Musik jeden Raum der Natur neu belebend durchdringen, der erlösungsbedürftigen Menschheit eine neue Sprache lehrend, in der das Schrankenloseste sich nun mit unmißverständlichster Bestimmtheit aussprechen konnte.

Was aber sagten unsrer heutigen Welt auch die göttlichsten Werke der Tonkunst? Was können diese tönenden Offenbarungen aus der erlösenden Traumwelt reinster Erkenntnis einem heutigen Konzertpublikum sagen? Wem das unsägliche Glück vergönnt ist, mit Herz und Geist eine dieser vier letzten Beethovenschen Symphonien rein und fleckenlos von sich aufgenommen zu wissen, stelle sich dagegen etwa vor, von welcher Beschaffenheit eine ganze große Zuhörerschaft sein müßte, die eine, wiederum der Beschaffenheit des Werkes selbst wahrhaft entsprechende, Wirkung durch eine Anhörung desselben empfangen dürfte: vielleicht verhülfe ihm zu solch einer Vorstellung die analogische Heranziehung des merkwürdigen Gottesdienstes der Shaker-Sekte in Amerika, deren Mitglieder, nach feierlich und herzlich bestätigtem Gelübde der Entsagung, im Tempel singend und tanzend sich ergehen. Drückt sich hier eine kindliche Freude über wiedergewonnene Unschuld aus, so dürfte uns, die wir die, durch Erkenntnis des Verfalles des menschlichen Geschlechtes errungene Siegesgewißheit des Willens über sich selbst mit unsrem täglichen Speisemahle feiern, das Untertauchen in das Element jener symphonischen Offenbarungen als ein weihevoll reinigender religiöser Akt selbst gelten. Zu göttlicher Entzückung heiter aufsteigende Klage. »Ahntest Du den Schöpfer, Welt?« – so ruft der Dichter, der aus Bedarf der begrifflichen Wortsprache mit einer anthropomorphistischen Metapher ein Unausdrückbares mißverständlich bezeichnen muß. Über alle Denkbarkeit des Begriffes hinaus, offenbart uns aber der tondichterische Seher des Unaussprechbare: wir ahnen, ja wir fühlen und sehen es, daß auch diese unentrinnbar dünkende Welt des Willens nur ein Zustand ist, vergehend vor dem einen: »Ich weiß, daß mein Erlöser lebt!«

»Haben Sie schon einmal einen Staat regiert?« frug Mendelssohn-Bartholdy einst Berthold Auerbach, welcher sich in einer, dem berühmten Komponisten vermutlich unliebsamen, Kritik der preußischen Regierung ergangen hatte. »Wollen Sie etwa eine Religion stiften?« dürfte der Verfasser dieses Aufsatzes befragt werden. Als solcher würde ich nun frei bekennen, daß ich dies für ebenso unmöglich halte, als daß Herr Auerbach, wenn ihm etwa durch Mendelssohns Vermittlung ein Staat übergeben worden wäre, diesen zu regieren verstanden haben möchte. Meine Gedanken in jenem betreff kamen mir als schaffendem Künstler in seinem Verkehre mit der Öffentlichkeit an: mich durfte bedünken, daß ich in diesem Verkehre auf dem rechten Wege sei, sobald ich die Gründe erwog, aus welchen selbst ansehnliche und beneidete Erfolge vor dieser Öffentlichkeit mich durchaus unbefriedigt ließen. Da es mir möglich geworden ist, auf diesem Wege zu der Überzeugung davon zu gelangen, daß wahre Kunst nur auf der Grundlage wahrer Sittlichkeit gedeihen kann, durfte ich der ersteren einen um so höheren Beruf zuerkennen, als ich sie mit wahrer Religion vollkommen *eins* erfand. Auf die Geschichte der Entwicklung des menschlichen Geschlechtes und seine Zukunft zu schließen, durfte dem Künstler so lange fern liegen, als er sie mit dem Verstande jener

Frage Mendelssohns begriff und den Staat etwa als die Mühle anzusehen hatte, durch welche das Getreide der Menschheit, nachdem es auf der Kriegstenne ausgedroschen, hindurchgemahlen werden müsse, um genießbar zu werden. Da mich auf meinem Wege der richtige Schauder vor dieser Zurichtung der Menschheit für unerfindbare Zwecke erfassen konnte, erschien es mir endlich von glücklicher Vorbedeutung, daß ein, hiervon abliegender besserer Zustand der zukünftigen Menschheit, welchen andere sich nur als ein häßliches Chaos vorstellen können, mir als ein höchst wohlgeordneter aufgehen durfte, da in ihm Religion und Kunst nicht nur erhalten werden, sondern sogar erst zur einzig richtigen Geltung gelangen sollten. Von diesem Wege ist die Gewalt vollständig ausgeschlossen, da es nur der Erkräftigung der friedlichen Keime bedarf, die überall unter uns, wenn auch eben nur dürftig und schwach, bereits Boden gefaßt haben.

Anders kann es allerdings sich fügen, sobald der herrschenden Gewalt die Weisheit immer mehr schwinden sollte. Was diese Gewalt vermag, ersehen wir mit dem Erstaunen, welches Friedrich der Große einmal empfunden und humoristisch geäußert haben soll; als er einem fürstlichen Gaste, der ihm bei einem Parademanöver seine Verwunderung über die unvergleichliche Haltung seiner Soldaten ausdrückte, erwiderte: »nicht dies, sondern, daß die Kerle uns nicht totschießen, ist das Merkwürdigste«. Es ist – glücklicherweise! – nicht wohl abzusehen, wie bei den ausgezeichneten Triebfedern, welche für die militärische Ehre in Kraft gesetzt sind, die Kriegsmaschine innerlich sich abnützen und etwa in der Weise in sich zusammenbrechen sollte, daß einem Friedrich dem Großen nichts in seiner Art merkwürdiges daran verbleiben dürfte. Dennoch muß es Bedenken erwecken, daß die fortschreitende Kriegskunst immer mehr, von den Triebfedern moralischer Kräfte ab, sich auf die Ausbildung mechanischer Kräfte hinwendet! hier werden die rohesten Kräfte der niederen Naturgewalten in ein künstliches Spiel gesetzt, in welches, trotz aller Mathematik und Arithmetik, der blinde Wille, in seiner Weise einmal mit elementarischer Macht losbrechend, sich einmischen könnte. Bereits bieten uns die gepanzerten Monitors, gegen welche sich das stolze herrliche Segelschiff nicht mehr behaupten kann, einen gespenstisch grausenhaften Anblick: stumm ergebene Menschen, die aber gar nicht mehr wie Menschen aussehen, bedienen diese Ungeheuer, und selbst aus der entsetzlichen Heizkammer werden sie nicht mehr desertieren: aber wie in der Natur alles seinen zerstörenden Feind hat, so bildet auch die Kunst im Meere Torpedos und überall sonst Dynamitpatronen u. dgl. Man sollte glauben, dieses alles, mit Kunst, Wissenschaft, Tapferkeit und Ehrenpunkt, Leben und Habe, könnte einmal durch ein unberechenbares Versehen in die Luft fliegen. Zu solchen Ereignissen in großartigstem Stile dürfte, nachdem unser Friedenswohlstand dort verpufft wäre, nur noch die langsam, aber mit blinder Unfehlbarkeit vorbereitete allgemeine Hungersnot ausbrechen: so stünden wir etwa wieder da, von wo unsre weltgeschichtliche Entwicklung ausging, und es könnte wirklich den Anschein erhalten, »als habe Gott die Welt erschaffen, damit sie der Teufel hole«, wie unser großer Philosoph dies im jüdisch-christlichen Dogma ausgedrückt fand.

Da herrsche dann der Wille in seiner vollen Brutalität. Wohl uns, die wir den *Gefilden hoher Ahnen* uns zugewendet!

Heldentum und Christentum

Wenn wir, nach dem Innewerden der Notwendigkeit einer Regeneration derselben, den Möglichkeiten der Veredlung der menschlichen Geschlechter nachgehen, treffen wir fast nur auf Hemmnisse. Suchten wir ihren Verfall uns aus einem physischen Verderbe zu erklären, und hatten wir hierfür die edelsten Weisen aller Zeiten zu Stützen, welche die gegen die ursprüngliche Pflanzennahrung eingetauschte animalische Nahrung als Grund der Ausartung erkennen zu müssen glaubten, so waren wir notwendig auf die Annahmen einer veränderten Grundsubstanz unsres Leibes geraten, und hatten aus einem verderbten Blute auf die Verderbnis der Temperamente und der von ihnen ausgehenden moralischen Eigenschaften geschlossen.

Ganz abseits dieser Erklärung, und mit völliger Unbeachtung der Versuche, die Degeneration der menschlichen Geschlechter von dieser Seite ihres Bestehens her zu begründen, wies einer der geistvollsten Männer unsrer Zeit diesen Verfall allerdings auch aus einem Verderbe des Blutes nach, ließ hierbei die veränderte Nahrung aber durchaus unbeachtet, und leitete ihn einzig von der Vermischung der Rassen her, durch welche die edelsten derselben mehr verloren, als die unedleren gewannen. Das ungemein durchgearbeitete Bild, welches Graf *Gobineau* von diesem Hergange des Verfalles der menschlichen Geschlechter uns mit seinem Werke »Essai sur l'inégalité des races humaines« darbietet, spricht mit erschreckender Überzeugungskraft zu uns. Wir können uns der Anerkennung der Richtigkeit dessen nicht verschließen, daß das menschliche Geschlecht aus unausgleichbar ungleichen Rassen besteht, und daß die edelste derselben die unedleren wohl beherrschen, durch Vermischung sie aber sich nicht gleich, sondern sich selbst nur unedler machen konnte. Wohl könnte dieses eine Verhältnis bereits genügen, unsren Verfall uns zu erklären; selbst, daß diese Erkenntnis trostlos sei, dürfte uns nicht gegen sie verschließen: ist es vernünftig anzunehmen, daß der gewisse Untergang unsres Erdkörpers nur eine Frage der Zeit sei, so werden wir uns wohl auch daran gewöhnen müssen, das menschliche Gefühl einmal aussterbend zu wissen. Dagegen darf es sich aber um eine

400

außer aller Zeit und allem Raume liegende Bestimmung handeln, und die Frage, ob die Welt eine moralische Bedeutung habe, wollen wir hier damit zu beantworten versuchen, daß wir uns selbst zunächst befragen, ob wir viehisch oder göttlich zugrunde gehen wollen.

Hierbei wird es wohl zunächst darauf ankommen, die besonderen Eigenschaften jener edelsten Rasse, durch deren Schwächung sie sich unter die unedlen Rassen verlor, in genauere Betrachtung zu ziehen. Mit je größerer Deutlichkeit die neuere Wissenschaft die natürliche Herkunft der niedersten Menschenrassen von den ihnen zunächst verwandten tierischen Gattungen zur billigenden Anschauung gebracht hat, um desto schwieriger bleibt es uns, die Ableitung der sogenannten weißen Rasse aus jener schwarzen und gelben zu erklären: selbst die Erklärung der weißen Farbe erhält unsre Physiologen noch in Unübereinstimmung. Während gelbe Stämme sich selbst als von Affen entstammt ansahen, hielten die Weißen sich für von Göttern entsprossen und zur Herrschaft einzig berufen. Daß wir gar keine Geschichte der Menschheit haben würden, wenn es nicht Bewegungen, Erfolge und Schöpfungen der weißen Rasse gegeben hätte, ist uns durchaus klar gemacht worden, und können wir füglich die Weltgeschichte als das Ergebnis der Vermischung dieser weißen Rasse mit den Geschlechtern der gelben und schwarzen ansehen, wobei diese niederen gerade nur dadurch und soweit in die Geschichte treten, als sie durch jene Vermischung sich verändern und der weißen Rasse sich anähneln. Der Verderb der weißen Rasse leitet sich nun aus dem Grunde her, daß sie, unvergleichlich weniger zahlreich an Individuen als die niedrigeren Rassen, zur Vermischung mit diesen genötigt war, wobei sie, wie bereits bemerkt, durch den Verlust ihrer Reinheit mehr einbüßte, als jene für die Veredlung ihres Blutes gewinnen konnten.

Ohne nun hier selbst auf eine nur ferne Berührung der unendlich mannigfachen Ergebnisse der immer mehr vermittelten Mischungen stets neuer Abarten der alten Urrassen uns einzulassen, haben wir für unsren Zweck nur bei der reinsten und edelsten derselben zu verweilen, um ihres übermächtigen Unterschiedes von den geringeren inne zu werden. Ist beim Überblick aller Rassen die Einheit der menschlichen *Gattung* unmöglich zu verkennen, und dürfen wir, was diese ausmacht, im edelsten Sinne als Fähigkeit zu bewußtem Leiden bezeichnen, in dieser Fähigkeit aber die Anlage zur höchsten moralischen Entwicklung erfassen, so fragen wir nun, worin der Vorzug der weißen Rasse gesucht werden kann,

401

wenn wir sie durchaus hoch über die anderen stellen müssen. Mit schöner Sicherheit erkennt ihn *Gobineau* nicht in einer ausnahmsweisen Entwicklung ihrer moralischen Eigenschaften selbst, sondern in einem größeren Vorrate der Grundeigentümlichkeiten, welchen jene entfließen. Diese hätten wir in der heftigeren, und dabei zarteren, Empfindlichkeit des Willens, welcher sich in einer reichen Organisation kundgibt, verbunden mit dem hierfür nötigen schärferen Intellekte, zu suchen; wobei es dann darauf ankommt, ob der Intellekt durch die Antriebe des bedürfnisvollen Willens sich bis zu der Hellsichtigkeit steigert, die sein eigenes Licht auf den Willen zurückwirft und, in diesem Falle, durch Bändigung desselben zum moralischen Antriebe wird; dahingegen Überwältigung des Intellektes durch den blind begehrenden Willen für uns die niedrigere Natur bezeichnet, weil wir hier die aufreizenden Bedürfnisse noch nicht als vom Lichte des Intellektes beleuchtete Motive, sondern als gemein sinnliche Antriebe uns erklären müssen. Das Leiden, so heftig in diesen niedrigeren Naturen es sich auch kundgeben mag, wird dennoch im überwältigten Intellekte zu einem verhältnismäßig nur schwachen Bewußtsein gelangen können, wogegen gerade ein starkes Bewußtsein von ihm den Intellekt der höheren Natur bis zum Wissen der Bedeutung der Welt steigern kann. Wir nennen die Naturen, in welchen dieser erhabene Prozeß durch eine ihm entsprechende Tat als Kundgebung an uns sich vollzieht, Heldennaturen. –

Als erkennbarsten Typus des Heldentums bildete die hellenische Sage ihren *Herakles* aus. Arbeiten, welche ihm in der Absicht, ihn dabei umkommen zu lassen, aufgegeben sind, verrichtet er in stolzem Gehorsam und befreit dadurch die Welt von den grausamsten Plagen. Selten, und wohl fast nie, treffen wir den Helden anders als in einer vom Schicksale ihm bereiteten leidenden Stellung an: Herakles wird von Hera aus Eifersucht auf seinen göttlichen Erzeuger verfolgt und in dienender Abhängigkeit erhalten. Nicht ohne Berechtigung dürften wir in diesem Hauptzuge eine Beziehung auf die Schule der beschwerdevollen Arbeiten erkennen, in welcher die edelsten arischen Stämme und Geschlechter zur Größe von Halbgöttern erwuchsen: die keineswegs mildesten Himmelsstriche, aus denen sie vollkommen gereift endlich in die Geschichte treten, können uns über die Schicksale ihrer Herkunft füglich Aufklärung geben. Hier stellt sich denn auch, als Frucht durch heldenmütige Arbeit bekämpfter Leiden und Entbehrungen, jenes stolze Selbstbewußtsein ein, durch welches diese Stämme im ganzen Verlaufe der Weltgeschichte von anderen Menschenrassen ein für alle Male sich unterscheiden. Gleich Herakles und Siegfried wußten sie sich von göttlicher Abkunft: undenkbar war ihnen das Lügen, und ein freier Mann hieß der wahrhaftige Mann. Nirgends treten diese Stammeseigentümlichkeiten der arischen Rasse mit deutlicherer Erkennbarkeit in der Geschichte auf, als bei der Berührung der letzen rein erhaltenen germanischen Geschlechter mit der verfallenden römischen Welt. Hier wiederholt sich geschichtlich der Grundzug ihrer Stammhelden: sie dienen mit blutiger Arbeit den Römern, und – verachten sie als unendlich geringer denn sie, etwa wie Herakles den Eurystheus verachtet. Daß sie, gleichsam weil es die Gelegenheit so herbeiführte, zu Beherrschern des großen lateinischen Semitenreiches wurden, dürfte ihren Untergang bereitet haben. Die Tugend des Stolzes ist zart und leidet keinen Kompromiß, wie durch Vermischung des Blutes: ohne diese Tugend sagt uns aber die germanische Rasse – nichts. Denn dieser Stolz ist die Seele des Wahrhaftigen, des selbst im dienenden Verhältnisse Freien. Dieser kennt zwar keine Furcht, aber Ehrfurcht, – eine Tugend, deren Name selbst, seinem rechten Sinne nach, nur der Sprache jener ältesten arischen Völker bekannt ist; während die Ehre selbst den Inbegriff alles persönlichen Wertes ausdrückt, daher sich nicht geben noch auch empfangen läßt, wie wir dies heutzutage in Übung gebracht haben, sondern als Zeugnis göttlicher Herkunft den Helden selbst in schmachvollsten Leiden von jeder Schmach unberührt erhält. So ergibt sich aus Stolz und Ehre die Sitte, unter deren Gesetze nicht der Besitz den Mann, sondern der Mann den Besitz adelt; was wiederum darin sich ausdrückt, daß ein übermäßiger Besitz für schmachvoll galt und deshalb von dem schnell verteilt wurde, dem er etwa zugefallen war.

Beim Überblicke solcher Eigenschaften und aus ihnen geflossener Ergebnisse, wie diese sich namentlich in einer unverbrüchlichen edlen Sitte kundgeben, sind wir, sobald wir nun wieder diese Sitte verfallen, und jene Eigenschaften sich verlieren sehen, jedenfalls berechtigt, den Grund hiervon in einem Verderbe des Blutes jener Geschlechter aufzusuchen, da wir den Verfall unverkennbar mit der Vermischung der Rassen eintreten sehen. Diese Tatsache hat der ebenso energische als geistvolle Verfasser des oben angeführten Werkes über die Ungleichheit der menschlichen Rassen so vollständig ermittelt und dargestellt, daß wir unsre Freunde nur darauf verweisen können, um annehmen zu dürfen, daß, was wir jetzt noch an jene Darstellung knüpfen wollen, als nicht oberflächlich begründet angesehen werde. Für unsre Absicht ist es nämlich nun wichtig, den Helden wiederum da aufzusuchen, wo er gegen die Verderbnis seines Stammes, seiner Sitte, seiner Ehre, mit Entsetzen sich aufrafft, um, durch eine wunderbare Umkehr seines mißleiteten Willens, sich im *Heiligen* als göttlichen Helden wiederzufinden.

Es war ein wichtiger Zug der christlichen Kirche, daß nur vollkommen gesunde und kräftige Individuen zu dem Gelübde gänzlicher Weltentsagung zugelassen wurden, jede leibliche Schwäche oder gar Verstümmelung aber dazu untüchtig machte. Offenbar durfte dieses Gelübde nur als aus dem allerheldenmütigsten Entschlusse hervorgegangen angesehen werden können, und wer dagegen hierin »feige Selbstaufgebungen« – wie dies kürzlich einmal zu vernehmen war, – erblickt, der möge sich seiner Selbstbeibehaltung tapfer erfreuen, ohne jedoch weiter mit Dingen sich zu befassen, die ihn nicht angehen. Dürfen wir auch verschiedene Veranlassungen als Beweggründe zu jener vollständigen Abwendung des Willens vom Leben annehmen, so charakterisiert sich diese doch immer als höchste Energie des Willens selbst; war es der Anblick, das Abbild, oder die Vorstellung des am Kreuze leidenden Heilandes, stets fiel hierbei die Wirkung eines allen Eigenwillen bezwingenden Mitleides mit der des tiefsten Entsetzens über die Eigenschaft dieses die Welt gestaltenden Willens in der Weise zusammen, daß dieser in höchster Kraftäußerung sich gegen sich selbst wandte. Wir sehen von dann ab den Heiligen in der Ertragung von Leiden und Selbstaufopferung für andere den Helden noch überbieten; fast unerschütterlicher als der Stolz des Helden ist die Demut des Heiligen, und seine Wahrhaftigkeit wird zur Märtyrerfreude.

Von welchem Werte dürfte nun das »Blut«, die Qualität der Rasse, für die Befähigung zur Ausübung solches heiligen Heldentumes sein? Offenbar ist die letzte, die christliche Heilsverkündigung, aus dem Schoße der ungemein mannigfaltigen Rassenvermischung hervorgegangen, welche, von der Entstehung der chaldäisch-assyrischen Reiche an, durch Vermischung weißer Stämme mit der schwarzen Rasse den Grundcharakter der Völker des späteren römischen Reiches bestimmte. Der Verfasser der uns vorliegenden großen Arbeit nennt diesen Charakter, nach einem der Hauptstämme der von Nordosten her in die assyrischen Ebenen eingewanderten Völker, den semitischen, weist seinen umbildenden Einfluß auf Hellenismus und Romanismus mit größter Sicherheit nach, und findet ihn, seinen wesentlichen Zügen nach, in der so sich nennenden »lateinischen« Rasse, durch alle ihr widerfahrenen neuen Vermischungen hindurch, forterhalten. Das Eigentum dieser Rasse ist die römisch-katholische Kirche; ihre Schutzpatrone sind die Heiligen, welche diese Kirche kanonisierte, und deren Wert in unseren Augen dadurch nicht vermindert werden soll, daß wir sie endlich nur noch im unchristlichen Prunke ausgestellt dem Volke zur Verehrung vorgeführt sehen. Es ist uns unmöglich geworden, dem, durch die Jahrhunderte sich erstrekkenden, ungeheuren Verderbe der semitisch-lateinischen Kirche noch wahrhafte Heilige, d. h. Heldenmärtyrer der Wahrhaftigkeit, entwachsen zu sehen; und wenn wir von der Lügenhaftigkeit unsrer ganzen Zivilisation auf ein verderbtes Blut der Träger derselben schließen mußten, so dürfte die Annahme uns nahe liegen, daß eben auch das Blut des Christentums verderbt sei. Und welches Blut wäre dieses? Kein anderes als das Blut des Erlösers selbst, wie es einst in die Adern seiner Helden sich heiligend ergossen hatte.

Das Blut des Heilandes, von seinem Haupte, aus seinen Wunden am Kreuze fließend, – wer wollte frevelnd fragen, ob es der weißen, oder welcher Rasse sonst angehörte? Wenn wir es göttlich nennen, so dürfte seinem Quelle ahnungsvoll einzig in dem, was wir als die Einheit der menschlichen Gattung ausmachend bezeichneten, zu nahen sein, nämlich in der Fähigkeit zu bewußtem Leiden. Diese Fähigkeit müssen wir als die letzte Stufe betrachten, welche die Natur in der aufsteigenden Reihe ihrer Bildungen erreichte; von hier an bringt sie keine neuen, höheren Gattungen mehr hervor, denn in dieser, des bewußten Leidens fähigen Gattung erreicht sie selbst ihre einzige Freiheit durch Aufhebung des rastlos sich selbst widerstreitenden Willens. Der unerforschliche Urgrund dieses Willens, wie er in Zeit und Raum unmöglich aufzuweisen ist, wird uns nur in jener Aufhebung kund, wo er als Wollen der Erlösung göttlich erscheint. Fanden wir nun dem Blute der sogenannten weißen Rasse die Fähigkeit des bewußten Leidens in besonderem Grade zu eigen, so müssen wir jetzt im Blute des Heilandes den Inbegriff des bewußt wollenden Leidens selbst erkennen, das als göttliches Mitleiden durch die ganze menschliche Gattung, als Urquell derselben, sich ergießt.

Was wir hier einzig mit der Möglichkeit eines schwer verständlichen und leicht mißverständlichen Ausdruckes berühren, dürfte sich unter der Beleuchtung durch die Geschichte in einem vertraulicheren Lichte gewahren lassen. Wiefern durch jene gesteigerte Hauptfähigkeit, die wir als die Einheit der menschlichen Gattung konstatierend annahmen, die bevorzugteste weiße Rasse sich in der wichtigsten Angelegenheit der Welt erhob, sehen wir an ihren Religionen. Wohl muß uns die brahmanische Religion als staunenswürdigstes Zeugnis für die Weitsichtigkeit, wie die fehlerlose Korrektheit des Geistes jener zuerst uns begegnenden arischen Geschlechter gelten, welche auf dem Grunde einer allerwesenhaftesten Welterkenntnis ein religiöses Gebäude aufführten, das wir, nach so vielen tausend Jahren unerschüttert, von vielen Millionen Menschen heute noch als jede Gewohnheit des Lebens, Denkens, Leidens und Sterbens durchdringendes und bestimmendes Dogma erhalten sehen. Sie hatte den einzigen Fehler, daß sie eine Rassenreligion war: die tiefsten Erklärungen der Welt, die erhabensten Vorschriften für Läuterung und Erlösung aus ihr, werden heute noch von einer ungeheuer gemischten Bevölkerung gelehrt, geglaubt und befolgt, in welcher nicht ein Zug wahrer Sittlichkeit anzutreffen ist. Ohne bei diesem Anblicke zu verweilen, noch auch selbst den Gründen dieser Erscheinung näher nachzuforschen, gedenken wir nur dessen, daß es eine erobernde und unterjochende Rasse war, welche, den allerdings ungeheuren Abstand der niederen Rassen von sich ermessend, mit einer Religion zugleich eine Zivilisation gründete, durch deren beiderseitige Durchdringung und gegenseitige Unterstützung eine Herrschaft zu begründen war, welche durch richtige Abschätzung und Geltendmachung vorgefundener natürlicher Gegebenheiten auf festeste Dauer berechnet war. Eine Meisterschöpfung sondergleichen: Herrscher und grauenvoll Bedrückte in ein Band metaphysischer Übereinstimmung solchermaßen verschlingend, daß eine Auflehnung der Bedrückten undenklich gemacht ist; wie denn auch die weitherzige Bewegung des Buddha zugunsten der menschlichen Gattung an dem Widerstande der starren Rassenkraft der weißen Herrscher sich brechen mußte, um als bieder abergläubige Heilsordnung von der gelben Rasse zu neuer Erstarrung aufgenommen zu werden.

Aus welchem Blute sollte nun der Genius der Menschheit, der immer bewußtvoller leidende, den Heiland erstehen lassen, da das Blut der weißen Rasse offenbar verblaßte und erstarrte? – Für die Entstehung des natürlichen Menschen stellt unser *Schopenhauer* gelegentlich eine Hypothese von fast überzeugender Eindringlichkeit auf, indem er auf das physische Gesetz des Anwachsens der Kraft durch Kompression zurückgeht, aus welchem nach abnormen Sterblichkeitsphasen ungewöhnlich häufig erfolgende Zwillingsgeburten erklärt werden, gleichsam als Hervorbringung der gegen den, das ganze Geschlecht bedrohenden Vernichtungsdruck, sich doppelt anstrengenden Lebenskraft; was nun unsren Philosophen auf die Annahme hinleitet, daß die animalische Produktionskraft, infolge eines bestimmten Geschlechtern noch eigenen Mangels ihrer Organisation, durch ihr antagonistische Kräfte bis zur Vernichtung bedroht, in einem Paare zu so abnormer Anstrengung gesteigert worden sei, daß dem mütterlichen Schoße dieses Mal nicht nur ein höher organisiertes Individuum, sondern in diesem eine neue *Spezies* entsprossen wäre. Das Blut in den Adern des Erlösers dürfte so der äußersten Anstrengung des Erlösung wollenden Willens zur Rettung des in seinen edelsten Rassen erliegenden menschlichen Geschlechtes, als göttliches Sublimat der Gattung selbst entflossen sein.

Wollen wir uns hiermit als an der äußersten Grenze einer zwischen Physik und Metaphysik schwankenden Spekulation angekommen betrachten und wohl vor dem Weiterbeschreiten dieses Weges hüten, der, namentlich unter Anleitung des alten Testamentes, manchen unsrer tüchtigen Köpfe zu den törigsten Ausbildungen verleitet hat, so können wir doch der soeben berührten Hypothese in betreff seines Blutes noch ein zweite, allerwichtigste Eigentümlichkeit des Werkes des Erlösers entnehmen, nämlich diesen der Einfachheit seiner Lehre, welche fast nur im Beispiele bestand. Das in jener wundervollen Geburt sich sublimierende Blut der ganzen leidenden menschlichen Gattung konnte nicht für das Interesse einer noch so bevorzugten Rasse fließen; vielmehr spendet es sich dem ganzen menschlichen Geschlechte zur edelsten Reinigung von allen Flecken seines Blutes. Hieraus fließt dann die erhabene Einfachheit der reinen christlichen Religion, wogegen z. B. die brahmanische, weil sie die Anwendung der Erkenntnis der Welt auf die Befestigung der Herrschaft einer bevorzugten Rasse war, sich durch Künstlichkeit bis in das Übermaß des ganz Absurden verlor. Während wir somit das Blut edelster Rassen durch Vermischung sich verderben sehen, dürfte den niedrigsten Rassen der Genuß des Blutes Jesu, wie er in dem einzigen echten Sakramente der christlichen Religion symbolisch vor sich geht, zu göttlichster Reinigung gedeihen. Dieses Antidot wäre demnach dem Verfalle der Rassen durch ihre Vermischung entgegengestellt, und vielleicht brachte dieser Erdball atmendes Leben nur hervor, um jener Heilsordnung zu dienen.

Verkennen wir jedoch das Ungeheuerliche der Annahme nicht, die menschliche Gattung sei zur Erreichung voller Gleichheit bestimmt, und gestehen wir es uns, daß wir diese Gleichheit uns nur in einem abschreckenden Bilde vorstellen können, wie dies etwa

Gobineau am Schlusse seines Werkes uns vorzuhalten sich genötigt fühlt. Dieses Bild wird jedoch erst dadurch vollständig abstoßend, daß wir nicht anders als durch den Dunst unsrer Kultur und Zivilisation es zu erblicken für möglich halten müssen: diese selbst nun als die eigentliche Lügengeburt des mißleiteten menschlichen Geschlechtes richtig zu erkennen, ist dagegen die Aufgabe des Geistes der Wahrhaftigkeit, der uns verlassen hat, seit wir den Adel unsres Blutes verloren und die hiergegen durch den wahrhaftigen Märtyrergeist des Christentums uns zugeführte Rettung im Wuste der Kirchenherrschaft als Mittel zur Knechtung in der Lüge verwendet sahen. Allerdings gibt es nichts Trostloseres, als die menschlichen Geschlechter der aus ihrer mittelasiatischen Heimat nach Westen gewanderten Stämme heute zu mustern, und zu finden, daß alle Zivilisation und Religion sie noch nicht dazu befähigt hat, sich in gemeinnütziger Weise und Anordnung über die günstigsten Klimate der Erde so zu verteilen, daß der allergrößte Teil der Beschwerden und Verhinderungen einer freien und gesunden Entwickelung friedfertiger Gemeindezustände, einfach schon durch die Aufgebung der rauhen Öden, welche ihnen großenteils jetzt seit so lange zu Wohnsitzen dienen, verschwände. Wer diese blödsichtige Unbeholfenheit unsres öffentlichen Geistes einzig der Verderbnis unsres Blutes, – nicht allein durch den Abfall von der natürlichen menschlichen Nahrung, sondern namentlich auch durch degenerierende Vermischung des heldenhaften Blutes edelster Rassen mit dem, zu handelskundigen Geschäftsführern unsrer Gesellschaft erzogener, ehemaliger Menschenfresser – zuschreibt, mag gewiß Recht haben, sobald er nur auch die Beachtung dessen nicht übergeht, daß keine mit noch so hohen Orden geschmückte Brust das bleiche Herz verdecken kann, dessen matter Schlag seine Herkunft aus einem, wenn auch vollkommen stammesgemäßen, aber ohne Liebe geschlossenen Ehebunde verklagt.

Wollen wir dennoch versuchen, durch alle hier angedeuteten Schrecknisse hindurch uns einen ermutigenden Ausblick auf die Zukunft des menschlichen Geschlechtes zu gewinnen, so hat uns nichts angelegentlicher einzunehmen, als noch vorhandenen Anlagen und aus ihrer Verwertung zu schließenden Möglichkeiten nachzugehen, wobei wir das eine festzuhalten haben, daß, wie die Wirksamkeit der edelsten Rasse durch ihre, im natürlichen Sinne durchaus gerechtfertigte, Beherrschung und Ausbeutung der niederen Rassen, eine schlechthin unmoralische Weltordnung begründet hat, eine mögliche Gleichheit aller, durch ihre Vermischung sich ähnlich gewordener Rassen uns gewiß zunächst nicht einer ästhetischen Weltordnung zuführen würde, diese Gleichheit dagegen einzig aber uns dadurch denkbar ist, daß sie sich auf den Gewinn einer allgemeinen moralischen Übereinstimmung gründet, wie das wahrhaftige Christentum sie auszubilden uns berufen dünken muß. Daß nun aber auf der Grundlage einer wahrhaftigen, nicht »vernünftigen« (wie ich kürzlich von einem Philologen sie gewünscht sah), Moralität eine wahrhaftige ästhetische Kunstblüte einzig gedeihen kann, darüber gibt uns das Leben und Leiden aller großen Dichter und Künstler der Vergangenheit belehrenden Aufschluß. –

Und hiermit auf unsrem Boden angelangt, wollen wir uns für weiteres Befassen mit dem Angeregten sammeln.

Über das Männliche und Weibliche in Kultur und Kunst

Das Unzureichende der kausalen Erkenntnisform für das Wesen der Dinge kann uns bei der Beurteilung der räumlichen, wie namentlich zeitlichen Priorität des Männlichen und Weiblichen in ihrer Zusammenstellung, recht deutlich werden. – Ist der Mann oder das Weib »eher«? Müßige Frage, da Empfängnis ohne Zeugung, wie Zeugung ohne Empfängnis unvorstellbar ist; demnach uns nur eine Geteiltheit der, wiederum nur als Einheit faßlichen, Gattung vorliegt, welche durch die Tat der Aufhebung dieser Geteiltheit ihre Wirklichkeit, sowie ideale Würde, gewinnt.

Solange uns für die Beurteilung natürlicher und menschlicher Dinge die Geteiltheit des Geschlechtes in ihrer verschiedenen Wirksamkeit einzig erkennbar wird, steht die Gattung noch dem Ideale fern. Auch eine Kultur und eine Kunst könnten nur vollkommen sein, wenn sie ein Ergebnis der Tat jener Aufhebung der Geteiltheit der Einheit des Männlichen und Weiblichen wären.

Tat: – die vollkommen entsprechende Vermählung. – Plato: – sein Staat fehlerhaft und unmöglich. – Dennoch liegt immer mahnend die schlimme Erfahrung der geschichtlich fortgepflanzten Menschheit vor uns, als Verfall der Rassen durch unrichtige Vermählungen: physischer Verderb mit dem moralischen vereinigt. Platon's Fehlgreifen darf uns von dem ihm so deutlich aufgegangenen Probleme nicht zurückhalten; demnach wir als unfehlbar gewiß zu erkennen haben, daß Vermählungen ohne gegenseitige Zuneigung für das menschliche Geschlecht verderblicher als Alles gewesen sind.

Gobineau: Definition der Gründe der Übermacht der weißen Rasse: Richtung auf das Nützliche durch Erkenntnis des Schädlichen der Zügellosigkeit des Wollens. Genau: vorsichtige Ausbeutung der Gewalt-Macht zum Genuß des Besitzes. (Männlich.) Scheinbar: Korrektion der – wiederum doch nur anscheinend – zwecklos bildenden Natur; zugleich aber Unverständnis des wahren Zweckes der Natur, der auf Befreiung aus sich selbst zielt: (Weiblich.)

Über das Weibliche im Menschlichen

Nur beiläufig und wie eines Abseitsliegenden finde ich, beim Überblicke der mir bekannt gewordenen Abhandlungen über den Verfall der menschlichen Geschlechter, des Charakters der Ehebündnisse und des ihnen entsprießenden Einflusses auf die Eigenschaften der Gattungen gedacht. Über diesen ausführlicher meine Gedanken mitzuteilen, behielt ich mir vor, als ich meinem Aufsatze über »Heldentum und Christentum« die Bemerkung anfügte: »daß keine mit noch so hohen Orden geschmückte Brust das bleiche Herz verdecken kann, dessen matter Schlag seine Herkunft aus einem, wenn auch vollkommen stammesgemäßen, aber ohne Liebe geschlossenen Ehebund verklagt«.

Wollen wir hierbei anhalten und zu tiefem Besinnen uns sammeln, so dürfte uns leicht die unermeßliche Aussicht erschrecken, welche ein ernsthaft dafür eingenommener Gesichtspunkt uns eröffnet. Wenn ich uns kürzlich die Aufgabe stellte, dem Reinmenschlichen in seiner Übereinstimmung mit dem ewig Natürlichen nachzuforschen, so müssen wir bei vollster Besonnenheit erkennen, daß in dem Verhalten zwischen Mann und Weib, oder dem Männlichen und Weiblichen, der einzig vernünftige und deshalb zur lichtesten Erkenntnis leitende Ausgangspunkt hierfür zu finden ist.

Während mit hellster Deutlichkeit uns der Verfall der menschlichen Rassen vorliegt, ersehen wir die tierischen Geschlechter, außer wo der Mensch sich ihrer Mischungen bemächtigte, in großer Reinheit forterhalten: offenbar, weil diese keine auf Eigentum und Besitz berechneten Konventionsheiraten kennen. Sie kennen aber auch keine Ehe; und ist es die Ehe, welche den Menschen so weit über die Tierwelt zur höchsten Entwicklung seiner moralischen Fähigkeiten erhebt, so ist eben wiederum der Mißbrauch der Ehe zu gänzlich außer ihr liegenden Zwecken der Grund unsres Verfalles bis unter die Tierwelt.

Da wir sogleich mit einer vielleicht überraschenden Prägnanz das sündliche Übel bezeichnen mußten, welches im Geleite der zur Zivilisation fortschreitenden Kultur uns von den Vorteilen ausschloß, welche die tierischen Geschlechter in ihrer Fortzeugung unentstellt erhalten, dürfen wir uns auch als sofort an den sittlichen Kern unsres Problems herangetreten erkennen.

Dieser deckt sich unsrem Urteile alsbald bei der Gewahrwerdung des Unterschiedes des Verhältnisses des Männlichen zum Weiblichen im Leben der Tiere und dem der Menschen auf. So stark auch bei den männlichen Tiere der höchsten Gattungen die leidenschaftliche Brunst bereits auch auf die Individualität des Weibchens gerichtet sein mag, so beschützt es die Mutter doch nur so lange, bis diese selbst imstande ist, die Jungen zur Selbsterhaltung soweit anzuleiten, daß sie endlich sich selbst überlassen werden und auch der Mutter sich entfremden können: hier liegt der Natur erst nur noch an der Gattung, die sie um so reiner erhält, als sie die Mischung der Paare einzig durch die gegenseitige Brunst derselben herbeiführt. Hiergegen nun wäre zu behaupten, daß die Ausscheidung des Menschen aus dem tierischen Gattungsgesetze zuerst sich dadurch vollzog, daß die Brunst in ihm als leidenschaftliche Zuneigung auf das Individuum sich wandte, in welcher der bei den Tieren so entscheidende mächtige Gattungsinstinkt vor der idealen Befriedigung des Geliebtseins von diesem *einen* Individuum bis zur Unverständlichkeit sich herabstimmt: mit Naturkraft scheint dieser nur im Weibe, in der Mutter gesetzgebend fortzuwalten, wodurch sie, anderseits durch die auf ihre Individualität gerichtete ideale Liebe des Mannes verklärt, jener Naturkraft selbst verwandter bleibt als der Mann, dessen Leidenschaft der gefesselten Mutterliebe gegenüber jetzt zur *Treue* wird.

Liebestreue: Ehe; hier liegt die Macht des Menschen über die Natur, und wir nennen sie göttlich. Sie ist die Bildnerin der edlen Rassen*. Leicht dürfte das Hervorgehen dieser aus den zurückbleibenden niedereren Rassen durch das Hervortreten der Monogamie aus der Polygamie erklärt werden können; gewiß ist, daß die edelste weiße Rasse in Sage und Geschichte bei ihrem ersten Erscheinen monogamisch auftritt, als Eroberer durch polygamische Vermischung mit den Unterworfenen sofort aber ihrem Verderben entgegen geht**.

Hier nun treffen wir in der gegensätzlichen Beurteilung der Polygamie und der Monogamie auf die Berührung des Reinmenschlichen mit dem ewig Natürlichen. Von vorzüglichen Köpfen wird die Polygamie als der natürlichere Zustand angesehen, wogegen die monogamische Ehe als ein stets neu unternommenes Wagnis ge-

---

* Nur aus solcher Ehe konnten die Rassen sich auch in der Zeugung veredeln.
** Bei Eroberern sogleich Polygamie (Besitz).

gen die Natur gilt. Gewiß stehen polygamische Völker dem Natur-
zustande näher und erreichen hierbei, sobald nicht störende Mischungen unterlaufen, die Reinerhaltung ihrer Rasse mit dem Erfolge, mit welchem die Natur die tierischen Geschlechter unverändert sich gleich erhält. Nur ein bedeutendes Individuum kann der
Polygame nicht erzeugen, außer unter der Einwirkung des idealen
Gesetzes der Monogamie, wie es ja selbst durch leidenschaftliche
Zuneigung und Liebestreue in den Harems der Orientalen seine
Macht zuweilen ausübt. Hier ist es, wo das Weib selbst über das
natürliche Gattungsgesetz erhoben wird, welchem es anderseits
nach der Annahme selbst der weisesten Gesetzgeber so stark unterworfen blieb, daß z. B. der Buddha es von der Möglichkeit der
Heiligwerdung ausgeschlossen gehalten wissen wollte*. Es ist ein
schöner Zug der Legende, welche auch den Siegreich-Vollendeten
zur Aufnahme des Weibes sich bestimmen läßt. Gleichwohl geht
der Prozeß der Emanzipation des Weibes nur unter ekstatischen
Zuckungen vor sich. Liebe – Tragik.

* Idealität des Mannes – Neutralität des Weibes – (Buddha) – nun – Entartung
des Mannes.

Bibliographische Anmerkungen

Die deutsche Oper. Geschrieben nach der Rückkehr aus Würzburg, vor Antritt der ersten Kapellmeisterstelle in Lauchstädt, zwischen Februar und Mai 1834 in Leipzig. Anonym erschienen in der von Heinrich Laube herausgegebenen »Zeitung für die elegante Welt«, Leipzig, Nr. 111 vom 10. Juni 1834. Aufgenommen in den von Richard Sternfeld aus dem Nachlaß herausgegebenen zwölften Band der »Gesammelten Schriften und Dichtungen«, Leipzig o. J.

Der Virtuos und der Künstler. Geschrieben im Oktober 1840 in Paris, 5. Teil von »Ein deutscher Musiker in Paris. Novellen und Aufsätze«. Erschienen in der »Gazette musicale de Paris« vom 18. Oktober 1840. Aufgenommen in den ersten Band der »Gesammelten Schriften und Dichtungen«, Leipzig 1871 ff.

Über die Ouvertüre. Geschrieben um die Jahreswende 1840/41 in Paris. Erschienen in drei Nummern der »Gazette musicale de Paris« ab 10. Januar 1841. Aufgenommen in den ersten Band der »Gesammelten Schriften und Dichtungen«.

Halévy und die Französische Oper. Geschrieben Anfang 1842 in Paris anläßlich der Pariser Aufführung von Jacques Halévys Oper »La Reine de Chypre« Ende 1841. Manuskript, nicht identisch mit der in Paris veröffentlichten französischen Fassung. Aufgenommen in den von Richard Sternfeld aus dem Nachlaß herausgegebenen zwölften Band der »Gesammelten Schriften und Dichtungen«.

Wie verhalten sich republikanische Bestrebungen dem Königtum gegenüber? Geschrieben Mai/Juni 1848 in Dresden. Anonym erschienen in einer Sonderbeilage des »Dresdner Anzeigers« vom 14. Juni 1848. Am folgenden Tag als Rede gehalten im Dresdner Vaterlandsverein. Aufgenommen in den von Richard Sternfeld aus dem Nachlaß herausgegebenen zwölften Band der »Gesammelten Schriften und Dichtungen«.

Deutschland und seine Fürsten. Geschrieben im Oktober 1848 in Dresden. Anonym erschienen am 15. Oktober 1848 in den von August Röckel herausgegebenen »Volksblättern«. Aufgenommen in den von Richard Sternfeld aus dem Nachlaß herausgegebenen zwölften Band der »Gesammelten Schriften und Dichtungen«.

Der Mensch und die bestehende Gesellschaft. Geschrieben im Februar 1849 in Dresden. Anonym erschienen am 10. Februar 1849 in den von August Röckel herausgegebenen »Volksblättern«. Aufgenommen in den von Richard Sternfeld aus dem Nachlaß herausgegebenen zwölften Band der »Gesammelten Schriften und Dichtungen«.

Die Kunst und die Revolution. Geschrieben Ende Juli 1849 in Zürich. Erschienen im Herbst 1849 bei Otto Wigand in Leipzig. Aufgenommen in den dritten Band der »Gesammelten Schriften und Dichtungen«.

Das Kunstwerk der Zukunft. Geschrieben Oktober/November 1849, beendet am 4. November 1849 in Zürich, Ludwig Feuerbach mit einem Brief vom 21.

November 1849 gewidmet. Erschienen Anfang 1850 bei Otto Wigand in Leipzig. Aufgenommen in den dritten Band der »Gesammelten Schriften und Dichtungen«. Um einige Abschnitte und den Schluß gekürzt.

Das Künstlertum der Zukunft. Fragment einer geplanten Fortsetzung von »Das Kunstwerk der Zukunft«, Beginn der Niederschrift frühestens August 1849, vermutlich über einige Jahre weitergeführt, zusammengestellt aus nachgelassenen Papieren von Hans von Wolzogen, erschienen 1885 in »Entwürfe, Gedanken, Fragmente«, ergänzt von Richard Sternfeld. Aufgenommen in den von Richard Sternfeld aus dem Nachlaß herausgegebenen zwölften Band der »Gesammelten Schriften und Dichtungen«.

Das Judentum in der Musik. Geschrieben im August 1850 in Zürich. Erschienen unter dem Pseudonym K. Freigedank am 3. und 6. September 1850 in zwei Folgen der von Franz Brendel herausgegebenen »Neuen Zeitschrift für Musik«, Leipzig. Als Broschüre gedruckt mit einer Einleitung »Aufklärungen über das Judentum in der Musik (An Frau Marie Muchanoff, geborene Gräfin Nesselrode)« 1869 bei Weber in Leipzig. Aufgenommen in den fünften Band der »Gesammelten Schriften und Dichtungen«.

Oper und Drama. Geschrieben um die Jahreswende 1850/51 in Zürich, Urschrift beendet am 10. Januar 1851, letzte Fassung abgeschlossen am 11. Februar 1851. Erschienen 1852, III Bde., bei Weber in Leipzig. Aufgenommen in den dritten und vierten Band der »Gesammelten Schriften und Dichtungen«. Gekürzt um die Abschnitte, die vorwiegend den Einzelanalysen der Künste gewidmet sind, sowie um das Vorwort.

Über Staat und Religion. Geschrieben für König Ludwig II. von Bayern, beendet am 16. Juli 1864 in Haus Pellet, Kempfenhausen am Starnberger See. Aufgenommen in den achten Band der »Gesammelten Schriften und Dichtungen«.

Was ist deutsch? Geschrieben für König Ludwig II. von Bayern, ursprünglich als Tagebuchblätter, vom 14. bis 27. September 1865 in München. Erschienen in erweiterter Form 1878 in den »Bayreuther Blättern«. Die Tagebuchblätter sind abgedruckt in »König Ludwig II. und Richard Wagner. Briefwechsel«, vierter Band, bearbeitet von Otto Strobel, Karlsruhe 1936. Aufgenommen, ohne einige direkte Anreden an den »königlichen Freund«, in den von Richard Sternfeld aus dem Nachlaß herausgegebenen zehnten Band der »Gesammelten Schriften und Dichtungen«, Leipzig 1883. Der Abdruck folgt der letzten Fassung, ohne die Zusätze (Vorwort und Nachwort) des Jahres 1878.

Tagebuchaufzeichnung. Geschrieben für König Ludwig II. von Bayern am 11. Oktober 1865, dem König jedoch nicht ausgehändigt. Das Original des Manuskripts trägt den Vermerk Cosimas: »Fragment inachevé et non communiqué«. Abgedruckt in »König Ludwig II. und Richard Wagner. Briefwechsel«, vierter Band, bearbeitet von Otto Strobel, Karlsruhe 1936. Die »Vorfälle« am Ende des Münchner Oktoberfests, von denen die Rede ist, ereigneten sich am 8. und 9. Oktober 1865 in München. Abkürzungen (»u.«) wurden ausgeschrieben.

Deutsche Kunst und deutsche Politik. Geschrieben im September 1867. Abgedruckt bis zur 13. Folge, vom 24. September bis 19. Dezember 1867, in der von Julius Fröbel herausgegebenen »Süddeutschen Presse«, München. Erschienen 1868 bei Weber in Leipzig. Aufgenommen in den achten Band der »Gesammelten Schriften und Dichtungen«. Gekürzt um die Abschnitte, die sich vorwiegend mit Stiftungen und zeitgenössischem Kunstleben auseinandersetzen.

Über die Benennung »Musikdrama«. Geschrieben am 26. Oktober 1872. Aufgenommen in den neunten Band der »Gesammelten Schriften und Dichtungen«.

Religion und Kunst. Niederschrift begonnen vor dem 8. Juni 1880, beendet am 19. Juli 1880 in Neapel. Veröffentlicht in den »Bayreuther Blättern« vom Oktober 1880. Aufgenommen in den von Richard Sternfeld aus dem Nachlaß herausgegebenen zehnten Band der »Gesammelten Schriften und Dichtungen«.

Heldentum und Christentum. Ausführungen zu »Religion und Kunst«, 2. Teil. Geschrieben vom 23. August bis 4. September 1881 in Bayreuth. Aufgenommen in den von Richard Sternfeld aus dem Nachlaß herausgegebenen zehnten Band der »Gesammelten Schriften und Dichtungen«.

Über das Männliche und Weibliche in Kultur und Kunst. Fragment. Niedergeschrieben am 27. März 1882 in Acireale/Sizilien, eingetragen ins »braune Buch«, ein seit 1865 gelegentlich benutztes Tagebuch, veröffentlicht als »Das braune Buch. Tagebuchaufzeichnungen 1865 bis 1882«, vorgelegt und kommentiert von Joachim Bergfeld, Zürich und Freiburg i. Br. 1975. Abkürzungen (»u.«) wurden ausgeschrieben.

Über das Weibliche im Menschlichen. Letzte Aufzeichnung vom 11. bis 13. Februar 1883 in Venedig, abgedruckt in den »Bayreuther Blättern« 1885. Aufgenommen in den von Richard Sternfeld aus dem Nachlaß herausgegebenen zwölften Band der »Gesammelten Schriften und Dichtungen«.